'IAITH Y NEFOEDD'
Dyfyniadau ynglŷn â'r Iaith Gymraeg

'IAITH Y NEFOEDD'

Dyfyniadau ynglŷn â'r Iaith Gymraeg

Casgliad Gwilym Lloyd Edwards

Argraffiad cyntaf: 2011

ⓗ y casgliad: Gwilym Lloyd Edwards/Gwasg Carreg Gwalch

Rhif rhyngwladol: 978-1-84527-338-5

Mae'r cyhoeddwr yn cydnabod cefnogaeth ariannol
Cyngor Llyfrau Cymru

Cynllun clawr: Sion Ilar

Cyhoeddwyd gan Wasg Carreg Gwalch,
12 Iard yr Orsaf, Llanrwst, Conwy, LL26 0EH.
Ffôn: 01492 642031 Ffacs: 01492 641502
e-bost: llyfrau@carreg-gwalch.com
lle ar y we: www.carreg-gwalch.com

'Y mae i Gymru ei hiaith ei hun, ac ni fedr gadw ei henaid hebddi . . .
Y mae ynddi brydyddiaeth bywyd a gobaith mil o flynyddoedd wedi ei
drysori.'

---O. M. Edwards, Er Mwyn Cymru (1922), 12

'Y gwir yw mai un o'r ystrydebau tragwyddol hynny yw "pwnc yr iaith"
sy'n rhoi testun i bawb ymfflamychu arno, cyhyd ag yr ymfflamychont yn
ôl cysondeb y ffydd, yn ôl yr amgyffred lleiaf sy'n gyffredin i bawb: y mae
llawer yn traethu arno, rhai heb ystyried, rhai yn ynfyd, a llawer iawn yn
anonest.'

---W. J. Gruffydd, Y Tro Olaf (1939), 102-03

Cynnwys

Cyflwyniad

Cystadleuaeth yn Eisteddfod Genedlaethol Dyffryn Conwy a'r Cyffiniau, Llanrwst, 1989, oedd y 'cyffro cychwynnol' i'r gyfrol hon. Gofynnid am 'Gasgliad o Ddyfyniadau ynglŷn â'r Iaith Gymraeg. Gallant fod mewn unrhyw iaith ond dylid eu cyfieithu i'r Gymraeg. Dylid nodi ffynonellau.' Daeth cnewyllyn y casgliad hwn, ryw bedwar cant o ddyfyniadau, yn fuddugol dan feirniadaeth Dr R. Geraint Gruffydd a diolchaf iddo am ei sylwadau gwerthfawrogol. Rhodd Cymdeithas Gelfyddydau Gogledd Cymru oedd y wobr o £100.

Roedd yn amlwg fod yma wythïen gyfoethog i weithio arni a pharheais i ychwanegu'n raddol at y casgliad nes ei fod bellach deirgwaith ei faintioli gwreiddiol. Rhoddais sylw arbennig i gyngor y beirniad mai da fyddai cynnwys peth o ffrwyth llafur ieithyddion cymdeithasol ein dyddiau ni, a hefyd olrhain nifer o ddyfyniadau o ffynonellau eilradd i'r gwreiddiol hyd y gellid, gorchwyl y cefais help gan gyfaill i'w gyflawni. Trefnwyd y deunydd dan enwau'r awduron yn hytrach nag yn thematig, a'r enwau hynny yn nhrefn yr wyddor. Ceisiwyd hefyd osod teitlau'r gweithiau y dyfynnir ohonynt yn nhrefn yr wyddor. Rhoddir y cyfeiriad at y ffynhonnell yn gyflawn dan y dyfyniad, ond lle bo mwy nag un dyfyniad o'r un gyfrol bodlonir ar nodi rhif y tudalen yn unig dan y rheini. Diweddarwyd yr orgraff ac eithrio'r dyfyniadau o'n llenyddiaeth gynnar a chyfnod y Dadeni. Ar dro, mentrais ychwanegu nodyn perthnasol mewn bachau petryal yn dilyn y dyfyniad.

Ymgynghorais â Mrs Glenda Carr, Bangor, a Mr Andrew Hawke, fy nghydweithiwr gynt ar staff Geiriadur Prifysgol Cymru, ynglŷn â'r ymadrodd 'iaith y nefoedd' a ddewisais yn deitl i'r gyfrol. Bu eu hymateb caredig yn foddion i'm harbed rhag troedio ar dir a ymddengys ar hyn o bryd yn sigledig.

Mawr yw fy niolch i staff y Llyfrgell Genedlaethol a llyfrgelloedd Y Bala a Dolgellau am eu croeso a'u gwasanaeth ewyllysgar; i'm mab Cerith am ei help anhepgorol gyda'r cyfrifiadur; ac yn arbennig i Wasg Carreg Gwalch am eu hamynedd ac am gynhyrchu cyfrol mor gymen.

Rhagarweiniad

'Anghymharol famiaith', 'iaith y nefoedd', 'odrwydd rhanbarthol', *native gibberish*', *'barb'rous jargon'*, dyna'r fath amrywiaeth barn sydd yma ynglŷn â'r Gymraeg fel iaith. Mae yma hefyd ymagweddu gwahanol tuag ati o ran ei gwerth a'i defnyddioldeb: o fod yn rhodd Duw, y trysor pennaf a feddwn, yr allwedd i'n gorffennol cyfoethog, yr unig foddion i warchod ein personolrwydd fel cenedl, yr unig wrthglawdd rhyngom a diddymdra, i fod yn rhwystr i bob cynnydd deallol a moesol ymhlith y Cymry yn ogystal ag i'w llwyddiant bydol, yn rhwystr hefyd i undeb mewn byd ac eglwys. A'r Cymry uniaith yn hil ddiflanedig bron bellach, dadleuir bod yr iaith yn ddiangen a diwerth, gan fod dwyieithrwydd yma i aros. Dyma un o'r problemau mawr heddiw, a hwn eto'n bwnc dadleuol, yn 'rhodd a bendith' neu'n 'fendith gymysg' ym marn rhai, ond yn ddim llai na 'gelyn marwol' ym marn eraill. Oherwydd bod mewnfudwyr yn dod ar gymaint graddfa fel na ellir eu cymathu, ni all dwyieithrwydd yng Nghymru fod ond yn unochrog. Gan nad oes *raid* i'r dyfodiaid ddysgu Cymraeg, y Cymry'n unig sy'n ddwyieithog, ac felly y perygl mawr yw y bydd hyn yn arwain i unieithrwydd Saesneg yn y man. Awgrymir, os gall y ddwy iaith gyd-fyw o gwbl, y gellid neilltuo'r Gymraeg i fyd crefydd a'r Saesneg i fyd masnach a chyfraith.

Llawer gwaith y daroganwyd tranc yr iaith ac o bryd i'w gilydd bu rhywrai'n taer ddymuno gweld ei difodi'n llwyr oddi ar wyneb y ddaear. Y mae Dr John Davies, Mallwyd, er enghraifft, yn sôn yn 1621 bod rhai o'r fath i'w cael yn ei ddydd ef. Mae'n ymfalchïo ac yn rhyfeddu bod dyrnaid bach o hil y Brythoniaid wedi llwyddo i gadw eu hiaith yn ddilwgr, er pob tro ar fyd, hyd hynny (gymaint mwy y dylem ni ryfeddu heddiw, bedair canrif yn ddiweddarach!). Fel eraill, yr oedd ef yn credu bod Duw yn gwarchod y Gymraeg fel y pregether yr Efengyl ynddi. Syniai Griffith Jones yntau fod ceisio difodi'r iaith yn golygu gweithio yn erbyn Rhagluniaeth ddwyfol. Diddorol hefyd yw sylw Dr Davies fod ein tirwedd mynyddig wedi chwarae rhan gynt mewn diogelu'r iaith; nid oedd yn y cymoedd diarffordd a'r cilfachau anhygyrch 'gnu aur i lygad-dynnu Jasoniaid'. Meddianned y gorchfygwyr diroedd breision llawr gwlad.

Mae'n debyg mai fel cymwynaswyr mawr y Gymraeg y tueddwn ni i feddwl gyntaf oll am yr Esgob Morgan a Griffith Jones, Llanddowror. Yn eironig, nid achub yr iaith ond achub eneidiau'r Cymry tlodion ac anllythrennog, a hynny ar frys, oedd eu prif amcan. Diben crefyddol oedd i'w gweithgarwch, a chyfrwng—yr unig gyfrwng effeithiol wrth law i gyflawni hynny—oedd y Gymraeg. Pwysleisiai'r ddau mai yn iaith y bobl y mae'n rhaid dysgu crefydd a gwnaeth Beibl 1588 a'r Ysgolion Cylchynol gymwynas ddifesur â'r iaith. Gellir dweud bod y Gymraeg yn cydnaws â gwirioneddau ysbrydol, iddi fod ynghlwm wrth ein crefydd dros y cenedlaethau a bod perygl, o golli'r iaith, golli'r Ffydd hefyd. Bu'r capeli Anghydffurfiol yn hollbwysig i'r iaith ac areithyddiaeth rymus ac eneiniedig y pulpud ynghyd â'r 'hwyl' Gymreig yn nodedig.

Ceir yma ddyfyniadau'n ymwneud â'r iaith o safbwynt ieithyddol, ei gramadeg, ei chystrawen, ei phriod-ddulliau, ei geirfa a'i horgraff, benthyciadau, cyfieithu iddi ac ohoni; hefyd â'r tafodieithoedd, sydd mewn perygl o golli eu nodweddion gwahaniaethol dan ddylanwad y cyfryngau torfol. Ymdrinir â'r iaith lafar a'r iaith lenyddol, gan ddatgan y dylid ceisio cau rhywfaint ar yr agendor mawr rhyngddynt. Y werin, sy'n defnyddio'r iaith yn feunyddiol i fynegi ei meddwl, sydd i benderfynu arddull y naill a'r llall.

Cynigir aml gynllun i achub yr iaith a diolch amdanynt, ond pwysleisir deubeth yn bendant iawn, sef mai *ewyllys* y bobl yw'r grym cadwedigol sylfaenol, heb hynny ni fydd unrhyw ymdrech yn tycio yn y pen draw. Ysywaeth, aed i gymhwyso Darwiniaeth at iaith, y theori mai edwino a marw yw tynged popeth byw gan gynnwys iaith, a dyma fygwth tanseilio'r ewyllys. Yr ail bwyslais yw y byddai'n gyfraniad sylweddol iawn, ac efallai'n ddigon, i ennill y frwydr dros y Gymraeg pe bai rhieni yn ysgwyddo o ddifrif y cyfrifoldeb o drosglwyddo'r iaith i'w plant, cynllun nad yw, gan ei symled, yn cael y sylw a haedda.

Mae'n werth cyfeirio sylw'r darllenydd at yr hanesion rhyfeddol am dri Chymro, gwahanol eu hamgylchiadau, yn eu perthynas â'u mamiaith. Ac yntau mewn cyflwr o gysgadrwydd yn yr ysbyty yn Llundain wedi cael niwed i'w ben mewn damwain, adenillodd y cyntaf ei Gymraeg anghofiedig a'i cholli eilwaith ar ôl iddo wella. Cymro unig ar un o ynysoedd y Seychelles am dair blynedd a deugain yw'r ail, a chadwodd ei Gymraeg drwy gymorth copi bychan o'r Testament Newydd. Gŵr oedrannus yn Llanfihangel Cwm Du, Brycheiniog, na chlywsai air o'i famiaith ers blynyddoedd lawer, yw'r trydydd. Mewn sgwrs ag Alun Llywelyn-Williams, torrodd yr argae a chaed ganddo yn ei ddagrau lifeiriant o'r Cymraeg pereiddiaf. Buasai Carnhuanawc wrth ei fodd o'i glywed—dyma'r fro lle bu'n llafurio mor frwdfrydig o blaid y Gymraeg a Chymreictod.

Trist yw ystyried bod tiriogaeth yr iaith wedi crebachu'n ddirfawr dros y canrifoedd a bod yr erydu bellach wedi cyrraedd yr hen gadarnleoedd. Er nad yw'n gwarantu dyfodol sicr i'r iaith, y mae ei maith oroesiad, gwydnwch ei diwylliant, ac yn enwedig y brwdfrydedd cyfoes ynglŷn â hi mewn lliaws o ardaloedd Seisnigedig, yn argoeli'n addawol. Ac nac anghofier proffwydoliaeth hen ŵr Pencader yn 1163 mai'r Gymraeg fydd yma'n ateb yn Nydd y Farn dros y gornel fechan hon o'r byd!

G. Ll. E.

Llanuwchllyn
Gwanwyn 2011

Dyfyniadau ynglŷn â'r Iaith Gymraeg

ABERCROMBIE, JOHN

1

A...case occurred in St Thomas's Hospital of a man who was in a state of stupor in consequence of an injury to the head. On his partial recovery he spoke a language which nobody in the hospital understood but which was soon ascertained to be Welsh. It was then discovered that he had been thirty years absent from Wales, and that before the accident had entirely forgotten his native language. On his perfect recovery, he completely forgot his Welsh again and recovered the English language.

Inquiries concerning the Intellectual Power and the Investigation of the Truth (7th ed, London, 1837), 14; gw. Y Traethodydd, Ionawr 1999, 22

Bu achos...yn Ysbyty Sant Thomas o ddyn a oedd mewn cyflwr o gysgadrwydd ar ôl cael niwed i'w ben. Ac yntau wedi rhannol wella, siaradai iaith nad oedd neb yn yr ysbyty yn ei deall ond y caed gwybod ar fyrder mai Cymraeg ydoedd. Yna darganfuwyd iddo dreulio deng mlynedd ar hugain allan o Gymru a'i fod cyn y ddamwain wedi llwyr anghofio'i famiaith. Wedi dod yn holliach, anghofiodd ei Gymraeg yn gyfan gwbl unwaith eto a chael y Saesneg yn ôl.

Anhysbys

2

Eu Nêr a folant,
Eu hiaith a gadwant,
Eu tir a gollant
Ond gwyllt Walia.

[Priodolir ar gam i Daliesin]
dyf. John Davies, Antiqvae Lingvae Britannicae...Rvdimenta (1621), [xvi]

ANWYL, Syr EDWARD (1866-1914)

3

Y ffaith...ydyw fod yr iaith Gymraeg yn iaith fyw yn y rhan fwyaf o lawer o Gymru, ac yn cael ei defnyddio nid yn unig mewn ymddiddan ond mewn llenyddiaeth ac yn y pulpud. Y mae ganddi ei lle naturiol yng nghrefydd, yng ngwleidyddiaeth, ac yn llên barhaol a diddiflanadwy Cymru. Nid rhywbeth nodweddiadol o'r parthau mwyaf ar ôl a digynnydd o'r Dywysogaeth yw'r defnydd ohoni, fel y gallai'r anghyfarwydd oddi allan dybio, ond yr ardaloedd y mae fwyaf blodeuog ynddynt yw'r ardaloedd llawnaf o ysbryd cynnydd a'r awydd am wybodaeth gryfaf ynddynt.

Cymru: Heddyw ac Yfory (gol. Thomas Stephens, 1908), 277

4

Nid oes dim a gasëir yn fwy gan y meddwl dynol cyffredin nag ymddidoli oddi wrth arfer feddyliol draddodiadol ei genedl ei hun. A'r arfer feddyliol gyffredin hon, ynghyd â'r cariad at wlad sy'n cydfyned â hi yw'r achos, yn fwy na dim arall, paham y cedwir y Gymraeg yn fyw. Yn yr iaith yr ymgorffora y traddodiad cenedlaethol, hi sy'n asio y presennol wrth y gorffennol sydd er cyn cof na llyfr.

278

AP DAFYDD, MYRDDIN

5

Yn y rhyd ar ffin ein bro
Dôi heyrn dewrion i daro
Os oedd un gwlithyn o'n gwlad,
A'n hiaith, o dan fygythiad;
Yn rhyfel y canrifoedd,
Dur i'n hiaith yn darian oedd.
    Cyfansoddiadau... Eisteddfod
Genedlaethol Bro Madog (1987), 53

AP GWILYM, GWYNN (1950-)

6

Y mae Duw'n rhwymo dynion
I roi help i'r Gymru hon.
A hi'n wan, pan sudda'n hiaith
O fewn dilyw fandalwaith,
Yna daw y Duw diwyd;
Dyry i hon ryw dŵr o hyd.

Mur o glai i'r Gymraeg lân
Yw argae'r Esgob Morgan...
Ei iaith dirf yn waith gwirfardd;
Mae'i Roeg hen yn Gymraeg hardd.
    Cristion, Tachwedd/Rhagfyr 1988, 23

ARNOLD, MATTHEW (1822-88)

7

Sooner or later, the difference of language
between Wales and England will probably
be effaced...an event which is socially and
politically so desirable.
    dyf. Saunders Lewis, *Tynged yr Iaith*
(1962), 8
Yn hwyr neu'n hwyrach, mae'n debyg y
dileir y gwahaniaeth iaith rhwng Cymru a
Lloegr...digwyddiad sydd i'w fawr
chwennych yn gymdeithasol ac yn
wleidyddol.

BEBB, W. AMBROSE (1894-1955)

8

Pa ryfedd bod pawb yn ei siarad
[Ffrangeg] mor dlws? Tegan ydyw yn eu
golwg, y tecaf o'r teganau, ac ni chaiff neb
ei sarnu. Dyna a ddylai fod lle iaith ym
mhob gwlad wareiddiedig. Hi ydyw enaid
y genedl...Ond nid dyna ei lle yng
Nghymru. Nid oes hanner dwsin o
ddynion cyhoeddus gyda ni sy'n siarad
Cymraeg yn weddol gywir, heb sôn am
raenus. Siarada athrawon ein colegau hi
yn druenus, ac y mae eu geirfa yn
gywilyddus o gyfyngedig. Rhaid troi at
ein gwerin ni os mynnwch glywed graen
ar Gymraeg. Rhaid mynd i ganol Sir
Aberteifi, i Lwynpiod, Swyddffynnon a
Llangeitho; i berfeddion Maldwyn, i
ddyffryn Banw, ac i Aberhosan a
Melinbyrhedyn; yna i Ddyffryn Clwyd, i
Lanuwchllyn, ac efallai i ambell ddôl gul
yn Sir Gaerfyrddin.
    Crwydro'r Cyfandir (1936), 187-88

9

Fe'i caraf hi [Ffrainc]...am iddi arwain y
byd ar hyd y canrifoedd, a bod yn rhaid i'r
byd—ac i Gymru—wrthi eto. Ie, am mai
yno,--er mai damwain oedd hyn,--y
profais i nosweithiau di-gwsg ar ôl darllen
ysgolhaig o Gymro yn dadlau dros
Gymru ddwy-ieithog, nes peri imi deimlo
bod Cymru a Chymraeg yn deilchion
darfodedig o'm cwmpas, ac y
penderfynais gysegru fy mywyd bychan,
bach, i edfryd Cymru Gymraeg, ac i fynnu
iddi yr amodau hanfodol i fywyd
cenedlaethol iach. Yno yn wir y ganed y
Blaid Genedlaethol, gobaith mwyaf
Cymru heddiw.
    200-01

10

Dyry [Gruffydd Robert] inni ar ddiwedd ei lyfr enghreifftiau o waith y beirdd, yr ysgub gyntaf o farddoniaeth a gyhoeddwyd erioed yn Gymraeg.

215

BORROW, GEORGE (1803-81)

11

The Welsh are afraid lest an Englishman should understand their language, and, by hearing their conversation, become acquainted with their private affairs, or by listening to it, pick up their language which they have no mind that they should know— and their very children sympathize with them. All conquered people are suspicious of their conquerors. The English have forgot that they ever conquered the Welsh, but some ages will elapse before the Welsh forget that the English have conquered them.

Wild Wales (Fontana, 1977), 263

Y mae ar y Cymry ofn i Sais ddeall eu hiaith a thrwy glywed eu hymddiddan ddod i wybod eu hanes personol, neu drwy wrando arni gael crap ar eu hiaith, nad ydynt yn awyddus o gwbl iddynt ei medru—ac y mae hyd yn oed eu plant yn teimlo yr un fath â hwythau. Y mae pobl orchfygedig i gyd yn ddrwgdybus o'u gorchfygwyr. Y mae'r Saeson wedi anghofio eu bod erioed wedi gorchfygu'r Cymry, ond fe gymer rai oesoedd cyn y bydd i'r Cymry anghofio bod y Saeson wedi eu gorchfygu hwy.

12

A boy with a team...was whipping his horses, who were straining up the ascent, and was swearing at them most frightfully in English. I addressed him in that language...but he answered 'Dim Saesneg'...I said in Welsh: 'What do you mean by saying you have no English? You were talking English just now to your horses.'

'Yes,' said the lad, 'I have English enough for my horses, and that is all.'

'You seem to have plenty of Welsh,' said I; 'why don't you speak Welsh to your horses?'

'It's of no use speaking Welsh to them,' said the boy, 'Welsh isn't strong enough.'

'Isn't "Myn Diawl" tolerably strong?' said I.

'Not strong enough for horses,' said the boy; 'if I were to say "Myn Diawl" to my horses...they would laugh at me.'

'Do the other carters,' said I, 'use the same English to their horses which you do to yours?'

'Yes,' said the boy, 'they all use the same English words; if they didn't, the horses wouldn't mind them.'

'What a triumph,' thought I, 'for the English language that the Welsh carters are obliged to have recourse to its oaths and execrations to make their horses get on!'

342

Roedd bachgen [yn Llansilin] yn canlyn gwedd...yn chwipio'i geffylau fel y tynnent yn galed i fyny'r rhiw, ac yn eu rhegi'n arswydus yn Saesneg. Cyferchais ef yn yr iaith honno...ond atebodd yntau, 'Dim Saesneg'...Ebe fi yn Gymraeg, 'Be wyt ti'n feddwl wrth ddeud nad oes gen ti ddim Saesneg? Roeddet ti'n siarad Saesneg hefo dy geffyle y funud 'ma.'

'Oeddwn,' ebe'r hogyn, 'mae gen i ddigon o Saesneg i 'ngheffyle, a dyna'r cwbwl.'

'Mae'n debyg fod gen ti ddigon o Gymraeg,' meddwn innau, 'pam na siaredi di Gymraeg hefo dy geffyle?'

'Dydi hi ddim gwerth siarad Cymraeg hefo nhw,' ebe'r bachgen, 'dydi Cymraeg ddim yn ddigon cryf.'

'Onid ydi "Myn Diawl" yn weddol gryf?' meddwn i.

'Ddim yn ddigon cryf i geffyle,' meddai'r bachgen, 'taswn i'n deud "Myn Diawl" ...wrth fy ngheffyle i, mi fydden yn chwerthin am 'y mhen.'

'Ydi'r certwyr eraill,' meddwn, 'yn siarad yr un math o Saesneg hefo'u ceffyle nhw ag yr wyt ti hefo dy rai di?'

'Ydyn,' ebe'r bachgen, 'maen nhw i gyd yn defnyddio'r un geiriau Saesneg; tasen nhw ddim yn gneud hynny, fydde'r ceffyle ddim yn cymryd sylw ohonyn nhw.'

'Y fath fuddugoliaeth,' meddwn wrthyf fy hun, 'i'r iaith Saesneg fod certwyr o Gymry yn gorfod syrthio'n ôl ar ei llwon a'i melltithion i annog eu ceffylau!'

13

The Welsh is one of the most copious languages of the world, as it contains at least eighty thousand words...Its copiousness, however, does not proceed, like that of the English, from borrowing from other languages. It has certainly words in common with other tongues, but no tongue, at any rate in Europe, can prove that it has a better claim than the Welsh to any word which it has in common with that language. No language has a better supply of simple words for the narration of events than the Welsh, and simple words are the proper garb of narration, and no language abounds more with terms calculated to express the abstrusest ideas of the metaphysician.

530

Y mae'r Gymraeg yn un o'r ieithoedd helaethaf eu geirfa yn y byd, gan fod ynddi o leiaf bedwar ugain mil o

eiriau...Nid canlyniad benthyca gan ieithoedd eraill, fel cyfoeth y Saesneg, yw ei chyfoeth hi, fodd bynnag. Y mae ynddi, bid siŵr, eiriau sy'n gyffredin i ieithoedd eraill, ond ni all yr un iaith, o leiaf yn Ewrop, brofi bod ganddi well hawl na'r Gymraeg i unrhyw air sy'n gyffredin iddi hi a'r iaith honno. Nid oes gan yr un iaith well cyflenwad o eiriau syml i adrodd hanes digwyddiadau na'r Gymraeg, a geiriau syml yw priod ddiwyg adrodd hanes, ac ni fedd yr un iaith fwy o dermau i fynegi syniadau mwyaf astrus y metaffisegydd.

14

As to its sounds—I have to observe that at the will of a master it can be sublimely sonorous, terribly sharp, diabolically guttural and sibilant, and sweet and harmonious to a remarkable degree.

531

Am ei seiniau---rhaid imi nodi y gall fod wrth ewyllys meistr yn arddunol o soniarus, yn ddychrynllyd o gras, yn ddieflig o yddfol a sisiol, a hynod o bersain a melodaidd.

BOUMPHREY, ANNIE
15

Pan gyraeddasom [ynys La Digue yn y Seychelles], daeth pawb atom i siarad ar wahân i un hen ŵr...Dywedodd y meddyg oedd gyda mi ei fod ef yn credu bod yr hen ŵr yn fud a byddar, oherwydd nad oedd yn cyfeillachu efo neb a'i fod byth a beunydd ar ei ben ei hun. Dywedais wrth y meddyg fy mod am fynd i siarad ag ef...Pan gyrhaeddais ef, dywedais wrtho yn Ffrangeg, 'Bonjour'. Ond ni chymerodd unrhyw sylw ohonof, ac er imi ddal ati i'w holi am ei waith a'i iechyd, ni allwn gael dim ymateb. Dywedais wrthyf fy hun yn uchel yn Gymraeg, 'Beth andros alla' i wneud hefo chi?'...Trodd ataf yn sydyn. 'Ydach chi'n Gymraes?' gofynnodd, a'm cofleidio'n dynn nes yr oeddwn yn methu anadlu bron...

Yr oedd wedi gwirioni'n lân efo mi ac yn siarad Cymraeg bymtheg yn y dwsin ac mor groyw â'm Cymraeg innau. Gofynnodd imi o ble'r oeddwn yn dod a dywedais wrtho mai o Ogledd Cymru. 'O Fangor rydw innau'n dod,' atebodd yntau...Ceisiwn...ei holi ers faint o flynyddoedd yr oedd ef wedi bod yno. Ei ateb oedd tua deugain a thair o flynyddoedd. Erbyn hyn yr oedd yn hen ŵr dros ei bedwar ugain oed...ac wedi cadw iddo'i hun ers yr holl flynyddoedd...

Cofiaf imi ofyn iddo sut yn y byd y llwyddodd i gadw ei Gymraeg ac yntau heb lyfr i'w ddarllen na neb i siarad Cymraeg ag ef, ac er syndod imi aeth i'w boced a thynnu Testament bach allan, ryw ddwy fodfedd a hanner o faint. Gallai adrodd pob adnod allan ohono.

Mewn Gwisg Nyrs (1990), 98-102

BOWEN, BEN (1878-1903)
16

Gymraeg y galon lednais,
  Gymraeg y wefus bur,
'Rwy'n brudd er pan yr ofnais
  Dy fod yn colli tir...

Mi welaf Fynwy acw,
  Ac Islwyn ar ei bron;
Ond clywaf ddwndwr llanw,
  A'm hiaith yn suddo i'r don.

Mi welaf hen dai cyrddau
  Yn britho bryn a phant;
Cymraeg yn tanio'r tadau,
  Ond Saesneg fedd y plant.

O iaith sy'n ddarn o 'nghalon,
  Mae'th deimlo ar fy min
Yn lleddfu fy amheuon,
  Yn help i blygu glin...

A'i gwefus bur yn welw,
  A'i threm i'r 'byd a ddaw',
Mae'r hen Gymraeg yn marw
  A'r Beibl yn ei llaw.

Cofiant a Barddoniaeth Ben Bowen (gol. Myfyr Hefin, 1904), 77-78

BOWEN, D. J. (g.1925)
17

Yr oedd dysgu'r Gymraeg yn genhadaeth iddo [D. J. Williams, Abergwaun]...Nid dysgu'r iaith er mwyn ei hachub a wnâi— Cymry oeddem yn y dosbarth---ond er mwyn peri inni ganfod gwerth ein hetifeddiaeth deg a dod i garu ein llenyddiaeth.

D. J. Williams, Abergwaun (gol. J. Gwyn Griffiths, 1965), 27

BOWEN, Y Parchedig EUROS (1904-88)
18

Loss is certainly evident in the translation of Welsh poems composed in 'cynghanedd'. Cynghanedd involves, in some lines, sequences of corresponding consonants with vowel variations as well as, in others, combinations of internal rhymes. These technical complexities give a cynghanedd poem a unique texture which cannot be reproduced in translation. Translating cynghanedd verse results in a definite loss of texture.

Poetry Wales, Winter 1976, vol. 11, no. 3, p. 6

Yn sicr, y mae colled amlwg wrth gyfieithu cerddi Cymraeg a gyfansoddwyd mewn cynghanedd. Y mae cynghanedd yn golygu, mewn rhai llinellau, ddilyniant o gytseiniaid cyfatebol ynghyd ag amrywiaeth llafariaid; hefyd, mewn eraill, gyfuniadau o odlau mewnol. Y mae'r cymhlethdodau technegol hyn yn rhoi i gerdd gynganeddol wead unigryw na ellir ei atgynhyrchu mewn cyfieithiad. Colli gwead, yn bendant, yw canlyniad cyfieithu barddoniaeth gynganeddol.

19

There is...every justification for publishing bilingual poems...for it seems to me to be true that bilingual poems reactuate each other. They enrich each other. Besides translating from Welsh into English, more poems in English and other foreign languages should be translated into Welsh for this very reason. Poetry in translation can be a means of enriching the cultural heritage of a nation.

12

Y mae...pob cyfiawnhad dros gyhoeddi cerddi dwyieithog...oherwydd ymddengys i mi ei bod yn wir fod cerddi dwyieithog yn ysbrydoli ei gilydd. Y maent yn cyfoethogi y naill y llall. Heblaw cyfieithu o Gymraeg i Saesneg, dylid cyfieithu rhagor o gerddi Saesneg ac ieithoedd estron eraill i Gymraeg am yr union reswm hwn. Gall barddoniaeth wedi'i chyfieithu fod yn foddion i gyfoethogi etifeddiaeth ddiwylliannol cenedl.

20

Does a Welsh poet write for Welshmen only? I don't know. The question does not bother me, for I don't suppose I would be tempted to produce an original poem in English. My first language is Welsh. It is the language that strikes the deepest chords in my nature...This does not mean that a Welsh poet is restricted to writing about Welsh subjects.

12-13

Ai ar gyfer Cymry'n unig y mae bardd o Gymro yn ysgrifennu? 'Dwn i ddim. Nid yw'r cwestiwn yn fy mhoeni, oherwydd nid wyf yn meddwl y temtid fi i gyfansoddi cerdd wreiddiol yn Saesneg. Fy iaith gyntaf i yw Cymraeg. Hi ydyw'r iaith sy'n taro'r cordiau dyfnaf yn fy natur... Nid yw hyn yn golygu bod bardd Cymraeg wedi'i gyfyngu i ysgrifennu am destunau Cymreig.

BOWEN, J. GWYNFOR

21

Yr oedd Cymru a'r Iaith Gymraeg yn agos iawn at ei galon [y Parchedig R. Parri Roberts]...yr oedd dysgu'r Gymraeg wrth ei fodd, a gwyddai reolau gramadeg Cymraeg yn drylwyr. Meddai wrthyf: 'Cofiwch ddefnyddio'r Trydydd Person Unigol, Modd Mynegol, Amser Presennol y Ferf, oblegid ceir rhan o dlysni'r iaith Gymraeg yn y geiriau hyn,' a rhoddodd nifer o enghreifftiau: Edwyn, Erys, Try, Cyll, Edrydd, Tery, Etyb, Gwrendy. Meddai hefyd: 'Dylid defnyddio mwy ar y Radd Gyfartal o'r ansoddeiriau; nid ydynt yn cael eu harfer gennym fel y dylent.'

Ffarwel i'r Brenin (gol. Idwal Wynne Jones, 1972), 53

BOWEN, ZONIA

22

Gwelaf fod cymeriad y Cymro yn llawn o briodoleddau gwrthgyferbyniol. Mae ar yr un pryd...yn canu mawl i brydferthwch ei wlad a'i iaith ond eto'n barod i'w gwerthu am fasnaid o gawl ffacbys heb sylweddoli bod y Cymro mewn carpiau yng nghanol prydferthwch naturiol Cymru a'r iaith Gymraeg ar ei dafod yn gyfoethocach o lawer na'i frawd di-Gymraeg sydd yn jinglo'r arian yn ei boced mewn ardal ddiwydiannol hyll.

Fy Nghymru I (gol. John Jenkins, 1978), 210-11

23

Paham y dylai'r Cymro frwydro yn erbyn yr holl demtasiynau a'r dylanwadau sydd yn bygwth prydferthwch ei wlad a'i iaith?...Yr ateb yw—oherwydd bod cymeriad gwlad y Cymro a'r iaith Gymraeg yn bethau unigryw sydd yn arbennig i Gymru, a byddai'r byd yn lle tlotach hebddynt.

211

24

Mae'r werin ddifater yn dal i siarad Cymraeg yn reddfol. 'Dydyn nhw ddim yn gweld bod yr iaith mewn unrhyw berygl a 'dydyn nhw ddim yn sylweddoli bod eu hiaith eu hunain yn dirywio, ond hyd yn oed pe baent yn sylweddoli hyn, ni fuasent ddim yn hidio ryw lawer. Maent yn dal i edrych ar ffyniant ariannol a Seisnigrwydd fel pethau cyfystyr. Erbyn dechrau'r ganrif nesaf rhagwelaf y bydd y Gymraeg wedi colli tir yn arw ymysg y dosbarth yma.

211

25

Mae gobaith dyfodol yr iaith yn nwylo'r...deallusion effro, hynny yw, y rhai sydd nid yn unig yn ddigon effro i weld y perygl i'r iaith ac yn ddigon deallus i bryderu am ei dyfodol, ond sydd hefyd yn barod i wneud ymdrech drosti. Yn eu plith cawn lawer sydd wedi dod yn fwy ymwybodol o'u Cymreictod... myfyrwyr yn y colegau a pharau priod sydd yn brwydro mewn trefi Seisnigaidd i fagu eu plant yn Gymry Cymraeg. Ceir yn y dosbarth yma hefyd nifer cynyddol o ddysgwyr brwdfrydig sydd yn aml yn gwerthfawrogi yr hyn y maent wedi ymdrechu i'w ddysgu yn well na'r rhai sydd wedi eu hetifeddu'n ddiymdrech.

211-12

26

Eisoes yn y trefi dechreuir edrych ar y Gymraeg fel iaith y deallusion ac oherwydd hyn mae'n ennill mewn 'snob value', sydd yn arwydd da i ddyfodol unrhyw iaith.

212

27

Ni bydd brwydr y deallusion effro byth yn dod i ben...Oherwydd natur newydd eu cymdeithas mae 'na berygl y bydd rhywfath o iaith safonol yn ennill tir dros yr iaith idiomatig, liwgar, cefn gwlad, ond nid yw hyn yn anochel os bydd yr ymdrechwyr deallus...ar eu gwyliadwriaeth.

212

28

Bydd dyfodol yr iaith yn dibynnu i raddau helaeth ar lwyddiant y deallusion effro i ailgyflyru'r werin ddifater i barchu eu hiaith...I ennill y frwydr dros yr iaith, bydd yn rhaid ennill y werin.

212

BRADNEY, Syr JOSEPH ALFRED (1859-1933)

29

The decay of the Welsh language in the eastern part of the county of Monmouth seems to have commenced about the middle of the eighteenth century. Up to this time, Welsh was throughout the county the colloquial language of the people, as it was also in the Hundreds of Ewyas and Ergyng (Archenfield) in the county of Hereford, and even in that part of the Forest of Dean called in Welsh 'Cantref Coch', in the county of Gloucester, bordering the river Wye. In the fifteenth and sixteenth centuries Welsh would appear to have been the only language used.

A Memorandum (1926), 2

Ymddengys fod dirywiad yr iaith Gymraeg yn rhan ddwyreiniol sir Fynwy wedi dechrau tua chanol y ddeunawfed ganrif. Hyd yr adeg hon, Cymraeg, drwy'r holl sir, oedd iaith lafar y bobl, fel yr oedd hefyd yng nghantrefi Euas ac Erging yn sir Henffordd, a hyd yn oed yn y rhan honno o Fforest y Ddena a elwir yn Gymraeg 'Cantref Coch', yn sir Gaerloyw, yn ffinio â'r afon Gwy. Yn y bymthegfed ganrif a'r unfed ganrif ar bymtheg, y tebyg yw mai Cymraeg oedd yr unig iaith a arferid.

BREWER, Y Parchedig G. W.

30

Mae pobl heddiw (ar gyfartaledd...) yn treulio mwy o amser yn gwylio'r teledu rŵan nag yr oeddynt yn arfer roi o'r blaen i'r radio, papurau newydd, llyfrau, y sinema a'r theatr *hefo'i gilydd*. Dyna faint y gwahaniaeth a wnaed yn ddiarwybod inni bron gan declyn sydd bellach yn hawlio ei le parchus ar y rhan fwyaf o aelwydydd Cymru...

Beth yw effaith hyn oll ar fywyd Cymru? Yn un peth, dengys nad geiriau gwag yw tystiolaeth aelodau Cymdeithas yr Iaith ac eraill i'r difrod a wna'r rhaglenni presennol i'r iaith Gymraeg. Trowyd aelwydydd Cymraeg yn aelwydydd uniaith Saesneg, bron, gan mai'r 'bocs' sy'n llefaru amlaf.

Yr Eurgrawn, 163, Hydref 1971, 137

BRUCE, HENRY AUSTIN (Arglwydd Aberdâr; 1815-95)

31

I consider the Welsh language a serious evil, a great obstruction to the moral and intellectual progress of my countrymen.

dyf. *Cof Cenedl* (gol. Geraint H. Jenkins), II, 143

Ystyriaf yr iaith Gymraeg yn ddrwg gwirioneddol, yn rhwystr mawr i gynnydd moesol a deallol fy nghydwladwyr.

32

In parts of Breconshire—nearly the whole county—the clergy have been invariably native Welshmen, who to this day speak very imperfect English. Nowhere is the Church so low and weak.

Letters of the Rt. Hon. Henry Austin Bruce (1902), I, 296-97

Mewn rhannau o sir Frycheiniog--bron yr holl sir--Cymry brodorol yn ddieithriad fu'r clerigwyr, sydd hyd heddiw'n siarad

Saesneg amherffaith iawn. Nid yw'r Eglwys mor isel a gwan yn unman.

33
I approve...entirely of the modern practice of requiring knowledge of Welsh, where necessary, in Welsh incumbents. And I admit this knowledge to be of eminent use, although not absolutely necessary in a bishop, as tending to increase his influence and usefulness.
297
Rwy'n llwyr gymeradwyo'r arfer modern o fynnu bod clerigwyr Cymreig, lle bo raid, yn medru Cymraeg. Ac addefaf fod hyn o ddefnydd amlwg, er nad cwbl angenrheidiol, mewn esgob, gan ei fod yn tueddu i ychwanegu at ei ddylanwad a'i ddefnyddioldeb.

34
I should be very sorry, in these days when the knowledge of Welsh is becoming rarer and rarer among the educated classes, to see Welsh made a qualification for a Dean.
II, 76
Byddai'n wir ddrwg gennyf, yn y dyddiau hyn pan yw medru'r Gymraeg yn mynd yn fwyfwy prin ymhlith y dosbarthiadau addysgedig, weld gwneuthur y Gymraeg yn gymhwyster i Ddeon.

Brython, Y (Lerpwl)
35
Cymraeg y ffarm a'r buarth a'r mynydd a'r ffridd...dyna'r Cymraeg mwyaf byw a naturiol sydd. Ac y mae llawer mwy o sug a swyn yn iaith y cartref mynyddig nag sydd yn iaith y siop a'r capel a'r clochty sydd i lawr y dref.
23 Ionawr 1913, 4a

CADWALADR, DILYS (1902-79)
36
Diolch i Saeson fel Colin Gresham, Richard Ruck, gŵr a gyfieithodd gymaint o lên Cymru i'r Saesneg, a Raglan Somerset, a gredai'n ddwys yng ngwerth ein hiaith. Eithaf peth, choelia i byth, a fyddai cyfieithu mwy o'n llenyddiaeth i'r Saesneg at bwrpas y Sais uniaith, na throsi cymaint o stwff y Sais i'r Gymraeg a Chymru mor doreithiog ei hawen.
Atgofion, 2 (1972), 21

Caerfallwch, gw. **EDWARDS**, THOMAS (1779-1858)

Carnhuanawc, gw. **PRICE**, Y Parchedig THOMAS

CARTER, HAROLD
37
Efallai ei bod yn eironig mai caniatâd gan senedd Lloegr i gyfieithu'r Beibl er mwyn sicrhau ymlyniad Cymru trwy gyfrwng un symbol diwylliannol yn gyffredin, sef crefydd... a roddodd y symbyliad sylfaenol i gynorthwyo'r llall, sef yr iaith, i adfywio.
Diwylliant, Iaith a Thiriogaeth (1988), 14

38
Ni warafunwyd y Gymraeg gan y Ddeddf Uno ond trwy ei chadw allan o feysydd y gyfraith a gweinyddiaeth fe'i diraddiwyd o ran ei statws. Dan amgylchiadau felly ymunodd galwadau statws cymdeithasol a manteision economaidd i danseilio unrhyw ymdrech i gadw'r iaith yn fyw.
16

39

Yn y gorffennol yr oedd modd siarad am ffin iaith symudol, llinell o ddirywiad yn cael ei gwthio tua'r gorllewin. Bellach, oherwydd y symudoledd a threiddiad y cyfryngau...ni chyfyngir y mannau cyswllt i'r fath ranbarth ffiniol. Gellir eu creu mewn unrhyw fan o fewn i Gymru. Ac y mae'r mannau cyswllt yn argyfyngol oherwydd yn y mannau hynny, yn erbyn cefndir y deunydd helaethach o'r Saesneg, y mae'r holl brosesau hyn ynghylch newid iaith yn dechrau, yn enwedig y gostyngiad geirfaol, neu'r cyfyngu ar gwmpas geirfa sydd yn creu canlyniadau cymysgu codau— cyflwyno geiriau ac ymadroddion Saesneg i mewn i'r Gymraeg---ac yn y pen draw, switsio codau---newid o'r Gymraeg i'r Saesneg yn gyfan gwbl.

21

40

Bellach [h.y., er 1961] y mae'r craidd, y Fro Gymraeg ei hun, yn dioddef oddi wrth erydiad llechwraidd. Amlygir y sefyllfa yn ddaearyddol trwy weld chwalu'r hyn a fu gynt yn graidd di-fwlch yn gyfres o adrannau gweddillol...Erbyn 1981 braidd y gellir dweud bod y craidd cynharach, neu'r Fro Gymraeg, yn bod o gwbl fel tiriogaeth arwahanol, ddi-fwlch. Yn hytrach, yr hyn a geir yw cyfres o ddarnau, nwclei ar wahân---Ynys Môn, Llŷn ac Arfon, Meirionnydd-Nant Conwy, Dyfed wledig a de-ddwyrain Dyfed/Gorllewin Morgannwg.

21-22

41

Y mae'r berthynas rhwng ardaloedd gwledig lle ceir dirywiad iaith a man geni yn dystiolaeth glir i'r dehongliad o'r newid a gynigiais. Dyma a achosodd yr argyfwng presennol i'r iaith, oherwydd y mae'r gronfa a'i hadnewyddodd gyhyd mewn perygl o sychu'n llwyr. Y mae hynny efallai'n orddramatig ond y mae'n diffinio'r broses sydd ar waith. Ond a bod yn fwy dramatig fyth, y mae'r darnau unigol hynny eu hunain bellach mewn perygl ac yn cael eu bygwth yn gyson gan erydiad ffiniol, yn union fel y digwyddodd i'r ardal gyfan cyn hynny.

22

42

Oddi ar 1961 mae'r dylanwadau sy'n Seisnigeiddio wedi treiddio fwyfwy i'r gorllewin, ac yn gysylltiedig gan mwyaf â gwrthdrefoli ac â thwristiaeth.

23

43

Y mae llawer yn dibynnu ar ymrwymiad y boblogaeth, yr ewyllys i roi'r flaenoriaeth i'r iaith ymysg y pethau a chwenychir. Lle ceir yr ymrwymiad hwnnw, megis yn achos ymfudwyr yn dysgu Hebraeg, mae modd adfer iaith... Ond mae'n anodd sefydlu unrhyw gymhariaeth rhwng ymrwymiad y newydd-ddyfodiaid i Israel a phoblogaeth Cymru, yn enwedig y mewnfudwyr. Ymddengys bod ceisio hybu'r fath ymrwymiad bellach braidd yn anobeithiol.

28-29

44

Ni waeth pa faint o gefnogaeth a roddir i'r iaith mewn arolygon ymholiadol, nid yw hynny'n fawr mwy na rhyw fath ar fynegiant haniaethol o ewyllys da. Yn y

Gymru gyfoes nid oes fawr amheuaeth mai lles economaidd a buddiannau treuliannaeth mewn gwirionedd a gaiff y flaenoriaeth bob tro.

29

45

Nid gwarafuniad ffurfiol oedd yr ymosodiad canolog ar yr iaith gan y Ddeddf Uno ond trwy ei diraddio o ran statws, ei chau allan o'r fiwrocratiaeth gyda'r perygl canlynol o beri iddi ddirywio i gyflwr llediaith wledig. Mae'n hollol briodol felly bod y pryder cyfoes am adfer ei statws yn yr ystyr ehangaf.

33

CASNODYN (bl. 1320-40)

46

Eiryan verch Gynan kynran kanrec
Eryr tymyr gwyr gweilch disaesnec...
Mein virein riein gein Gymraec.
['Clod i Wenlliant verch Gynan']
   The Myvyrian Archaiology of Wales (1870), 283a

CHARLES, Y Parchedig THOMAS (1755-1814)

47

Nis dichon un Cymro, mewn gradd bychan yn gydnabyddus â'r ddwy iaith, lai na chanfod perthynas agos rhwng y Gymraeg a'r Hebraeg; mor agos perthynas, fel y gellir dangos cannoedd o eiriau o'r un ystyr, a'r un sain, agos, yn y ddwy iaith; a llawer o'u rheolau gramadegol yr un yn gwbl. Gellir barnu am y Gymraeg, nad yw, o ran ei tharddiad, ond un gradd oddi wrth iaith wreiddiol y byd; a'i bod yn hynach, yn burach, ac yn fwy digymysg nag un iaith yn y parthau gorllewinol hyn

o'r byd...Mae yr iaith Gymraeg yn odidog, yn bur, yn gyflawn hynod o amrywiaeth geiriau ac ymadroddion; yn bersain, ac yn addurnedig; yn neilltuol o addas i ymadroddi am bethau ysbrydol yn fawreddog, yn ddealladwy, ac yn effeithiol. Y mae yn syml, heb fod yn isel; yn hy, heb fod yn ddigywilydd; yn addurnwych, heb gymhendod; yn gydseiniol, heb fod yn orwag; yn ardderchog, heb chwyddiaeth; tyner, heb fod yn fursenaidd; yn gryf, heb erwinder.
   Geiriadur Ysgrythyrol (4ydd arg., 1853), 523b-524a. ['Un o'r broliannau enwocaf' (Emyr Davies), gw. *Y Traethodydd*, Hydref 1990, 180]

CLWYD, HAFINA (1936-)

48

Mae hi'n jôc fytholwyrdd bod Radio Cymru yn medru dod o hyd i siaradwyr Cymraeg ym mhedwar ban byd— trafferthion sgwâr Tianamen, llifogydd New Orleans, llofruddiaeth Benazir Bhutto, terfysgoedd Kenya—mae siaradwyr Cymraeg ar gael ym mhob man, sy'n wyrth o gofio mai iaith leiafrifol dros ben yw'r Gymraeg.
   Rhywbeth bob dydd (2008), 64

49

Chlywais i erioed yr un gair o reg gan neb pan oeddwn yn blentyn ond bu'n rhaid i hyd yn oed fy nhaid chwerthin am ben 'Cadw dy blydi chips!' o'r nofel *William Jones*. Oherwydd bod cymaint o iaith anweddus i'w chlywed ar y teledu a chan y cyhoedd yn gyffredinol y dyddiau hyn, mae defnyddio gair cryf yn annisgwyl wedi colli ei impact yn gyfan gwbl.

65

50

Daeth Artemus Jones yn Gwnsler y Brenin, yn farnwr a chafodd ei urddo'n farchog yn 1931. Gweithiodd yn ddygn i sicrhau bod y Gymraeg yn cael lle teilwng mewn llysoedd barn gan ei fod yn sylweddoli bod llawer o Gymry wedi cael cam am nad oeddynt yn deall yr hyn oedd yn digwydd.

132

CULE, CYRIL P. (1902-2002)

51

Credaf fod y gyfundrefn ddwyieithog yn ddigon hwylus yng Nghatalonia, ond peth peryglus iawn yw cymhwyso at Gymru rai o'r dadleuon a fuasai'n ddigon rhesymol yng Nghatalonia. Clywir rhai yn honni bod Catalonia yn wlad ddwyieithog *fel Cymru*. Nid gwir hyn o gwbl. Dwy iaith debyg iawn i'w gilydd a geir yng Nghatalonia. Ni astudiais i ddim Catalaneg erioed, ac eto, gallaf ddarllen papur newydd yn yr iaith honno yn weddol hawdd, am ei bod mor debyg i'r Gastileg. Nid yr un yw'r broblem a geir gyda dwy iaith mor wahanol i'w gilydd â'r Gymraeg a'r Saesneg.

Cymro ar Grwydr (1941), 69

Cymru (gol. O. M. Edwards)

52

Pasiodd y Senedd fesurau yn caniatáu rhyddid i ddysgu Cymraeg yn yr ysgolion a'r colegau...Ond er hynny teimlai cefnogwyr yr iaith nad oedd yr iaith Gymraeg yn cael chwarae teg yn yr ysgolion hynny oedd yn cymryd arnynt ddysgu Cymraeg. Yr oedd rhyw anhawster neu'i gilydd yn barhaus ar ffordd y dosbarthiadau Cymreig. Y gwir amdani oedd, 'doedd yr athrawon ddim mewn cydymdeimlad â'r Gymraeg o gwbl, a'r canlyniad oedd iddynt wneud dysgu Cymraeg yn yr ysgolion dyddiol yn fethiant. Yr oedd (ac y mae) ganddynt lawer o ryw fath o resymau yn erbyn dysgu'r Gymraeg. Un rheswm oedd gormod o waith; un arall, nad oedd ddim i'w ennill wrth ddysgu Cymraeg i'r plant; peth arall, nad oedd y plant na'r rhieni am ddysgu Cymraeg. Ond y mae yr oll o'r gau resymau yna wedi cael eu bod yn eu hewyllysiau hwy eu hunain.[J.D. Davies, Tonyrefail]

Cyf. xxiv (1903), [325]

53

Pan gollir y Gymraeg fel iaith crefydd, fe gollir un o'r ieithoedd mwyaf cydnaws â gwirioneddau ysbrydol...Coron a gogoniant iaith y Cymro yw ei chadernid a'i lledneisrwydd fel iaith crefydd. Y mae ynddi rywbeth sydd yn gydnaws iawn â defosiwn ac addoliad y cysegr. Amdani dywedodd Llawdden yr ysgogai hi galonnau Cymreig i dduwiolfrydedd sanctaidd, cynhyrfai waelodion natur y Cymro, a chodai gynulleidfa i wres Pentecostaidd.[D.Arthen Evans]

Cyf. xxxvii (1910), 36

CYNDDELW BRYDYDD MAWR (12g.)

54

kymraec laesdec o lys dyfrynt [i Efa, ferch Madog].

Llawysgrif Hendregadredd (gol. J. Morris-Jones a T. H. Parry-Williams, 1933), 48a.2

DAFIS, CYNOG (1938-)

55

Mae ystyried cwestiwn natur cymdeithasau dwyieithog yn ein harwain trwy resymeg oer i'r casgliad fod Bro Gymraeg, gyda'r Gymraeg yn brif iaith, yn angenrheidrwydd i oroesiad y Gymraeg yng Nghymru.

Cymdeithaseg Iaith a'r Gymraeg (1978), 6

56

Dangosodd astudiaethau mewn seicoleg cymdeithasegol fod datblygu math o seicoleg israddoldeb yn siaradwyr yr iaith wannaf (*marked language* yw term Fishman) yn rhan o fecanwaith y shifft iaith. Yn y lle cyntaf daw siaradwyr yr iaith farciedig i ystyried eu hiaith eu hunain yn israddol i iaith y grŵp dominyddol...Pwy a wad mai felly y byddai gyda'r Cymry Cymraeg? A pha sawl un ohonom ni a allai yn onest honni ei fod yn rhydd o'r ymdeimlad israddol hwn? Cyflyrir siaradwr yr iaith farciedig i dan-brisio popeth sy'n perthyn i'w ddiwylliant a'i iaith, gan gynnwys ei gymeriad ei hun. Nid oes dim dirgelwch felly yn y ffaith fod ymagwedd aml i berson di-Gymraeg at yr iaith, ac yn enwedig y dysgwr llwyddiannus, yn 'iachach' nag eiddo aml i siaradwr brodorol—mae'r sawl a ddaw at y Gymraeg o'r tu faes yn rhydd o'r cyflyriad hwn.

6-7

57

Mae'n anochel y prisir y ffrwd Gymraeg [mewn ysgolion] yn is na'r un Saesneg, ac atgofir y disgyblion sy ynddi o'u hisraddoldeb yn feunyddiol gan fri'r Saesneg, a'i statws yn *lingua franca*'r ysgol...Yn yr ysgol Gymraeg ar y llaw arall, mae'r Gymraeg yn *lingua franca* ac yn mwynhau bri swyddogol uwch na'r Saesneg; a thrwy dorri yn rhydd o gyfagosrwydd â'r Saesneg, rhoir cyfle i fagu hunan-barch a hyder a balchder *Cymraeg*.

7

58

Gresyn na fuasai awdurdodau addysg yr ardaloedd Cymraeg, gyda'u siarad annelwig am addysg ddwyieithog, ac am ddwyieithrwydd fel y cyfryw, yn agor eu llygaid i'r ffaith na thâl cydraddoldeb i'r ddwy iaith yn ein hysgolion fyth i ddiogelu'r Gymraeg yn iaith lafar fyw.

8-9

59

Camp nid bychan fydd cyflawni adferiad y Gymraeg---ond camp posibl serch hynny, a champ a all gael ei hwyluso gan ffactorau, megis shifftiau yn y farn gyhoeddus na allwn ni ar hyn o bryd eu rhagweld. Os oes tasg y mae ei chyflawni yn ganolog ac yn hanfodol i genedlaetholdeb Cymreig, dyma hi.

9-10

DAFYDD AP GWILYM (canol 14g.)

60

Hyd yr hëir y gwenith,
A hyd y gwlych hoywdeg wlith...
Hyd y mae iaith Gymräeg,
A hyd y tyf hadau teg,
Hardd Ifor hoywryw ddefod,
Hir dy gledd, hëir dy glod. [I Ifor Hael]

Gwaith Dafydd ap Gwilym (gol. Thomas Parry, 1952), 20

DAFYDD BENFRAS (13g.)

61

Ys gwae fi am iaith gawdd [diwyg.] faith
gofeg
Yr goddau chweddlau imi a fai chweg
Ni wybum erioed medru Saesneg
Pan geisiais i eful o ennilleg
Cam oedd neud ydoedd yn Wyndodeg
An rhoddwy fab Duw dawn arwaneg
Yn dwyn oc ei plith yn olithreg
Ei wladoedd cyhoedd cyfun hardd deg
Ar wledig lleithig llwythfawr urddreg
I wlad Dafydd rydd rwydd Gymraeg.
    The Myvyrian Archaiology of Wales
(1870), 221b. 26-35

DANIEL, Syr GORONWY HOPKIN
(1914-2003)

62

Nid yw'r ffaith bod yr iaith yn mynd i farw
rywbryd yn bwysig. Marwolaeth yw
tynged pob peth a phob un, ond nid yw
hyn yn rheswm o gwbl dros beidio â
gwneud ein gorau glas yn y cyfamser i
ddiogelu parhad y pethau sydd yn dda.
Ynglŷn â dulliau gweithredu, y nod
angenrheidiol yw sicrhau bod rhieni
Cymraeg yn trosglwyddo eu hiaith i'w
plant. Felly rhaid dewis dulliau a fydd yn
eu hargyhoeddi y bydd yr iaith yn
cyfrannu at hapusrwydd eu plant.
    Fy Nghymru I (gol. John Jenkins,
1978), 11-12

DANIEL, SIÔN

63

Y maen prawf y mae'n rhaid inni ei
ddefnyddio wrth fesur gwerth unrhyw
weithred neu ddigwyddiad a gysylltir ag
achos y Gymru Gymraeg yw hwn: a
ydyw'n debyg o beri fod mwy o Gymry yn

defnyddio'r Gymraeg mewn maes lle na
arferent wneud hynny? ...Os dywed
rhywun fod mater parch ac anrhydedd yn
bwysig hefyd, dywedwn mai'r gwir barch
a'r gwir anrhydedd y gellir ei dalu i'r
Gymraeg yw ei defnyddio.
    Gweithredu Anghyfreithlon, 17

64

Nid syniad neis neu ffafr nawddogol yw
statws swyddogol i'r iaith Gymraeg. Yn
hytrach na hynny, y mae'n fodd cwbl
ymarferol i sicrhau parhad a ffyniant yr
iaith...Y mae'r frwydr statws yn frwydr
dros ddyfodol yr iaith Gymraeg. Yr unig
fath o statws sy'n werth ei gael yw statws
a fydd yn sicrhau'r dyfodol hwnnw.
    20

DAVIES, CERI (1946-   )

65

Un o brif effeithiau ailddarganfod y
clasuron Lladin a Groeg ar ddyneiddwyr
Cymru ydoedd peri iddynt haeru fod
ganddynt hwythau eu clasuron hefyd--
gwaith Taliesin a holl feirdd y traddodiad
Taliesinaidd yn yr Oesoedd Canol--ac
mai eu tasg hwy ydoedd astudio a
choleddu'r clasuron hynny gydag
angerdd o'r newydd. O hyn y cododd eu
diddordeb yng ngeirfa'r iaith Gymraeg,
a'i gramadeg—yn ystyr ehangaf y gair
hwnnw.
    *Rhagymadroddion a Chyflwyniadau
Lladin* 1551-1632 (1980), 5

DAVIES, Arglwydd DAVID (1818-90),
Llandinam
His practical, commonsense view of the
relations between the English and Welsh
languages is shown by a speech which he

had the courage to make at the national eisteddfod at Aberystwyth in 1865.

66

'This is the first eisteddfod I have ever attended. I am a great admirer of the old Welsh language, and I have no sympathy with those who revile it. Still, I have seen enough of the world to know that the best medium to make money by is the English language. I want to advise every one of my countrymen to master it perfectly; if you are content with brown bread, you can, of course, remain where you are. If you wish to enjoy the luxuries of life, with white bread to boot, the only way to do so is by learning English well. I know what it is to eat both.'

Ivor Thomas, *Top Sawyer* (1938), 316

Dyma'r eisteddfod gyntaf i mi fod ynddi. Rwy'n edmygydd mawr o'r hen Gymraeg, ac nid oes gennyf ddim cydymdeimlad o gwbl â'r rheini sy'n ei dirmygu. Eto i gyd, rwyf wedi gweld digon ar y byd i wybod mai'r cyfrwng gorau i wneud arian yw'r iaith Saesneg. Rwyf am gynghori pob un o'm cydwladwyr i'w meistroli'n berffaith; os ydych yn fodlon ar fara brown, gellwch, wrth reswm, aros lle'r ydych. Os mynnwch fwynhau moethau bywyd, a bara gwyn yn y fargen, yr unig ffordd i wneud hynny yw drwy ddysgu Saesneg yn dda. Y mae gennyf i brofiad o fwyta'r ddau.

DAVIES, Y Parchedig E. TEGLA ('Tegla'; 1880-1967)

67

Torrais y daith am ychydig yn Llanidloes. Diwrnod ffair ydoedd. Pe bawn fyddar tybiwn mai Cymry glân gloyw oedd pawb

yno, Cymry gwledig, cartrefol, tymhoraidd. Dacw ddau ffarmwr, na welais mo'u Cymreiciach hyd yn oed yn Eryri, yn mynd ati i daro bargen am fuwch. Wrth fynd heibio iddynt, dyma a glywais gan y ddau Gymro Cymroaidd iawn hyn:

'And how be you, William Williams, man?'

'Nêt thenciw, and what price on the cow you have?'

'You have a new preacher yonder, I hear, how is he doing?'

'He's striking very well. And what about the cow, Jenkins, man?'

Siarad Cymraeg yr oeddynt, yn Saesneg.

Ar Ddisberod (1954), 118

68

Yn y flwyddyn 1884, dywedodd un o wŷr mwyaf oll Cymru, yn un o gynadleddau sefydlog enwocaf oll Cymru, y byddai'r Gymraeg, ymhen ugain mlynedd, wedi marw. Cyn darogan fel hyn mewn unrhyw gyfnod, dylid bod yn sicr nad oes rhyw O M. Edwards ar ei daith. Ei fath ef, mewn gwahanol gyfnodau, sy'n troi pob darogan yn oferedd...

A daeth atom ninnau fechgyn a genethod di-ganllaw cefn gwlad, ysgubion llifeiriant y dirywiad, gan roi llygaid inni weld yr unrhyw weledigaeth, a'n bwrw ni, drwyddo ef, dan ei chyfaredd.

Dyna pam y mae plant ein plant yn siarad Cymraeg.

Lleufer, XV (Haf 1959), 66

69

''Ryden ni'n cael llawer o Gymraeg yn yr ysgol, ac mae digon o Welsh books yn prose a poetry yn y library, ac exams mewn Welsh, ac mae 'nhad a mam yn

enthusiastic iawn dros Welsh. 'Ryden ni
fel plant i gyd newydd joinio'r Urdd.
Badge yr Urdd ydi hwn.'
"Roeddwn i wedi sylwi ar hwnene ers
meitin. Beth yw'r Urdd yma?'
'Cyfarfodydd inni ddysgu perfectio'n
Cymraeg. Mae gennon ni debates,
dramas, dances a mabolgampau, a phob
math o games. Mae gennon ni gommittee
nos yfory i arrangio'r debate fawr yr
wythnos nesa ar---A yw Cymru'n ripe am
selfgovernment.'
'Wyddoch chi beth, mae dy oes di'n un
glyfar. 'Rwyt ti'n siarad Cymraeg yn rhy
alluog imi dy ddallt di'n iawn. Y cartref a'r
capel yn unig oedd gennym ni i ddysgu
Cymraeg...'
Rhyfedd o Fyd (1950), 51-52

70
Ac mi gawn ddigon o religion ar y
wireless...'
'Beth yw hwnnw, 'machgen i?'
'Dyn yn ein haddressio ni yn Llunden, a
ninne'n ei glywed yn splendid gartre.'
'Cellwair yr wyt, 'machgen i. Wel, dacw
Ann o'r diwedd. Ann bach, 'rydw i wedi
clywed pethe rhyfedd gan y bachgen yma.
Mae'n Cymraeg ni yn rhy dlawd, Ann
bach, i ddeall Cymru heddiw...'
'Cynghanedd! 'Ryden ni'n eu dysgu
nhw yn y Welsh lesson...I ble'r aethoch
chi?'
'Rhygi bach, 'rwyt ti'n edrych yn pale
iawn, mi roddest fright i mi.'
'O1 mam, terrible fright, hen ddyn a
hen wraig yn gwisgo fel tasen nhw mewn
drama o ancient history, a siarad mewn
queer Welsh, hollol obsolete. Ac wedyn
vanishio.'
54-55

DAVIES, EMYR
71
Y broblem i'r dyneiddwyr, hyd yn oed ar
ôl cyfiawnhau'r iaith frodorol, oedd
arfogi'r Gymraeg i ymdopi â syniadau
newydd, ac yn arbennig gysoni'r iaith
lenyddol ar gyfer yr argraffwasg.
Y Traethodydd, cxlv (1990), 176-77

72
Erbyn heddiw, 'does dim sail i'r ddadl
wrth-Gymraeg ei bod hi'n methu ymdopi
â phob agwedd o fywyd modern a'i bod
yn iaith hen ffasiwn, er bod y rhagfarn
honno'n dal yn fyw. Ond mae rhagfarnau
ynglŷn ag ansawdd Cymraeg *llafar*
heddiw mor gryf â rhagfarnau yn erbyn yr
iaith lenyddol yn y gorffennol. Sawl
gwaith y bu i rywrai ddadlau bod
ansawdd y Gymraeg a glywir heddiw yn
golygu nad yw'r Gymraeg yn *werth* ei
hachub? Faint o ymyrraeth o'r Saesneg y
medrwch chi ei ganiatáu cyn dyfarnu'r
iaith yn ddi-werth?
177

73
Profiad aml diwtor ail iaith yw bod
dysgwyr y Gymraeg yn cael eu siomi pan
glywant eiriau Saesneg yn cael eu harfer
yn lle'r geiriau Cymraeg y maen nhw
wedi'u dysgu.
177

74
Un o'r pethau mwyaf niweidiol yng
nghyd-destun agweddau tuag at y
Gymraeg oedd y modd y cymhwyswyd
Darwiniaeth at ieithoedd...Yr ymhlygiad
oedd, wrth gwrs, fod ieithoedd yn tyfu, yn
blaguro ac yn marw fel organebau

real...Arweiniodd hyn yn un peth at sicrwydd unfrydol bron fod y Gymraeg yn mynd i 'farw', ac yn waeth efallai at y gred nad oedd modd gwneud dim i geisio atal y broses honno rhag digwydd. Nid oedd llawer o bwynt, wedi'r cwbl, geisio achub rhywbeth a oedd yn marw o henaint.

181

75

Yr oedd awydd cryf ymhlith Cymry Oes Fictoria i brofi eu bod nhw'n aelodau mwy brwd o'r Ymerodraeth Brydeinig na neb arall...Nid oedd ymlyniad wrth Goron Lloegr yn anghyson ag ymlyniad wrth yr iaith Gymraeg i...unigolion...o William Salesbury hyd Griffith Jones, neu Gwenynen Gwent hyd yn oed, ond sut 'roedd troi'r teyrngarwch hwn yn ddadl dros yr iaith Gymraeg? Yn syml iawn, y ddadl oedd bod cadw'r Gymraeg yn warant o ufudd-dod y Cymry i'r Goron; cadw'r Gymraeg a'i cadwai'n 'Gymru Lonydd.'

181-82

76

O edrych yn ôl mae'n amlwg fod y dadleuon a gynigiwyd dros achub neu 'ymgeleddu' y Gymraeg yn y gorffennol yn gysylltiedig â'r math o werthoedd a oedd yn gyfredol ar y pryd. O ystyried mai achub yr amgylchfyd fydd un o flaenoriaethau gwladwriaethau'r gorllewin yn y dyfodol, efallai mai'r ddadl ecolegol yw'r ddadl orau bellach dros 'achub' ieithoedd fel y Gymraeg.

189-90

DAVIES, EVAN
77
Pa beth bynnag sydd swynol, annwyl a chysegredig a gyfleir i'r meddwl ac a groniclir yn y cof yn acen lleferydd hen iaith yr ardal. Dyma iaith gweddi a mawl dwfn deimlad Plwyf Llangynllo. Dyma iaith serch ac anwyldeb—tristwch a gorfoledd, dolefain a chân. Er fod ei harddull yn daleithiol a'i dullwedd mewn llawer ystyr yn sathredig, y mae yn ddealledig i'r glust ac yn ddisgrifiadol i'r meddwl. Nid ydyw y trawsgyweiriad ohoni i iaith y cysegr ond bychan ac hawdd ei groesi; ac nid ydyw ei dull ymadrodd cyffredin, ar y cyfan, ond aralleiriad cartrefol o Gymraeg rhagorol yr Ysgrythurau, o ba un y mae wedi cyfoethogi ei geiriau a'i meddylddrychau yn helaeth...
'Y Gymraeg, gem aur yw hi,--a byw fwy
   Y bo fyth mewn mawrfri;
   Iaith Addaf,--oes faith iddi,
   A iaith y Nef yw ein hen iaith ni.'
Hanes Plwyf Llangynllo (1905), 210-11

DAVIES, Arglwydd GWILYM PRYS (1923-)
78
Bu symudiad sylweddol iawn yn ysrod yr ugeinfed ganrif i adfer yr iaith Gymraeg i'w phriod le fel iaith genedlaethol Cymru. Ar ddechrau'r ganrif yr oedd ei statws yn ddibynnol ar ddisgresiwn. Erbyn diwedd y ganrif yr oedd ganddi statws cyfreithiol ar sail cyfartal â'r Saesneg. Gellid ystyried bod ei safle wedi newid o fod yn un o amarch a dibyniaeth ar oddefiad anstatudol i fod yn un o fri yn seiliedig ar gyfreithlondeb statudol.
'*Eu Hiaith a Gadwant*'? (gol.

G.H.Jenkins a Mari A.Williams, 2000),
238

79
Yn nechrau'r ganrif hon, 'roedd y
Gymraeg yn isradd yn y llysoedd ac wedi
ei diraddio yng ngweinyddiaeth seciwlar
Cymru. A ninnau heddiw yn tynnu at
ddiwedd y ganrif gwelwn fel y bu newid
enfawr yn ei statws cyfreithiol. Yn hytrach
na'i bod yn iaith annheilwng ei defnyddio
ar gyfer dinasyddiaeth a'i statws yn y
llysoedd yn ddibynnol ar oddefiad, fe'i
dyrchafwyd i fod yn iaith ac iddi urddas a
statws cyfreithiol yng Nghymru, yn iaith
sydd, o leia yn ffurfiol, ar sail
cydraddoldeb â'r Saesneg. Ni fu'r
trawsnewid o ddibyniaeth ar oddefiad i
gydraddoldeb yn un esmwyth a dirwystr.
A bu'n rhaid wrth fwy na breuddwydion
melys. Ni ddigwyddodd heb frwydro taer
a dyfal yn wyneb syrthni trwch y
boblogaeth, gwrth-Gymreigrwydd cyrff
cyhoeddus a gwrthsafiad y wladwriaeth
a'i gweision.
    Y Traethodydd, Ebrill 1998, 90

DAVIES, IDRIS (1905-53)
80
I lost my native language
For the one the Saxon spake
By going to school by order
For education's sake.
    The Collected Poems of Idris Davies (ed.
Islwyn Jenkins, 1972), 125
Mi gollais i fy mamiaith
Am iaith y Sais a'i bri
Trwy orfod mynd i'r ysgol
Er mwyn fy addysg i.

81
We have carried our accents into Westminster
As soldiers carry rifles into the wars;
We have carried our idioms into Piccadilly,
Food for the critics on Saturday night.
['London Welsh'}
156
Dygasom ein hacenion i Westminster
Fel y mae milwyr yn dwyn gynnau i'r gad;
Dygasom ein hidiomau hyd ym Mhicadili,
Ymborth i'r beirniaid y Sadwrn yn hwyr.

82
Still a golden language triumphs
On these mountains by the sea,
And I heard a child this morning
Sing of Glyndwrs yet to be. ['Arfon']
162
Deil iaith aur o hyd yn drechaf
Ar y bryniau ger y môr,
A chlywais blentyn heddiw'r bore'n
Canu am sawl Glyndŵr yn stôr.

DAVIES, ITHEL (1894-1989)
83
Medrwn i ddarllen ac ysgrifennu yn
weddol dda erbyn fy mod yn dair oed.
Dysgais   ddarllen   Cymraeg   a'i
hysgrifennu ar yr aelwyd gartref a hefyd
yn yr ysgol Sul ym Methsaida. Dyna'r
unig wersi Cymraeg a gefais yn ystod fy
mhlentyndod. Ar ôl mynd i'r ysgol i
Ddinas Mawddwy dim ond Saesneg oedd
i'w gael.
    Bwrlwm Byw (1984), 14

84
Er bod y plant i gyd yn Gymry Cymraeg
gan gynnwys plant dau deulu o Saeson a
ddaeth i fyw i'r pentref, ni chawsom ddim
ond addysg cwbl Seisnig. Ac er bod y

prifathro yntau yn Gymro Cymraeg a siaradai Gymraeg â phobl yr ardal, ni chafwyd yr un wers Gymraeg yn yr ysgol a chwbl Seisnig oedd yr holl awyrgylch...Y syndod i mi yw ddarfod i ni'r Cymry oddef y fath drefn o gwbl, na fyddai'r genedl wedi codi mewn gwrthryfel yn erbyn y fath draha.

16-17

85

Y fath chwyldro sydd wedi digwydd yn y cyfamser. Pan adeiladwyd ysgol newydd ar ddôl Minllyn...mor hyfryd oedd clywed y plant yn canu hen ganeuon y genedl...a phopeth yn Gymraeg a dim gair o Saesneg ar gyfyl y lle. Yn y pedwardegau, ar ôl y Rhyfel Mawr, y bu hynny. A gwŷr a gwragedd a ieuenctid a phlant y fro yn llond y neuadd yn ei morio hi mewn cyfanfor o Gymraeg.

18-19

86

Nid Cymru fydd Cymru heb yr iaith. Y mae'r iaith yn gwbl allweddol i'r holl syniad o genedl. Erys y ffaith ystyfnig, fodd bynnag, nad yw'r iaith, ar ôl canrifoedd o ymdrech fwriadol o du Lloegr i'w lladd, mwyach yn ddim ond iaith lleiafrif o boblogaeth y wlad. Er hynny dyma iaith bob dydd trigolion rhan helaethaf o diriogaeth Cymru...Ar ôl dileu popeth a feddai Cymru yn y flwyddyn 1535 nid oedd yn aros ond yr iaith. Y mae'r gwaith o ladd yr iaith yn mynd yn ei flaen o hyd. Ac, er y cynnydd yn yr ysgolion Cymraeg ledled Cymru, canolbwyntir yr ymdrech heddiw drwy'r Brifysgol a'r gwahanol golegau, drwy eu llenwi â Saeson uniaith. Gwaetha'r modd,

ni fu Prifysgol Cymru erioed yn sefydliad addysg Gymraeg a Chymreig.

190

DAVIES, JENNIE EIRIAN (1926-82)

87

Nid oes dim a all roi mwy o egni yng ngwythiennau'r Gymraeg na'i bod yn llifo'n rhydd i bob rhan o gorff y genedl. Yn wir, oni ddigwydd hynny iddi, iaith farw a fydd hi yn y man.

Mae'n brofiad hyfryd, felly, sylwi arni yn meddiannu meysydd newydd ar y cyfryngau. Ac mae wedi llwyddo i wneud hynny yn anrhydeddus iawn yn ystod y blynyddoedd diwethaf.

Y Cymro. 25 Ionawr 1977, 15

DAVIES, JOHN (c. 1567-1644), Mallwyd

88

Praecipua honoris & dignitatis palma, de qua inter se linguae decertare solent, Vetustas est; & Britannica cum plaerisque vulgaribus, vt nihil dicam amplius, in hanc arenam non verebitur descendere.

Antiqvae Lingvae Britannicae... Rvdimenta (1621), [v]

Pennaf llawryf anrhydedd a theilyngdod y mae ieithoedd yn arfer ymgiprys amdano yw hynafiaeth; ac ni bydd ofn, a dweud y lleiaf, ar y Gymraeg ynghyd â llawer o'r ieithoedd cyffredin ddod i lawr i'r ornest hon.

89

Et qui plures enumerant Europae linguas primigenias & matrices, quarum ignorantur parentes, Britannicam matricis linguae honore non dignari, ne ausi quidem sunt.

[vi]

A'r rheini sy'n ystyried bod amryw o

brifieithoedd a mamieithoedd Ewrop na
wyddys pwy oedd eu rhieni, nid ydynt
hwythau yn meiddio honni nad yw'r
Gymraeg yn haeddu anrhydedd
mamiaith.

90

*Atque hinc fortasse est quod nonnulli
existimarunt Britannos sese Cymro, & Pl.
Cymry, h.e. Aborigines, indigitare solitos, (si
nec a Gomero, vt quidam volunt, nec a
Cambro, quod verius est, ortum sit illud
nomen) linguam suam Cymraeg,
Aboriginem seu indigenam sermonem
appelitare: Non quod e terra, fungorum
more, germinasse gentem, et cum gente
linguam crederent, sed quia & gentis &
linguae initium sit omni hominum memoria
antiquius.*

[vi-vii]

A hyn efallai yw'r rheswm i amryw dybio
bod y Brutaniaid wedi arfer â'u dynodi eu
hunain fel Cymro, a Cymry yn y lluosog,
hynny yw, cynfrodorion, (onid o Gomer,
fel y myn rhai, nac o Camber, sy'n nes i'r
gwir, y tarddodd yr enw hwnnw).a galw
eu hiaith Cymraeg, tafodiaith wreiddiol
neu gynhenid; nid oherwydd credu
ohonynt fod y genedl, a'r iaith i'w
chanlyn, wedi tarddu o'r ddaear fel caws
llyffaint, ond oherwydd bod dechreuad y
genedl a'r iaith yn hŷn na chof undyn
byw.

91

*Deinde, si eo nobilior, perfectior, antiquior,
& ad animi sensa exprimenda, aptior,
commodiorque lingua iudicanda sit, quo
maiorem cum Hebraea, vnica generis
humani per 1700 plus minus annos lingua,
omniumque deinceps linguarum matre,*

*fonte & archetype, habet congruentiam;
Britannicam hac ex parte nulla credo,
superat, nulla aequat. Si enim literas
spectes, sono cum Hebraeis quam optime
conueniunt...pene Hebraeam esse dixeris...Si
phrases, locutionum modos, orationis
syntaxin, consideres; certe nec Graeca nec
Latina, minus vulgarium vlla, ita ad viuum
Hebraismos exprimit, ac Britannica.*

[vii-viii]

Drachefn, os teg barnu mai ardderchocaf,
perffeithiaf, hynaf oll, ac addasaf a
hwylusaf yn y byd i fynegi teimladau'r
galon, yw iaith, po fwyaf o gyfatebiaeth
sydd rhyngddi a'r Hebraeg, unig iaith yr
hil ddynol am 1700 fwy neu lai o
flynyddoedd, a mam, ffynhonnell, a
chynsail pob iaith wedi hynny, yna, yn
hyn o beth, nid yw'r un ohonynt, yn fy
marn i, yn rhagori ar y Gymraeg nac
ychwaith yn ail iddi. Oherwydd os
edrychi ar y llythrennau, y maent yn
cytuno orau posibl â'r rhai Hebraeg o ran
sain...bron na ddywedit mai'r Hebraeg
ydyw...Os ystyri briod-ddulliau, droadau
ymadrodd, gystrawen y frawddeg, yn sicr
nid yw na'r Roeg na'r Lladin, chwaethach
unrhyw un o'r ieithoedd cyffredin, yn
cyfleu idiomau'r Hebraeg i drwch y
blewyn fel y gwna'r Gymraeg.

92

*Denique luce clarius est meridiana, linguam
Br. cum orientalibus, a quibus vniversae
linguae ortum habent, magnam affinitatem
habere: cum reliquis Europaeis pene
nullam. Quamuis enim Romano subacta
imperio, aliquas voces Latinas, suas fecerit:
nonnullaque vocabula ab alijs linguis, ex
populorum commercio, sit mutuata,
proprias tamen habet eiusdem*

significationis voces, quae nulli alienae debentur linguae.

[xi]

Yn olaf, y mae'n eglurach na'r haul ganol dydd fod tebygrwydd mawr rhwng yr iaith Gymraeg a'r ieithoedd dwyreiniol y mae'r holl ieithoedd yn deillio ohonynt, ond rhyngddi a'r gweddill o ieithoedd Ewrop odid ddim tebygrwydd. Oblegid er iddi fabwysiadu nifer o eiriau Lladin pan oedd dan iau Ymerodraeth Rufain, ac er iddi fenthyca amryw eiriau gan ieithoedd eraill drwy gyfathrach pobloedd, y mae ganddi, fodd bynnag, eiriau cyfystyr o'r eiddi ei hun, nad oes ddiolch amdanynt i unrhyw iaith estron.

93

Addo quod duratione etiam, plaerasque, si non omnes, saltem vulgares, haec lingua superat. Mirandum enim quod in angulo tam angusto, per tot annorum centena, non obstante Saxonum Normannorumue tyrannide, non auitum tantum nomen, sed & linguam suam Primigeniam, sine vlla aut insigni mutatione, aut alterius linguae admixtione, in haec vsque tempora, sartam tectam, illaesam propemodum & incorruptam conseruarit reliquiarum Britannicarum manipulus.

[xi]

Ychwanegaf fod yr iaith hon o ran ei pharhad hefyd yn drech na'r mwyafrif, onid pob un, o'r ieithoedd cyffredin o leiaf. Canys y mae'n destun syndod fod dyrnaid o weddillion Brythonaidd mewn congl mor gyfyng, am gynifer o ganrifoedd, er gwaethaf gormes y Saeson a'r Normaniaid, wedi cadw nid yn unig enw eu hynafiaid, ond hefyd eu hiaith wreiddiol eu hunain, heb unrhyw

gyfnewidiad o bwys na chymysgedd o iaith arall, hyd y dydd heddiw, mewn cywair da, heb nemor ddim niwed, ac yn ddi-lwgr.

94

Praeterea, omnes fere aliae linguae, singulis pene annorum centenis, tantam patiuntur mutationem, vt easdem esse vix credas...At Britanna ante mille, credo, annos, idem habuit idioma quod nunc retinet, vt ex poematis vtriusque Merlini...Aneurini, &...Telesini, liquet manifesto; Quae a nunc recepta loquendi ratione, non ita discrepant, quin ab ijs qui mediocriter in lingua Brit. sunt versati, possint intelligi; quare rectissime Camdenus linguam Brit. minime permistam & longe antiquissimam dicit.

[xiii-xiv]

Heblaw hyn, y mae'r ieithoedd eraill agos i gyd wedi profi'r fath gyfnewidiad, a hynny o fewn un ganrif bron, fel mai prin y credit mai'r un ydynt...Ond am y Gymraeg, yr un priod-ddull a oedd ganddi hi fil, mi dybiaf, o flynyddoedd yn ôl ag sydd ganddi heddiw, fel yr ymddengys yn eglur wrth gerddi'r ddau Fyrddin...Aneirin...a Thaliesin; nid oes cymaint o wahaniaetth rhwng y rheini a'r dull o siarad sy'n dderbyniol heddiw fel na aller eu deall gan y sawl sy'n weddol hyddysg yn yr iaith Gymraeg. Felly y mae Camden yn llygad ei le pan ddywaid mai'r iaith Gymraeg yw'r leiaf cymysg a'r hynaf o bell ffordd.

95

Nuperrime sane propter quotidianum cum Anglis commercium, & iuuentutem in Anglia educatam, & plaerumque ad Anglicam linguam magis quam ad suam, a pueritia assuetam; Anglicae quaedam voces, et Anglicismi nonnulli eam inuaserunt, & quotidie magis magisque inuadunt.

[xiv]

Yn ddiweddar, bid siŵr, oherwydd cyfathrach feunyddiol â'r Saeson, a bod yr ieuenctid yn derbyn eu haddysg yn Lloegr ac yn fwy cyfarwydd o'u mebyd â'r iaith Saesneg nag â'u mamiaith, y mae rhai geiriau Saesneg wedi ymdreiddio iddi ac yn parhau i ymdreiddio fwyfwy o ddydd bwygilydd.

96

Addo insuper quod nec in plures per tot secula, post separationem a Cornubiensibus, post colonias vna in Gallia Armorica, alteram in America, locatas, diuisa sit, sed vna semper manserit. Cum enim, exempli gratia, vna lingua Italica Latinae notha, in Genuensem, Longobardicam, Hetruscam, Romanam, Neapolitanam, Calabriensem, Siculam, Bergomensem, Venetam, Tridentinam, & Pedemontanam distrahatur: Britanna post tot annorum curricula, gentisque clades, vna semper manet.

[xiv-xv]

Ychwanegaf at hyn oll y ffaith na ddarfu iddi [y Gymraeg] ymrannu'n llawer yn nhreigl cynifer o oesoedd, ar ôl gwahanu oddi wrth y Cernywiaid, ar ôl sefydlu gwladychfaoedd, y naill yn Llydaw a'r llall yn America, eithr arhosodd yn un yr holl amser. Oherwydd tra dernir, er enghraifft, yr un iaith Eidaleg, bastardes y Lladin, yn dafodieithoedd Genoa, Lombardi, Etruria, Rhufain, Napoli, Calabria, Sisilia, Bergomania, Fenis, Tridentina, a Phiedmont: y mae'r Gymraeg, wedi cwrs yr holl flynyddoedd

a holl drychinebau'r genedl, yn parhau'n un o hyd.

97

Reliquis...nationibus in more fuit semper positum, vt vicinarum linguarum cognitioni, & vocabulorum nouitati studerent: a qua nos semper adeo abhorruimus, vt legibus cautum fuerit ne Bardi nouitati operam darent, sed vetustae linguae custodes, etiam constitutis premijs, designarentur.

[xvi]

Gan y gweddill...o'r cenhedloedd, yr arfer yn gyson oedd ymdrechu i ymgydnabod â'r ieithoedd cyffiniol ac am newydd-deb geirfa: arfer y buom ni'n wastadol yn arswydo cymaint rhagddi fel y gofalwyd drwy ddeddfau nad ymroddai'r beirdd i newydd-deb geirfa, ond yr apwyntid hwy'n geidwaid yr iaith hynafol, hyd yn oed gan drefnu gwobrau iddynt.

98

Plaerumque etiam fit vt in montanis, sterilibus, rigidis & inamaenis regionibus, quale nobis reliquum solum, linguae vetustae post plura secula illaesae maneant, cum vellus aureum non habeant quod Iasones inuitet. Sic ferunt aquilonarem & montosam Hispaniae partem, quae a Carthaginensibus, Mauris, & Romanis, prae sterilitate non est debellata, etiam nunc vetustam linguam Cantabricam retinere...Et hoc nobis, 'Penitus toto diuisis orbe Britannis', contigit.

[xvi-xvii]

Digwydd hefyd yn fynych iawn fod ieithoedd hynafol yn aros ers oesoedd lawer, heb amharu dim arnynt, mewn parthau mynyddig, diffaith, garw ac anhyfryd, fel y tir a adawyd i ni, oherwydd

nad oes ganddynt mo'r cnu aur i lygad-
dynnu Jasoniaid. Felly y dywedir bod
rhan ogleddol a mynyddig Sbaen, na
ddarostyngwyd mohoni gan y
Carthaginiaid, y Mwriaid, na'r
Rhufeiniaid, gan ei diffeithed, yn cadw
iaith hynafol Cantabria hyd yn oed
heddiw...Dyma hefyd fu'n hanes ninnau,
'y Brytaniaid a lwyr wahanwyd oddi wrth
yr holl fyd.'

99

*At Britannica, inquies, lingua, prolatione
aspera est, difficilis, impedita, confragosa,
iniucunda, illepida, insulsa. Imperite
quidem dicunt...Linguam autem
Britannicam hac in parte cohonestat, quod
& Hebraea, omnium domina, mater, &
asperitatis, difficultatis & iniucunditatis
incusetur.*

[xvii-xviii]
Ond y mae'r iaith Gymraeg, meddit, yn
gras ei chynaniad, yn anodd, drosgl, arw,
annymunol, anghoeth, ddiflas. Yn
ddiwybod y mae rhywrai'n dweud
hyn...Yn hyn o beth, fodd bynnag, y
mae'n anrhydedd o'r mwyaf i'r iaith
Gymraeg fod yr Hebraeg hithau,
meistres, mam, a chynsail yr holl
ieithoedd, yn cael ei chyhuddo o fod yn
anodd ac yn annymunol.

100

*Sed esto antiqua, incerta tamen est huius
linguae orthographia, & scribendi
legendique ratio, ait anonymus nescio quis,
qui asserit se inter decem scriptores
Britannicos, ne duos quidem inuenire
potuisse, qui eandem sententiam eodem
modo, h.e. ijsdem literis scriberent: non
interim aduertens, nos ab annis fere centum*

*elapsis, Anglice non Britannice literarum
rudimenta, & scribendi legendique
rationem discere solitos, & ex Anglica non
Britannica in scholis Latinam linguam
doceri. Ego vero constanter affirmare ausim,
Quod si quem vel Britannum, vel Anglum,
vel Gallum, vel cuiuscunque demum linguae
hominem, literarum Br. potestatem semel
perfecte docuero, is absque omni prorsus
errore aut titubantia, quicquid Britannice
scripseris recte leget, quicquid dictaueris
recte scribet. Et noti mihi fuere Angli,
Britannicae linguae prorsus ignari, qui
quodcunque scriptum Britannicum
(literarum tantummodo potestatem edocti)
tam perfecte, aperte, distincte, legerent, vt
quiuis Britannus intelligeret, legentemque
intelligere crederet. Tam certe, perfecteque
sunt nobis scribendi normae, vt nulli in hac
parte cedamus linguae.*

[xix]
Ond, a chydnabod ei hynafiaeth, ansicr er
hynny yw orgraff yr iaith hon a sut i'w
darllen a'i hysgrifennu, medd rhywun
neu'i gilydd, gan haeru na lwyddodd ef i
ddarganfod hyd yn oed ddau o blith deg o
ysgrifenwyr Cymraeg a ysgrifennai'r un
frawddeg yn yr un ffordd, hynny yw, â'r
un llythrennau: heb ystyried yn y
cyfamser mai yn Saesneg, nid yn
Gymraeg, yr ydym ni, ers can mlynedd
bron, wedi arfer dysgu elfennau
llenyddiaeth a gwyddor ysgrifennu a
darllen, ac mai drwy gyfrwng y Saesneg,
nid y Gymraeg, y dysgir yr iaith Ladin yn
yr ysgolion. O'm rhan fy hun, mi fentrwn
i haeru'n bendant, unwaith y byddwn i
wedi dysgu grym y llythrennau Cymraeg
yn drwyadl i unrhyw un, boed Gymro,
neu Sais, neu Ffrancwr, neu'n wir yn ŵr o
ba iaith bynnag, y byddai hwnnw, heb

fethu na phetruso o gwbl, yn darllen yn gywir beth bynnag y byddech wedi'i ysgrifennu, ac yn ysgrifennu'n gywir beth bynnag y byddech wedi'i arddywedyd. Ac adnabûm Saeson, na wyddent air o Gymraeg, a ddarllenai (heb ddysgu iddynt ddim ond grym y llythrennau) unrhyw beth wedi'i ysgrifennu yn Gymraeg, a hynny mor berffaith, mor groyw, ac mor eglur ag y byddai unrhyw Gymro'n deall ac yn credu bod y darllenydd yntau'n deall. Mor bendant a pherffaith yw rheolau ysgrifennu gennym ni fel nad ildiwn i unrhyw iaith ar y pwynt hwn.

101

Sed toties profligatus, ferocior in lingua insurgit Momus, & rudem esse calumniatur, nulliusque elegantiae. Vbi vero loci ruditas ista deprehenditur? Nam si voces spectes, certe vocum congruentia, proprietate, aptitudine, elegantia, copia, deriuationibus, compositionibus, nulli sororum postponenda est. Si prosam & orationem solutam, est sermonis facilitate, gratia, venustate, adeo praegnans, faecunda, diues; vt ad cuiuslibet artis praecepta exprimenda, faelicius nihil excogitare potest. Si poesin & metricam numerosamque orationem consideres, omnes facile, multis, quod aiunt, parasangis anteit.

[xx]

Ond ar ôl cael ei drechu gynifer o weithiau, dyma Momws yn ymosod yn ffyrnicach ar yr iaith, a dannod ei bod yn anghoeth ac nad oes dim dillynder yn perthyn iddi. Pa le, atolwg, y canfyddir y diffyg coethder hwn? Canys os sylwi ar ei geiriau, nid ydyw i'w chyfrif yn ail i'r un o'i chwiorydd o ran cytundeb,

gweddustra, addasrwydd, cyfoeth, tarddeiriau a chyfansoddeiriau. Os edrychi ar ei rhyddiaith, y mae mor llawn, mor doreithiog, mor gyfoethog o ran rhwyddineb ymadrodd, swyn, a phrydferthwch fel na ellir dychmygu dim mwy pwrpasol i osod allan egwyddorion y gelfyddyd a fynner. Os ystyri ei barddoniaeth, y mae ar y blaen o ddigon, filltiroedd lawer fel y dywedir, i'r ieithoedd oll.

102

Necdum calumniari desinit [Momus], Nulla huius linguae Grammatices certa praecepta tradi posse contendens. Et hoc, si verum esset, linguae vetustatem arguit. Quis enim in tanta Grammaticorum cohorte, Hebraeae linguae omnium antiquissimae praecepta perfecte tradidit? Certe nec vnus nec omnes.

[xx]

Nid yw [Momws] eto wedi peidio â dannod, gan haeru na ellir traddodi unrhyw reolau pendant ynglŷn â gramadeg yr iaith hon. Ac y mae hyn, petai'n wir, yn profi hynafiaeth yr iaith. Oherwydd pwy o'r holl dyrfa o ramadegwyr sydd wedi traddodi'n derfynol reolau'r iaith Hebraeg, yr hynaf oll? Yn sicr, nid un na phawb ohonynt.

103

Colophonem tandem calumnijs additurus, argumentum obtendit [Momus], suo iudicio, Achilleum, Nullus, inquiens, huius linguae vsus, atque ideo conseruandae nulla necessitas, edendae Grammaticae nulla, cum nihil praeclarum, aut scitu lectuue dignum, in ea inueniatur scriptum; & sunt qui Ecclesiae & Reip. conducibilius fore existimant, si deleatur penitus & aboleatur, quam si conseruetur.

[xxi]

Ac yntau bellach ar fin rhoi terfyn ar ei athrodion, y mae [Momws] yn cynnig dadl sydd yn ei farn ef ei hun yn gref eithriadol. Nid yw'r iaith hon, meddai, o unrhyw ddefnydd, ac felly nid oes angen ei chadw o gwbl, na chyhoeddi gramadeg, gan na cheir yn ysgrifenedig ynddi ddim neilltuol, sy'n werth ei wybod neu ei ddarllen; ac y mae rhai o'r farn y byddai'n fwy manteisiol i fyd ac eglwys pe dileid hi'n gyfan gwbl a chael gwared arni na phe cedwid hi.

104

Et cultum profecto meretur lingua Br. vel hoc nomine, quod 'Omnium prouinciarum prima Britannia, publicitus Christi nomen recepit', vnde & Primogenitae Ecclesiae nomen sortita est Britannica. Nec sane vllo modo credendum est, voluisse Deum linguam hanc post tot gentis clades, imperij mutationes, tyrannorum molimina, in haec vsque vltima tempora conseruatam, nisi eadem Nomen suum inuocari, suaque magnalia praedicari decreuisset.

[xxiii-xxxiv]

Ac y mae'r iaith Gymraeg, yn sicr ddigon, yn haeddu ymgeledd yn enwedig am y rheswm hwn, sef mai 'Prydain oedd y gyntaf o'r holl daleithiau i arddel enw Crist yn gyhoeddus', ac oherwydd hyn cafodd Eglwys Prydain yr enw o Brif Eglwys. Diau na ellir chwaith mewn modd yn y byd gredu y byddai Duw wedi gweld yn dda gadw'r iaith hon hyd y dyddiau diwethaf hyn, ar ôl cynifer o argyfyngau yn hanes y genedl, cyfnewidiadau llywodraeth ac

ymgyrchoedd gormeswyr, oni bai ei fod wedi arfaethu i'w Enw Ef gael ei alw, ac i'w fawrion weithredoedd gael eu cyhoeddi ynddi.

105

Sic enim & Celsitudo Tua, si tenerioris aetatis curatoribus ita visum fuerit, a cuneis simul cum aliis Linguis, Antiquam etiam hanc huius insulae Linguam, nunc Walliae tuae peculiarem, vel imbibere, vel quae saltem qualisque sit cognoscere poterit. Nec enim Principibus indigna Linguarum cognitio.

Dictionarium Duplex (1632), Y Cyflwyniad i Siarl, Dywysog Cymru.

Felly hefyd, os da hynny gan warcheidwaid eich oedran tyner, gall eich Uchelder naill ai ymdrwytho o'r crud, ar yr un pryd ag mewn ieithoedd eraill, yn hen iaith yr ynys hon, sy'n gyfyngedig bellach i'ch Cymru chwi, neu o leiaf ddod i ddeall pa un a pha fath yw hi. Canys nid yw gwybod ieithoedd yn sarhad ar dywysogion.

106

Diu satis superque...Lexicon Britannicum fuit a multis avide expetitum, & a pluribus serio expectatum, tum nostratibus tum alienis. Alieni ut illud exoptarent fecit Linguae Brit. nunquam dubitata antiquitas, adeoque ejus cognoscendae ardens desiderium. Nostratium alii ut id discuperent fecit Linguae 'amor patriae ratione valentior omni', ne sc. antiqua Britonum lingua imperfectior indies barbariorque redderetur; alii quo veterum scripta Britannica, siqua supersunt paucula, facilius intelligent; alii, quo 'Magnalia Dei' popularibus suis (qui praecipuus est

linguarum omnium usus) 'lingua qua nati sunt' promptius enuncient; ut quae illis, dum in Academiis eruditioni parandae operam dant, in oblivione fere abire solet. Dictionarium Duplex (1632), Rhagymadrodd
Ers digon a gormod o hyd...bu taer ddyheu am eiriadur Cymraeg gan lawer, a disgwyl gwirioneddol amdano gan liaws mawr o'n cydwladwyr yn ogystal ag estroniaid. Gyda golwg ar estroniaid, hynafiaeth gwbl ddiamheuol yr iaith Gymraeg, ynghyd ag awydd angerddol am ddod i'w gwybod, a barodd iddynt hwy ddymuno hyn. Am ein cydwladwyr, 'gwladgarwch trech nag unrhyw reswm arall' a wnaeth i rai ohonynt fawr chwennych hyn o beth, hynny yw, rhag mynd o hen iaith y Cymry yn fwy amherffaith ac yn fwy anghoeth o ddydd i ddydd; eraill fel y deallont yn rhwyddach ysgrifeniadau Cymraeg ein hynafiaid, os oes ychydig ohonynt wedi goroesi; eraill, fel y bo'n haws iddynt bregethu 'mawrion bethau Duw' i'w pobl eu hunain (dyma bennaf amcan pob iaith) yn iaith eu mamau, yn gymaint â bod honno'n arfer â mynd bron yn angof ganddynt tra byddant wrthi'n dilyn eu cyrsiau addysg yn y prifysgolion.

107
Nam quo completiores hae forent lucubrationes, Britannicorum scriptorum nihil fere non legi, praecipue poetarum, qui in omnibus linguis vocabulorum sibi judicium jure quodam suo prae cæteris vendicant & mihi in vocum Brit. recta scriptione & veris investigandis significationibus, plurimum attulerunt adjumenti. Talia autem sunt, ut poetarum omnium, ita maxime Britannicorum scripta, ut nesciam an extent quae cum his aut sententiarum perplexitate, aut vocum obscuritate conferre ausim.
Rhagymadrodd
Canys fel y byddai'r astudiaethau hyn yn gyflawnach, ni adewais heb ei ddarllen nemor ddim o waith yr ysgrifenwyr Cymraeg, yn enwedig y beirdd, sydd ym mhob iaith, drwy ryw fraint neilltuol o'r eiddynt, yn anad neb yn hawlio iddynt eu hunain farnu geiriau, ac sydd wedi rhoi'r help mwyaf i minnau i ysgrifennu geiriau Cymraeg yn gywir, ac i chwilio am eu gwir ystyron. Er hynny, y mae ysgrifeniadau'r beirdd yn gyffredinol, yn enwedig felly y beirdd Cymraeg, yn gyfryw ag na wn i a oes ar glawr rai y byddai'n wiw gennyf eu cymharu â hwy o ran cymhlethdod y brawddegau a thywyllwch y geiriau.

108
Licet enim facile concedam vocem infrequentem non temere recipiendam aut usurpandam...e diverso tamen contenderim, voces antiquas, ubi opus fuerit, in veterem libertatem, quasi jure postliminii, asseri debere,; nec rejiciendas esse quae culpa temporum in desuetudinem abierunt. His etenim uti consultius est, quam alias ex proprio cerebello effingere, prout nonnullis in more positum est, qui vocum inopia laborantes, antiquis non intellectis aut rejectis, novas sibi sine regulis, sine ratione, imperite, interdum etiam ridicule, effingunt.
Rhagymadrodd
Caniataer ynteu y byddwn yn rhwydd gydnabod nad gwiw derbyn a defnyddio gair ansathredig yn fyrbwyll...eto i gyd, i'r gwrthwyneb, mi ddadleuwn i y dylid, lle

bo angen, adfer geiriau i'w hen urddas, yn unol â hawl adfeddiannu braint, ac ni ddylid ymwrthod â'r rhai a aeth allan o arfer drwy esgeulustod yr oesoedd. Oherwydd mwy rhesymol yw defnyddio'r rhain na llunio eraill o'ch pen a'ch pastwn eich hun; fel y mae'n arfer gan amryw, wrth lafurio yn erbyn tlodi geirfa, a'r hen rai naill ai'n annealladwy iddynt, neu'n wrthodedig ganddynt, fathu iddynt eu hunain eiriau newydd heb na rheol na rheswm, yn garbwl, ac weithiau hyd yn oed yn chwerthinllyd.

109

Nec me latet objicere solere nonnullos, voces antiquas Brit. quae in veteribus poetis passim occurrunt, poetas ipsos effinxisse, non ab antiquioribus accepisse, nec ab ipsis nec a suorum temporum hominibus intellectas esse, nec a quoquam mortalium intelligi posse...Quibus...ut respondeam verbo, Omnes sane antiquas voces a poetis usitatas, fuisse illorum temporibus vulgo intellectas pro certo non affirmo, doctos tamen et poetas, quorum munus fuit antiquam linguam conservare, eas ab antiquioribus accepisse & probe intellexisse, vel hinc manifestum est, quod easdem voces antiquas, ubique omnes in eadem significatione usurpent.

Rhagymadrodd
Nid wyf yn ôl o sylwi bod rhai'n arfer gwrthddadlau mai bathu'r hen eiriau Cymraeg, sy'n digwydd drwodd a thro yn yr hen farddoniaeth, a wnaeth y beirdd eu hunain, nid eu hetifeddu gan eu hynafiaid; nad oeddynt yn ddealladwy chwaith nac iddynt hwy eu hunain nac i'w cyfoeswyr; ac na ddichon yr un enaid byw eu deall...Ac imi roddi gair o ateb i'r

rhain: nid wyf yn honni i sicrwydd fod pob un, bid siŵr, o'r hen eiriau a ddefnyddid gan y beirdd yn ddealladwy'n gyffredinol yn eu hoes hwy; y mae'n amlwg, fodd bynnag, wrth y ffaith eu bod yn defnyddio'r un hen eiriau bob un ohonynt yn yr un ystyr ym mhobman, fod y gwŷr dysgedig a'r beirdd, a oedd wrth eu swydd yn gwarchod yr iaith hynafol, wedi eu derbyn gan eu hynafiaid ac yn eu deall o'r gorau.

110

Quod autem tot obsoleta vocabula nostra habeat lingua, & ab antiquitate fit, & quod per tot secula, inculta pene jacuit. Linguae enim Brit. idem fere contigit quod Hebraeae, ut nunc in fine seculorum coli tandem coeperit...Adde quod bellorum rabie, hostium invidia, temporum injuria, hominumque nostrorum incuria, cuncti fere antiqui perierunt libri Brit. qui antiquum vocabulorum usum monstrare potuissent, & ad nostra usque tempora traduxisse.

Rhagymadrodd
Y mae'r ffaith fod yn ein hiaith ni gynifer o eiriau ansathredig i'w phriodoli i'w hynafiaeth a'i bod wedi gorwedd bron yn ddiymgeledd am gynifer o genedlaethau. Oblegid yr un i bob pwrpas fu hanes y Gymraeg â'r Hebraeg, yn gymaint ag mai'n awr wedi'r holl oesoedd y dechreuodd o'r diwedd gael ei choledd...Ychwaneger bod y llyfrau Cymraeg, a allasai ddangos y defnydd o'r hen eiriau a'u traddodi i lawr i'n dyddiau ni, agos i gyd wedi mynd i ddifancoll drwy orffwylltra rhyfel, gasineb gelynion, anrhaith amser, ac esgeulustod ein cydwladwyr.

111

Nullo modo...probare possum, immo (siquid judicio valere existimor) plane damno, eorum studium qui omni ambiunt conatu voces fere omnes Britannicas a fontibus Latinis deducere. Nonnulla vocabula Lat. majores nostros sua fecisse non inficior: suis tamen servatis. Sed cum manifestum sit plerasque voces Britannicas gentis Britannicae proprias esse, nec a Latinis aliisve Europaeis deductas, cur non et reliquas vel adhuc habere, ut obsoletes, vel olim habuisse credamur, quae iam perierunt? Quod vel hinc liquidum esse mihi videtur, quod nonnullis rebus significandis binas pluresve habeamus voces, quarum usitatiores majori ex parte a Latinis fiunt, rarius usitatae merae sunt Britannicae: ut Spolium & Spoliare a Lat. dicimus 'Yspail' & 'Yspeilio', proprie 'Anrhaith' & 'Anrheithio'.

Rhagymadrodd

Ni allaf...ar unrhyw gyfrif gymeradwyo, yn wir (os ystyrir bod fy marn yn tycio rhywfaint) yr wyf yn condemnio'n agored ymroddiad y rheini sy'n mynd o gwmpas â'u holl egni i darddu bron bob gair Cymraeg o ffynonellau Lladin. Nid wyf yn gwadu bod ein hynafiaid wedi mabwysiadu nifer o eiriau Lladin, ond gan gadw'r eiddynt eu hunain, fodd bynnag. Eithr gan ei bod yn amlwg fod y rhan fwyaf o eiriau Cymraeg yn gynhenid i'r genedl Gymreig ac nad ydynt yn tarddu o'r Lladin neu ieithoedd Ewropeaidd eraill, paham na chredir bod y gweddill hefyd naill ai gennym eto yn eiriau ansathredig, neu ynteu wedi bod gennym gynt ac wedi diflannu bellach? Ymddengys i mi fod hyn yn eglur wrth y ffaith fod gennym barau neu ragor o

eiriau i ddynodi nifer o bethau, y rhai mwyaf arferol ohonynt yn deillio gan amlaf o'r Lladin, a'r rhai llai arferol yn Gymraeg pur: fel y dywedwn 'ysbail' ac'ysbeilio' o'r Lladin *spolium* a *spoliare*, yn gynhenid 'anrhaith' ac 'anrheithio'.

112

O'r deg mabolgamp, tair helwriaeth sydd...A saith gamp deuluaidd, 1 Barddoniaeth. 2 Canu telyn. 3 Darllain Cymraeg. 4 Canu cywydd gan dant. 5 Canu cywydd pedwar, ac acennu. 6 Tynnu arfau. 7 Herodraeth.

'Y Pedair Camp ar hugain' yn *Dictionarium Duplex* (1632)

DAVIES, J. CEREDIG (1859-1932)

113

The Celtic dialects are of extreme antiquity, and a great help to understand other languages, especially Oriental languages... Englishmen who desire to know the meaning of and how to pronounce Oriental names of places, and even many European ones, could do nothing better than learn Welsh...It is no wonder that, when I was staying in Lincolnshire 30 years ago, I found the learned English clergy there strongly in favour of introducing Welsh into the schools of England, especially the intermediate or grammar schools.

Welsh and Oriental Languages (1927), [9]

Y mae'r tafodieithoedd Celtaidd yn hen iawn, ac yn help mawr i ddeall ieithoedd eraill, yn enwedig ieithoedd Dwyreiniol. Ni allai Saeson sy'n dymuno gwybod ystyr a sut i ynganu enwau lleoedd Dwyreiniol, a hyd yn oed lawer o rai Ewropeaidd, wneud yn well na dysgu

Cymraeg. Nid rhyfedd imi weld, pan oeddwn yn byw yn Swydd Lincoln ddeng mlynedd ar hugain yn ôl, fod y clerigwyr dysgedig o Saeson yno yn bleidiol iawn i ddod â Chymraeg i ysgolion Lloegr, yn enwedig yr ysgolion canolraddol a gramadeg.

114

The Welsh language, the grand old language of the Druids, is most ancient, and no other language in Europe throws so much light on the connection between the Aryan and the Semitic families of languages; that in reality, both are of the same root.
16

Y mae'r iaith Gymraeg, hen iaith fawreddog y Derwyddon, yn dra hynafol, ac nid oes yn Ewrop unrhyw iaith arall sy'n taflu cymaint o oleuni ar y cysylltiad rhwng yr ieithoedd Aryaidd a'r Semitig, eu bod mewn gwirionedd o'r un gwreiddyn.

115

If Welsh and English people were to study more of the Welsh language, it would open their eyes to see more clearly many things which are now more or less obscure to them.
39

Pe bai Cymry a Saeson yn astudio mwy ar yr iaith Gymraeg, caent agoriad llygad i weld yn gliriach lawer peth sy'n awr yn fwy neu lai tywyll iddynt.

DAVIES, PENNAR, ac eraill
116

Heb y Gymraeg ni all bywyd y Cymry fod yn llawn. Y mae iddi werth mawr i'r ysbryd, i'r galon ac i'r meddwl.

Cyfoethoga fywyd y person unigol a'r gymdeithas y perthyn iddi...Y mae diystyru'r Gymraeg, ei dirmygu, ei bychanu, ei diraddio, ei hesgeuluso, ei difreinio, ei rhwystro, yn drosedd yn erbyn ein pobl.

Gwerth Cristionogol yr Iaith Gymraeg (1983), 6-8

117

Allwedd ydyw [yr iaith Gymraeg] i un o lenyddiaethau cyfoethocaf y byd, llenyddiaeth sydd yn ymestyn dros fil a hanner o flynyddoedd ac sydd yn cynnwys trysorau o feddwl ac o gelfyddyd arbennig, y diwylliant y mae'r eisteddfod yn gynnyrch nodweddiadol ohono.
8

118

Y mae'r iaith...wedi cadw ei hystwythder a'i haddasrwydd a'i holl adnoddau i ffurfio geiriau newydd, fel y gallo, gyda nodded y gyfraith a chefnogaeth y gyfundrefn addysg, fod yn gyfrwng hollol effeithiol i holl weithgareddau'r byd modern.
10

119

Yn y dyddiau presennol, y mae i'r iaith werth arbennig fel gwrthglawdd yn erbyn 'diwylliant' torfol yr oes...Yn niffyg eu diwylliant cenedlaethol eu hunain, y maent [y Cymry] yn agored i ddylanwadau cyfryngau torfol adloniant a phropaganda...Ond trwy gadw gwreiddiau Cymru yn ei hiaith a'i threftadaeth ei hun, byddai modd inni dderbyn dylanwadau heb gael ein llygru ganddynt. Y mae'r iaith Gymraeg yn gyfrwng i ffordd o fyw a gall achub ein cenedl rhag colli ei hurddas a'i hunaniaeth yn nhawddlestr cosmopolitaniaeth yr ugeinfed ganrif.

10-12

120

I fesur syfrdanol, bu'r iaith Gymraeg ynghlwm wrth ein hetifeddiaeth Gristionogol, a byddai ei lladd yn ergyd i'r Ffydd ac yn fuddugoliaeth i secwlariaeth a materoliaeth.

12

121

Ganed y Cymry'n genedl i Grist. Bu'r Gymraeg yn iaith mawl a gweddi byth er hynny; ac y mae perygl enbyd y gall y Cymry, o golli eu hiaith, golli hefyd y Ffydd y bu'r iaith honno'n gyfrwng i'w mynegi.

12

122

Nid amhriodol yw disgrifio'r gwaith o roi'r Gymraeg i'r Cymry fel gwaith achubol. Yng Nghymru, rhodd Duw i'w weision yw'r iaith Gymraeg. Y mae ei meithrin a'i hamddiffyn yn gyfystyr â meithrin ac amddiffyn y Bywyd yng Nghrist a roddwyd inni fel cenedl yn ystod holl ganrifoedd ein pererindod.

14-16

123

Y mae hanes---rhagluniaeth---wedi creu rhyw fath o ymgynghreiriad rhwng yr Efengyl Gristionogol a'r iaith Gymraeg.

16

124

Bu enciliad y Gymraeg yn arwydd o wendid moesol ynom.

18

DAVIES, Yr Esgob RICHARD (1501?-81)

125

Eithyr mor ddiystyr fydday iaith y Cymro, a chyn bellet ir esceulusit, ac na allodd y print ddwyn ffrwyth yn y byt yw gyfri i'r Cymro yn i iaith i hun hyd yn hyn o ddydd neu ychydic cyn hyn i gosodes Wiliam Salsburi yr Efengylon a'r epystelay...yn Gymraeg yn print, a Syr Iohn Prys yntay y Pader, y Credo, a'r X Gorchymyn.

W. Salesbury, *Testament Newydd ein Arglwydd Jesv Christ* (1567), [xxviii]

DAVIES, RICHARD ('Tafolog'; 1830-1904)

126

Tra y byddo y Gymraeg yng nghalon y genedl, bydd fyw ar ei thafod, ond nid yw hynny yn gyfystyr â chadw y Saesneg allan. Os oedd 250,000 yn medru y ddwy iaith ddeugain mlynedd yn ôl, diau nad gormod ydyw dyblu y nifer hwnnw heddiw... Profa y ffeithiau hyn fod yn bosibl i'r ddwy iaith drigo a ffynnu. Croesawn y ddwy i'n llyfrgelloedd; ac os myn y Saesneg deyrnasu mewn masnach a chyfraith, gadawer iddi; ond gorsedder yr hen Feibl Cymraeg yn ein Hysgolion Sabothol, a theyrnased yn ein pwlpudau dros flynyddoedd cenhedlaeth a chenhedlaeth.

Y Geninen, I (1883), 103

127

Os pwrs llawn, a llyfrgell wag,---bwrdd
bras, a llenyddiaeth denau,---pesgi yr
anifail, a newynu yr angel ynom, ydyw y
bendithion (?) yr ydym i'w disgwyl drwy
gael ein Seisnigeiddio, daliwn afael yn yr
hen Gymraeg.
109

DAVIES, RICHARD ('Mynyddog';
1833-77)
128

Siaradwch yn Gymraeg,
A chanwch yn Gymraeg,
Beth bynnag foch chwi'n wneuthur,
Gwnewch bopeth yn Gymraeg.
Yr Ail Gynnyg (1870), 81

Oes y byd i'r iaith Gymraeg, a chân,
A thelyn annwyl Cymru,
A'r hen alawon llawn o dân
O oes i oes fo'n cael eu canu.
Caneuon Mynyddog (1866), 74

129

Mae'r hen Gymraeg o hyd yn fyw,
Er edrych ddigon gwael,
A cheisio'i lladd, peth hynod yw,
Mae'r hen Gymraeg ar gael;
Yr hen Gymraeg oedd iaith fy nhad,
Ac iaith ein haelwyd ni,
Yr hen Gymraeg yw iaith fy ngwlad,
Yr hen Gymraeg i mi.
Yr hen Gymraeg i mi,
Hon ydyw iaith teimladau,
Ac adlais i guriadau
Fy nghalon ydyw hi.
Y Trydydd Cynnyg (1877), 3

130

Mae dysgu iaith y Saeson
Yn rhinwedd ym mhob dyn,
Ac wrth reolau rheswm
Mae dwy yn well nag un;
Ond pam y rhaid i'r hogiau,
Wrth ddysgu newydd aeg,
I fynd rhy falch i siarad gair
O'r annwyl hen Gymraeg?
Paid gwerthu dy Gymraeg
Am unrhyw estron aeg;
Ti elli ddysgu iaith y Sais,
A chadw dy Gymraeg.
63

131

Fe dyfa'r cennin trwy bob trais,
Yn ochr rhosyn balch y Sais;
O! 'r hen genhinen---cenhinen gwlad y
gerdd,
Mae hon fel Cymru, byth yn werdd:
Llwydd i Gymru,
I Gymru, gwlad y gân,
Cymraeg sy'n mynd â'r dydd yn lân.
99

DAVIES, WALTER ('Gwallter Mechain';
1761-1849)
132

Nid oedd neb yn deall anian yr iaith yn
well nag Edmund Prys.
Gwaith y Parch. Walter Davies (1868),
I, 544

DEDDF UNO Cymru a Lloegr (1536),
Adran 17
133

*From henceforth no person or persons that
use the Welsh speech or language shall have
or enjoy any manner of office or fees within
this realm of England, Wales or any of the*

King's Dominions, unless he or they use and exercise the English speech or language.
dyf. J. E. Jones, *Tros Gymru* (1970), 210

O hyn allan ni bydd i unrhyw berson neu bersonau sy'n defnyddio'r iaith Gymraeg gael na mwynhau swydd na chydnabyddiaeth o fath yn y byd o fewn y deyrnas hon, sef Lloegr, Cymru neu unrhyw un o Diriogaethau'r Brenin, oni bydd iddo ef neu iddynt hwy ddefnyddio ac arfer yr iaith Saesneg

DEISEB yr Iaith Gymraeg (1938-9)
134
'...yn erfyn ar eich Tŷ anrhydeddus i symud ymlaen cyn gynted ag y bo modd i wneuthur Deddf Seneddol a wna'r Iaith Gymraeg yn unfraint â'r Iaith Saesneg ym mhob agwedd ar Weinyddiad y Gyfraith a'r Gwasanaethau Cyhoeddus yng Nghymru.'
dyf. J. E. Jones, *Tros Gymru* (1970), 208

DERBYSHIRE, GWYNETH
135
Mae lle i ofni na fydd fawr o Gymraeg i'w glywed yn Utica cyn bo hir...Mae monopoli llawer o swyddi gan Eidalwyr yn y dref lle bu'r Gymraeg i'w chlywed yn gyffredin ar y strydoedd, ac yn iaith gyntaf y plant.
Tros Fôr Iwerydd, 8-9

DERFEL, R. J. (1824-1905)
136
Os ydym, fel Cymry, yn ormod o Saeson i ddysgu pethau Cymreig yn Gymraeg, dysgwn bethau Cymreig yn Saesneg. Hyd yn oed a chaniatáu yr â'n gwlad rywbryd

yn Seisnig, ni ddylem esgeuluso ei hanes a'i llenyddiaeth, yn hytrach dylem eu cadw yn loyw, a'u paratoi i ddod yn Saeson gyda ni pa bryd bynnag yr awn yn Saeson ein hunain.
D. Gwenallt Jones, *Detholiad o Ryddiaith Gymraeg R. J. Derfel* (1945), 80

137
Nid yn unig y mae gennym lenyddiaeth wreiddiol fel Cymry, ond y mae hufen meddyliau cenhedloedd eraill hefyd yn gyfieithiedig i'n hiaith.
Traethodau ac Areithiau (Bangor, 1864), 155

138
Y mae o fewn cylch posibilrwydd i'r Cymry eto fod yn genedl gref, ac i'r iaith Gymraeg fod yn brif iaith y byd. Pwy a ŵyr nad yw yr iaith Gymraeg wedi cael ei chadw yn fyw gan Ragluniaeth y Nef i ateb rhyw ddiben mawr mewn cysylltiad â dynion.
156

139
Mae bywyd a pharhad ein hiaith yn ein dwylo ni ein hunain...Nid yw yng ngallu neb arall beri i ni ei hanghofio na'i chasáu.Tra byddo y Cymry eu hunain yn ei hoffi, y mae yr iaith yn ddiogel.
158

140
Gan mai Cymraeg yw yr iaith a roes Duw i ni, ni a'i siaradwn ac a'i coleddwn...
Iaith ein mam a iaith ein henafiaid ydyw. Mae amser yn cysegru pob peth. Ni wnâi neb ond dyn anwybodus, neu ddyn barbaraidd, sathru na difetha dim sydd yn

hen iawn. Mae ein hiaith ni yn hen. Mae oesau lawer wedi myned dros ei phen.
159

141
Mae ein hiaith yn cadw i ni ein personolrwydd gwahaniaethol fel cenedl. Pe collem ein hiaith, collem ein bodoldeb fel cenedl ar yr un pryd. Ymgollem yn y genedl a elwir yn Saeson; ac ni byddai sôn mwyach amdanom fel Cymry, ond fel Saeson.
160

DODD, A. H. (1891-1975)
142
If English was going to claim parity with the learned tongues, how much stronger the claims of a language spoken among Christians here when Saxon was still a pagan 'patois', and preserved in its purity by bardic schools through all the intervening years!
Welsh Church Congress Handbook (1953), 27
Os oedd Saesneg yn mynd i hawlio cydraddoldeb â'r ieithoedd dysgedig, gymaint cryfach oedd hawliau iaith a siaredid ymhlith Cristionogion yma pan nad oedd Sacsoneg eto ond tafodiaith baganaidd, ac a warchodid yn ei phurdeb gan ysgolion barddol drwy gydol yr holl flynyddoedd canol!

DOWDING, WALTER (--1930--)
143
When I am listening to the sweet tuneful airs
of my country,
Sung by fresh and young voices that love them,
In the language, so strong and beautiful
That has grown out of the ageless

mountains and the deep, deep valleys,
Then I am caught up, into the realm of
natural being
And am one with my fathers,
And with them that shall come after me
And with those who yet, in these regenerate
days,
Do speak that marvellous speech of
wondrous beauty
That our fathers wrought.
dyf. J. E. Jones, *Tros Gymru* (1970), 83
Pan glywaf ganu alawon melysber fy ngwlad
Gan leisiau nwyfus ac ieuainc a'u câr hwynt,
Yn yr iaith, mor gyhyrog a phrydferth
A dyfodd o'r bryniau tragwyddol a'r cymoedd dwfn, dwfn,
Yna fe'm cipir i fyd bodolaeth naturiol
Ac un wyf â'm tadau,
Ac â hwy fydd yn dyfod ar f'ôl i
Ac â hwythau sydd eto, heddiw yn nyddiau adfywiad,
Yn siarad yr iaith ryfeddol, wyrthiol ei thlysni,
A luniodd ein tadau.

Drych Kristnogawl, Y (1587)
144
A hyn sydd yn peri i'r Saeson dybieid a doydyd fod yr iaith yn salw, yn wael ag yn ddiphrwyth ddiverth, heb dalu dim, am eu bod yn gweled y bonneddigion Cymbreig heb roi pris arnei...
    Hefyd, chwi a gewch rai o'r Cymry mor ddiflas ag mor ddibris ddigywilydd ag iddynt ar ol bod vn flwyddyn yn Lloegr gymeryd arnynt ollwng eu Cymraeg dros gof cyn dyscu Saesneg ddim cyful i dda. Y coegni a'r mursendod hyn yn y Cymry sy yn peri i'r Saeson dybied na thal yr iaith

ddim am fod ar y Cymry gywilydd yn dywedyd eu hiaith i hunain. A hyn a wnaeth i'r iaith golli a bod wedy ei chymyscu a'i llygru a Saesneg.

Y Drych Kristnogawl (gol. Geraint Bowen, 1996), 5

145

Ny wela fi yr vn o'r ieithoedd cyphredin eraill nad yw'r Gymraeg yn gystal a'r oreu ohonynt oll...Py baei'r bonheddigion Cymreig yn ymroi i ddarllen ag i scrifennu eu hiaith, hynny a wnaei i'r cyphredin hefyd fawrhau a hophi'r iaith.

6

146

Mi a ddodais fy meddwl i lawr...yn yr iaith gyphredinaf a sathrediccaf ymhlith y Cymry yrowron. Canys pei bysswn i yn dethol allan hen eirieu Cymraeg nyd ydynt arferedig, ny byssei vn ym mysc cant yn dyall hanner a ddywedasswn, cyd byssei yn Gymraeg dda am fod yr iaith gyphredin wedy ei chymyscu a llawer o eirieu anghyfieith sathredig ymhlith y bobl, a bod yr hen eirieu a'r wir Gymraeg wedy myned ar gyfyrgoll a i habergofi.

8

EDWARDS, HYWEL TEIFI (1934-2010)

147

Digon fydd nodi i argyfwng cyfansawdd y Gymraeg dyfu trwy'r canrifoedd er y Goncwest Edwardaidd. Wfftiwyd at ei chyflwr a darogan ei thranc droeon. Ymdeimlodd cenedlaethau o feirdd a llenorion â'i sarhad ac roedd cywilydd positif wrth wraidd ymdrechion ei hadferwyr yn y ddeunawfed ganrif. Y mae

yn llên y Morysiaid a Goronwy Owen, Ieuan Brydydd Hir a Thwm o'r Nant, er enghraifft, brawf digonol o'r ysfa i'w hymgeleddu a ysgogwyd gan gywilydd ac ofn iddi drengi yn y baw.

Cof Cenedl (gol. Geraint H. Jenkins), II, 123

148

Yn addysgol ac yn foesol yr oedd Cymru'n wlad druenus [yn ôl Adroddiad y Llyfrau Gleision], a ffynhonnell ei drygioni oedd ei chrefydd a'i hiaith— iaith cefn gwlad a chrefydd sur, iaith hwyluso anudoniaeth ac anonestrwydd, iaith llên anghyfoes. Mewn termau diamwys, gwnaed mamiaith y Cymro'n gyfystyr ag anghynnydd ac anfoes. Ynddi hi yr hanfyddai ei israddolder.

125

149

Roedd ar gyfalafiaeth angen *lingua franca* er mwyn gwastrodi pobl anhydrin ym mhob man, ac ymhlith y rhwystrau ar ei ffordd yr oedd yn rhaid eu symud roedd y Gymraeg. Heb os, y mae'r pwynt yn un pwysig.

129

150

Gyda lansio'r Eisteddfod Genedlaethol ym 1861 bu'n rhaid i'r Cymry wynebu dirmyg Gwasg a ofnai weld Celtigiaeth ymosodol y Gwyddel yn dwyn ffrwyth Cymreig, Fe allai'r Gymraeg faethu annheyrngarwch heb i Loegr wybod, ac felly ni châi'r Eisteddfod lonydd gan ei phoenydwyr oni chefnai ar y Gymraeg a mabwysiadu'r Saesneg yn iaith ei gweithgareddau.

129

151

Y mae'n wir fod y ffactorau allanol a gysylltir â holl broses diwydiannu--dyfodiad y trên, twf y boblogaeth a mewnlifiad estroniaid o 1850 ymlaen—i gyd i raddau pendant yn dylanwadu ar stad yr iaith yn Oes Aur Victoria drwy hwyluso a chyflymu moddion Seisnigeiddio. Ond...gellid yn hawdd fod wedi adeiladu dyfodol diogel i'r iaith petasai'r ewyllys i wneud hynny'n bod. Yr ymwrthod seicolegol â'r Gymraeg, yr amharodrwydd i'w gwneud yn nod amgen, chwaethach hanfod Cymreictod, a arweiniodd yn anochel at y sefyllfa bresennol.

132-33

152

Roedd ef [Glanffrwd] yn amlwg yn bleidiol i'r Gymraeg, fe'i hanwylai'n frwd, ond yr oedd wedi derbyn mai cyfyng fyddai ei hystad bellach. Fel iaith cân y werin y byddai hi byw. Iaith arall fyddai biau llywodraeth a threfn. 'Iaith ein llên, nid iaith masnachaeth'...Dyna'r Gymraeg y byddai'n drais ar ei hanian ei gwneud yn bwnc llosg, yn destun dadl faterol.

136

153

Mae cerdd Caledfryn [1865] yn datgan nad oedd y Gymraeg i fod yn bwnc dadl cenedlaethol. At hynny, y mae'n dweud y dylai fodloni ar ei stad, sef dal gafael ar grefydd y Cymro a'i ddiwylliant eisteddfodol. Fe gâi'r Gymraeg ddiogelu'r pethau dyrchafol. Fe gâi'r Saesneg drin y byd materol. Yr oedd y Gymraeg, yn enw doethineb, i gilio'n wirfoddol o fyd masnach a llywodraeth. Yn hytrach na bod yn ddylanwad solet ar

fyw beunyddiol y genedl...byddai'r Gymraeg megis rhuban eisteddfodol, yn addurn i'w wisgo'n llawen pan fyddai gofyn i'r genedl ei hatgoffa ei hun o'i rhinwedd. O'r 1860au ymlaen troes gwerth y Gymraeg yn fwyfwy emblematig.

138

154

Y mae'r casineb a enynnodd Emrys ap Iwan yn brawf o lwyddiant ei ymosodiad ysbrydoledig ar y 'Llo Seisnig'—gwrthrych serch cynifer o'i gydwladwyr. Ac yr oedd cystwyo Cymraeg sathredig y dydd a dyrchafu Cymraeg coeth yn ernes o'i balchder cynhenid, yn rhwym o wylltio pobl a gredai y gwnâi meddu iaith estron hwy yn rhagorach bodau. Y casineb a enynnodd Emrys ap Iwan yw un o'r ychydig bethau sy'n codi calon dyn wrth ystyried argyfwng yr iaith yn Oes Aur Victoria.

144-5

EDWARDS, Syr IFAN ab OWEN (1895-1970)

155

Mae Cymru mewn cymaint o berig heddiw ag y bu erioed. Mae cymaint o ddieithriaid o'n cwmpas fel y mae hyd yn oed ein hiaith, eich iaith chwi a minnau, iaith eich mam a'ch tad hefyd, mewn perig o ddiflannu oddi ar fryniau ac o ddolydd ein hannwyl wlad.

Cymru'r Plant, xxxi, Ionawr 1922, 4

EDWARDS, JOHN ('Siôn Treredyn'; 1606?--c. 1660?)

156

Eithr o holl wledydd y byd (hyd y gwn i) nid oes un cenedl mor ddicariad, a mor

elyniaethus i'w iaith ei hunan, ac yw'r
Cymro, er bod ein iaith ni yn haeddu
cymaint, o barch, o herwydd ei henaint a'i
chyfoethogrwydd, ac yr haeddiei
ieithoedd eraill, canys, fel y gwelwn ni
beunydd, hwy nac yr elo na Chymro na
Chymraes i Lundain, neu i Caerloyw neu
i un fan arall o Loeger, a dysgu ryw
ychydig o Saesneg, hwy a wadant eu
gwlad a'u iaith eu hunain. Ac o'r Cymru
cartrefol, ie ym mhlith y Pendefigion
yscholheigiaidd, ie ym mysc y
Dyscawdwyr Eglwysig, braidd un o
bwmtheg a fedr ddarllen, ac yscrifennu
Cymraeg.

Madruddyn y Difinyddiaeth Diweddaraf
(1651), [iii-iv]

157
Ac yn awr, Pendefigion urddasol,
maddeuwch attolwg, fyn cwyn union yn
erbyn fynghyd wlad-wyr a ddibrisiant ein
hen mamiaith a dangoswch chwi adolwg,
eich serch atti...na ddeliwch ar fy anneiryf
camsyniadau... canys nid wyf fi (a anwyd
ar lan Hafren ym mro Gwent lle y mae'r
Saesoniaith yn drech na'r Brittanniaith)
yn cymmeryd arnaf, na medraeth, nac
hyspysrwydd yn y Cymraeg, eithr nid
bychan yw fy serch at yr iaith a daioni
fyn'gwlad.
[v]

EDWARDS,   JOHN   (g.1889),
Llanfihangel Glyn Myfyr
158
Diolch i O. M. Edwards yn anad neb, y
mae'r Gymraeg wedi dyfod i ysgolion
Cymru—mewn pryd, gobeithio. Nid
ydyw hi ddim wedi mynd mor hwyr
arnom ni ag ar y Gwyddyl. Y mae gobaith.

Tybed ai rhyw deimlo ym mêr ei esgyrn ei
bod hi'n hwyrhau a barodd i Syr Owen
fod wrthi fel lladd nadroedd ar hyd ei oes
yn ceisio ennyn gwladgarwch ac
ieithgarwch yn ei genedl, yn paratoi
llenyddiaeth iddi, yn hawlio ei lle i'r iaith
yn ei haddysg? Oni bai amdano ef, y mae
hi'n ddigon posibl y buasai'n rhy hwyr
arnom ninnau.
Lleufer, xv, Haf 1959, 96

159
Wrth ddarllen ambell lyfr a gyhoeddir y
dyddiau yma, mi fyddaf yn meddwl am
air gwas y gwesty hwnnw yn Galway:
'ddim byd tebyg i iaith yr hen bobol'.
Llenorion gwych, ond---. Teimlo'n falch
eu bod yn ysgrifennu yn Gymraeg, eithr---.
Pa well cyngor a ellid ei roi i rai felly nag
iddynt ymdrwytho yng ngweithiau O. M.
Edwards, lle y caent Gymraeg pur Cymro
glân a oedd hefyd yn artist, a rhyw swyn
cyfareddol yn ei arddull? Cymraeg croyw
heb ddim llediaith nac adflas estronol
arno.
96

EDWARDS, LEWIS (1809-87)
160
Ni ddigwyddodd i ni erioed gyfarfod â
neb a fedrai hysbysu pa le y cafodd yr
athro hybarch [Dr W. Owen Pughe] ei
Gymraeg. Y mae yn ddilys mai nid gan ei
fam anrhydeddus yn sir Feirionnydd: ac y
mae mor ddilys â hynny mai nid hon
oedd iaith Taliesin ac Aneurin, na iaith y
'Mabinogion', na iaith y 'Bardd Cwsg'.
Dyma yr iaith ddiledryw, medd rhai.
Nage, meddwn ninnau [*sic*]: Cymraeg
ddiledryw pob oes yw yr iaith a arferid
gan y Cymry yn yr oes honno, oddi eithr

mor bell ag y dygwyd i mewn gyfnewidiadau y rhai y gellir profi eu bod yn anghyson ag egwyddorion yr iaith. Ond nid yw yr iaith hon wedi ei harfer mewn unrhyw oes; a phe buasai wedi ei harfer rywbryd cyn hyn, eto nid dyma Gymraeg yr oes hon.

Traethodau Llenyddol, 54

161

Y prif reswm a ddygir ymlaen yn erbyn yr iaith Gymraeg yw yr anfantais a achlysurir ganddi mewn llysoedd gwladol. Ond dymunem ofyn, onid mwy cyfiawn a mwy hawdd fyddai gwneud y barnwyr yn y llysoedd hyn yn Gymry, na cheisio gwneud yr holl Gymry yn Saeson?...Yn lle tynnu i lawr hen furiau cedyrn Cymru, onid gwell fyddai...dwyn ymlaen holl achosion ein llysoedd gwladol yn yr iaith Gymraeg? Llafuriwch am hyn, gydwladwyr hoff; anfonwch ddeisebion taer a dibaid i'r senedd, ac na orffwyswch nes cyrraedd eich amcan.

405

162

Mae yn debyg mai darfod a wna yr iaith yn raddol, er proffwydoliaeth Taliesin, ac er yr holl gynnwrf eisteddfodol. Nid yw wiw ymladd yn erbyn Rhagluniaeth.

dyf. *Barn*, rhif 317, Mehefin 1989, 9

EDWARDS, Syr OWEN M. (1858-1920)
163

Gwelodd [Ieuan Gwynedd] mor bwysig oedd merched Cymru; gwyddai y medrent hwy newid y ffasiwn o ddirmygu iaith eu gwlad.

Cartrefi Cymru (1896), 74

164

Yr oedd ar lywodraethwyr Cymru ofn yr iaith Gymraeg, yr oedd y gyfraith yn gwahardd i'r un swyddog ei siarad, a gwelodd Penri nad oedd obaith i Gymru oddi wrth y frenhines na'r Senedd.

75

165

Rhaid fod rhyw swyn anghyffredin yn alawon Cymru, yn ogystal ag yn ei hiaith, onide buasai galluoedd Philistaidd y byd hwn wedi eu llethu ers llawer dydd. Y Llywodraeth, yn credu fod yr iaith Gymraeg yn drafferth i'w swyddogion tâl; arolygwyr wedi rhoddi eu cas ar iaith nas gallant ond ei hanner siarad; athrawon, wedi dad-ddysgu Cymraeg da wrth ddysgu Saesneg sâl,--neu heb fedru erioed ond y Saesneg sâl yn unig; goruchwylwyr anwybodus, yn credu fod nef a daear yn agored i'w plant os medrant ddeall Saesneg bratiog porthmyn Caer,--druan o eneidiau plant Cymru rhyngddynt oll.

127-28

166

Daeth yr ysgolfeistres atom...Siaradai dipyn o Gymraeg lledieithog, iaith y werin; Saesneg, mae'n amlwg, oedd ei hiaith hi,--iaith y bobl fonheddig, iaith y bobl ddieithr oedd yn lletya yn y Plas, a iaith y person o sir Aberteifi. Ni fedrai wenu ond wrth siarad Saesneg. Sur iawn oedd ei gwep wrth orfod diraddio ei hun trwy siarad Cymraeg.

Clych Atgof (1921), 16

167

Yr oedd yr athro wedi dweud wrthyf yn ddistaw am beidio siarad gair o

Gymraeg...Gydag i mi ddweud fy Nghymraeg cryf, chwarddodd pawb, a rhoddwyd llinyn am fy ngwddf, a thocyn pren trwm wrtho... deallais wedi hynny mai am siarad Cymraeg y rhoddid ef am wddf.

Bu'r tocyn hwnnw am fy ngwddf gannoedd o weithiau wedi hynny. Dyma fel y gwneid,--pan glywid plentyn yn dweud gair o Gymraeg, yr oeddis i ddweud wrth yr athro, yna rhoddid y tocyn am wddf y siaradwr; ac yr oedd i fod am ei wddf hyd nes y clywai'r hwn a'i gwisgai rywun arall yn siarad Cymraeg, pryd y symudid ef at hwnnw druan. Ar ddiwedd yr ysgol yr oedd yr hwn fyddai yn ei wisgo i gael gwialenodiad ar draws ei law.

17-18

168

Oni bai am yr Ysgol Sul Gymraeg, buaswn heddiw yn anllythrennog.

20

169

Yn Gymraeg y medrir dysgu plentyn o Gymro feddwl, a thrwy'r Gymraeg y medrir dysgu iaith arall iddo.

20

170

Yr un fu â mwyaf o ddylanwad arnaf fi [yng Ngholeg Aberystwyth] oedd Daniel Silvan Evans, yr athro Cymraeg...Gwnaeth i ni gymryd diddordeb yng ngeiriau yr iaith Gymraeg, ac yn enwedig yn ei geiriau llafar a'i geiriau gwerin. Dangosodd i ni fod gogoniant lle y tybiasom nad oedd ond gerwindeb gwerinol o'r blaen.

96-97

171

'At the end of the term I was told it was utterly hopeless.' Dyna fel y dywedodd prifathro yr Ysgol Sir wrth ei reolwyr, oedd canlyniad ymgais i ddysgu Cymraeg i blant tref Gymreig Caernarfon.

Cymru, xxiv (1903), [245]

172

Y mae'n debyg nad oes un ymysg cymwynaswyr Cymru y dadleuir cymaint ynghylch natur a gwerth ei wasanaeth â'r Dr William Owen Pughe...Yn ôl rhai, dadlennodd gyfoeth ein hiaith a'n llenyddiaeth, yn ôl eraill dysgodd i genedlaethau eiriau anffurfiol ac arddull gelfyddydol.

T. Mordaf Pierce, *Dr W. Owen Pughe* (O.M.Edwards, *Cyfres y Fil*, 1914), Rhagair

173

Y mae i Gymru ei hiaith ei hun, ac ni fedr gadw ei henaid hebddi. Nid hyn a hyn o eiriau, mwy neu lai nag mewn ieithoedd eraill, ydyw. Y mae ynddi brydyddiaeth bywyd a gobaith mil o flynyddoedd wedi ei drysori. Pan ddaw'r geiriadurwr anwyd i sefyll uwch ei phen, bydd, nid yn ieithegwr yn unig, ond yn hanesydd a bardd hefyd.

Er Mwyn Cymru, 12

174

Y mae'n bryd gofyn cwestiwn...cwestiwn y mae bywyd yr iaith Gymraeg a bywyd llenyddiaeth Cymru'n dibynnu ar yr ateb.

Pwy sydd i benderfynu beth yw arddull iaith? Ai efrydwyr yr iaith, sydd yn gwybod hanes treigliad ei geiriau ac wedi hen gydnabyddu â gwaith ei hysgrifenwyr mewn adegau fu, ynte y werin na syniant am ddim ond dweud beth maent yn feddwl? Pwy sydd i ddewis geiriau llenyddol yr iaith, ai yr efrydydd ysgolheigaidd sy'n gwybod eu hachau a'u tras a'r defnydd wneid ohonynt gynt, ynte'r werin na ŵyr am ddim ond fod yn rhaid iddi ddweud ei meddwl?

Yr ateb diamwys yw mai'r werin. Y werin sy'n meddwl, y werin sy'n siarad, ac os na dderbyn llenyddiaeth eiriau ac arddull y werin, bydd arddull llenyddiaeth Cymru yn rhy hynafol a chlasurol, ac yna yn annaturiol ac yn ddiwerth at amcanion bywyd...Os na chymerir iaith llenyddiaeth o enau'r werin, os dirmygir tafodiaith, cyll arddull yr iaith ei naturioldeb a'i swyn.

99

175
Y cwestiwn sy'n poeni mwyaf ar fy meddwl i yw hyn,--paham y mae Cymraeg hen bobl ein cymoedd gymaint yn geinach, gymaint yn fwy persain, gymaint yn fwy naturiol, a chymaint addasach i farchnad a phulpud a llyfr byw, nag yw Cymraeg mwyafrif mawr y llenorion fagwyd dan y gyfundrefn addysg yr ydym mor falch ohoni? Yr wyf yn sicr ein bod mewn perygl oddi wrth orthrwm geiriaduron a gramadegau. Dylem ddal yn well ar symlder cain iaith lafar.

101

176
Dywedodd un o swyddogion addysg uchaf Cymru wrthyf yn ddiweddar na fydd neb yn siarad Cymraeg ymhen hanner can mlynedd, a dywedodd un o

swyddogion uchaf Lloegr...nad oes i'r iaith lafar ond bywyd naturiol byr. Gwell gen innau gredu gyda Michael D. Jones na âd Duw i'r iaith Gymraeg farw byth.

101

177
'O ble'r ydych chwi'n dyfod? Lloegr? Sgotland? Canada?'
'O wlad y Cymry.'...
'Ond Saesneg ydych yn siarad?'
'Nage, hen iaith y Cymry.'
'Ond mae honno wedi marw ers canrifoedd.'
'Na, fu hi erioed mor fyw.'
'Ond mi fydd farw?'
'Na, mae hi'n ennill tir.' [O flaen y Maer yn Geneva:]
Teithio'r Cyfandir (gol. Thomas Jones, 1959), 53-54

178
Nid mater o golli iaith ydyw i ardal golli ei Chymraeg—cyll nerth ei meddwl ar yr un pryd.
Tro i'r De (1907), 56

EDWARDS, THOMAS ('Twm o'r Nant'; 1739-1810)
179
Mae balchder Cymry ffolion
I ymestyn ar ôl y Saeson,
Gan ferwi am fynd o fawr i fach
I ddiogi'n grach fon'ddigion.

Os cânt hwy ryw esgus i fod yn 'r ysgol
Ni wiw am air o Gymraeg ymorol;
They cannot talk Welsh, nor understand,
Oni fyddir yn grand ryfeddol.

Y mae'n gywilyddus clywed carpie
Yn lladd ac yn mwmian ar iaith eu mame,
Heb fedru na Chymraeg, na Saesneg
   chwaith—
Onid ydyw'n waith annethe?

Ac os bydd rhyw hogenig wedi bod yn
   gweini,
Yng Nghaer neu'r Amwythig, dyna'r cwbl
   yn methu;
'Cheir gair o Gymraeg, ac os dwed hi
   beth,
O! 'r ledieth fydd ar my Lady...

Mae hyn yn helynt aflan
Fynd o'r hen Gymraeg mor egwan;
Ni cheiff hi mo'i pherchi mewn bryn na
   phant
Heno gan ei phlant ei hunan.
   *Gwaith Thomas Edwards, Twm o'r
Nant* (1889), 10

180

Cenwch, siaredwch heb rodres,--Gymry,
   Gymraeg groyw gynnes;
A gwellhewch, neu ewch yn nes,
Atolwg, at blant Ales.
412

EDWARDS, THOMAS ('Caerfallwch';
1779-1858)
181
*The injudicious Dr. Davies...substituted the
dd, ll...and all the irrelevant letters now in
use; and by doing so, he has done more to
disfigure and obscure the language, and throw
it into disrepute, than all his predecessors:
and I am sorry to say, the injury is now
beyond the power of being rectified.*

*...My intention was to adopt Dr. Pughe's
orthography, which I consider a decided*

*improvement; but finding the current
opinion against me, it was reluctantly
relinquished.*
   An English and Welsh Dictionary
(1850), x

Newidiodd yr annoeth Ddr Davies [dh, ḍ
ac |] am dd ac ll a'r holl lythrennau
amherthnasol a ddefnyddir heddiw; ac
wrth wneud hynny, y mae wedi gwneud
mwy i anharddu a thywyllu'r iaith na neb
o'i ragflaenwyr: ac y mae'n ddrwg gennyf
ddweud na ellir bellach gywiro'r niwed.

   Fy mwriad oedd mabwysiadu orgraff
Dr Pughe, a ystyriaf yn welliant
diamheuol, ond o weld bod y farn ar hyn
o bryd yn fy erbyn, rhoddwyd y gorau
iddo o'm hanfodd.

'Eisteddfod Wyddgrug', 1851
182
Iaith bêr yw iaith y Brython,--a seinia
   Yn swynol i'w meibion;
   Yn iaith deg—iaith â digon
   O araith hardd, yw'r iaith hon.

Iaith felys, iaith a folir,--iaith Gomer,
   Iaith gymwys leferir;
   Nid iaith y gau, ond iaith gwir,
   Iaith gadarn—iaith a gedwir!

Iaith loyw, iaith groyw, ac iaith gref,--iaith
                  enaid,
   Iaith annwyl ein cartref;
   Ein iaith ni yw iaith y Nef,
   Iaith y Gân ym mharth Gwiwnef!
48

ELIS, ISLWYN FFOWC (1924-2004)
183
'Mi ddigwyddais holi yn y swyddfa
gynnau,' [ebe Seeward], 'a oedd rhywun

yn y cyffiniau a oedd yn debyg o fedru Cymraeg...yna fe ddwedodd un o'r dynion fod hen wraig yn y stryd yma [yn y Bala] sy wedi colli'i phwyll fwy neu lai, ac yn ffwndro weithiau mewn iaith ddiarth. Garech chi'i gweld hi, rhag ofn?'

...Aethom drwy'r dafarn datws i stafell fach dywyll yn y cefn. Yno, yn y gornel, yr oedd hen wraig yn eistedd, a'i phen yn gwyro'n ôl, yn hepian. Safai gwraig tua deugain oed yn ei hymyl...'

'I don't know,' meddai. 'We've always lived 'ere, but I never 'eard any of your Welsh. My mother-in-law 'ere gabbles something sometimes my 'usband and me can't understand. You can try 'er if you like.'

...Eisteddais innau...a gafael yn nwy law yr hen wreigan. Yr oedd arnaf eisiau ei chlywed yn dweud gair o Gymraeg yn fwy na dim yn y byd...yn dweud *rhywbeth* a ddangosai nad oedd y fandaliaid wedi *llwyr* ddileu fy Nghymru i am byth, yn enwedig yn y Bala.

'Hen wraig,' meddwn i. 'Ydach chi'n gwbod hon? Triwch gofio.' Ac adroddais yn araf: Yr Arglwydd yw fy Mugail; ni bydd eisiau arnaf. Efe a wna imi orwedd mewn porfeydd gwelltog...' Caeodd llygaid yr hen wraig. Wel, dyna hi ar ben, meddwn i. Ond euthum yn fy mlaen. 'Efe a ddychwel f'enaid. Efe a'm harwain...' Yn sydyn, sylweddolais fod gwefusau'r hen wraig yn symud. Yr oedd hi'n adrodd y geiriau gyda mi. Agorodd ei llygaid, a daeth ei llais yn gryfach, gryfach...'Ie, pe rhodiwn ar hyd Glyn Cysgod Angau, nid ofnaf niwed...' A phan ddaeth at eiriau ola'r Salm, fe'u dwedodd â grym yn ei llais a golau yn ei llygaid na welais beth tebyg na chynt nac wedyn.

'A phreswyliaf yn Nhŷ'r Arglwydd yn dragywydd...Pwy ydech chi, 'machgen i?' Trodd ei llygaid gloyw arnaf. 'Bachgen Meri Jones ydech chi? Maen nhw wedi mynd â cholofn Tomos Charles odd' wrth y capel, wyddoch...y Saeson 'ne ddaru...Y nhw ddaru...But I don't know you, do I?' Suddodd yn ôl unwaith eto â'i llygaid yn pylu. 'I don't...know anything now...'

Codais, a mynd allan o'r ystafell. Yr oeddwn wedi gweld â'm llygaid fy hun farwolaeth yr iaith Gymraeg.

Wythnos yng Nghymru Fydd (2007), 238-39

ELIS, MEG (1950--)
184

Mae yna lyfrau, mae yna sgwennu yn y Gymru hon... Amod bodolaeth iaith, meddaf am y llên a'r llyfrau, ac amod fy modolaeth innau hefyd. Hyn sy'n fy nghynnal—medru gweld a darllen a sgwennu fy iaith fy hun, chwarae o gwmpas â'i geiriau a gweld y campau y gall y Gymraeg eu cyflawni.

Fy Nghymru I (gol. John Jenkins), 50

ELLIS, TECWYN (1918-)
185

Ni welaf fod fawr ddim i'w ennill drwy edrych ar yr iaith lenyddol a'r iaith lafar bron fel dwy iaith ar wahân fel y gwneir yn y llyfr *Modern Welsh. A Comprehensive Grammar* (Routledge, 1993). Gwytnwch a sefydlogrwydd yr iaith lenyddol a gadwodd y Gymraeg yn fyw o gwbl, yn hytrach na dilyn Cernyweg i ddifancoll. Mae rhyw wyrdroad hefyd yn yr haeriad fod llwyddiant yr iaith lenyddol wedi bod ar draul tafodiaith 'a anwybyddwyd ac a fychanwyd yn ddidostur gan leiafrif grymus (Cymraeg eu hiaith) gyda llawer ganddynt i'w ennill o roi prif foddion mynegi hunaniaeth ddiwylliannol allan o gyrraedd y mwyafrif.'

I oresgyn yr anhawster hwn [anallu llafar yn yr ail iaith] yn y sefyllfa sydd ohoni yn ieithyddol yn y Gymru fodern, rhaid i deyrngarwch i'r Gymraeg ac abledd ymarferol mewn Saesneg fynd law yn llaw os mynnwn sicrhau na fydd dwyieithrwydd yn arwain yn anorfod i unieithrwydd yn yr iaith gryfaf trwy'r wlad, sef Saesneg. Mae'n gwbl angenrheidiol bellach i'r Gymraeg fod yn weladwy ac yn glywadwy i bawb mewn cylchoedd cyhoeddus trwy Gymru...O gofio i ddiogi meddwl, difrawder mewn mynegi a diofalwch mewn ynganu fod yn elfennau sylfaenol yn natblygiad a dirywiad ieithoedd, mae'n hanfodol cael cymorth sefydlogrwydd yr iaith ysgrifenedig i gynnal a chadw iaith nad oes ganddi bellach gylch daearyddol iddi ei hun, fel sydd gan ieithoedd mawr.

Gyda'r Godre (2000), [4]

186

Eir ymlaen i ddweud mai hyn a barodd yr ymdeimlad o israddoldeb a welir o hyd ymhlith siaradwyr Cymraeg cyffredin sy'n ystyried eu tafodiaith hwy yn 'israddol', yn ôl y llyfr hwn, i'r iaith lenyddol artiffisial...Ni chlywais i erioed fod lle i ddifrïo tafodieithoedd ystwyth, seinber a melys llawer o ardaloedd cefn gwlad Cymru Gymraeg. Gwyddom wrth gwrs fod achosion dirywiad o'n cwmpas ymhob man, ond nid ar yr iaith lenyddol yn sicr y mae'r bai am hynny. Onid profi y mae'r camosodiad yma mor bwysig yw

gosod y sylfeini'n iawn, ac mor dyngedfennol i ansawdd iaith yw cefndir cymdeithasol, economaidd a gwleidyddol sefydlog?

136

ENDERBIE, PERCY (bl. 1661)

187

Whereas at this day there do remain three remnants of the Brittains divided every one from the other with the seas, which are in Wales, Cornwal (called in British Cerniw), & little Brittain, yet almost all the particular words of these three people are all one, although in pronunciation & writing of the sentences they differ somewhat; which is no marvell, seeing that the pronunciation in one realm is often so different that the one can scant understand the other. But it is rather a wonder, that the Welshmen being separated from the Cornish, well nigh these 900 years, and the Brittains from either of them 290 before that, and having small traffic or concourse together since that time, have still kept their own Brittish tongue. They are not therefore to be credited which deny the Welsh to be the old Brittish tongue.

Cambria Triumphans (1661), 209

Yn gymaint â bod y dydd heddiw weddillion y Brythoniaid mewn tri rhanbarth, sef Cymru, Cernyw, a Phrydain Fechan, wedi'u gwahanu bob un oddi wrth ei gilydd gan y moroedd, eto y mae agos holl eiriau neilltuol y bobl hyn yr un, er eu bod yn gwahaniaethu rhywfaint o ran ynganiad a chystrawen. Ac nid yw hyn yn syndod o gwbl gan fod yr ynganiad yn un deyrnas yn aml mor wahanol fel mai prin y gall y naill ddeall y llall. Ond y mae'n gryn ryfeddod fod y Cymry—a hwythau wedi'u gwahanu oddi wrth y Cernywiaid ers yn agos i'r 900 mlynedd hyn, a'r Llydawiaid oddi wrth y naill a'r llall ohonynt 290 mlynedd cyn hynny, a heb ond ychydig o gydymwneud a chyfathrach rhyngddynt fyth er hynny—wedi cadw eu hiaith Frytanaidd eu hunain hyd heddiw. Gan hynny, na chreder y rheini sy'n gwadu mai'r Gymraeg yw'r hen iaith Frytanaidd.

188
Offa, King of Mercia...made a ditch of great breadth and depth to be a Meare betwixt his Kingdom and Wales...Other[s]...make the river Wy, called in Welsh Guy, to be a mear between England and Wales...And these be the common mears at this day, although the Welsh tongue is commonly used and spoken England-ward beyond these old mears a great way, as in Herefordshire, Gloucestershire, and a great part of Shropshire.
209
Gwnaeth Offa, frenin Mersia, ffos lydan a dofn iawn i fod yn ffin rhwng ei deyrnas ef a Chymru...Y mae eraill...yn ystyried afon Gwy yn ffin rhwng Lloegr a Chymru...a dyma'r ffiniau cyffredin heddiw, er bod yr iaith Gymraeg yn cael ei defnyddio a'i siarad bellter mawr y tu hwnt i'r hen ffiniau hyn i gyfeiriad Lloegr, fel yn siroedd Henffordd, Caerloyw, a rhan helaeth o sir Amwythig.

189
There be also divers Lordships, which be added to other shires, and were taken heretofore for parts of Wales, and in most part[s] of them at this day the Welsh language is spoken, as Oswestre, Knocking... E[l]smer, Masbrook, Chi[r]bury...which

are now in Shropshire; Ewyas Lacy, Ewyas Harold, Clifford...in Herefordshire.
216
Y mae hefyd amrywiol arglwyddiaethau, a ychwanegwyd at siroedd eraill ac a gyfrifid hyd yma'n rhannau o Gymru, y siaredir Cymraeg yn y rhannau helaethaf ohonynt heddiw, megis Croesoswallt, Cnwcin... Elsmer, Maesbrwg, Llanffynhonwen...sy'n awr yn sir Amwythig; Euas Lacy, Euas Harold, Cliffordd...yn sir Henffordd.

Eurgrawn, Yr
190
Ynglŷn â'r polisi dwyieithog, y cwestiwn syml yn y diwedd yw, A yw'r iaith Gymraeg yn werth i'w chadw'n fyw neu beidio? Os credwn ei bod, yna nid oes dim amdani ond y llwybr dwyieithog llawn i'n plant heddiw, costied a gostio mewn arian a chwys. Yn ddiwylliannol y mae ail iaith yn bwysig canys, fel yr atgofiwyd ni mor gyson gan y Parch. Tecwyn Evans, daw mwy o oleuni drwy ddwy ffenestr na thrwy un. Ac y mae eisiau creu mwy a mwy o angen swyddogol a masnachol am y Gymraeg fel y bydd iddi werth bara a chaws hefyd. Onid y ffaith hon sydd wedi hybu dwy- a thairieithogrwydd gwledydd canolbarth Ewrob? ['Eseciel']
Cyf. 160, Gwanwyn 1968, 29

191
Gwyn fyd yr annwyl Decwyn sydd wedi mynd allan o glyw'r darlledwyr diweddar: y mae eu deunydd yn aml yn ddigon tila, ond y mae eu hiaith yn echrydus. Y maent wedi llwyddo i atgyfodi bron bob gwall a gondemniwyd gan John Morris-Jones a'i ddisgyblion.

Bu cryn gondemnio ar Syr John yn ddiweddar am fod ei safonau (meddir) yn hynafiaethol, ac nad yw Cymraeg John Davies o Fallwyd yn gymwys ar gyfer 1979. Ni fuaswn i'n anghytuno â hynny, ond pam fod rhaid trosi idiomau Saesneg i Gymraeg, a disodli'r hen briod-ddulliau? ['N.H.']

Cyf. 171, Gaeaf 1979, 185

192

O'r ddau, gwell gennym i'r Saesneg ladd ein hiaith yn agored, na'i gweld yn cael ei chlwyfo'n farwol gan ein pobl ni ein hunain. Y trychineb, wrth gwrs, yw bod pobl ieuainc yn gadael ein hysgolion heb ddysgu parch at fireinder iaith na gwybod beth yw cywirdeb. ['N.H.']

Cyf. 171, Gaeaf 1979, 186

193

Ond petai'r frwydr wedi mynd y ffordd arall ynglŷn â'r Bedwaredd Sianel, a wnâi hynny wahaniaeth mor fawr ag y mynnai rhai pobl? Rhoddai hoelen ychwanegol yn arch yr iaith Gymraeg, mae'n siŵr, ond beth yw gelyn mawr, a gelyn marwol, yr iaith? Nid oes gennyf fi unrhyw amheuaeth nad dwyieithrwydd yw'r gelyn hwnnw. Y mae dysgu Saesneg i holl blant Cymru yn gwneud mwy na dim arall i ladd ein hiaith, a gellir dinistrio iaith mewn un genhedlaeth—tyst o Fro Morgannwg. ['N.H.']

Cyf. 172, Gaeaf 1980, 194

194

Yr hyn sy'n drist yn y sefyllfa gyfoes yw nad oes fawr neb yn gwneud ymdrech i godi cenhedlaeth ddi-Saesneg yng Nghymru. Nid yw hynny'n golygu, o angenrheidrwydd, fagu cenhedlaeth unieithog; gellir dysgu Ffrangeg neu ryw iaith wareiddiedig arall i'r plant yn ail iaith. ['N.H.']

Cyf. 172, Gaeaf 1980, 195

195

Nid rhaid croesi Iwerydd i sylweddoli argyfwng y Gymraeg ymysg alltudion. Ceir digon o arwyddion o'r argyfwng hwnnw ymysg y Cymry yn Lloegr; bratiog yn aml yw iaith plant i rieni o Gymry, ac y mae'r wyrion gan amlaf yn gwbl ddi-Gymraeg...Anaml y mae Cymry alltud yn llwyddo i gadw eu Cymraeg am fwy na dwy genhedlaeth. ['N.H.']

Cyf. 174, Haf 1982, 92-93

196

Gwn fod y Gymraeg yn colli tir yn enbyd yng Nghymru, ac y mae'r eglwysi'n wynebu problem enfawr. Un o egwyddorion sylfaenol y Diwygiad Protestannaidd oedd mai'r iaith a ddeellir gan y bobl yw iaith crefydd i fod...Yn gyson â'r egwyddor yna rhaid cynnal oedfaeon i Gymry di-Gymraeg mewn iaith a ddeellir ganddynt, sef Saesneg. Ond wrth wneud hynny bydd llawer ohonom yn teimlo ein bod yn curo hoelen arall i arch yr iaith. Y mae'n gyfyng arnom o'r ddeutu. Ein gobaith yw mai dros dro y pery'r cyfyngder hwn, ac y daw eto'r dydd pan fydd pob Cymro'n deall ac yn llefaru Cymraeg. Yr wyf yn sicr o un peth: os achubir y Gymraeg rhaid gwneud hynny yng Nghymru. Nid oes dim gobaith mewn unrhyw wlad arall; yng Nghymru, ac yno yn unig, y gellir, ac y dylid, cadw'r iaith. Ein brwydr ni yw hi. ['N.H.']

Cyf. 174, Haf 1982, 93

197

Os daw Ewrop yn fwy o uned, efallai y cilia'r perygl i'r iaith o Loegr i ryw fesur, ac na fydd cymaint o rym yn y ddadl 'os mynnwn ddod ymlaen yn y byd, rhaid inni wybod Saesneg.' Yn yr Ewrop newydd, efallai y bydd Ffrangeg neu Almaeneg yn cynyddu a Saesneg yn lleihau...Pe gellid cadw mwyafrif pobl Cymry yng Nghymru, a'u magu yn Gymry Cymraeg, byddem ar y ffordd i ennill brwydr yr iaith. Ond y mae'n rhaid achub bywyd economaidd a chymdeithasol Cymru yn drwyadl, a gwaith i'r Cymry eu hunain yw hynny hefyd. ['N.H.']

Cyf. 174, Haf 1982, 93

EVANS, DAVID (**Caradoc Evans**; 1878-1945)
198

'I will sing a hymn made by me,' he [Morgan Bible] *said...This hymn is in English, and he and Miss Lewis spoke to each other in a mingle of Welsh and English such as is commonly spoken in Wales. The Welsh language is dying.*

Morgan Bible (London, 1943), 12

'Mi ganaf emyn o'm gwaith,' meddai [Morgan Bible]...Yn Saesneg y mae'r emyn hwn, a siaradai ef a Miss Lewis â'i gilydd yn y fath gymysgedd o Gymraeg a Saesneg ag a siaredir yn gyffredin yng Nghymru. Mae'r iaith Gymraeg yn marw.

199

CARADOC EVANS---Do you want me?
THE VOICE---Yes.
CARADOC EVANS---Who are you?
THE VOICE---Your father.
CARADOC EVANS---Father! Can't be.
How do you know that I am here?
Who told you?
THE VOICE---Edward Wright.
CARADOC EVANS---Well, look: if you are my father, siaradwch a fy yn eich iaith.
THE VOICE---Beth i chwi am i fy ddweyd?
CARADOC EVANS---Eich enw, wrth gwrs.
THE VOICE---William Evans.
CARADOC EVANS---Yn le marwo chwi?
THE VOICE---Caerfyrddin.
CARADOC EVANS---Sir?
THE VOICE---Tre.
CARADOC EVANS---Ble mae'r ty?
THE VOICE---Uch ben yr avon. Mae steps—lawer iawn—rhwng y ty ar rheol. Pa beth yr ydych yn gofyn? Y chwi yn mynd i weled a ty bob tro yr rydych yn y dre.
CARADOC EVANS---'Nhad-----'
The trumpet fell noisily on the floor.

It was amazing to listen to this conversation between father and son in the strange Welsh tongue. ['Ond odid yr enghraifft fwyaf diddorol o Gymraeg mewn *séance,*' *Y Traethodydd,* Ionawr 1999, 21-22]

Herbert Dennis Bradley, *Towards the Stars* (London, 1924), Book II, 210-11

EVANS, Syr D. EMRYS (1891-1966)
200

Yr elfen Ladin yn ein hiaith--mor llachar yw'r goleuni a rydd ar ein hanes yn ei bethau symlaf, mwyaf elfennol, ac yn ei bethau dyfnaf, mwyaf ysbrydol. Y corff a llawer o'i aelodau—y fraich, y boch, y goes--geiriau Lladin a orfu am y rhain; pethau syml a tŷ a'i adrannau—yr ystafell, y mur, y pared, y gadair, a'r cawell, y gegin, y ffwrn a'r dorth, y gyllell a'r morthwyl, y ffenestr a'r gwydr; y castell a'r ffos a'r ffynnon hefyd, y bont a'r felin, llong a'i rhwyfau. Pethau byd crefydd ac ysbryd a meddwl eto—y gair 'ysbryd' ei hun, teml ac allor a cholofn, salm a sallwyr, offeren a sagrafen, efengyl ac elusen a chardod, angel ac esgob, ysgol a disgybl. A da fyddai inni gofio mai o Ladin y cawsom y gair 'cystrawen', hynny yw saernïaeth iaith.

Y Clasuron yng Nghymru (Darlith Radio Flynyddol, 1952), 12

EVANS, Y Parchedig D. TECWYN (1876-1957)

201

Ar wahân i ddyfodiad yr Efengyl atom a sefydlu'r Eglwys Gristionogol yn ein plith, diau mai'r digwyddiad pwysicaf yn ein hanes cenedlaethol oedd cyhoeddi'r Beibl yn ein hiaith yn 1588.

Y Beibl Cymraeg (1953), 7

202

Bu'r bachgen o'r Gyffin [Richard Davies] yn ddisgybl barddol i Gruffudd Hiraethog, a bu'r addysg a gafodd ganddo ef yn gymorth i greu iaith y Beibl Cymraeg,--rhyddiaith newydd i raddau helaeth, eithr nid hollol newydd chwaith, ond datblygiad o Gymraeg cydnerth, urddasol yr hen feirdd pendefigaidd, awdurol: diolch i Gruffudd Hiraethog, yn un, amdani.

10

203

Yn 1561, gorchmynnwyd darllen y llithoedd yn yr Eglwysi yn Gymraeg,--ar ôl eu darllen yn Saesneg i ddechrau!

12

204

Yn ôl tystiolaeth Salesbury, gwannaidd ac annheilwng, sâl a salw oedd yr iaith lafar, ac aeth ef at y cywyddwyr a'r beirdd eraill am ei batrymau. I'r un ffynhonnell yr aeth William Morgan yntau, ond gildiodd ryw gymaint i'r tafodieithoedd. Y cynnyrch oedd iaith goeth, addas, aruchel, eithr heb fod yn rhy aruchel.

22

205

Addefodd ysgolhaig Cymraeg mor fawr â'r Dr. John Davies o Fallwyd...ei ddyled i'r 'Gamaliel hwnnw' [William Morgan] am addysg yn y Gymraeg: praw sicr o feistrolaeth cyfieithydd y Beibl ar ei gyfrwng. Rhyfeddodd yr Archesgob Whitgift at wybodaeth y Cymro o Ewybrnant o'r ieithoedd clasurol, a phan ofynnodd yr Archesgob iddo a oedd ef yn medru'r iaith Gymraeg gystal â'r ieithoedd hynny, atebodd William Morgan ei fod yn hyderu y caniatâi'r Archesgob iddo ddywedyd ei fod yn gwybod iaith ei fam yn well na'r un iaith arall.

22

206

At ei gilydd, iaith glasurol y beirdd gorau yw'r eiddo William Morgan, ond ei fod wedi meddalu ac ystwytho cryn dipyn ar honno. Trwy gyfrwng Beibl 1588 fe ddaeth yr iaith glasurol, goeth honno'n iaith newydd i werin Cymru, a daeth graen ac urddas ar ryddiaith Gymraeg na pherthynent o'r blaen ond i farddoniaeth. Bron na ddywedem fod Morgan o dan ysbrydoliaeth wrth gyfieithu'r Ysgrythur. Nid gormod, fodd bynnag, fyddai dywedyd iddo achub yr iaith Gymraeg, yr iaith a dybiai ef ar y pryd a oedd ar drengi. Ei awydd ef oedd achub yr hen Gymry cyfoes a oedd heb Feibl. Wel, fe achubodd yr iaith, beth bynnag amdanynt hwy.

23 [Cymh. *Esgob Wiliam Morgan, 1547-1604* (Taflen a gynhyrchwyd yn 1988 gan Ysgol Glan Clwyd i ddathlu 400 mlwyddiant y Beibl Cymraeg cyntaf): 'Pasiwyd mesur seneddol yn 1563 yn caniatáu cyfieithu'r Beibl a'r Llyfr Gweddi i'r Gymraeg "gan nad yw'r iaith Saesneg yn cael ei deall gan y mwyafrif o holl ddeiliaid hoff ac ufudd Ei Mawrhydi yng Nghymru". Roedd y galw am Feibl Cymraeg yn deillio o gyflwr llewyrchus ac nid adfyd yr iaith Gymraeg felly.']

207

Cyhoeddwyd *Gramadeg* y Dr. John Davies yn 1621...un o orchestion ieithyddol pennaf Cymru, gwaith ysgolheigaidd a fu'n sylfaen i bob Gramadeg Cymraeg fyth er hynny...Sicr yw mai'r Dr. John Davies, un o ysgolheigion Cymraeg mwyaf yr oesoedd, a ofalodd am Gymraeg Beibl 1620.

26

208

Rhoes y Beibl Cymraeg ryddiaith urddasol, goeth, gain i Gymru oll. Ef a gadwodd yr iaith rhag dirywio i fod yn ddim gwell na nifer o dafodieithoedd diystyr. Ef yw brenin y llyfrau; cyn sicred â hynny, ef hefyd yw brenin y tafodieithoedd. Ni all llawer o drigolion Môn a Phenfro (er enghraifft) ddeall ei gilydd wrth ymddiddan heddiw heb droi i'r Saesneg; ond gallant oll ddeall iaith eu

Beiblau fel ei gilydd.

48 [Tystir i ddylanwad mawr y cyfieithiadau o'r Beibl ar yr iaith Saesneg hithau, e. e. yn Émile Legouis, *A Short History of English Literature* (1936), [67]: '...introducing into English prose the "biblical dialect" which has tinged so great a part of English literature...Thus was created a type of prose whose influence was unbounded, free to all,..destined to touch with beauty the speech of the rudest and least learned.' Gwir hyn hefyd am Lyfr Gweddi Gyffredin (1549), dan gyfarwyddyd Cranmer, op. cit., 68: 'Sunday after Sunday, in every parish church of England, the magnificent phrases were repeated...It may be imagined what an impulse was thus given to a language as yet indefinite, moving uncertainly on its way.']

209

Y Beibl Cymraeg fu'r gallu pennaf yn natblygiad a thyfiant yr iaith. Y bobl a drwythwyd yn y Beibl a gadwodd yr iaith yn fyw. Cymraeg William Morgan yw sail y Gymraeg a ddysgir heddiw mewn ysgol a choleg a phrifysgol. I'r rhai hynny ohonom a gâr y Gymraeg ac a ddymuna hir oes iddi, y mae'r esgeuluso gwaradwyddus ar y Beibl sydd mor gyffredin heddiw yn ein plith, a'r anwybodaeth affwysol o'i gynnwys a'i ymadroddion, yn drychineb enfawr,--a hynny o safle'r iaith Gymraeg, heb sôn am unrhyw safle arall yn awr.

48

210

Oni bai am y Beibl Cymraeg ni byddai gennym Ysgolion Sul Cymraeg. Y Beibl oedd testunlyfr Griffith Jones, Llanddowror yn ei Ysgolion Cylchynol... Byth er hynny, bu'r Ysgol Sul yn noddfa gadarn i'r iaith, a'i Llyfr hi fu'r prif offeryn i gadw'r iaith yn fyw...Yn ôl pob golwg, bydd tranc yr Ysgol Sul Gymraeg yn sicr o gydredeg â thranc yr iaith.

49

211
Iddo ef [yr Athro John Morris-Jones], yn anad neb arall, y mae'r Gymraeg yn fwyaf dyledus heddiw.

Yr Iaith Gymraeg (1911, 3ydd arg. 1922), Rhagair

212
Eithaf peth yw atgoffa rhyw bobl fod y fath beth ag iaith Gymraeg yn bod, oblegid ysgrifennir hi'n aml, ysywaeth, mor garbwl a musgrell â phe na feddai nac orgraff na gramadeg na chystrawen o gwbl.
[11]

213
Y mae tro ar fyd wedi dechrau; rhoddir lle i'r Gymraeg, a bri arni, yn yr ysgolion bob dydd, yr ysgolion canolraddol, a'r colegau cenedlaethol. Astudir ei threigliad, ei gramadeg, a'i harddull, yn fwy heddiw nag erioed. Ac fel yr adwaenir hi'n well, cerir hi'n well ac angerddolach.
[11]

214
Iaith anodd i'w dysgu yw'r Gymraeg,-- gresyn na ellid perswadio pawb i gredu cymaint â hynny i gychwyn. Nid ar chwarae bach y medr hyd yn oed y Cymro'i hunan ei meistroli.
[11]

EVANS, DONALD (1940-)
215
Mi wn yn iawn mai nyni—a'i cafodd,
   Y cyfan ohoni,
   I'w siarad a'i thrysori,
   Ond meddiant Duw ydyw hi. ['Yr Iaith Gymraeg']
Barddas, Rhif 118, Chwefror 1987, 1

216
Ydym, 'rydym yn siarad y Gymraeg
ar ddiwedd ein canrif fel drwy ganrifoedd
ein hanes, 'does dim yn bwysicach na
   hynny...

Na, ni wnawn fawr iawn dros yr iaith,
dim byd mentrus yn gyhoeddus heddiw
fwy na rhai fel ni erioed,
ac eto fe'i trosglwyddwyd i ni
gan ein rhieni drwy hanes...

mae'r iaith Gymraeg
yn fyw o hyd ar ein tafodau
er i ni ei dilorni'n aml.

Mae hyn yn swnio oll i mi
yn rhywbeth sy'n go debyg i gariad;
'rydym yn ei chadw'n fyw'n ein hoes
ar fin y ganrif nesaf.
Gwenoliaid (1982), 16-17

EVANS, EINION (1926-2009)
217
Mor annwyl im yw'r heniaith,
O'i harfer hi mor fyw'r iaith.
Iaith y lofa, iaith lefel,
Iaith i swydd, ac iaith i sêl.
Iaith ysgol ac iaith coleg,
Iaith i Ras, ac iaith i reg.
Iaith y bardd, goreuiaith byd,
Iaith i garu, iaith gweryd.

Iaith goliog, iaith y galon,
Di-ail iaith yr ardal hon.

    Cerddi Einion Evans (1969), 11-12

EVANS, Y Parchedig EMRYS
218

Mae'r iaith Gymraeg fel yr Eidaleg yn gyfrwng ardderchog i ganu; y pwysleisiadau cryfion a'i hansawdd rhythmig bron hanner y ffordd i gerddoriaeth yn barod.

    Cristion, Mawrth/Ebrill 2002, 20

EVANS, ERIC WYN
219

[Mabon's] love of the traditional culture of Wales, its poetry and its language, found expression on many occasions both within the House of Commons and elsewhere. He was especially proud of the Welsh language, the language which gave full scope for his powers of oratory, and he never failed to do all in his power to win recognition for it. It was Mabon, for example, who seconded the motion that led to the formation of the Society for the Utilisation of the Welsh Language, which later became the Cymdeithas yr Iaith Gymraeg. It was also he who pressed for the inclusion of Welsh in the list of subjects enumerated in the Education Code during 1887 and repeatedly urged that all mines inspectors in South Wales should be able to speak the Welsh language. To make his point more forcibly Mabon would often confound the House of Commons by speaking in Welsh. But perhaps never did he use this device with greater effect than during the debate on Lloyd George's motion expressing regret at the appointment of non-Welsh speaking judges in 1892. While stressing the importance of the motion Mabon suddenly launched into an unbroken flow of Welsh, at which some members broke into laughter. Mabon continued until the mirth had subsided, and then calmly informed them that they had been laughing at the Lord's Prayer.

    Mabon: William Abraham, 1842-1922 (1959), 39-40

'Roedd cariad Mabon at ddiwylliant traddodiadol Cymru, ei barddoniaeth a'i hiaith yn cael mynegiant ar lawer achlysur o fewn Tŷ'r Cyffredin yn ogystal ag mewn mannau eraill. Ymfalchiai'n *arbennig yn yr iaith Gymraeg, yr iaith a roddai dragwyddol heol i'w alluoedd areithyddol, ac ni fu erioed yn ôl o wneud popeth o fewn ei allu i ennill cydnabyddiaeth iddi. Mabon, er enghraifft, a eiliodd y cynnig a arweiniodd at ffurfio The Society for the Utilisation of the Welsh Language, a ddaeth yn ddiweddarach yn Gymdeithas yr Iaith Gymraeg. Ef hefyd a fu'n pwyso am gynnwys Cymraeg yn rhestr y pynciau a nodwyd yn y Gôd Addysg yn ystod 1887, ac yn mynnu dro ar ôl tro y dylai pob arolygydd pyllau yn Ne Cymru fedru siarad yr iaith Gymraeg. I roi mwy o rym i'w ddadl, byddai Mabon yn aml yn peri syndod i Dŷ'r Cyffredin drwy siarad yn Gymraeg. Ond efallai na ddefnyddiodd y ddyfais hon erioed yn fwy effeithiol nag yn ystod y ddadl ar gynnig Lloyd George yn datgan siom fod barnwyr di-Gymraeg wedi'u hapwyntio yn 1892. Wrth bwysleisio pwysigrwydd y cynnig, dyma Mabon yn bwrw iddi'n sydyn mewn llifeiriant di-dor o Gymraeg, a barodd i rai aelodau chwerthin. Daliodd Mabon ati nes i'r hwyl dawelu, ac yna dywedodd wrthynt yn dalog mai am ben Gweddi'r Arglwydd y buont yn chwerthin.

EVANS, EVAN ('Ieuan Fardd' neu 'Ieuan Brydydd Hir'; 1731-88)
220
Tristach yw Cymru trosti,
Y Bardd doeth, o'th briddo di...
Ac mae'r iaith, Gymro ethol,
A'n dysg, yn myned yn d'ôl. [Marwnad Wiliam Wynn, Llangynhafal]
Gwaith y Parchedig Evan Evans (gol. D. Silvan Evans, 1876), 96

221
Ein lles ni...yn ddiamau yw coledd a mawrhau ein Hiaith, er mwyn adeiladaeth Eglwys Dduw, a phur wybodaeth o'r efengyl dragwyddol.
dyf. Bedwyr L. Jones, *Yr Hen Bersoniaid Llengar* (1963), 8

EVANS, EVAN ('Ieuan Glan Geirionydd'; 1795-1855)
222
O mor gu y Gymraeg wen,--iaith rymus,
Iaith weddus, iaith addien,
Iaith ddwys gu, iaith ddisgywen,
Iaith i'n byd eitha' yn ben.

Iaith orchestol, iaith ragorol,
Iaith odiaethol, iaith y doethion;
Iaith gyfoethog, iaith odidog,
Iaith wir enwog, iaith wâr union;

Iaith ddiamarch, iaith wir hybarch,
Iaith oreuber;
Iaith lawn addysg, iaith ddigymysg,
A iaith Gomer.
Geirionydd (1862), 81

223
E bery ei hachos mewn bri uchel,
A gwŷr o urddas a geir i'w harddel;
Y dyn a esyd i'w gwneud yn isel
O'i gwir ogoniant, â gorwag annel,
Hwnnw a gaiff cyn y gwêl [hyn]—ei osod
Yn eigion tywod yn ddigon tawel.
118

224
Iaith araul a'r iaith orau,--iaith gudeg,
Iaith gadarn ei seiliau,
Iaith fy nhud, iaith fy nhadau,
Iaith bêr oll, iaith i barhau.

Iaith burach, gryfach na'r Gryw—iaith annwyl,
Iaith hyna' 'n bod heddyw;
Cadarn a didranc ydyw,
Iaith fu, sydd, ac a fydd fyw.
164

EVANS, Y Parchedig GWYN
225
Dethol arhosol drysor
Fu ei waith yn iaith yr Iôr,
Rhoes o wewyr myfyr maith
Ei wirionedd i'r heniaith...
Cofio'i waith, y cyfieithydd,
Hyn ni phaid ag ennyn ffydd;
Bydd i werin flin aflêr
Olau ufudd ei leufer;
Gair yr esgob yw'n gobaith
O hyd a pharhad ein hiaith. [Yr Esgob Morgan a Beibl 1588]
Cyfansoddiadau...Eisteddfod Genedlaethol Bro Madog (1987), 52

EVANS, GWYNFOR (1912-2005)

226

Trwy'r oesoedd yr oedd y celfyddydau a gafodd sylw mwyaf manwl a chyson y Cymry yn seiliedig ar iaith. I raddau llawer mwy nag yn y rhelyw o wledydd, hanes Cymru yw hanes ei hiaith.

Aros Mae (1971), 18

227

Syrthiodd Sir Fflint a Gwent yn gynnar i feddiant y Normaniaid. Ond fel y parhaodd bywyd Gwent yn Gymraeg hyd at ail hanner y ganrif ddiwethaf, felly hefyd y bu yn Sir Fflint; ac fel y cynhyrchodd Gwent fardd Cymraeg mwyaf y ganrif, sef Islwyn, felly y cynhyrchodd Sir Fflint ein nofelydd Cymraeg mwyaf, Daniel Owen, a gafodd ei eni a'i fagu yn yr Wyddgrug o fewn tait millltir i'r ffin Seisnig. Yno, yn y wlad a feddiannwyd gan y Norman dros wyth gan mlynedd yn gynt y bu farw'r llenor Cymraeg mawr yn 1895. Dyma deyrnged syfrdanol i wydnwch y traddodiad Cymreig, fod siroedd y ffin wedi cadw'r iaith hyd at gyfnod mor ddiweddar a bod yn eu cymdeithas Gymraeg yr egni i gynhyrchu dau lenor Cymraeg mwyaf y ganrif ddiwethaf.

123

228

Fel y dywedwyd mewn llyfr teithio Sais am y Cymry yn yr ail ganrif ar bymtheg: 'Their native gibberish is usually prattled throughout the whole of Taphydom except in their market towns, whose inhabitants being a little raised do begin to despise it.' Nid yn y ganrif honno y dechreuodd rhai o'r trefwyr ddirmygu'r Gymraeg; ac yn sicr ni pheidiasant ar ôl y ganrif honno â'u hystyried eu hunain 'a little raised'.

128

229

Nid yw'n ormod dweud na chlywid Cymraeg ar lafar yn neheudir Cymru heddiw oni bai i Rys ap Gruffydd [1132-97] amddiffyn bywyd ei wlad mor orchestol mewn amgylchiadau mor enbyd o ddyrys.

147

230

'The English Parliament' fu hi hyd at ein dyddiau ni. Pe bai'n Brydeinig yn y dim lleiaf byddai ynddi ryddid i ddefnyddio'r Gymraeg, yr hynaf o ieithoedd Prydain. Ond os dechreua aelod siarad brawddeg Gymraeg caiff ei alw i drefn ar unwaith gan y Llefarydd. Yn yr unig senedd a fedd Cymru ni chaiff Cymro hyd yn oed gymryd y llw yn yr iaith Gymraeg.

214

231

Yn yr ardaloedd Cymreiciaf, wrth reswm...y gwnaeth unffurfiaeth lwyd a materol yr oes leiaf o'i hôl; bu'r iaith yn wrthglawdd yn ei herbyn.

314

232

Er i'r Gymraeg gilio o lawer cylch y mae'n aros yn gwbl ddifesur ei phwysigrwydd ym mywyd Cymru, a phery i ddatblygu ac ymgyfoethogi. Hi yw calon ac enaid y traddodiad cenedlaethol; a hi yw'r elfen fwyaf creadigol a gobeithiol ym mywyd y genedl. Bellach y mae'n dechrau adfer ei

lle yn y bywyd swyddogol a chyhoeddus...Erys yr iaith, felly; ac erys yn gymwys i'w ddefnyddio gan y genedl gyfan yn holl agweddau ei bywyd.
314

233
Ar Fynydd Epynt ac yng nghwrt bach Llangadog ddeng mlynedd ar hugain yn ôl gwelwyd pam y mae'r iaith Gymraeg...mewn argyfwng mor beryglus heddiw. Ers canrifoedd bu brodorion Cymru...yn ddinasyddion eilradd yn eu gwlad eu hun.
Barn, Chwefror 1971, 110

234
Uwchben Elan, bron ddeugain mlynedd yn ôl y cwrddais ag un o'r ychydig Gymry cwbl uniaith Gymraeg a gwrddais erioed, ond llwyr Seisnigwyd y gymdogaeth bellach.
111

235
Y mae [diwylliant gwerin] ynghlwm wrth yr iaith. Doedd dim o'r diwylliant gwerinol deallusol hwn yn bod yn Sir Faesyfed ddi-Gymraeg. Roedd y gwrthgyferbyniad rhwng Maesyfed a Meirionnydd yn drawiadol. Tanlinella hyn bwysigrwydd yr iaith. Y mae grym aruthrol mewn iaith. Nid yn unig y mae'n gyfrwng diwylliant a'i gwerthoedd; gall adnewyddu diwylliant. Gall hyd yn oed greu diwylliant o'r newydd, tystied Israel a'r Hebraeg, iaith a fu farw ers dros ddwy fil o flynyddoedd...sydd heddiw'n iaith i bron dair miliwn o Iddewon y wlad.
Barn, Rhif 276 (Ionawr 1986), 341

236
Rhan organig o fywyd Cymru yw'r iaith, a phan ddihoena, nid digon crefu ar y Cymry i'w dysgu a'i defnyddio, eu denu a'u dwrdio...Arwydd yw enciliad yr iaith o glefyd dyfnach ym mywyd a meddwl y genedl...I adfer yr iaith rhaid mynd yn ddyfnach na'r iaith, at yr hyn sy'n digwydd i *feddwl* Cymru dan bwysau aruthrol llywodraeth ganolog a'r technegau newydd. Mae'r iaith yn colli tir am fod y meddwl Cymreig yn darfod amdano. Mae Cymru yn llai Cymraeg am ei bod yn llai Cymreig. Nid adferir iaith Cymru heb adfer Cymreictod meddwl Cymru. Rhaid i'r genedl feddwl yn Gymreig cyn y meddylia eto yn Gymraeg.
'Eu Hiaith a Gadwant...' (1948), 1-2

237
Ni bydd Cymru fyth yn *meddu* ar y Saesneg nac unrhyw iaith arall; nid ei hiaith hi, o dan reolaeth ei meddwl, fyddai...Os cyll y Gymraeg, bydd Cymru heb iaith genedlaethol. Unig iaith Cymru yw'r Gymraeg.
4

238
Erbyn hyn, trwy bolisi bwriadus yn unig y mae modd cadw'r iaith yn fyw ar wefusau lleiafrif sylweddol o'r bobl, a rhaid yw i'r bobl ewyllysio'r polisi; pe bai'r bobl yn gyffredinol yn ewyllysio hyn, gallai'r Gymraeg fod eto yn iaith lafar yr holl genedl, o Fôn i Fynwy. Ni ellir cadw'r iaith ar wefusau'r miloedd heb ewyllys.
Rhagom i Ryddid (1964), [113]

239
Y cyfrwng y dibynna dyfodol y Gymraeg arno yw addysg ffurfiol, sy'n anghymharol bwysicach na'r un arall...Heb addysg Gymraeg, nid oes obaith cadw'r iaith; ond os defnyddir y Gymraeg fel cyfrwng addysg, ac os dysgir hi i blant mewn ardaloedd di-Gymraeg fel ail iaith yn gelfydd a phenderfynol o oedran tyner, gellir gwneud mwy na chadw'r iaith yn fyw; gellir ail-Gymreigio Cymru gyfan.
117

240
Y gwir syml yw nad yw diflaniad yr iaith yn anorfod. Gall Cymru eto fod yn genedl Gymraeg ei hiaith, yn genedl ddwyieithog: dyna'r gwir...

Ond y mae gwirionedd arall sydd yr un mor syml a chlir. Rhaid i'r Cymry *benderfynu* cadw eu hiaith â'u holl feddwl ac ewyllys. Ni wna penderfyniad llipa a hanerog fwy na gohirio ychydig ar ei marwolaeth boenus a di-urddas. Gwell penderfynu cael ei gwared ar unwaith na hynny. Rhaid wrth benderfyniad ymdrechgar ac egnïol.

Gwyddom y ffordd i achub y Gymraeg. Gwyddom fod ei hachub yn gwbl ymarferol, os myn y Cymry hynny. Y mae cyfryngau iechydwriaeth yr iaith gennym, os ewyllysia'r Cymry eu defnyddio. Gorchwyl posibl yw achub y Gymraeg, nid gorchest amhosibl.
121

EVANS, MEREDYDD (1919-)
241
Mae'n *ffaith* bod y mewnfudwyr yn dod i gymdeithasau sydd wedi bod yn Gymraeg eu hiaith am ganrifoedd, ond mater o *foesoldeb* yw sut y dylent ymagweddu at y ffaith honno. A 'does dim amheuaeth gennyf nad yr ateb cywir i hynny yw y dylent geisio eu haddasu eu hunain ar gyfer y gymdeithas y maen' nhw wedi dewis dod i fyw ynddi. Rhan hanfodol o'r addasu hwnnw yw ceisio meistroli'r Gymraeg.

Cristion, Gorffennaf/Awst 1989, 10

242
Braint a dyletswydd capeli ac eglwysi Cymraeg yw cynnal a chyfoethogi'r traddodiad crefyddol graenus a draddodwyd inni gan ein hynafiaid, nid, sylwer, i'r diben o ogoneddu'r iaith a'r genedl ('i'w cadw'n fyw' fel rhoir y mater weithiau), ond am y rheswm bod Duw eisoes, yn ei ymwneud â ni fel pobl dros y canrifoedd, wedi gosod gogoniant arnynt drwy eu neilltuo i'w wasanaeth. Nid yw na'n hiaith na'n cenedl yn gysegredig ynddynt eu hunain, ond fe'u gwnaed yn gysegredig pan ddaethpwyd i addoli Duw ynddynt a thrwyddynt.
11

243
Pan yw tramorwr yn ceisio dinasyddiaeth Brydeinig mae'n derbyn amodau'r ddinasyddiaeth honno a gŵyr, yn ymarferol, nad oes obaith iddo wneud bywoliaeth yn ei wlad newydd heb feistroli rhywfaint ar y Saesneg. Mae dewis yn agored iddo ef: mabwysiadu Saesneg fel iaith ei ddinasyddiaeth arfaethedig neu aros yn ei unfan. Nid tramorwr yw'r Cymro Cymraeg; y mae ei iaith ef yn un o ieithoedd brodorol Prydain ac yr oedd yma cyn i'r Saesneg

weld golau dydd.
Merêd (gol. Ann Ffrancon a Geraint H.
Jenkins, 1994), 377

EVANS, R. J. (1917-2006)
244
Hyd y gwela i, mae'r tramorwyr yn toddi
i mewn i'r gymdeithas yn llawn gwell na
Saeson. Maen nhw wedi tybio erioed nad
oes raid iddyn nhw newid eu hiaith i
blesio neb. Biti na fyddai degwm o'u
hunan-dyb gennym ni'r Cymry,--ni
fyddai ein hiaith mewn perygl o gwbwl.
Llythyrau Ffermwr (1982), 69

245
Mae'n anodd gwybod i ba raddau i
werineiddio iaith wrth ei hysgrifennu.
Mae Cymraeg llafar wedi ei llygru i'r fath
raddau fel bod angen cael tynfa at yn ôl
i'w choethi.
70

246
Ychydig dros un o bob tri o drigolion
Aberconwy a fedrai Gymraeg ym 1981.
Gwneir ymdrechion dygn i atal y
dirywiad trwy gynnal dosbarthiadau
dysgu Cymraeg. Ond, er i'r caredigion
hyn fod wrthi â'u deng ewin a chael
ymateb brwd, mae'n amlwg bod angen
rheolaeth ar y mewnlifiad dilyffethair os
yw'r iaith a'r diwylliant Cymraeg i ffynnu.
*Rhestr Testunau Eisteddfod
Genedlaethol...Dyffryn Conwy a'r Cyffiniau*
(1989), 13

247
Am yr ymosodwyr, does nemor ddim i'w
weld o wersyll Caer Rhun y
Rhufeiniaid...Gadawsant hwy fwy o'u hôl

ar ein hiaith. Ond mae Castell Edward y
Cyntaf yn amlwg ddigon yng Nghonwy.
Gellir ei gymryd fel arwydd o'n
darostyngiad neu o barhad ein hewyllys i
fyw am ein bod ni 'yma o hyd'. Trwy rym
ysbrydol yn y pen draw yr enillodd y
Gymraeg y dydd ar ei hymosodwyr.
20

248
Y tristwch yw i'r genedl a'i harweinwyr yn
y ganrif ddiwethaf, pan oedd y Gymraeg
mor rymus, gael eu dallu gan hudoliaeth
yr ymerodraeth filwrol 'nad oedd yr haul
byth yn machlud arni', a dewis y Saesneg
fel iaith addysg, masnach a llywodraeth
yn hytrach na'u hiaith gysefin eu hunain.
Oni bai am godi yn ein mysg bobl a
ymladdodd dros ddelfryd amgen, byddai
ein cyflwr heddiw'n druenus yn wir.
20

EVANS, R. J. W.
249
*The Anglo-Welsh have succeeded in
cushioning Welsh-speaking people from
some of the strongest influences of
Anglicisation. Without them, it is possible
that the situation of the Welsh language in
recent years would have been even more
serious, and its demise would have been
inevitable.*
The Cambrian News (6 August 1998), 5
Y mae'r Eingl-Gymry wedi llwyddo i
glustogi siaradwyr Cymraeg rhag rhai o
ddylanwadau cryfaf Seisnigeiddio.
Hebddynt hwy, y mae'n bosibl y buasai
sefyllfa'r iaith Gymraeg yn y
blynyddoedd diweddar yn waeth byth, a
buasai ei thranc yn anorfod.

250

It's impossible to determine when or how it was possible for so many citizens of Wales to split their identity in terms of territory and language. It is also difficult to understand how they have managed to continue to be rooted in the soil of Wales without being able to speak the country's native language, indeed speaking only the language that is normally associated with their oppressive neighbours.

5

Y mae'n amhosibl penderfynu pryd na sut y gallodd cynifer o ddinasyddion Cymru rannu eu hunaniaeth yn nhermau tiriogaeth ac iaith. Anodd hefyd yw deall sut y llwyddasant i barhau i fod â'u gwreiddiau yn nhir Cymru heb fod yn abl i siarad yr iaith frodorol, yn wir heb siarad ond yr iaith a gysylltir fel rheol â'u cymdogion gormesol.

EVANS, THEOPHILUS (1693-1767)
251
...nad oeddem yn canfod y godidowgrwydd, nac yn ystyried purdeb yr iaith anghyfartal helaeth hon [y Gymraeg].
Cydwybod y Cyfaill Gorau a'r [sic] *y Ddaear* (1715), [iii]

252
Oherwydd y geiriau Groeg...a'r geiriau Lladin...y mae'n iaith ni wedi dirywio ennyd oddi wrth y cysefin burdeb. A hynny ydyw'r achos na ddeallwn ni iaith y Gwyddelod, canys nyni a gollasom lawer o'r prifeiriau dechreuol [arg. 1740, yr hen eiriau Cymraeg].
Drych y Prif Oesoedd (1716), 23

253
Yn y terfysc mawr hwnnw [cymysgu'r iaith yn Nhŵr Babel]...[p]wy oedd yn siarad Cymraeg y dybiwch chwi y pryd hwnnw, ond Gomer mab hynaf Iapheth, ap Noah.
Drych y Prif Oesoedd (1740; adarg. 1902), 7

254
Ni a welwn gymaint o wahan eiriau sy rhwng Gwynedd a Deheudir; ac eto a feiddia neb ddywedyd mai nid Cymraeg a siaredir er hynny yn y ddwy dalaith? Ie, ac yn Neheubarth, nid oes odid gwmwd na chantref onid oes ryw ychydig o wahaniaeth yn yr iaith; nid yn unig wrth fod y werin yn rhoddi amryw sain i'r un geiriau, ond hefyd wrth alw ac enwi llawer o bethau yn wahan.
17

EVANS, T. MYRDDIN
255
Yn yr hen gymdeithas Gymreig, cyn y goresgyniad Normanaidd, yr oedd yna ran bwysig gan rai grwpiau heblaw ffermwyr, sef yr offeiriaid, y beirdd, a swyddogion y llys tywysogaethol. Yr oedd yn gymdeithas o ffermwyr a deallusion, heb na masnach na diwydiant. Mor bell ag y mae'r diwylliant Cymraeg yn y cwestiwn, felly y mae hyd heddiw. Rhy gartref naturiol i ffermwyr a deallusion, gan led-anwybyddu neu led-gondemnio masnachwyr a gweithwyr diwydiannol. Dyna, yn ddiau, un o'r rhesymau pennaf dros i'r iaith Gymraeg encilio'n gyflymach ymysg poblogaeth ein trefi marchnad a'n hardaloedd diwydiannol nag ymysg poblogaeth cefn gwlad a'r elfen honno o'n dosbarth

proffesiynol y gellid eu hystyried yn ddeallusion. Y cefndir i'r datblygiadau yma yw'r ffaith fod y Gymraeg a'r diwylliant traddodiadol a gynhelir ganddi, ac sydd yn ei chynnal, yn berthnasol i fywyd beunyddiol y ffermwr, ond nad ydyw hyn yn wir o gwbl am y masnachwyr na'r rhelyw o weithwyr diwydiannol, nad oes ganddynt ddewis wedi bod wrth weithio bob dydd ond gwneud hynny trwy gyfrwng yr iaith Saesneg.

Fy Nghymru I (gol. John Jenkins, 1978), 196

256

Ddechrau'r ganrif, Cymraeg oedd iaith y gymdeithas—yn Sir Ddinbych yr oedd 62 y cant o'r boblogaeth yn Gymry Cymraeg, ond erbyn hyn dim ond 28 y cant ohonynt sydd yn medru'r iaith. Mae neges yr ystadegau moel hyn yn syml iawn—hanerwyd y werin wledig Gymreig, ac yn lle rhai o'r rhai hynny a ffodd, daeth Saeson; nid digon ohonynt i gadw rhif y boblogaeth i fyny, ond digon ohonynt i Seisnigo'r gweddill y tu hwnt i adnabyddiaeth.

199

EVANS, W. GARETH
257
Gwaddolwyd Coleg Llanymddyfri gan Thomas Phillips ym 1847 a'i agor ar Ddydd Gŵyl Ddewi 1848. Cyfnod helbulus oedd hwn ynglŷn â lle'r Gymraeg mewn addysg. 'Roedd llawer o ragfarn tuag at yr iaith fel pwnc mewn ysgol ac fel cyfrwng addysgu. 'Doedd dim gwerth addysgol i'r iaith Gymraeg yn Llyfrau Gleision 1847...Er hynny, 'roedd llawer o serch tuag at yr iaith Gymraeg gan rai

pobl goleuedig ac 'roedd sefydlu'r coleg yn brawf o hynny. Gwnaeth y ddogfen ymddiriedolaethol hi'n glir mai un o brif amcanion y sefydliad oedd astudio a hybu'r iaith Gymraeg. Mewn cyfnod pan nad oedd yr iaith Gymraeg hyd yn oed yn destun ar amserlen yr ysgolion gramadeg gwaddoledig, 'roedd yn rhaid i'w dysgu yn Llanymddyfri fel pwnc ochr yn ochr â'r clasuron ond hefyd 'roedd i fod yn gyfrwng hyfforddiant mewn testunau eraill, gan gynnwys y gwyddorau. 'Roedd yn rhaid i'r Prifathro fod yn Gymro Cymraeg. Yn hyn o beth, 'roedd y sefydliad hwn i fod yn un o arbrofion addysgiadol pwysicaf Cymru Oes Victoria.

Barn, Rhif 151, Awst 1975, 767

258
'Roedd [A.G.Edwards] am i Goleg Llanymddyfri fod cystal ag ysgolion bonedd gorau Lloegr. Dyma oedd sylfaen ei athroniaeth addysgol ac o'r safbwynt hwn yr edrychai ar yr iaith Gymraeg mewn addysg. Dadleuai bod dwyieithrwydd yn amharu ar berfformiad y Cymry Cymraeg yn y clasuron...Mynnai bod Cymry Cymraeg yn cael anawsterau wrth ysgrifennu traethodau cyffredinol yn yr iaith Saesneg.

Serch hynny, 'roedd yn teimlo bod dysgu'r Gymraeg yn ddefnyddiol ym myd bancio, meddygaeth a'r weinidogaeth.

767 [Gw. hefyd *Taliesin*, 36, Gorffennaf 1978, 68]

Geninen, Y
259
Ymlyniad y Cymry wrth eu hiaith sydd arwydd arall o'u hanfoddlonrwydd i lywodraeth y Norman, ac i gydnabod eu

bod wedi cael eu gorchfygu. Gellid meddwl mai nid gwaith anodd fuasai lladd y Gymraeg, y pryd hynny, ym Morgannwg...Dichon fod Cymraeg Morgannwg mor bur heddiw ag un rhan o'r Dywysogaeth; ac yn y Fro y mae yn burach nag yn y Blaenau. er fod yr olaf yn gartref yr arglwyddi Cymreig. Ond yr oedd iaith Morgannwg yn bur ddigon ym mhob cwr ohoni cyn i'r gweithiau haearn a glo gael eu hagor. Ymgasglodd yno wŷr a gwragedd o bob sir, a'r canlyniad yw, dirywiad yr iaith Gymraeg. Ond mae llawer parth o Forgannwg, er y cwbl, wedi cadw eu Cymraeg yn bur odiaeth. [Gwilym Glanffrwd, Y Ficerdy, Llanelwy]

Cyf. ii (1884), 25

260

Poenir ni weithiau, wrth ddarllen ambell gyfieithiad o'r Saesneg i'r Gymraeg, wrth ganfod y musgrellni anoddefol o osod y geiriau yn y cyfieithiad yn yr un drefn ag y safent yn y gwreiddiol, heb eu dwyn o dan ddeddfau iaith y bryniau. Yn y cyfryw gyfieithiadau, mae yr arddull yn aros yn Seisnigaidd, er bod y geiriau yn Gymraeg. Siarad Saesneg mewn geiriau Cymraeg, neu wisgo iaith Hengist mewn hugan Gymreig, yw peth fel hyn, ac nid cyfieithu. Y mae i'r Gymraeg ei harddull a'i neilltuolion gwahaniaethol. [Edward Roberts, Pontypridd]

[241]

GETHIN, LEWIS
261

Pob gwlad aeth, o rad Un a Thri, a'i braint
    I brintio mewn trefi:
    Nid anhaws, mewn daioni,
    Fod yr un gwaith i'n iaith ni.

Rhown ein bryd i gyd ar godi ein iaith
    Daw unwaith daioni:
    Er colli ein lle a'n trefi,
    Cadwn ein iaith cyd â ni.
    Trysorfa Gwybodaeth (1770), iii. [1]

GIRALDUS CAMBRENSIS (Gerallt Gymro; 1146?-1223)
262
Notandum etiam quia in Nortwallia lingua Britannica delicatior, ornatior, et laudabilior, quanto alienigenis terra illa impermixtior, esse perhibetur. Kereticam tamen in Sudwallia regionem, tanquam in medio Kambriae ac meditullio sitam, lingua praecipua uti et laudatissima plerique testantur.

Descriptio Kambriae (ed. J. F. Dimock, Rolls Ser., London, 1868), Lib. I, 177
Y mae'n werth sylwi...yr haerir bod yr iaith Gymraeg yn fwy dillyn, yn goethach, ac yn fwy canmoladwy yng Ngogledd Cymru i'r un graddau ag y mae'r wlad hon â llai o estroniaid yn gymysg â hi. Er hynny, tystia llawer iawn mai ardal Ceredigion yn y Deheubarth, a'i safle megis yng nghanol a pherfedd Cymru, a ddefnyddia'r iaith arbenicaf, a mwyaf canmoladwy.

Thomas Jones, *Disgrifiad o Gymru* (1938), 176

263
Eorum autem qui Kembraec, linguam Kambricam, a Kam Graeco, hoc est, distorto Graeco, propter linguarum affinitatem, quae ob diutinam in Grecia moram contracta est, dictam asserunt, probabilis quidem et verisimilis est, minus tamen vera relatio.

Lib. I, 178

Am y rhai a ddeil fod y Gymraeg, iaith Cymru, wedi ei henwi o Gam Roeg, hynny yw, Groeg gwyrgam, oherwydd y tebygrwydd rhwng y ddwy iaith a achoswyd trwy eu hir drigiant yng Ngroeg, er bod eu hesboniad yn debygol, ac yn debyg i'r gwirionedd, nid y gwir mohono er hynny.

Thomas Jones, *Disgrifiad o Gymru*, 177-78

Goleuad, Y
264
Cyfrifoldeb pawb sy'n frwd dros yr iaith yw dweud wrth y llywodraeth nad yw adroddiad y Bwrdd [Iaith] yn mynd hanner digon pell tuag at roddi unrhyw fath o ddyfodol sicr i'r iaith...Mae argyfwng arswydus yn wynebu'r Gymraeg ac nid heb fesurau llawer mwy pendant y llwyddir i'w oresgyn...

Mae gan Eglwys yr Arglwydd Iesu Grist yng Nghymru gyfrifoldeb arbennig ynglŷn â'r iaith. Mae dyfodol yr eglwysi Cymraeg yn dibynnu ar barhad yr iaith. Onid un rheswm amlwg am y lleihad yn ein haelodaeth yw'r lleihad yn nifer y Cymry Cymraeg? Ond dylai'n consýrn fynd yn ddyfnach na hynny. Credwn fod iaith a diwylliant yn bethau cysegredig.

7 Gorffennaf 1989, 4

265
Os yw'r iaith i gael ei diogelu...y mae'n rhaid wrth fesurau cyhoeddus. Dyweder a fynnir, mater gwleidyddol yn y diwedd yw parhad iaith. Heb gydnabyddiaeth a heb nawdd, ychydig o ieithoedd a fyddai'n ffynnu'n hir. Dyna paham y mae Deddf Iaith yn holl bwysig. Os na roddir statws a pharch gwell i'r Gymraeg ni fydd modd ei

diogelu...Bydd angen i bawb sy'n caru'r iaith ymgyrchu yn eu ffyrdd eu hunain.

31 Gorffennaf 1992, 4

GRIFFITH, Y Parchedig G. WYNNE (1883-1967)
266
Cyn hynny [dyddiau Harri'r Wythfed] yr oedd yr uchelwyr yn Gymry gwirioneddol. Siaradent Gymraeg...Yr oedd y plas yn ganolfan llenyddiaeth a diwylliant ac yn gyrchfan beirdd a llenorion a cherddorion. Ond o ddyddiau Harri'r Wythfed y mae'r uchelwyr yn troi eu cefn ar yr iaith ac ar fywyd Cymru. Y maent yn siarad Saesneg.

Ffynnon Bethlehem (1948), 72

GRIFFITH, IFOR BOWEN
267
Ar derfyn y rhyfel euthum i'r County School i ddewis rhwng 'Welsh' a 'French'. 'Roedd deg i ddwsin o athrawon yn yr ysgol, ond dim ond un yn unig a siaradodd Gymraeg â mi yn ystod y chwe mlynedd y bûm yno Ymhen blynyddoedd wedyn y sylweddolais er fy syndod mai un yn unig oedd yno na fedrai Gymraeg. Mae pethau'n well erbyn hyn—ond rhaid mynd i ysgol Rhydfelen, Glan Clwyd, Maes Garmon neu Morgan Llwyd i weld sut y medrai ac y dylai pethau fod.

Atgofion, 2 (1972), 51

268
Mis fu'r Sarnau [ger Y Bala] yn troi faciwîs Glannau Mersi yn Gymry. Lle felly oedd y Sarnau--y lle prysuraf y bûm i ynddo erioed.

60

GRIFFITH, W. LLOYD
269
Cyfyd y cwestiwn beth a olygir wrth 'air Saesneg'. Llwyr afresymol fuasai dweud mai dyna yw pob gair y gellid profi ei fod o darddiad Saesneg, oherwydd mae'n debyg bod rhai geiriau Saesneg mewn Cymraeg llafar ers canrifoedd. Beth all fod yn Gymreiciach na geiriau megis *llusern, seiat*?
Iaith Plant Llŷn (1976), 107

270
Dadleuwyd droeon ei bod yn hanfodol i ieithoedd fenthyca oddi ar ei gilydd, er mwyn cael moddion i gyfleu ystyr yn gwbl ddiamwys a chlir. Er enghraifft, y mae *dreifio* yn nhafodiaith Llŷn yn gwbl wahanol i *yrru*. Mae *dreifio* wedi disodli *gyrru* fel gair Cymraeg am *drive*, ac mae *gyrru* wedi datblygu'r ystyr *to speed*. Datblygiad iach yw peth fel hyn, ac nid arwydd o lygredd fel y gallai rhai puryddion faentumio.
107-08

271
Mae'n ddiddorol nodi mai un nodwedd ar ddiwygio sillebu Saesneg America fu diosg dybliadau...*cruellest/cruelest*; *programme/program*...Ychwaneger at hyn fod 'amrywiad *n*' yn dderbyniol yn y Gymraeg yng ngolwg athrawon yr iaith, a hynny o fewn yr un gwaith.
...Onid teg fyddai mynd â'r egwyddor hon un cam ymhellach a datgan nad yw'n ofynnol mwyach ddyblu nac *n* nac *r* nac unrhyw gytsain arall yn y Gymraeg? Mewn gwirionedd byddai'n gam ar yr un trywydd rhesymegol ag ydoedd peidio â dyblu'r cytseiniaid eraill. Ac ni byddai'n

peri mwy o drafferth nag yw peidio â dyblu'r *l*. I'r gwrthwyneb, byddai'n hwylustod bendithiol,,,
Gollyngdod fyddai gollwng y rheol ddyblu. Ac nid ymwrthod nac ymadael â'r orgraff gydnabyddedig fyddai hynny, eithr ymestyniad ymarferol arni ar gyfer anghenion diwedd yr ugeinfed ganrif. Byddai manteision amlwg, canys baich diangen ydyw a maen melin am wddf ein plant.
Taliesin, 67, Awst 1989, 78-79

GRIFFITHS, MERFYN
272
Cyfnod yr Ail Ryfel Byd oedd cyfnod fy mhlentyndod i ac fe dreiddiodd dylanwad hwnnw hyd yn oed i fannau diarffordd cefn gwlad Cymru. Daeth evacuees atom am noddfa o ddinasoedd Lloegr a thoddi i mewn i'r gymdeithas yn ddigon didrafferth. Roedd pob un ohonyn nhw yn siarad Cymraeg yn ddigon rhugl o fewn tri mis—cymaint oedd dylanwad y gymdeithas arnynt.
Fy Nghymru I (gol. John Jenkins, 1978), 109

273
Ni theimlais rym yr iaith fain nes mynd i'r dre [Tywyn, Meirionnydd] i'r Ysgol Uwchradd. Fel ym mhob ysgol o'i math y pryd hynny, mae'n siŵr, Saesneg oedd yr unig iaith a ddefnyddid ynddi fel cyfrwng dysgu ac i weinyddu. Darbwyllwyd ni lanciau afrosgo gwledig mai hon oedd iaith y byd a'r iaith yr oedd yn rhaid i bob un ohonom ei defnyddio os oeddem am ddod ymlaen ynddo. Ni roddwyd parch na lle o gwbl i'r iaith a ddefnyddiai'r rhan fwyaf ohonom yn ein cartrefi, mewn

gwirionedd anogwyd ni i beidio â'i
defnyddio hyd yn oed wrth gymdeithasu
â'n gilydd. Bu'n rhaid i mi aros hyd fy
mlwyddyn olaf yn yr ysgol cyn dod i
wybod fod y rhan fwyaf o'm hathrawon
yn Gymry Cymraeg ac fe aeth rhai
ohonynt i'w bedd heb iddyn nhw erioed
dorri gair yn y Gymraeg gyda mi.
109-10

274
I mi, yr iaith yw sylfaen y cyfan a olygir
wrth y ffordd Gymreig o fyw. Nid mater o
eiriau a dull o fynegi yn unig yw iaith i mi,
ond y mae'n golygu ein ffordd o fyw, yn
fynegiant i'n traddodiad fel cenedl ac i'n
hagwedd tuag at genhedloedd eraill a'u
problemau. Os bydd yr iaith Gymraeg
farw, yna, i mi beth bynnag, marw fydd
Cymru hefyd.
111

275
Nid oes i iaith fywyd annibynnol ac os
yw'r Gymraeg i fyw, yna credaf fod yn
rhaid iddi wrth gymdeithas fyw sy'n ei
defnyddio fel cyfrwng mynegiant ym
mhob rhan o'i bywyd. Dyna a ddigwyddai
yn y gymdeithas wledig syml y codwyd fi
ynddi, ond...nid oes cymdeithas fel hynny
yn bod yng Nghymru bellach...Yr ydym
wedi llwyddo i gael mwy o oriau
hamdden na'r un gymdeithas flaenorol ac
yn yr oriau hynny daw'r set deledu â
diwylliant estron ar ein haelwydydd i'n
difyrru. Mae'r Gymraeg a'r diwylliant sy'n
rhan mor annatod ohoni yn cael ei chau
allan am oriau meithion o fywyd dyddiol
teuluoedd ar yr aelwydydd mwyaf
Cymreig.
111

276
Erbyn hyn mae hi'n amlwg, mi greda i,
mai dim ond trwy ein sistem addysg y
gellir achub yr iaith rhag marw'n llwyr o'r
wlad...Cyn belled â bod yr ewyllys i
gynnal y Gymraeg fel iaith fyw, fodern ar
enau ein plant yn parhau, yna gellir
sicrhau sistem i feithrin hyn. Tristwch o'r
mwyaf yw gweld Cymry sy'n siarad y
Gymraeg yn rhugl yn gweithredu mewn
modd sydd yn amddifadu eu plant o'u
genedigaeth fraint ac ar yr un pryd yn
sicrhau tranc yr iaith.
111-12

277
Mae'n rhaid i ni i gyd gydnabod nad oes
yng Nghymru bellach unrhyw gartref nac
yn sicr unrhyw gymdeithas y tu allan i'r
ysgolion Cymraeg, sydd yn ddigon
grymus ac yn ddigon ynysig i sicrhau y
bydd plant y cartref hwnnw neu'r
gymdeithas honno yn meistroli'r iaith yn
ddigon da i sicrhau ei dyfodol. Mae'r
dylanwadau Seisnig ar hyd yn oed y
cartref mwyaf Cymreig mor bwerus fel na
fydd dyfodol i'r Gymraeg yno heb i'r
plentyn dderbyn rhan helaeth o'i addysg
trwy gyfrwng y Gymraeg.
112

278
Arbenigrwydd yr Ysgolion Cymraeg yw
eu bod yn rhoi i'r disgyblion, boed y
rheini o gartrefi Cymraeg neu ddi-
Gymraeg, yr hunan-barch a'r hunan-
hyder sy'n deillio o'r wybodaeth eu bod
yn perthyn i genedl sydd ac iddi hanes y
gallant ymfalchïo ynddo. Hefyd, fod i'r
genedl honno iaith hynafol sydd eto yn
ddigon ystwyth i drafod pob pwnc yn eu

cwricwlwm a phob agwedd ar eu bywydau modern cymhleth.
112-13

GRUFFUDD, HEINI
279
I'r rhan fwyaf o ddarllenwyr yr ysgrif hon, trosglwyddwyd y gwerthoedd Cymreig yn ymwybodol ar yr aelwyd, trwy'r iaith Gymraeg, a thrwy hanes a llên. Yr ydym yn genedlaetholwyr am ein bod am weld parhad yr iaith, neu am ein bod yn mwynhau cymaint yn yr iaith. Ac o'r tanllwyth Cymraeg, rywsut, mae ambell sbarc yn tasgu ac yn cydio mewn mannau annisgwyl.

Y mae'r gwreichion hyn yn amlhau, ac yn y tanau newydd mae gobaith Cymru. Gwelir y tân mewn sawl mudiad. Y Blaid...Mudiad y Dysgwyr...Cymdeithas yr Iaith, Yr Urdd, Merched y Wawr, Mudiad Ysgolion Meithrin—mae rhan aruthrol gan bob un a mudiadau eraill.

Fy Nghymru I (gol. John Jenkins, 1978), 173

280
Nid gwlad ddwyieithog yw'n nod, gobeithio...Os bydd gan bob Cymro Cymraeg gystal gwybodaeth o'r Saesneg ag o'r Gymraeg, gallaf i fentro mai Saesneg fydd iaith bob dydd y mwyafrif. Rhan o'r deffro cenedlaethol yw ymwybyddiaeth o Gymreictod, a rhan hanfodol o Gymreictod yw'r iaith Gymraeg. Bydd cenedlaetholwr, felly, os bydd amgylchiadau'n caniatáu, yn sicrhau mai'r Gymraeg fydd iaith gyntaf ei fywyd a phrif iaith ei fywyd. Nid cydraddoldeb rhwng y Gymraeg a'r

Saesneg. Nid bod yn hanner Cymro, ond byw trwy'r Gymraeg.
173-74

281
Yr ysgol erbyn hyn yw prif drosglwyddwr yr iaith Gymraeg, ond os yw'r ysgol yn rhoi cymaint o bwys ar y Saesneg ag yw ar y Gymraeg, ni fydd yn drosglwyddwr effeithiol. Nid aelwydydd dwyieithog sydd wedi trosglwyddo'r Gymraeg ar hyd y canrifoedd, ond aelwydydd Cymraeg, ac felly hefyd y bydd hi ym myd addysg.
174

GRUFFUDD HIRAETHOG (m. 1564)
282
A phob un o'r rhai a daria nemor oddi cartref yn casáu ac yn gollwng dros gof iaith eu ganedig wlad a thafodiad ei fam gnawdol. A hynny a ellir ei adnabod pan brofo yn wladaidd draethu Cymraeg ar lediaith ei dafod, ac mor fursen (er na ddysgodd iaith arall) na chroyw ddweud iaith ei wlad ei hun, a hyn a ddyweto mor llediaith floesg lygredig ar ôl iaith estronawl. Ac felly, pa angharedigrwydd fwy ar ddyn na gyrru ei fam allan o'i dŷ a lletya estrones ddi-dras yn ei lle?
Rhyddiaith Gymraeg, i. (1954), 60

GRUFFYDD, IFAN (1896-1971)
283
Erbyn heddiw, nid oes ond Owain a minnau yn aros o'r hen griw saethu sefydlog hwnnw gynt...Yn eu hymadawiad hwy, fel pob man arall yng nghefn gwlad, aeth un genhedlaeth arall o'r hen Gymry uniaith, a hwy, mi gredaf, er pob ymdrech a wneir i gadw'r hen

iaith, a'r ychydig ohonynt sydd yn aros, oedd, ac yw, asgwrn cefn y Gymraeg, o dan yr amgylchiadau y mae yn rhaid inni fyw ynddynt fel cenedl.

Gŵr o Baradwys (1963), 168

GRUFFYDD, W. J. (1881-1954)

284

Dr. Dafydd Powel...Richard Vaughan...ac Edmwnd Prys...Tueddir ni i gredu mai'r tri hyn, yn enwedig Edmwnd Prys, a fu gyda Morgan yn llunio'r iaith a adwaenir heddiw fel 'Cymraeg y Beibl'...Nid annaturiol inni dybio mai help Prys sydd efallai'n gyfrifol am fod iaith Morgan yn debycach i Gymraeg safonol y beirdd nag iaith y cyfieithwyr o'i flaen a'i gyfoeswyr mewn rhyddiaith.

Geiriadur Beiblaidd (1926), 209a

285

Rhaid dywedyd na all neb wedi ystyriaeth ofalus lai na chyfaddef mai Beibl 1588—gyda Beibl 1620—yw'r llyfr pwysicaf yn yr iaith Gymraeg. Efo a wnaeth Gymraeg heddiw, yn ei nerth a'i gwendid.

209b

286

Ni welodd Cymru erioed, ac nid wyf yn credu y gwêl byth, athro plant tebyg iddo [Rhys J. Huws]...Cyn iddo ef orffen â hwy, gallai'r mwyaf anllythrennog ymhlith y plant ysgrifennu Cymraeg gwych, ac am y rhai gorau ohonynt...yr oeddynt yn gallu ysgrifennu gwychach a chadarnach Cymraeg nag ugeiniau o'r rhai sy'n cymryd Cymraeg y Cwrs Terfynol ym Mhrifysgol Cymru...

A hynny i gyd gydag *un* awr yn yr wythnos o ddysg gan un athro mewn

ystafell heb nac offer na llyfrau ond yr hyn a brynid gan y plant.

Hen Atgofion (1936), 168-69

287

Wrth sylwi ar ddatblygiad bywyd yng Nghymru yn ystod y blynyddoedd diwethaf, yr wyf yn dyfod i weled yn gliriach bob dydd mai ynghlwm â'r iaith Gymraeg y mae pob un o broblemau mawr y dydd...ac ni wn am yr un cwestiwn addysgol, gwleidyddol na chrefyddol nad oes ganddo wreiddiau dyfnion yn y pwnc hwnnw.

Y Llenor, 5 (1926), 65

288

Yn y pen draw, nid eu diwylliant na'u hiaith yw'r ffactor sy'n gwneud y Saeson yn genedl; ond ei diwylliant a'i hiaith a'r pethau hynny na ellir eu mynegi'n faterol sydd wedi cadw Cymru yn genedl yn y gorffennol, a'r pethau hyn, os gellir eu hachub, sydd yn mynd i'w chadw yn y dyfodol.

Y Llenor, 26 (1947), 57-58

289

Pan ddiflannodd y traddodiad eisteddfodol, hynny yw, pan ddechreuodd yr uchelwyr eu hunain ganu ar gynghanedd ac yn yr hen fesurau, heb gymryd gradd mewn cerdd, collwyd i raddau yr hen gywirdeb iaith a barhasai'n ddi-dor o amser Dafydd ap Gwilym. Yr oedd urdd y beirdd o'r bedwaredd ganrif ar ddeg hyd amser Tudur Aled yn fath o academi, yn gwylio'n ofalus dros yr hen gywirdeb traddodiadol; hwy oedd 'llyfr cyfraith yr iaith iawn', a chadwasant y Gymraeg drwy'r canrifoedd yn ddigyfnewid. Nid ydym yma...ond yn unig yn nodi'r ffaith, er mwyn dangos mai yn oes Edmwnd Prys a Thomas Prys y torrwyd i lawr y rhagfuriau oedd yn cadw yr hen iaith rhag llifeiriant newid. Nid ydyw dywedyd bod cyfieithu'r Beibl wedi cychwyn y newid yn ddigon, oherwydd cymerodd y cyfieithwyr yr iaith fel y cawsant hwy hi; dangosiad o gyflwr yr iaith ar y pryd ydyw'r cyfieithiad yn hytrach nag achos ohono.

Llenyddiaeth Cymru o 1450 hyd 1600 (1922), 108

290

Cymraeg y beirdd wedi ei esbonio gan ysgolheigion a gramadegwyr ydyw Cymraeg rhyddiaith heddiw. Felly daeth iaith draddodiadol y beirdd, wedi ystwytho peth arni, yn iaith newydd i werin Cymru, a hynny am y tro cyntaf. Rhoed urddas ar ryddiaith na pherthynai o'r blaen ond i farddoniaeth. Ehangwyd y Gymraeg drwy ei llenwi â thermau newyddion, a thrwy roi meddwl ac ystyr newydd i hen eiriau. Gwnaed hi yn offeryn addasach i lenyddiaeth am fod o hyn allan liw newydd i bob gair, oherwydd yr oedd y tu ôl i bob ymadrodd, nid yn unig ddulliau barddonol y Cymry, ond holl foddion meddyliol a chrefyddol y byd. Agorwyd ffordd newydd o fynegiant, a dysgwyd i'r Cymry idiom newydd a wnaeth ddirfawr les i fywyd yr iaith, er iddi efallai gymysgu ychydig ar gystrawen bur y Gymraeg. Yr oedd 'Er i'r winwydden na flodeuo, ac na byddo ffrwyth ar y gwinwydd' yn amhosibl yn y Gymraeg cyn amser y Beibl, a gwnaeth ef fath o wyrth o gelfyddyd wrth greu'r iaith newydd hon.

Llenyddiaeth Cymru: Rhyddiaith o 1540 hyd 1660 (1926), 74-75

291

Od â'n frwydr rhwng yr iaith a'r Eglwys, nid llafurwyr ac ambell i weinidog Ymneilltuol fydd ganddi i ymladd yn eu herbyn bellach, ond holl ddiwylliant a gwybodaeth Cymru, holl gynnyrch yr Ysgolion Canol a'r Brifysgol. Nid estyn y rhain y drugaredd leiaf i neb o elynion yr iaith, ac nid arbedir yr Eglwys yng Nghymru ganddynt, na'r un eglwys arall sydd yn ceisio diwedd ein hiaith.

Y Tro Olaf (1939), 97

292

Dywedodd yr Athro [T. Gwynn Jones], yn ei eiriau ei hunan, nad yr iaith a sieryd pobl sy'n bwysig ond yr hyn a feddyliant; gofalwch am y meddyliau (dyna'n fyr oedd ei neges), ac fe ofala'r iaith amdani ei hun. Neu, os goddefir imi gymhwyso'r geiriau mewn enghraifft, y mae'n well, hyd yn oed er mwyn yr iaith, cael Sais yng Nghymru sy'n meddwl yn iawn na Chymro sy'n meddwl yn gam.

102

293

Cyfrifir ni'n ffyliaid os rhoddwn goel ar wladgarwch y neb ni thybio ei bod yn werth dysgu Cymraeg i'w blant.

104

294

A pha ŵr a feiddiai heddiw ddywedyd nad ydyw dysgu Cymraeg gartref ac yng nghylchoedd cynefin cartrefol bywyd yn anhepgor os ydym am gadw'r iaith yn fyw? Oni sieryd brodyr a chwiorydd yr iaith gyda'i gilydd pan ydynt yn blant, a ydyw'n debyg y deuant i siarad Cymraeg pan dyfont yn wŷr ac yn wragedd?

Y mae'r gri hon ['Cymraeg yr aelwyd'], meddaf eto, yn eithaf rhesymol, ac yn cyhoeddi gwirionedd sy'n hanfodol i gadwedigaeth yr iaith Gymraeg. Ond fel pob syniad poblogaidd arall a fu erioed, cymerodd iddo'i hun fwy na'i le a daeth pobl i feddwl bod dyfodol yr iaith yn berffaith ddiogel os siaradwn hi ar yr aelwyd, h.y., mai'r unig beth sy'n angenrheidiol i gadw yr iaith yw ei llefaru gartref.

108

295

Yr wyf wedi sylwi, fel llawer eraill yn ddiamau, fod merched sy wedi dysgu Cymraeg ar yr aelwyd yn fwy chwannog i siarad Saesneg na'u brodyr...Y mae merched yn llawer mwy eiddgar i fod yn y ffasiwn na dynion...A chan mai Saesneg...ydyw iaith ffasiwn a *good form,* tueddа merched yn fwy na dynion i droi at yr iaith honno.

109-10

296

Ychydig amser yn ôl, cyfarfûm yn Lloegr â Chymro nad adwaenai fi, a phan oeddym yn siarad Saesneg yr oedd yn gwrtais ac yn ddisyml fel dyn yn ei barchu ei hunan a'i gydymaith. Pan drois i siarad Cymraeg ag ef, newidiodd ei ddull yn hollol a bu raid imi'n fuan iawn ymwadu â'i gwmni am ei fod yn annioddefol. Yn sicr, y mae tybio fel hyn y gellir bod yn llai parchus wrth Gymro Cymreig nag wrth Gymro Seisnig yn un o'r rhesymau pennaf, a'r pennaf efallai, paham y mae'r iaith Gymraeg yn diflannu. Pan oedd Cymru yn Gymru yn wir, ni bu erioed yn y byd iaith a mwy o gwrteisi ynddi;

darllener y Mabinogion a'r cywyddau er mwyn cael praw o hynny; a phan ddaw Cymru'n Gymru eto, mi gredaf mai mwy ac nid llai o barch a gaiff Cymro am ei fod yn siarad Cymraeg.

112

297

Y gwir amdani ydyw bod 'Cymraeg yr aelwyd' wedi troi'n fethiant. Gall pob un o'r rheiny sy'n ymwadu â'r iaith ei siarad rywsut a rhywfodd; ond trônt eu cefnau arni am nad oes ganddynt ddim byd gwell na 'Chymraeg yr aelwyd'. Yn enw ein hunan-barch ac yn enw rheswm, ai trwy gadw ein hiaith yn rhyw law forwyn mewn ffedog fras yn y gegin yr ydym yn debyg o gael pobl i siarad Cymraeg?

112-13

298

A phaham y mae'r Sais mor ofalus...o iaith diwylliant? Am ei fod yn gwybod bod yn yr iaith honno gyfoeth dihysbydd o lenyddiaeth orau'r byd...

Od ydyw hyn yn wir, onid gwell inni ar unwaith geisio sicrhau lle'r Gymraeg ym myd diwylliant? Onid ydyw'n ddigon da i'w harfer yn yr ysgolion a'r colegau *fel iaith gyffredin,* ofer fydd byth ddisgwyl gweled urddas arni. Ac ymhellach, y mae pob coegi diystyrllyd gan yr anwybodus wrth sôn am ddysg a diwylliant yn ergyd uniongyrchol i fywyd y Gymraeg; ac y mae pob dadl dros gadw llenyddiaeth Cymru yn rhywbeth isel werinol ac yn ddigon elfennol i'w derbyn i benglog y ffôl a'r anwybodus yn ddadl dros angau'r iaith.

113-14

299

Hoffwn ddywedyd hyn o gred bersonol, na byddai Cymraeg yn yr ysgolion heddiw na neb yn meddwl bod y Gymraeg yn werth ei chadw oni bai amdano ef [Syr John Morris-Jones]. Buasai'n rhaid i feddwl ieuanc Cymru gael mynegiant mewn syberwyd iaith ac ymadrodd, a throesent yn anocheladwy at yr iaith Saesneg, fel y dechreuais i droi, nes imi ddyfod tua 1898 dan ddylanwad John Morris-Jones. A hebddo ef ni buasai'r Gymraeg yn werth ei chadw erbyn hyn...ailgreodd wareiddiad a fu'n grud i'r dadeni rhyfeddaf a welodd ein hiaith.

147

300

Unwaith mewn canrifoedd y genir dyn fel Syr John [Morris-Jones]...Fe all y daw ysgolheigion a llenorion cystal ag yntau, ond ni ddaw neb eto gyda'r ddawn ryfedd a oedd ganddo ef i wneuthur yr iaith Gymraeg yn dad ac yn fam, yn blentyn ac yn briod iddo...Gwnaeth gampwaith ar ei ysgolheictod a'i ddealltwriaeth o Gymru a Chymraeg.

148

301

Gellir honni...yn gyntaf, bod yr addysg newydd...wedi...gwthio'r Cymry i swyddi pwysig ac enillfawr...; yn ail, ei fod, trwy ledaenu'r iaith Saesneg, wedi ychwanegu rhywfaint at ein gwybodaeth o'r byd tu allan, ond wedi rhoddi einioes yr iaith Gymraeg mewn enbydrwydd.

220-21

GUTO'R GLYN (15g.)
302

Troi i Staffordd, traws diffaith,
Tua'r Nordd, gwatwar ein iaith.
    Gwaith Guto'r Glyn (1939), 85

Gwenallt, gw. **JONES**, DAVID JAMES

Gwyliedydd, Y
303

Pe teilwng fyddai yr ysgrifennydd i ddatgan barn ar ymrysonbwnc...sef y mannau lle y siaredir y Gymraeg buraf a'r brydferthaf, dywedai yn ddilys y gallai Maesyfed ymffrostio yn ei phriodiaith megis un o gangenieithoedd ardderchocaf Cymru. Ymddengys fod yn ymgyfarfod yn yr hybarch gangheniaith honno wahanol ddillynderau Powys a Deheubarth hefyd. Clywed ymadroddion Cymreigaidd henafgwyr Maesyfed yng nghymdogaeth Llandrindod a rydd i Gymro gwladyddol ddirfawr hyfrydwch - -a gofid. Rhydd iddo *hyfrydwch*, oblegid mai hoff fydd ganddo ym mhob amser a lle ymgyfarfod â'r hen iaith hybarch loywdeg, gyda gweddillion ei phrydferthwch ieuengaidd. Ond rhydd iddo *ofid* pan feddylio mai Saesneg yn unig a siaredir gan ieuenctid y fro honno, ac wedi myned heibio genhedlaeth arall na bydd nemor o'r priodorion yn deall iaith ardderchog eu cyndeidiau.

    Medi 1827, 273-74

304

Diddorol fyddai clywed barn y deallus, beth yw yr achos i'r Gymraeg ddarfod agos yn hylwyr ym Maesyfed yn ysbaid y can mlynedd diwethaf. Beth a barodd y cyfryw anwladgarwch? Ai diffyg beirdd ac awduron dysgedig, y rhai yw y colofnau cadarnaf i gynnal pob iaith? Yn Swydd Ddinbych gwelir y Gymraeg yn dyrchafu ei phen ar ochr Seisnig Clawdd Offa; eithr, ym Maesyfed, ciliodd yr hen iaith agos i ugain milltir, wedi coffadwriaeth dynion yr oes hon. Cymraeg oedd iaith Trefeca yn y ganrif cyn y ddiwethaf, a siaredir hi eto gan hynafgwyr Llanfihangel Rhyd Eithon, sydd yn ddeng mlwydd a thri ugain oed.

274 (troednodyn)

HALL, AUGUSTA W. ('Gwenynen Gwent'; 1802-96)
305
Os gellir dangos fod hanfodiad y Iaith Gymraeg wedi cyfrannu i radd arbennig tuag at gynhaliaeth gwladgarwch, diau y gallwn haeru yn eofn fod cadwedigaeth y Iaith honno yn galw am gydweithiad pob ewyllysiwr da idd ei wlad.

Y Geninen Eisteddfodol (1890), 68

HARRI ap HOWEL (16-17 g.)
306
Ni bu'n oes neb o['n] nasiwn
Am Gymraeg mo gymar hwn. [I Dr John Davies o Fallwyd]
Llsgr. *LlGC* 5269, 423

HEN WR PENCADER (1163)
307
Unde et Anglorum rege Henrico Secundo in australem Walliam apud Pencadeyr...nostris diebus in hanc gentem expeditionem agente, consultus ab eo senior quidam populi ejusdem, qui contra alios tamen vitio gentis eidem adhaeserat, super exercitu regio, populoque rebelli si resistere posset, quid ei videretur, bellicique eventus

suam ut ei declararet opinionem, respondit: 'Gravari quidem, plurimaque ex parte destrui et debilitari vestris, rex, aliorumque viribus, nunc ut olim et pluries meritorum exigentia, gens ista valebit. Ad plenum autem, propter hominis iram, nisi et ira Dei concurrerit, non delebitur. Nec alia, ut arbitror, gens quam haec Kambrica, aliave lingua, in die districti examinis coram Judice supremo, quicquid de ampliori contingat, pro hoc terrarum angulo respondebit.'

Giraldus Cambrensis, *Descriptio Kambriae*, Lib. II, cap. X, 227. [Gw. hefyd John Davies, *Antiqvae Lingvae Britannicae...Rvdimenta* (1621), [xv]; W. Moses Williams, *Selections from the Welch Piety* (1938), 49; Gerald Morgan, *The Dragon's Tongue* (1966), 14]

A Harri'r Ail, frenin y Saeson, wedi dod oddi yno i Dde Cymru, i Bencader...yn ein dyddiau ni, gan ymgyrchu yn erbyn y genedl hon, ymgynghorodd â rhyw hynafgwr o blith y bobl hynny---un a oedd, yn groes i eraill, wedi ymlynu wrtho ef oherwydd gwendid y genedl---gyda golwg ar y fyddin frenhinol, ac a allai wrthsefyll y bobl wrthryfelgar, i gael ganddo ddatgan ei farn bersonol ef am ganlyniad y rhyfelgyrch. Atebodd yntau, 'Fe gymer y genedl hon ei gorthrymu, yn sicr, a'i distrywio a'i gwanychu i raddau helaeth gan dy luoedd di, Frenin, a'r eiddo eraill, heddiw fel yn y gorffennol a hynny lawer tro o ddiffyg gwŷr glewion. Ei llwyr ddifodi, fodd bynnag, trwy ddigofaint dyn, ni ellir, oni byddo digofaint Duw hefyd yn cydredeg ag ef. Ac nid unrhyw genedl, yn ôl fy meddwl i, amgen na'r genedl Gymreig hon, nac unrhyw iaith arall a fydd, yn Nydd y Farn

dostlem gerbron y Barnwr Goruchaf,
beth bynnag a ddigwyddo'n gyffredinol,
yn rhoddi cyfrif dros y gornel fechan hon
o'r byd.'

HOPKINS, B. T. (1897-1981)
308
Dwys yw ymbil geiriau'r heniaith—
  'Gymry, clywch! ni fynnwn ni
Lechu yn y geiriaduron
  Ar eich silffoedd chwi.

Triniwch ni, a'n creu o'r newydd
  Yn frawddegau beiddgar, poeth,
Llawn o fonedd tafodieithoedd
  Hen werinwyr coeth,'
  Rhos Helyg a Cherddi Eraill (1976), 29

HOWARD, Y Parchedig J. H.
309
*I have heard good preaching in England,
Scotland, Ireland, France, Switzerland and
America, but found no equal of the Welsh
pulpit for oratory, power and unction. Our
language has much to do with this; it is
poetical, musical and stirring when coming
from a real master. Welsh cadences have a
hypnotic effect upon listeners. An
intonation, called 'hwyl', also plays a great
part in Celtic oratory in the pulpit and on
the platform.*
  Winding Lanes (2nd imp.), 251
Clywais bregethu da yn Lloegr, yr Alban,
Iwerddon, Ffrainc, y Swistir ac America,
ond ni welais debyg i'r pulpud Cymraeg
am areithyddiaeth, grym ac eneiniad. Y
mae i'n hiaith lawer i'w wneud â hyn; y
mae'n farddonol, felodaidd a chyffrous o
enau gwir feistr. Y mae i rythmau'r
Gymraeg effaith hypnotig ar wrandawyr.
Chwery goslef a elwir 'hwyl' ran fawr

hefyd mewn areithyddiaeth Geltig yn y
pulpud ac ar y llwyfan.

HOWELLS, ERWYD
310
Mae llawer o beth a alwaf yn 'Gymraeg
trefol' yn cael ei siarad gan bobl heddiw.
Er ei fod, efallai, yn gywir, mae'n ddi-
idiom a chignoeth, ac yn taro'n galed ar y
glust.
  Dim ond Pen Gair (1990; arg. newydd
1991), Rhagair

HUGHES, Arglwydd   CLEDWYN
(1916-2001) o Benrhos
311
Yr oedd traddodiad cyfreithiol Cymru yn
hŷn nag eiddo Lloegr, ac o'r cychwyn
gwnaeth y Cymry enw iddynt eu hunain
fel cyfreithwyr; rhaid oedd i'r Cymro fod
cystal a gwell na'r Sais yn y llysoedd os
oedd am ennill y dydd.
  Ond Saesneg oedd iaith y Gyfraith a'i
thermau niferus ac astrus, a hyd yn oed yn
ddiweddar nid oedd lle i iaith Hywel Dda
yn llysoedd ein gwlad nac yn swyddfeydd
ei thwrneiod.
  Robyn Lewis, *Geiriadur y Gyfraith*
(1992), 8

HUGHES, HUGH ('Y Bardd Coch o
Fôn'; 1693-1776)
312
Tynnaist orchudd anfuddiawl
Â'th nodded, er gweled gwawl
Y Frutaneg, frwd heniaith,
Ardderchog wiw enwog waith. [Annerch
i Oronwy Owen]
  Blodeugerdd o'r Ddeunawfed Ganrif
(gol. D. Gwenallt Jones; 4ydd arg,,
1947), 14

HUGHES, H. M.

313

Delfryd pob cenedlaetholwr Cymreig ydyw dysgu pob plentyn o Gymro i ymfalchïo'n gyfreithlon yn iaith ei fam...ac ar yr un pryd ei defnyddio i'w helpu i feistroli'r iaith Saesneg. Mewn gwirionedd, dwyieitheg ydyw nod holl addysgwyr Cymru, a'u hamcan uniongyrchol ydyw dwyn y bobl i sylweddoli y fath fantais a lles dirfawr sy'n deillio iddynt ohoni a thrwyddi. O ba safbwynt bynnag yr edrychir ar y pwnc, boed safbwynt diwylliant meddyliol, budd masnachol, teimlad cenedlaethol, neu werth crefyddol, dywed llais unol yr holl wŷr cyfarwydd fod dwyieitheg yn rhodd a bendith i'w dymuno a'i chadw.

Cymru: Heddyw ac Yforu (gol. Thomas Stephens, 1908), 264

HUGHES, J. CEIRIOG ('Ceiriog'; 1832-87)

314

Os collwn ein hiaith goleddasom cyhyd,
Pe dengwaith newidiem ein haeg,
Bydd calon Eryri hyd ddiwedd y byd
Yn atsain caneuon Cymraeg.
Cant o Ganeuon (1863), 17

315

I gadw'r iaith Gymrâg
Rhag mynd i *ruination*,
Mae eisio system well
I *spreado education*.
Mae *mention* yn y *South*
Am gwnnu *institution*
Neu *Grammar-school* Gymraeg,
I *stoppo* pob *pollution*...

A minnau, *pon my word*,
Mi leiciwn gael gramadag:
Y drwg ofnatsan yw
Cymysgu *phrases* Saesnag.
Ac *what a pity* mawr
Yw gweled Seisnigyddiaeth
Yn *spoilio native tongue*
Hen wlad ein genedigaeth.
 I gadw'r iaith Gymraeg yn bir,
  Waeth hynny nag ychwaneg,
 Rhaid i bob Cymro ddweud y gwir
  A pheidio *mixio* Saesneg.
['Ymgom rhwng Hwntw o Fynwy a Rolant o Fôn']
21-22

316

Wel dos i'r byd a llwydda
I anrhydeddu Gwalia;
Dysg iaith dy fam yn gyntaf un,
 Ac wedyn iaith Victoria.
Oriau'r Bore (1862), 9

317

Ar arferion Cymru gynt
 Newid ddaeth o rod i rod,
Mae cenhedlaeth wedi mynd
 A chenhedlaeth wedi dod.
Wedi oes dymhestlog hir
 Alun Mabon mwy nid yw,
Ond mae'r heniaith yn y tir
 A'r alawon hen yn fyw.
50

318

Pur wladgarwch, rhinwedd yw
A roed yng nghalon dynol ryw:
 Os aiff yr iaith Gymraeg yn fud,
 Caiff Saesneg ganu: Oes y Byd
I bur wladgarwch Cymru fyw.
Oriau Eraill (1868), 83

319

Beth bynnag ydyw'r achos, 'does yno
  fawr o dân
Yn yr hen areithfa heddiw; mae'r bobol ar
  wahân
Oddi wrth eu hiaith naturiol—pob
  gweddi a phob cân
Yn marw ar y wefus, mewn geiriau
  mwynion mân;
A marw ar ôl ei gilydd y mae'r hen Gymry
  glân!
  Oriau'r Haf (1870), 120

320

Pan ydoedd niwloedd a nos---ar iaith
  Yr hil Frython yn aros,
  'Cyfod, Puw', ebe Duw, 'dos
  I ddwyn eu hiaith o ddunos'...

Ow! ein gwlad! cyn geni ein glyw,---marw'r
  Omeriaith ddigyfryw!
  Ond rhyfedd! wele heddyw
  E'n ei fedd a'n hiaith yn fyw.
  Oriau'r Hwyr (1860), 65-66

321

Barnwyf y bydd y gynghanedd byw pe bai
y Gymraeg yn marw. Y bydd yn hawdd ei
himpio mewn cyflwr amherffaith ar
ganghennau y Saesneg...Yr wyf yn
gobeithio y bydd i bob Cymro o hyn i
ddydd brawd, os bydd iddo ysgrifennu
caneuon Saesneg o gwbl i'r diben o gael
eu canu ar ein prif alawon, y bydd iddo
gadw ei olwg ar gynghanedd. Ystyriaf y tir
hwn yn un amhrisiadwy. Dyma fan lle
geill caneuon Cymreig yn yr iaith Saesneg
gadw i fyny eu cenedloldeb eu hunain er
gwaethaf y cyfnewidiad mawr sydd yn
bygwth arnom.
  Y Bardd a'r Cerddor (1865), 11

HUGHES, MATHONWY (1901- 99)
322

Aeth am byth mwy obeithion
Gwerinol lu'r gornel hon...
Cymdogion ffyddlon eu ffordd,
Diorffwys mewn diarffordd
Gwm â'r Gymraeg yma 'rioed
Yn fyw obaith o faboed.
Diddan iaith i dyddyn oedd,
Iaith Eden i'r llwyth ydoedd,
Iaith yr hwyl, iaith yr aelwyd,
Ac iaith y cwrdd a'r bwrdd bwyd.
  Corlannau a Cherddi Eraill (1971), 60-
  61

323

O! fy annwyl hen iaith. Mae'n bwythau ac
yn greithiau i gyd. Mae'n syndod ei bod
yn fyw. Bu'n gorwedd ar wastad ei chefn
ar fwrdd triniaeth yr ysbyty mor aml â
pheidio â bod ers llawer o amser bellach.
Bu arbenigwyr yn ei hagor, ei darnio, a'i
phwytho drachefn a thrachefn, a bu cwac-
feddygon yn ymhél â hi hyd syrffed. Pan
gofir y fath driniaethau a gafodd, mae'n
syndod, yn wir, ei bod yn dal i anadlu,
ond y mae.
  Myfyrion (1973), 51

324

Llindagir y Gymraeg gan fwy nag un
dosbarth o bobol y dyddiau hyn, a'r
llindagwyr pennaf, o bosibl, yw'r
cyfieithwyr a'r arbenigwyr bondigrybwyll.
  51

325

Tristach na'r cwbl yw gorfod sylweddoli
fod y briod-ddull Gymraeg yn prysur
ddiflannu. Canlyniad troi ohonom yn
Saeson a mynd i feddwl yn Saesneg, wrth

gwrs, sydd tu cefn i hyn i gyd...Am hynny, trosiad afrosgo o'r ymadrodd Saesneg yw'r hyn a ystyrir yn gyfieithiad Cymraeg swyddogol. A'n gwaredo!

54

326

Galwyd holl feddygon ac arbenigwyr iaith at erchwyn gwely'r gystuddiedig famiaith. Clywodd pob cwac hefyd yr alwad a daethant hwythau'n lluoedd i gynteddau'r ysbyty, a phawb â'i gyngor a'i gyffur. Ar fraich pob un y mae'r geiriau CYMRAEG BYW mewn priflythrennau aur llachar.

55

327

Cytunaf fod yn rhaid derbyn yr egwyddor sylfaenol mai'r iaith lafar yw'r iaith fyw. Cyhyd ag yr erys yn iaith lafar, ni cheir gormod o anhawster. Pan eir ati i geisio troi'r iaith lafar yn iaith ysgrifenedig, yr adeg honno y mae hi'n mynd yn draed moch...Mae'n ofnus y bydd pawb yn mynd ati yn ei ffordd fympwyol ef ei hun i sgrifennu'r hyn y tyb ef fydd yn cyfleu seiniau'r iaith lafar, a cheir y cymysgedd mwyaf amheus o iaith. Yn wir y mae'r dwymyn wedi cydio eisoes mewn rhai ysgrifenwyr Cymraeg.

56

328

Oni bai am ddifrifolwch y peth, y mae'n ddiddorol cymharu'r gwahanol ffyrdd a geir eisoes o sgrifennu'r hyn a elwir yn Gymraeg Byw. Anghofir yn fynych fod y fath beth â soniarusrwydd sain ac urddas ymadrodd, y pethau hynny sy'n gynhenid i iaith bendefigaidd, bersain fel y Gymraeg.

56

329

Iaith yw'r Gymraeg sy'n rhoddi urddas ar leferydd y sawl a'i llefaro, a dylid cofio hynny wrth ymhél â hi, a cheisio'i doctora...Cadw...'blas y gwin' y gwyddai'r Esgob William Morgan a Syr John Morris-Jones mor dda amdano, dyna fydd yr uchel gamp wrth ystwytho'r famiaith a cheisio creu'r Cymraeg Byw bondigrybwyll. Heb hynny, byddwn eto'n ôl yng nghyfnod mympwyol William Owen Pughe a phob esgus o ieithmon a llenor yn sgrifennu wrth synnwyr y fawd.

56-57

HUGHES, R. ELWYN
330

Digwyddiad nid anghyffredin yn ystod y bedwaredd ganrif ar bymtheg oedd gweld awduron o Saeson yn defnyddio'r Gymraeg i danlinellu rhyw hynodrwydd neu'i gilydd neu i dynnu sylw at sefyllfa anarferol neu anghyffredin—a hyn, yn amlach na pheidio mewn cyd-destun nad oedd a wnelo ddim byd â Chymru nac â'r iaith Gymraeg. Deuir o hyd i eiriau neu ymadroddion Cymraeg yn y mannau mwyaf annisgwyl megis, er enghraifft, yn llyfr James Wilson, *The principles and practice of the water cure* (1854) lle ceir, yng nghanol paragraff yn trafod syniadau maethegol Preissnitz, osodiadau megis 'Gwagedd o wagedd, gwagedd yw'r cwbl' a 'Megan a gollodd ei gardas'—y cyfan, mae'n debyg, yn rhan o ymdrech fwriadol i hoelio sylw'r darllenydd ar osodiadau neilltuol.

Y Traethodydd, Ionawr 1999, 21

HUGHES, ROBERT OWEN ('Elfyn'; 1858-1919)
331
Iaith fyth i fod mewn clodydd,--a thaniol
   Iaith enaid awenydd;
   A chadarn ddydd barn y bydd
   Iaith Gwalia wrth ei gilydd.
   dyf. *Cof Cenedl* (gol. Geraint H. Jenkins), II. 134

HUWS, BLEDDYN OWEN
332
Fe ellid dweud fod ein hynafiaid wedi ymroi i gynnal eu diwylliant mor selog am nad oedd ganddynt fel cenedl ddim arall ar wahân i'w hiaith i ddiogelu eu hunaniaeth. Nid oedd gan ein cyndeidiau reolaeth wleidyddol ar eu gwlad, ond yr oedd ganddynt reolaeth ar eu diwylliant, ac yr oedd ymlynu wrth 'y pethe' yn gyfrwng iddynt arddel eu hannibyniaeth.
   Y Traethodydd, Hydref 1997, 228

333
Nid oes raid ond meddwl am O.M. Edwards a wnaeth fwy na neb i geisio gwrthweithio dylanwad andwyol y gyfundrefn addysg Seisnig ar fywydau plant y werin. Ond fe barhaodd y Gymraeg a'i diwylliant yn ddiogel, diolch yn bennaf i'r Ysgol Sul lle y dysgid plant i ddarllen ac i ysgrifennu Cymraeg. Nid oes modd gorbwysleisio'r bendithion a gaed yn yr Ysgol Sul, y rhai diwylliannol heb sôn am y rhai ysbrydol.
   229

HUWS, MEIRION MacINTYRE
334
Heulwen, er trengi filwaith,—ail gynnir
   yn blygeiniol berffaith;
   un wahanol yw'n heniaith,
   ni huna hon ond un waith.
   Cyfansoddiadau...Eisteddfod Genedlaethol De Powys: Llanelwedd, 1993),12

335
mae eto wawr, mae to iau
yn wlad o oleuadau,
a thrwy darth yr oriau du
ein heniaith sy'n tywynnu.

Yn aceri ein cariad
yn pori iaith ein parhad,
un nos oer sy'n fis o ha',
a'i thorf yn boeth o eirfa:
yn Gymraeg mae'i morio hi,
yn Gymraeg y mae rhegi.
   16

IEUAN TEW IEUANC (bl. c. 1560-90)
336
Y Beibl maith yn ein hiaith ni
Yw'r Haul yn rhoi'i oleuni.
   dyf. *Cof Cenedl* (gol. Geraint H. Jenkins), I, 45

IFAN LLWYD AP DAFYDD
337
Dieithra iaith dan y ffurfafen yn i gwlad i hun yw Camberaeg.
   Garfield H. Hughes, *Rhagymadroddion 1547-1659*, 103

ISLWYN, DAFYDD (1940-)
338
Mae fy iaith yn urddasol
a'i hidiomau yn anrhydeddu
adnod a phennod a ffydd.

Mae'r Gymraeg mor wydn
â'r Hebraeg a'r Groeg a'r graig
o iaith, y Lladin,
wrth adrodd yn afaelgar
brofiadau Dafydd, Crist a Phaul.
    Dal Diferion (1999), 12

IWAN, DAFYDD (1943-)
339
Erbyn imi gyrraedd Caerdydd ro'n i...yn credu bod cymdeithasu mewn tafarn yn rhan hanfodol o'r profiad Cymraeg...Roedd hyn yn anathema llwyr i rai aelodau ac yn gwbl groes i'r graen; onid iaith y capel a phethau felly oedd y Gymraeg? Ac onid tiriogaeth y diafol— a'r diafol Seisnig at hynny—oedd y tafarndai? Ond gwyddwn i'n reddfol erbyn hyn fod rhyddhau'r Gymraeg o'r fath hualau cul yn rhan o'r frwydr i'w gwneud hi'n iaith fyw a chyflawn. Efallai bod hynny'n swnio'n chwithig i rai o hyd ond y gwir yw bod yr iaith wedi cael ei dal yn ôl am ormod o amser gan y syniad mai iaith rhai pethau'n unig yw y Gymraeg— iaith capel a Steddfod a barddoniaeth a 'diwylliant' traddodiadol, ond nid iaith busnes a masnach a hamdden a hwyl cyfoes.
    Cân dros Gymru (2002), 28

340
Roedd ffrind imi unwaith yn sefyll yng nghefn y neuadd pan glywai rywun yn ei ymyl yn dweud: 'Pa hawl sydd gan hwn i weiddi *yma o hyd* a'r iaith Gymraeg bron â marw!'...'Does gen i ddim i'w ddweud erbyn hyn wrth y math yna o ymagweddu. Mae rhai fel pe baent am siarad yr iaith Gymraeg i'w thranc, a'i hebrwng i'r bedd; maent fel pe baent yn ysu cael dweud 'Dyna fo, mi ddwedais i, on'd do?' yn y fynwent. Mae'n wir bod yn rhaid inni fod yn effro i'r peryglon, ond dim ond iaith â gwên ar ei hwyneb all fyw—'does neb am siarad iaith y bedd. Ac rwy'n argyhoeddedig fod digonedd o fywyd a rhuddin a hwyl yn yr iaith Gymraeg i sicrhau ei goroesiad—a goroesiad ein cenedl gyda hi...

Byddwn yma hyd ddiwedd amser
A bydd yr iaith Gymraeg yn fyw!
110-11

341
Unwaith eto [yn Utica] cawsom gyfarfod â nifer o hen bobol rhugl eu Cymraeg oedd yn holi am yr hen wlad ac, yn amlwg, yn dal i hiraethu ar ei hôl.

Am ba reswm bynnag, dyw'r Cymry ddim yn llwyddo i ddal gafael ar eu hiaith yn America; dwy neu dair cenhedlaeth ar y mwya. ac yna ebargofiant. Yr unig arwydd gobeithiol erbyn hyn yw bod nifer cynyddol yn dysgu'r iaith o'r newydd.
148

342
Mi wn bod peryg i hyn gael ei gam-ddeall, ond rhaid inni weithredu dros yr iaith mewn modd masnachol effeithiol os ydym am ei gweld yn ffynnu yn y byd sydd ohoni. Rwyf wedi gweld, ar hyd y blynyddoedd o ganu, yr agwedd ryfedd sydd gennym tuag at y Gymraeg yn y byd masnachol—rhyw gred na ddylai neb gael ei dalu am wneud rhywbeth yn Gymraeg, rhyw syniad mai dyletswydd yw prynu llyfr Cymraeg neu wylio rhaglen deledu Gymraeg neu brynu record Gymraeg. Canlyniad yr agwedd

hon yw gwendid ein cyfundrefn broffesiynol Gymraeg.

178-79

343

Fe welaist ti mai'r heniaith yw perl ein
  pobl ni,
A cham â threfn dynoliaeth yw ei diarddel
  hi,
Fflangellaist y Dic Shon Dafydd am wadu
  iaith ei wlad,
Dirmygaist y mân bwysigion am sarnu dy
  dreftad. ['Cân Michael D. Jones']
Cant o Ganeuon, 18

344

Mae'r heniaith Gymraeg yn annwyl i mi
A'i llên o gyfoeth yn llawn,
Siaradwn hi'n y 'Steddfod, y capel a'r ffarm
Ond yn y llys, y Saesneg sy'n iawn.
  60

345

Roedd yn rhaid cael ymgyrchoedd i ysgwyd pobl Cymru o'u difaterwch a'u diffyg hyder. I raddau pell llwyddodd Cymdeithas yr Iaith i wneud hynny. Cyn sefydlu'r Gymdeithas roedd hi'n bosib i wleidyddion Cymru ddweud yn aml eu bod nhw 'o blaid yr iaith Gymraeg'. Mi fedren nhw ddweud hynny yn Gymraeg neu yn Saesneg, yn arbennig ar ddydd Gŵyl Dewi, heb i neb amau gwirionedd y gosodiad. Ond erbyn hyn mae unrhyw wleidydd sydd am wneud gosodiad o'r fath yn gorfod diffinio beth mae o'n ei feddwl. Rhaid iddo ddweud beth yw ei farn am addysg drwy'r Gymraeg, am ffurflenni Cymraeg, am y Gymraeg yn llysoedd barn ein gwlad ni, am y Gymraeg ar arwyddion, y Gymraeg yn y

Cynghorau, y Gymraeg ar y teledu. Hynny yw, y mae Cymdeithas yr Iaith yn ein gorfodi ni, fel Cymry, i feddwl beth mae 'caru'r iaith' yn ei olygu. Os bydd yr iaith Gymraeg byw, rwy'n credu bod llawer iawn o'r diolch i Gymdeithas yr Iaith.

Dafydd Iwan (gol. Manon Rhys), 49-50

346

Yn yr araith a draddodais cyn cael fy nedfrydu, dywedais ei bod hi'n drist mai Cymry oedd yn y llys hwnnw. Cymry ar y rheithgor, Cymry yn erlyn, Cymry yn blismyn a Chymro'n Farnwr, yn ogystal â Chymry yn y doc. Mor glyfar oedd Lloegr yn medru dibynnu arnon ni'r Cymry i weinyddu ei chyfraith yn erbyn ein gilydd ar adegau fel hynny! Dyna'r ddilema sylfaenol sydd wedi wynebu ymgyrchoedd Cymdeithas yr Iaith Gymraeg o'r cychwyn wrth gwrs. Cuddir y gelyn gan Gymry sydd bellach yn weision bach i'r drefn ac i'r meistri Seisnig. Pe baem yn medru cael pob Cymro i sefyll yn gadarn dros egwyddorion sylfaenol fel hawl ein hiaith i fywyd llawn, ni fyddai angen am fudiad fel Cymdeithas yr Iaith Gymraeg.

83

347

Sawl gwaith y clywais ddweud yn Arfon wledig 'Dydy'r Gymraeg yn da i ddim i chi'r ochr draw i Fangor', ac ym Môn 'Ewch chi ddim pellach na Phont y Borth efo'r Gymraeg'. Mae'n siŵr fod yna sylw cyfatebol yn perthyn i bob bro Gymraeg, ac mae'n crynhoi'n berffaith y diffyg hyder sydd gan y Cymro yn ei iaith ei hun. Dyma'r agwedd sy'n peri i bobl ofni addysg gyflawn drwy gyfrwng y Gymraeg ('ond beth wnaiff y plant heb Saesneg? Fedran nhw ddim mynd yn bell heb Saesneg, mae'n rhaid cael hwnnw...'). Yr agwedd hon hefyd sy'n sail i'r gwrthwynebiad i wasanaeth cyflawn Cymraeg ar y radio a'r teledu. Ond mae gen i ateb parod a chyfleus i'r bobl ddiflas hyn gan i'r Gymraeg fynd â mi i sawl gwlad ar gyfandir Ewrop ac i America. Fel canwr Cymraeg y cefais fy ngwahodd i'r gwledydd hyn, ac nid fel canwr, nac unigolyn, 'dwyieithog'.

118

348

Mae lle i gredu y gall llawer un a ddysgodd Gymraeg fel ail iaith gyfrannu mwy i'r bywyd Cymraeg na'r rhai hynny ohonom a fagwyd yn Gymry Cymraeg. Mae'r 'dysgwr' yn rhydd oddi wrth lawer o'r cymhlethdodau a'r rhagfarnau sy'n gymaint rhan o gyfansoddiad y Cymro Cymraeg, ac yn fwy na hynny, mae ei frwdfrydedd dros yr iaith a ddysgodd yn ddi-ball. O'i hailfeddiannu, fel petai, mae'n haws iddo sylweddoli ei gwir werth.

Ffred Ffransis, *Daw Dydd*, 5

JAMES, D. BRYAN
349

Nid trwy eu cadw rhag dysgu Saesneg y cedwir y Gymraeg ar dafod ein plant ond trwy fod yn hollol gadarn mai Cymraeg yw iaith yr aelwyd ar bob achlysur...Mae mor bwysig i blentyn gael *un* famiaith...Unwaith y gosodir y patrwm hwn yn gadarn, dysged y plentyn gymaint o ieithoedd ag a allo, a'u dysgu'n dda, ni fydd perygl iddo golli ei famiaith na dymuno ei diarddel.

Fy Nghymru I (gol. John Jenkins, 1978), 151

350

Unwaith y mae'r agwedd meddwl 'meistroli'r Saesneg yn gyntaf' yn cael gafael, yna, gyda'r bwriad mwyaf diffuant dan haul, go brin y gellir ailsefydlu'r Gymraeg fel mamiaith. Dyna gychwyn proses seicolegol na ellir ei gwrthweithio. Bydd israddoldeb y Gymraeg ym meddwl y Cymro bach yn esgor ar ddiffyg hunanhyder a hunan-barch.

152

JAMES, EVAN ('Ieuan ap Iago'; 1809-78)
351

Mae hen wlad fy nhadau yn annwyl i mi,
Gwlad beirdd a chantorion enwogion o fri;
Ei gwrol ryfelwyr, gwladgarwyr tra mad,
Tros ryddid collasant eu gwaed.

Gwlad, gwlad, pleidiol wyf i'm gwlad,
Tra môr yn fur i'r bur hoff bau,
O bydded i'r hen iaith barhau...

Os treisiodd y gelyn fy ngwlad dan ei droed,
Mae heniaith y Cymry mor fyw ag erioed,
Ni luddiwyd yr awen gan erchyll law brad,
Na thelyn berseiniol fy ngwlad.

Gwlad, gwlad, &c.

Telyn Cymru (cyfrol amryw yn Ll. G. C.; fe'i ceir ar un ddalen gyda chyfieithiad Saesneg gan Eben Fardd; argraffwyd tua 1870 gan Owen Rees, Dolgellau). [Ymddangosodd y geiriau a'r gerddoriaeth yn argraffiad cyntaf John Owen (Owain Alaw), *Gems of Welsh Melody*, a gyhoeddwyd mae'n debyg gan Isaac Clarke, Rhuthun. Y mae hefyd lungopi o'r geiriau (ac 'Argraffwyd tua 1858' mewn llawysgrifen uwch ei ben) a ddaeth o wasg F. Evans, Pontypridd, gw. *Cylchgrawn Llyfrgell Genedlaethol Cymru*, iii, Haf 1943, tt. 5, 6]

JARVIS, BRANWEN

352

Nid prysuro tranc y Gymraeg oedd bwriad Ceiriog nac R. J. Derfel...I'r gwrthwyneb, y mae gwaith y ddau, drwodd a thro, yn ddrych o'u hewyllysgarwch tanbaid tuag ati. 'Pe gallwn, mi sicrhawn oes y byd i'r iaith Gymraeg...hwn a gaiff fod yn faen clo yn bresennol—Anfarwoldeb i'r iaith Gymraeg.' Yn hytrach, adlewyrchu y mae eu geiriau ddwy wedd ar syniadaeth y cyfnod. Y gyntaf yw...bod i galon y Cymry, yr ysbryd neu'r *Volksgeist* a gâi fynegiant yn ei diwylliant cyfan hi, fodolaeth a oedd yn annibynnol ar yr iaith. Yr ail yw'r gred gyffredinol mai marw fyddai hanes y Gymraeg yn y pen draw, er gwaethaf ei ffyniant ymddangosiadol hi.

Trafodion Anrhydeddus Gymdeithas y Cymmrodorion (1987), 88-89

353

Er i eiriau R. J. Derfel 'oes y byd i'r iaith Gymraeg' droi yn slogan poblogaidd, slogan gwag, diarygoeddiad ydoedd i lawer yng Nghymru yn ail hanner y ganrif ddiwethaf.

89

JENKINS, DAFYDD (1911-)

354

Cymro go wael yw hwnnw sy'n Gymro'n unig am ei fod yn medru Cymraeg, ac mae Cymreictod y *Welshman* yn llawer mwy gwerthfawr—os yw'n ateb i'r diffiniad yr wyf yn ei arfer er dyddiau ysgol, '*a Welshman is someone who's proud of being Welsh*'.

Fy Nghymru I (gol. John Jenkins, 1978), 37

355

Am fy mod i wedi gallu codi Cymraeg Canol mor ddidaro, er enghraifft, a mynd yn gyfarwydd â llenyddiaeth Gymraeg ddiweddarach yn fy oriau hamdden yn llwyr, yr wyf mor ddiamynedd wrth y babieiddio ar y Gymraeg a welaf mewn cynifer o gyfeiriadau...

Mewn perthynas â'r ysgolion mae'r gair *babieiddio* yn costrelu hanfod fy meirniadaeth. Mae gennyf frith gof imi gael ar ddeall, pan oedd fy mab tua naw oed, fod y stori antur ddigon derbyniol yr oedd e'n ei darllen ar y pryd yn llyfr gosod Lefel O.

39-40

356

Er bod heddiw lai sy'n medru Cymraeg nag oedd drigain mlynedd yn ôl, mae mewn llawer cylch fwy sy'n dangos eu medr drwy ei siarad, a thros Gymru gyfan mae llawer mwy o siarad yn Gymraeg am lawer pwnc...Bywyd tanddaearol oedd i'r Gymraeg yn Aberystwyth ar ddechrau'r cyfnod. Iaith i'w siarad â phlant a hynafgwyr, nid â'ch cyfoedion, oedd hi; iaith golchi llestri a gweu sanau, nid iaith i drafod pethau trymaf y gyfraith...Ac yn y Coleg, yn Saesneg yr oedd darlithiau Adran y Gymraeg.

43

357

Yn gymharol ddiweddar bu newid seicolegol arwyddocaol iawn yn agwedd y rhai di-Gymraeg sy'n gwasanaethu mewn siopau a swyddfeydd [yn Aberystwyth]: lle gynt y byddai llawer ohonynt yn haerllug gas wrth y sawl a'u cyfarchai yn Gymraeg, maent bellach bron yn ddieithriad yn gwrtais a hyd yn oed yn ymddiheurol.

43

358

Gyda'r cynnydd mewn Cymraeg swyddogol mae'r cyfle a'r symbyliad i drafod pynciau technegol yn Gymraeg yn cynyddu—er lles i'r pynciau weithiau, yn ogystal ag i'r iaith a'r rhai sy'n eu trafod.

43

359

Mae rhyw frad anymwybodol yng ngwaith...y bobl barchus sy'n dilorni ymdrechion i estyn dwyieithrwydd cyhoeddus, am nad yw arwyddion ffyrdd Cymraeg yn mynd i gadw'r iaith yn fyw. Wrth gwrs nad ŷnt, ond maent yn rhoi ychydig yn fwy o amlygrwydd iddi, a chryn dipyn yn fwy o urddas, a chyfraniad amhrisiadwy yw hynny.

Yn yr urddas a roir ar yr iaith, hefyd, y mae arwyddocâd cyntaf y symudiadau at roi lle iddi yng ngweinyddiad y gyfraith. Os iaith i'w goddef yng ngenau'r truan nad yw'n medru Saesneg yw'r Gymraeg, pa ddisgwyl sydd i Gymro beidio â chredu mai cyfraith y Nhw Seisnig, a ddefnyddir i gadw'r Ni Cymreig yn ein lle israddol, yw'r gyfraith? Mae angen dweud yn hollol groyw mai diraddio'r gyfraith y mae ynadon sy'n cyhoeddi mai Saesneg yw iaith eu llysoedd.

44

360

Fe gododd safon sgrifennu Cymraeg yn sgil y cynnydd mewn cyhoeddi, am fod mwy o sgrifenwyr yn cael mwy o gyfle i ymarfer â'u crefft...Mae'n hollol sicr fod sgrifennu'r defnydd darllen diweddar yn fwy crefftus na'r rhan fwyaf o sgrifennu'r 30'au.

45

361

Nid yw'r frwydr Gymraeg wedi'i hennill eto: ond fel y mae pethau heddiw mae'n llawer pwysicach inni gofio nad yw hi wedi'i cholli, a bod cymaint o arwyddion y gellir ei hennill. Mae angen inni lawenhau yn arbennig yn y ffaith fod cymaint mwy yn dysgu'r Gymraeg yn awr, ac yn ei meistroli'n anhraethol well, na deugain mlynedd yn ôl.

Gallwn heddiw frwydro 'mlaen mewn gobaith, lle gynt nid oedd ond ffydd ddall.

46

362

Cefais addysg dda; ond heb fedru Cymraeg ni chawswn yr un o'r swyddi y bûm erioed ynddynt. Ac nid swyddi yn unig a roddodd y Gymraeg imi, ond rhyw Lawnder Ystyr anhraethol. Fe gefais yng Nghymru...gymaint i lawenhau ynddo.

46

JENKINS, DAVID (1912-2002)

363

Pa faint bynnag a gollfarnwn ar arweinwyr y ganrif ddiwethaf, ni ellir dwyn oddi ar Ymneilltuaeth y clod mai o fewn i'w chynteddau hi yn fwy na neb yr achubwyd yr iaith rhag diflannu'n llwyr, ac wrth hynny y cadwyd cof cenedl a rydd achos dros ei pharhad yn ein dyddiau ni.

Thomas Gwynn Jones (1973), 18

364

Erbyn diwedd y dau ddegau teimlai [T.G.J.] fod yr iaith, a fu'n gyfrwng godidog i lenyddiaeth fawr o ddyddiau Taliesin yn ail hanner y chweched ganrif hyd y dydd hwnnw, yn gwanychu'n fratiaith salw. Dirywiodd yr iaith lafar gyhyrog a fu hyd yn ddiweddar yn gyffredin yng nghefn gwlad, a bwriai ef lawer o'r bai am hynny ar y gyfundrefn addysg a drefnwyd, yn ei farn ef, i gyflyru'r plant i fod yn hyddysg yn yr iaith Saesneg ar draul eu mamiaith. Bellach, meddai... daethai'r *wireless* i orffen y gwaith.

304

365

Yr iaith Gymraeg...oedd agosaf at ei galon, a'r tristwch oedd gweld y dirywiad mawr o'i gwmpas ymhobman...Teimlai'n fynych, fel Emrys ap Iwan, y byddai'n ddewisach ganddo glywed ei gydwladwyr yn siarad Saesneg gwych na Chymraeg gwael, ond, ysywaeth, nid hynny a ddigwyddai i bobl a gollai eu Cymraeg. Yr hyn a wnaent hwy, meddai, oedd defnyddio cystrawen eu mamiaith a geirfa Saesneg i ffurfio bastardiaith...Baich gofid iddo oedd bod ei genedl mor barod i droi ei chefn ar iaith a gynhaliodd ddiwylliant oedd yn hŷn o lawer na'r Saesneg.

305

JENKINS, GERAINT H. (1946-)
366

Dim ond ychydig iawn o'n haneswyr sydd wedi ymrwymo i ysgrifennu yn Gymraeg yn rheolaidd. Pa ddyfodol sydd i ni fel cenedl oni lwyddwn i gyflwyno ein gorffennol...yn ein mamiaith? Fel y dywedodd D. Tecwyn Lloyd, 'mae cenedl fyw yn sgrifennu ei hanes yn ei hiaith ei hun'.

Cof Cenedl, I, Rhagair

JENKINS, R. T. (1881-1969)
367

Fel sefydlydd ysgolion ac fel amddiffynnydd yr iaith Gymraeg y byddwn yn arfer meddwl am Ruffydd Jones o Landdowror (1683-1761). Ond byddai'n dda i ni gofio nad oedd y naill na'r llall ond ail bethau, yn ei feddwl ef. Cul oedd ei syniad am addysg...Nid oes lawer o arwydd chwaith ei fod yn awyddus iawn i ddiogelu dyfodol y Gymraeg er ei mwyn ei hun, er mai dyna, fel mater o ffaith, ei brif bwysigrwydd yn hanes Cymru.

Hanes Cymru yn y Ddeunawfed Ganrif (1931), 37

368

Er gwaethaf culni ei syniadau am addysg...iddo ef [Gruffydd Jones] yn fwy nag i ungwr arall yr ydym i ddiolch am barhad yr iaith Gymraeg yn ei disgleirdeb hyd ein dyddiau ni.

43

369

Nid yn llyfr Boswell y mae hanes taith y Doctor i Gymru, ond yn un o ddyddiaduron Johnson ei hun...Ym mhlas Gwaenynog, sgwrs ar y Gymraeg a'i llenyddiaeth...'Sut i gadw'r Gymraeg yn fyw' oedd pwnc y ddadl yno—yn 1774! Tybiai Johnson mai ailargraffu Gramadeg Siôn Dafydd Rhys fyddai'r ffordd orau. Bu ddau Sul yn eglwys Bodffari; clywodd bregethu yn Gymraeg— ' 'd ydyw hi ddim mor anhyfryd i'r glust wedi gwrando arni am beth amser'.

Y Ffordd yng Nghymru (1933), 114-15

370

Merthyr oedd canolfan y gweithfeydd—y dref fwyaf o *lawer* yng Nghymru...Iddi hi, llifai gweithwyr o bob rhan o Gymru, ac yn 1803 Cymry oedd pawb bron ynddi; ni chlywid, medd ef [Malkin], prin air o Saesneg.

136

JOHNSTON, DAFYDD

371

Bygythiad yw hwn [argyfwng presennol yr iaith Gymraeg dan bwysau'r Saesneg] i fodolaeth yr iaith, rhywbeth nad oedd yn bod o gwbl yn yr Oesoedd Canol, nac ychwaith yng nghyfnod y Dadeni, o ran yr iaith lafar o leiaf. Perthyn elfen foesol i'r pwnc heddiw, oherwydd y teimlad o gyfrifoldeb i gadw'r iaith rhag difancoll, a'r pryder fod geiriau benthyg yn disodli'r rhai cynhenid. Mae'r pryder hwnnw'n mynd yn ôl i gyfnod y Dyneiddwyr...ond go brin mai felly yr ystyriai Beirdd yr Uchelwyr eiriau benthyg. Mae tystiolaeth fod y Gymraeg hyd yn oed ar gynnydd tua diwedd yr Oesoedd Canol, gan gymhathu mewnfudwyr ac ennill tir yn ardaloedd y Gororau. Gallai'r defnydd o eiriau benthyg yr adeg honno fod yn arwydd o hyder, yn hytrach nag o wendid fel y mae yn ein hoes ni. Felly y mae'r Saesneg imperialaidd wedi datblygu, gan fenthyg yn ddibryder gan lawer o ieithoedd ers canrifoedd.

Y Traethodydd, Ionawr 2000, 17

JONES, BEDWYR L. (1933-92)

372

Ar fater yr iaith Gymraeg yr oedd dwy garfan bendant yn yr Eglwys o gyfnod y Tuduriaid ymlaen. Ei difa a fynnai'r naill, defnyddio'r Eglwys yn gyfrwng i hyrwyddo polisi'r Ddeddf Uno o sicrhau unffurfiaeth llwyr rhwng Cymru a Lloegr, unffurfiaeth gweinyddiaeth a chrefydd ac iaith. Arfer y Gymraeg a fynnai'r lleill. Yr Esgob Richard Davies o'r Gyffin, ger Conwy, er enghraifft, a'r ddau leygwr selog o Sir Ddinbych, William Salesbury a Humphrey Lhuyd. Hwy ill tri, yn ôl pob tebyg, a oedd yn gyfrifol am ddeddfu o'r Senedd yn 1563 bod yn rhaid cyfieithu'r Ysgrythurau a'r Llyfr Gweddi i'r Gymraeg.

Yr Hen Bersoniaid Llengar (1963), 8-9

373

[Yr] un a gyflwynodd yr *apologia* gorau dros Gymdeithas Dyfed a'i delfrydau oedd W. J. Rees... Yr oedd cefnogwyr y Gymdeithas... am geisio meithrin yr iaith Gymraeg, ac yr oeddynt am wneud hyn am resymau da. Y Gymraeg oedd iaith y mwyafrif trwy rannau helaeth o Gymru. Dyrnaid bach o Saeson yn amlach na pheidio a barai'r angen am ddefnyddio'r Saesneg yn llawer o'r plwyfi; oherwydd y preswylwyr di-Gymraeg, yr oedd yn rhaid cynnal llysoedd yn Saesneg. Yr ateb gan hynny i anhawster cynulleidfa gymysg ac i broblemau llysoedd barn oedd i'r ychydig ddysgu Cymraeg. A ph'un bynnag, oni ddefnyddid y Gymraeg yn yr eglwysi yn y Gymru Gymraeg, gwrthgiliai'r gynulleidfa a throi at yr Ymneilltuwyr. '*The Cambrian Societies*', meddai, '*without discouraging in the least the Welsh from learning the English, indirectly promote the knowledge of the Welsh tongue among the superior classes of the resident English.*' Yr oedd yn ateb cryf yn ei gyfnod, a'r tu ôl iddo yr oedd parch a chariad dwfn at yr iaith a'i diwylliant.

23-24

374

Rhaid cofio mai lleiafrif oedd yr offeiriaid gwlatgar yng Nghymru. Daw hynny'n amlwg iawn o droi at hanes Carnhuanawc, y mwyaf didwyll o bawb o amddiffynwyr yr iaith. Manteisiai ef ar bob cyfle i ennyn parch ati, fel Deon Gwlad ceisiai ddal pen rheswm â'r offeiriaid a'i hesgeulusai, gofalai am roi iddi ei lle yn ysgol ei blwy. Ond troer at Adroddiad Llyfrau Gleision, 1847, ac fe welir mor gyfyng oedd ei ddylanwad. Gwneir yn fach o'i gyfrol ar hanes Cymru, a thystia cymydog o glerigwr, *'though some, actuated by a morbid feeling that they erroneously call and denominate patriotism, may advocate and support the upholding of the Welsh tongue, and wish it to be perpetuated and encouraged in every point of view, I cannot conceive a greater injury conferred upon this country.'* ...

Rhoi i'r Gymraeg ei lle mewn addysg oedd un o ddelfrydau mawr Carnhuanawc, galw am ddefnyddio'r iaith yn yr ysgol ddydd yn ogystal ag ar y Sul. Yn hynny yr oedd ef, ac ambell i offeiriad arall fel Thomas Richards, a gytunai ag ef, ar y blaen i'w hoes o sbel.

40

375

Mae gramadeg ysgol a choleg wedi llwyddo'n wyrthiol i wenwyno meddwl cynifer o'm cenhedlaeth i, a rhai iau na mi... I lawer ohonom nid pâr priod wedi cael ysgariad ydy *Welsh Lit.* a *Welsh Lang.*...Ar *Lang.* y mae'r bai i gyd; mae'n annioddefol ac yn fwrn. Wrth gwrs, mae'r rhaniad yn un gwrthun a ffôl. Ond mae'r bwlch diweddar yma rhwng iaith a llenyddiaeth yn bod, ac mae'n hwyr glas

ei gyfannu drachefn trwy feithrin ehangach diddordeb mewn iaith.

Taliesin, 12 (1966), [29]

376

Mae ymboeni am iaith, ac am ddirywiad iaith, yn hen, hen beth. Ewch yn ôl bedwar can mlynedd at gychwyn llenyddiaeth fodern Gymraeg gyda gwŷr llên y Dadeni Dysg. Roedd safon iaith yn bryder byw iddyn nhw. A chanddyn nhw fe gewch chi bwysleisio dwy egwyddor yn arbennig, sef *cywirdeb* Cymraeg a *Chymreigrwydd* Cymraeg. Mae'r un dwy egwyddor wedi para'n ddelfrydau o'r adeg honno hyd at ein dyddiau ni.

30

377

Fe gredid fod yna'r fath beth â safon bendant o gywirdeb iaith, cywirdeb absoliwt cysáct fel mewn mathemateg elfennol,,,Dyna oedd gramadeg— casgliad o reolau iaith, deddf y Mediaid a'r Persiaid...

Mae'n hawdd olrhain tras y gred hon. O ddulliau dysgu Lladin y daeth...iaith yr oedd ei nodweddion hi wedi eu diffinio mewn gramadeg rheolus caeth...

Mae'r gred yma mewn cywirdeb absoliwt wedi rhedeg gyrfa dda yn Gymraeg, er newid peth ar gynnwys y gramadeg ar dro. Mae hi yna'n gyson o John Davies, Mallwyd ymlaen heibio i William Gambold a Thomas Richards...hyd at Syr John Morris-Jones.

30

378

Mae'r ddeuoliaeth yma rhwng rheolau'r llyfr ac arferion meistri llên yn taflu dŵr oer am ben y gred mewn cywirdeb anffaeledig sâff, 'cywirdeb gwyddonol' fel y galwodd Syr Ifor Williams o. Ac mae mymryn o ystyriaeth ynghylch cymeriad iaith yn ei danseilio fwy fyth. Peth llafar ydy iaith yn ei hanfod...Ac mae'r ffasiynau llafar yma'n newid yn barhaus...Ac fel pob gormes dotalitaraidd arall, mae'r ymgais i sodro iaith mewn cwpwrdd rhew yn ofer yn y pen draw...

Beth am y gramadegydd yn wyneb hyn? Mae'r ateb yn amlwg yn syth. Disgrifio a dosbarthu arferion tafodiaith ar adeg arbennig ydy ei ran o. Dyna a wnaeth John Davies a Syr John Morris-Jones, mae'n wir. Disgrifio arferion tafodiaith beirdd y cywydd a wnaethon nhw...Ond fe wnaethon nhw beth arall hefyd yr un pryd. Fe wnaed y disgrifiad o arfer yn argymhelliad gorchmynnol caeth, yn ddeddf i bob sgrifennu Cymraeg...Thâl hynny ddim.

31-32

379

Roedd i gonfensiynau honno [iaith y pulpud a'r sêt fawr] statws ac urddas yn ei dydd. Roedd hi'n fynegiant digonol i weddau pwysica bywyd i lawer iawn. Ond dydy hynny bellach ddim yn wir. A ph'un bynnag mae tafodiaith safonol 'urdd y pregethwyr' wedi hen garegu ers tro; mae hi wedi ei gadael ar ôl. Dydy'r Gymraeg ddim wedi medru meithrin lefel safonol yn ei lle i ateb holl ofynion ein bywyd cymhleth ni—iaith safonol i ysgol a darlith, i newyddiaduraeth a gwyddoniaeth, i gyfreithiwr a swyddog llywodraeth. Dydy methiant y Gymraeg i feithrin y safon yma'n naturiol ddim yn syndod, wrth gwrs. Faint o fywyd pwysica

Cymru sy'n cael ei fynegi'n feunyddiol yn Gymraeg? Ychydig iawn iawn. A dyna ein problem ni. Yn y bôn problem gymdeithasol ydy hi...Dydy cymdeithas drwyddi draw ddim yn creu ei hiaith safonol naturiol yn Gymraeg, safon o sefydlogrwydd ystwyth ac iddi hi *prestige*.

34-35

380

Pan gondemniai Syr John Morris-Jones 'gwneud ei ymddangosiad' a phriodddulliau o'r fath, condemnio dulliau mursennaidd sgrifenwyr arbennig yr oedd o. Doedd y pethau hyn ddim yn arferol ar dafod leferydd siaradwyr Cymraeg. Mae'r pethau sy'n dramgwydd gan burwyr heddiw yn amlach na pheidio'n arferol a derbyniol gan siaradwyr yr iaith. Mae'r gwahaniaeth yna'n gur pen real iawn, yn enwedig i'r ifanc sy'n sgrifennu Cymraeg. Ac eto, fe wŷr yr ifanc o'r gorau fod llenyddiaeth yn un o *antibodies* naturiol iaith. Llenyddiaeth, pob math o sgrifennu, newyddiaduraeth radio a gwasg, y rhain ac addysg ydy'r unig wrthgloddiau naturiol sy gan y Gymraeg.

38-39

381

Yn y pen draw, problem gymdeithasol ydy problem Cymreigrwydd Cymraeg. A'r ateb iacha iddi, yr ateb mwya dylanwadol o bell ffordd, ydy ehangu terfynau'r Gymraeg—dysgu amrywiaeth o bynciau mewn ysgol a choleg trwy'r Gymraeg a helaethu defnydd yr iaith yn ein bywyd bob dydd.

39

JONES, BOBI, gw. **JONES**, ROBERT
MAYNARD

JONES, DAFYDD GLYN
382
Angen mawr iaith yn y cyflwr a'r cyfwng y
mae'r Gymraeg heddiw yw tipyn o
sefydlogrwydd. Llwyddiant diwylliannol
mawr y chwarter canrif diwethaf yng
Nghymru Gymraeg fu'r papurau bro.
Rhoddodd y rhain hyder i bobl y gallant
ddarllen Cymraeg...Maent wedi cyfrannu
at sefydlogi'r iaith.
   John Morris-Jones a'r 'Cymro Dirodres'
(1997), 21-22

383
'Rydym yn hen gyfarwydd â'r egwyddor:
pethau i blant yw Cymru, Cymraeg,
Cymreictod, a daw adeg eu rhoi heibio,
gyda phethau bachgennaidd eraill. Yn
nechrau eu dyddiau, fe bowliwyd llawer
o'r plant hyn yn eu coetshus-cadeiriau
drwy fwd yr Eisteddfod. Fe'u magwyd ar
Rala Rwdins, T. Llew Jones, Urdd, Ysgol
Feithrin, Ysgol Ddwyieithog, Sbondonics,
Capel, Ysgol Glanaethwy. Ac wedyn, yn
ddeunaw oed---ffarwél. Dyma egwyddor
bywyd y dosbarth hwnnw o Gymry sy'n
gymdeithasol-symudol, y dosbarth sydd
wedi cefnu ar y gaib a'r rhaw, neu sydd yn
y broses o wneud hynny.
   Y Traethodydd, Ebrill 1998, 73

JONES, DAVID ('Dewi Medi' neu 'Dewi
Dywyll': 1803-68)
384
Arddunol iaith barddoni,--oludog,
   Ni lwyda ei thlysni:
   Iaith gwyddor, rhaith, a gweddi,
   Iaith y nef yw ein hiaith ni...

Trueni os daw estroniaith---i ymlid
   O'n temlau ein mamiaith;
   Ni roed yng nghôl unrhyw iaith
   Fri a thân y Frythoniaith...

Iaith fwyn, odiaeth, fy nheidiau,---iaith fy
                              mam,
   Iaith fy mhin a'm hodlau:
   Iaith fad fy holl serchiadau,---a thystiaf
   Mai hi lefaraf i'm holaf oriau.
   Cymru (gol. O. M. Edwards), iii
(1892), 173

JONES, DAVID JAMES ('Gwenallt';
1899-1968)
385
Ti a weli y genedl, y genedl a greodd Duw,
Fel cenhedloedd eraill, i'w addoli a'i foli Ef.
O golli'r Gymraeg fe fyddai un iaith yn llai
      i'w foli...
Y tu allan fe weli'r colofnau sydd yn ein
      cynnal,
Yn dy gynnal di yn y gell a ninnau yn yr
      argyfwng:
Y Gymraeg, y Gymru a'r Gristnogaeth.
['Emyr Llewelyn Jones']
   Coed (1969), 17

386
Ar fynydd yr Olewydd y mae Eglwys y
      Pater Noster...
Yno y mae Gweddi'r Arglwydd mewn
      deugain a phedair o ieithoedd...
Yn eu plith yr oedd y Weddi yn Gymraeg,
Y Pater Noster Cymraeg;
Y Gymraeg yn yr Eglwys ar Fynydd yr
      Olewydd;
Y rhagorfraint fwyaf a gafodd hi.
Diolch i Dduw am y Gymraeg,
Un o ieithoedd mwyaf Cristnogol Ewrob,
Un o dafodieithoedd y Drindod.

Ei geirfa hi yw'r Nadolig;
Ei chystrawen yn Galfaria;
Ei gramadeg yn ramadeg y Bedd Gwag;
A'i seineg yn Hosanna.
53

387
Gwelai ef nad oedd y Gymraeg ond
  tafodiaith gyffredin
Ffair, fferm, baled a thelyn a thôn;
Ac na allai'r tafod a barablai ym
  marchnadoedd Mynwy
Ddeall   y   tafod   gyddfol   ym
  marchnadoedd Môn...
Canmolwn ef am ei ddygnwch, ei
  ddewrder a'i santeiddrwydd
Ac am ei gymorth i gadw'r genedl a'r iaith
  lenyddol yn fyw,
Gan roddi arni yr urddas ac iddi'r
  anrhydedd uchaf
Wrth ei throi yn un o dafodieithoedd
  Datguddiad Duw. ['Yr Esgob William
Morgan']
  Gwreiddiau (1959), 50-51

388
Piau'r bedd dan y drain?
Gweryd ein hiaith gywrain,
Cell ein gwareiddiad cain.
  Ysgubau'r Awen (3ydd arg., 1957), 21

389
Paham y rhoddaist inni'r tristwch hwn,
A'r boen fel pwysau plwm ar gnawd a
  gwaed?
Dy iaith ar ein hysgwyddau megis pwn,
A'th draddodiadau'n hual am ein traed.
['Cymru'[
84

JONES, Y Parchedig D. LLEWELYN
390
Cyfnod o lygru mawr ar Gymraeg llafar (a
llên) yw hwn; a pheth peryglus yw ceisio
unffurfio iaith ar sylfaen Cymraeg llafar
neu Gymraeg byw mewn cyfnod o'r fath.
Byddaf yn llawenychu'n fawr pan glywaf
neu pan welaf ar dro y gair 'hwy' yn lle
'hirach', 'anos' yn lle 'anoddach'...
Gobeithio y bydd rhywrai o hyd, gyda
phob newid a ddaw yn ein hiaith, yn
troi'n ôl ar dro ac yn mentro arfer
drachefn hen eiriau a hen gystrawennau
anghofiedig. Bydd hynny hefyd yn help
i'w gwneud yn iaith fyw, gan ei
chyfoethogi â grym a rythmau byw, a
newydd-deb yn wir canys nid yw
mwynglawdd ein hiaith draddodiadol
heb ei drysorau.
  Yr Eurgrawn, 160, Gwanwyn 1968, 43

JONES, DORA HERBERT (1890-
1974)
391
Yr oedd y cwrs anrhydedd yn y Gymraeg
[yng Ngholeg Aberystwyth] yn drwm a
chynhwysfawr...Meddyliwch mewn difri,
ar un adeg beth bynnag, caem bump ar
hugain o ddarlithie mewn wythnos a
phob un *wan jack* ohonyn nhw yn
Saesneg am y Gymraeg. Atebais i ddim
erioed yn foes yr un cwestiwn mewn
arholiad, sgrifennais i ddim yr un
traethawd yn y cwrs (nac ar ôl hynny) yn
Gymraeg. Fûm i ddim mewn trafodaeth
nac ymdriniaeth ar unrhyw agwedd o'r
cwrs yn yr iaith Gymraeg;--yr oedd y
cwbl, bob blwyddyn, yn Saesneg.
  Y Llwybrau Gynt (gol. Alun Oldfield-
Davies), 2 (1972), 97-98

JONES, EVAN ('Ieuan Gwynedd'; 1820-52)

392

Yr ydym yn mynegi i bawb y perthyn iddynt wybod nad yw yr iaith Gymraeg yn myned i farw. Y mae yn ymgyrraedd am anfarwoldeb, ac ymddengys yn fwy tebyg o'i gyrraedd nag ar lawer adeg yn ei gyrfa...Y mae holl arwyddion bywyd yn ei gwaed. Ac er holl goegni mursennaidd ein coegfoneddigesau, er holl ddylni asynnaidd ein geifr hirfarf, er holl ymgroesi deoniaid, arch-ddiaconiaid ac esgobion, ac er holl ehangdra ymenyddiau llenorol y tylwyth tewsiol o Jelinger C. Symons i Henry Austin Bruce, diau mai byw a wna, pan y byddont hwy, druain, bob copa walltog a diwalltog ohonynt, wedi eu gosod 'Yn eigion tywod yn ddigon tawel'.

Y Gymraes (1850), 76-77

JONES, EDMUND DAVID (1869-1941)

393

Gwir na fu amser yn ei hanes pryd nad oedd y Cymro yn caru ei iaith...Yn y gorffennol, gwerthfawrogai hi yn unig am ei fod yn ei charu; yn awr câr hi lawer mwy am ei fod yn gweled ei gwerth. Ac nid ymhlith y Cymry yn unig y mae'r Gymraeg yn derbyn parch a sylw neilltuol. Fel y mae gwybodaeth am berthynas ieithoedd i'w gilydd wedi cynyddu, y mae ieithyddwyr wedi dod i ganfod pwysigrwydd gwybodaeth o'r Gymraeg i'w galluogi i olrhain gwreiddiau geiriau...Mwyach nid ystyrir hi yn iaith farbaraidd a hyllseiniol, ond rhoddir iddi le parchus wrth ochr yr ieithoedd Lladinaidd a Groegaidd. Yn

awr, y mae'r ffaith hon yn ddigon ynddi ei hun i brofi *fod i'r Gymraeg le* yn addysg ddyfodol Cymru.

Cofnodion...Eisteddfod Genedlaethol Cymru, Blaenau Ffestiniog, 1898, [300]

394

Cymraeg yw iaith meddwl a chalon y Cymro; ynddi hi y mae wedi byw a bod er ei fabandod. Hawdd, felly, fydd iddo ym more ei oes yfed yn helaeth o ddyfroedd pur ei llenyddiaeth.

303

395

Hyd yn hyn yn yr Ysgol Sul y dysgir darllen Cymraeg, ond y mae hyn yn gam â'r Ysgol Sul, ac yn gam â'r Gymraeg. Lle i ddysgu crefydd a moes yw yr Ysgol Sul, ac nid lle i ddysgu iaith.

305

396

Pa olwg bynnag gymerwn ar amcan Addysg, bydd y Gymraeg yn sicr o hawlio lle pwysig yn y dyfodol yn ein cyfundrefn addysgol. Ni raid i ni yn bresennol ymddyrysu parthed tynged ddiwethaf (*ultimate*) yr iaith. Tra yr erys yn famiaith y Cymro, yn iaith ei feddwl ac yn iaith ei galon, ein dyletswydd yw ei meithrin a'i hastudio. Ond i ni wneud hyn, gallwn ni fod yn dawel ynghylch y dyfodol pell.

309

JONES, E. BREEZE

397

Yn fy mhlentyndod yn yr ardal [Blaenau Ffestiniog], nid oes gennyf gof i blentyn o Sais ddod i'n mysg. Cofiaf yn glir y cyfnod pan na allwn ddeall gair o'r iaith fain, ond heddiw mae un o bob tri o'r plant sy'n cychwyn yn yr adran feitthrin yn dod o gartrefi lle mae'r Saesneg yn iaith gyntaf—neu'r unig iaith. Credaf mai'r dull gorau o Gymreigio plant ieuanc yn Gymry naturiol yw drwy eu boddi'n ddioed yn yr iaith. Hyfryd yw sylwi bod y cyfan o'r plant yn ein gadael yn Gymry rhugl.

Fy Nghymru I (gol. John Jenkins, 1978), 183

JONES, FRANCIS WYNN (1898-1970)
398
Prin y buasai'n gywir ddywedyd bod yr ardal [Llandrillo, yn Edeirnion] yn ddwyieithog yn nyddiau fy mebyd. Y mae'n wir bod ychydig o Saeson yn byw yn y pentref a bod rhai o'r Cymry yn gwybod Saesneg yn dda...ond Cymry uniaith oedd llawer o'r trigolion ac afrwydd oedd Saesneg llawer o'r gweddill. Cymraeg oedd iaith naturiol y gymdeithas, a rhyfeddod a fuasai clywed dau Gymro yn siarad Saesneg â'i gilydd.

Yr oedd Cymraeg yr ardal yn rhan o dafodiaith a leferid trwy holl barthau Edeirnion a Phenllyn, Uwchaled a Mynydd Hiraethog. Ar ei gorau yr oedd y dafodiaith honno yn debyg iawn i'r iaith safonol a llenyddol...Wrth ddweud bod y dafodiaith yn agos at yr iaith lenyddol nid fy mwriad yw dweud bod y bobl yn siarad 'fel llyfr', ond yn hytrach fod cyfansoddiad eu brawddegau a'u lleferydd a'u goslef yn tynnu at safon siaradwyr cyhoeddus da, a phe gwneid cofnod air-am-air o ymgom rhwng dau fe ellid ei hargraffu gan wybod y byddai'n ddealladwy i'r holl wlad.

Godre'r Berwyn, [131]

399
Cymraeg oedd y rhan fwyaf o'r enwau a roddid ar wartheg, ond Saesneg oedd enwau'r ceffylau, a diau bod y gwahaniaeth yn tarddu o'r ffaith bod y gwar* theg yn hŷn yn y tir.
137

400
Cymraeg pur oedd yr iaith rhwng y bugeiliaid a'r cŵn defaid.
138

401
Llyfr...a ddaeth yn gynnar i'm llaw oedd *Chwedlau Æsop*. Mi gefais flas ar y straeon bach cwta... Ond y stori a hoffwn fwyaf oedd honno am y llwynog yn ymffrostio wrth y gath gymaint o driciau oedd ganddo i osgoi'r cŵn, a hithau druan yn gorfod cyfaddef nad oedd ganddi ond un yn unig, sef dringo i fyny i'r goeden. Er hynny, ni thyciodd triciau'r llwynog pan ddaeth y cŵn, ond fe ddihangodd y gath yn groeniach. Yr wyf ar brydiau wedi llefaru dameg mai cyffelyb i'r llwynog yw llawer o bobl yng Nghymru gyda'u lliaws dyfeisiau i achub yr iaith rhag dinistr—cynadledda a llunio penderfyniadau, protestio ac areithio—pryd y buasai yr un 'tric' sydd yn rhy syml i lawer ohonynt ei weld, sef i bob un ddysgu Cymraeg i'w blant ei hun, yn ddigon i ennill y frwydr.
158

JONES, GRIFFITH (1683-1761), Llanddowror
402
I shall beg leave to premise, that I am not at present concerned what becomes of the language, abstractedly considered; nor

design to say anything merely to aggrandize or advance its repute. The thing to be cleared up is, whether the chief and greatest end of all, viz. the glory of God, the interest of religion, and salvation of the poor Welsh people, is most likely to be promoted by continuing or abolishing it.

W. Moses Williams, *Selections from the Welch Piety* (1938), 38

Caniataer imi ddweud yn gyntaf nad wyf ar y funud yn pryderu beth a ddaw o'r iaith fel y cyfryw; nac yn bwriadu dweud dim yn unig er mwyn dyrchafu a hyrwyddo ei bri. Yr hyn sydd i'w benderfynu yw, ai drwy ei chadw ynteu ei dileu y mae'r amcan pennaf a'r mwyaf oll, sef gogoniant Duw, lles crefydd, ac iachawdwriaeth y Cymry tlodion, yn fwyaf tebygol o gael ei hyrwyddo.

403

How can the design of destroying the British tongue be accomplished, except the present stated worship of God, and all manner of preaching, teaching, catechising, or other instructions from conversation or books in Welsh, as well as the Welsh schools, be discontinued? What length of time, I may well ask, how many hundred years, must be allowed for the general attainment of the English, and the dying away of the Welsh language?...And in the meantime...what myriads of poor ignorant souls must launch forth into the dreadful abyss of eternity, and perish for want of knowledge? And who will answer for this?

39

Sut y gellir cyflawni'r bwriad o ddistrywio'r Frutaniaith ond drwy roi'r gorau i addoli Duw fel yn bresennol, ac i bob math o bregethu, addysgu, holwyddori a hyfforddiadau eraill ar dafod leferydd neu drwy lyfrau yn Gymraeg, yn ogystal ag i'r ysgolion Cymraeg? Pa hyd, mae'n deg imi ofyn, pa sawl canrif y bydd rhaid eu caniatáu i ennill gwybodaeth o'r Saesneg yn gyffredinol ac i'r iaith Gymraeg drengi?...Ac yn y cyfamser...pa fyrddiynau o eneidiau truain anwybodus a fydd yn gorfod mentro i affwys dychrynllyd tragwyddoldeb, a threngi o ddiffyg gwybodaeth? A phwy fydd yn atebol am hyn?

404

May we not...justly fear, when we attempt to abolish a language, which perhaps I shall evince...to be as ancient as any now in the world, except that mother one of all in use before Babel, that we fight against the decrees of Heaven, and seek to undermine the disposals of divine Providence?

42

Onid oes gennym le i ofni...a rheswm da am hynny, pan geisiwn ddileu iaith, y byddaf efallai'n dangos...ei bod gyn hyned ag unrhyw un sy'n awr yn y byd, ac eithrio mamiaith y cyfan a oedd ar arfer cyn Babel, ein bod yn ymladd yn erbyn ordeiniadau'r Nefoedd ac yn ceisio tanseilio gweinyddiad Rhagluniaeth ddwyfol?

405

There are some advantages peculiar to the Welsh tongue favourable to religion, as being perhaps the chastest in all Europe. Its books and writings are free from the infection and deadly venom of Atheism, Deism, Infidelity, Arianism, Popery, lewd plays, immodest romances, and love intrigues.

43

Mae i'r iaith Gymraeg rai manteision neilltuol sy'n ffafriol i grefydd, yn gymaint â'i bod o bosibl y fwyaf diwair yn Ewrop gyfan. Mae ei llyfrau a'i hysgrifeniadau'n rhydd o haint a gwenwyn marwol atheistiaeth. deistiaeth, anghrediniaeth, Ariaeth, pabyddiaeth, chwaraeon anweddus, rhamantau aflednais a chêl-garwriaethau.

406

'Tis no inconsiderable advantage, that our language is so great a protection and defence to our common people against the growing corruption of the times in the English tongue; by which means they are less prejudiced, and better disposed to receive divine instructions; and 'tis natural for them to be still more inclined to attend to it, when 'tis offered to them in their native tongue.

43-44

Nid bach o fantais yw bod ein hiaith yn gymaint amddiffynfa a gwrthglawdd i'n gwerin bobl yn erbyn llygredd cynyddol yr oes yn yr iaith Saesneg; fel hyn, y maent yn llai rhagfarnllyd ac yn barotach i dderbyn hyfforddiant dwyfol; ac y mae'n naturiol iddynt fod yn fwy tueddol byth i ymorol amdano, pan gynigir ef iddynt yn eu mamiaith.

407

Englishmen will want an interpreter, to understand their own language as it was talked a few centuries ago. But the British is now the same it was; the prophecies of old Taliessin, written above a thousand years since, are at this day intelligible.

50-51

Bydd rhaid i Saeson wrth ddehonglwr i ddeall eu hiaith eu hunain fel y siaredid hi

ychydig ganrifoedd yn ôl. Ond y mae'r Frutaniaith yn awr yr un ag ydoedd; mae daroganau'r hen Daliesin, a ysgrifennwyd dros fil o flynyddoedd yn ôl, yn ddealladwy y dydd heddiw.

408

Although now greatly reduced in estate, having been the language of much larger territories, and at present contracted to a narrow compass, she has not lost her charms, nor chasteness, remains unalterably the same...still retains the beauties of her youth, grown old in years, but not decayed. I pray, that due regard may be had to her great age, her intrinsic usefulness; and that her long-standing repute may not be stained by wrong imputations. Let it suffice, that so great a part of her dominions have been usurped from her; but let no violence be offered to her life. Let her stay the appointed time, to expire a peaceful and natural death, which we trust will not be till the consummation of all things, when all the languages of the world will be reduced into one again.

51-52

Er bod ei chyflwr bellach yn llawer is, a hithau wedi bod yn iaith tiriogaethau llawer ehangach a heddiw wedi crebachu o fewn cwmpas cyfyng, nid yw wedi colli ei swynion na'i diweirdeb; erys yn ddigyfnewid yr un...ceidw ddillynion ei hieuenctid, wedi heneiddio o ran blynyddoedd, ond heb ddirywio. Fy ngweddi yw y taler parch dyladwy i'w hoedran teg, ei defnyddioldeb cynhenid, ac na ddifwyner ei bri hirfaith gan gamhaeriadau. Digon yw fod cymaint cyfran o'i thiriogaethau wedi'i chamhawlio oddi arni, ond na fygythier ei bywyd. Caffed aros yr amser penodedig, i farw'n dangnefeddus a naturiol, na fydd yn digwydd, gobeithio, hyd oni chyflawner pob dim, pan na fydd ond un iaith yn y byd unwaith eto.

[Dyma sylwadau Gerald Morgan, *The Dragon's Tongue*, 101: 'This, in my opinion, is probably the most moving appeal ever written on behalf of the language, deeply felt, yet not hot-headed; written by a man who had no material gain in view, but a spiritual end visualised in practical terms.']

409

I was born a Welshman, and have not unlearned the simple honesty and unpoliteness of my mother tongue; nor acquired the oiliness of the English language, which is now refined to such a degree, that a great part of it is near akin to flattery and dissimulation.

dyf. Gerald Morgan, *The Dragon's Tongue* (1966), 101
Ganed fi'n Gymro, ac nid wyf wedi dad-ddysgu gonestrwydd syml ac anghoethder fy mamiaith; nac wedi ennill seboneiddiwch yr iaith Saesneg, sydd bellach wedi ymgoethi i'r fath raddau nes bod rhan helaeth ohoni yn ymylu ar weniaith a rhagrith.

JONES, GWILYM R. (1903- 93)
410

Dylid pwysleisio mai bro ddiwydiannol gwbl Gymraeg oedd Dyffryn Nantlle (trwy drugaredd mae'n parhau yn ardal Gymraeg i raddau pell o hyd). Heb gefndir o iaith gyhyrog y gymdeithas Gymraeg uniaith, ni buasai cystal llewych ar gynhyrchion llenyddol beirdd, storïwyr, dramawyr ac ysgrifenwyr y dyffryn.

Cerddi Gwilym R. (1969), ii

411

Mi af i'r coed i wylo am yr hen bobl,
Gwenith maethlona'r tir, yr hengyff nobl.
Ni roed ar ddail wlith eu hathrylith hwy,
Eu mawredd uniaith, y rhin nas profir mwy;
Awen cystrawen ac ias tafodiaith fyw—
Prin y daw'r sôn clasurol mwyach ar ein
    clyw.
9

412

O wyll hen ogofâu yn oesau'r main a'r
    pres
Dôi seiniau hengerdd yn fflam-olau dres.
Soniarus ei hen eiriau! Pereiddiaf osai'n
    hiaith.
'Run seiniau glybu llengoedd Rhufain ar
    eu taith.
O sgrin rhyw bentan heno, pan fo'r lamp
    ynghyn
Daw'r un perseinedd, siant sancteiddrwydd
    gwyn.
9

413

Ac nac anghofiwn
Y clagwydd herciog
A roes ambell gwilsyn i'r Esgob Morgan,
Gan roddi nawdd ei esgyll i'r iaith Gymraeg.
25

414

Trwm yw gweld tre'r mwynder maith
Heb ruddin y bereiddiaith,
Eiddil yr hud sydd iddi
Heb awen ei hacen hi—
Pennaf rhin pob min a'i medd! ['Ym Miwmares yn nhes nawn']
68

415

Pe na bai ein heisteddfodau cenedlaethol—ar gyfer pobl mewn oed a'r ieuenctid—yn gwneud dim mwy na dwyn y Gogleddwyr a'r Deheuwyr ynghyd, byddent wedi hen gyfiawnhau eu bodolaeth. Y mae'r pellter ieithyddol a diwylliannol rhwng deupen ein gwlad yn anfantais i'n ffyniant fel cenedl unol.

Y Cyfnod, 7 Mehefin 1991, 3

416

Y mae hi'n anodd iawn dal i gredu y bydd yr iaith Gymraeg yn parhau ymhell ar ôl diwedd y ganrif hon. Y mae pob math o amgylchiadau yn brwydro yn ei herbyn, a'r gwaethaf ohonynt yw diffyg ffydd y Cymry Cymraeg eu hunain yn eu gallu i'w chadw'n fyw. Y mae gennym ddigon o foddion i estyn ei heinioes a'i chryfhau, ond rhaid eu defnyddio yn drwyadl ddiflino...

Daliwn ati hi—y mae gennym drysor amhrisiadwy yn ein gofal, a gwae ni os collwn ein hiaith a'n diwylliant.

Y Cyfnod, 18 Medi 1992, 3

417

Un trysor amhrisiadwy a feddwn ni fel Cymry yw'r iaith Gymraeg...ond 'rwy'n ofni yn fy nghalon nad yw llawer o'n pobl yn sylweddoli mor werthfawr ydyw er eu bod yn ei siarad hi. Prin y gwyddant ei bod yr iaith hynaf a siaredir heddiw, medd arbenigwyr ar y pwnc...

Pe collem ein heniaith yn y genhedlaeth hon ofni 'rwyf na ellid ei hadfer: byddai wedi darfod amdani!

A pha bethau sy'n peri ei bod mor werthfawr? I gychwyn y mae ei hoed yn ein herio i lynu wrthi. Mae'n un o ryfeddodau'r byd. Y mae iddi ei chymeriad a'i sŵn unigryw; ei hen hanes godidog, a'r ffaith ei bod wedi goroesi canrifoedd o ormes, rhyfeloedd a bradwriaeth ei ffrindiau...Rhaid bod rhyw ofal dwyfol yn rhoi iddi hir hoedl pan oedd trysorau eraill yn diflannu!

Ei hamddiffyn cryfaf a mwyaf ffyddlon yw'r bobl sy'n ei defnyddio bob dydd o'u hoes yn eu bywyd a'u gwaith a'u cartrefi. Diolch amdanynt, a'r un yw ein dyled i'r rhai na allant ei defnyddio ond sy'n ei charu nes eu bod yn gallu cyfrannu tuag ag at y gost o'i chadw'n iraidd a gloyw.

Y Cyfnod, 11 Mehefin 1993, 3

418

Caf fi bleser mawr wrth wrando ar amryw o dafodieithoedd y Gymraeg yn cael eu llefaru o'm cwmpas ac ar y radio a'r teledu. Dengys y cwbl ei bod yn iaith fyw a gwydn a'i bod yn cael ei gwerthfawrogi gan siaradwyr teilwng.

3

419

O'm cwmpas gwelaf arwyddion da am ddyfodol sicr i'r iaith er gwaethaf ei hoedran. Y mae llu o fudiadau fel Urdd Gobaith Cymru, Ysgolion Cymraeg, llyfrau a chyhoeddiadau Cymraeg amrywiol, heb anghofio'r papurau bro, a'r cyfryngau eraill, mae'r cwbl yn addo y bydd byw ein hiaith trwy faldordd diwedd ein canrif a thrwst cenhedloedd terfysglyd ac y caiff plant ein plant brofi ei blas amheuthun.

3

420

'Rydw i newydd sôn am wlad Llŷn—darn o Gymru y mae gen i feddwl uchel iawn ohoni—ac nid y ffaith mai un oddi yno oedd fy mam ydyw fy unig reswm dros ganmol y penrhyn hyfryd sy'n cyrraedd o Bwllheli i Ynys Enlli. 'Roedd perthnasau fy mam i gyd yn Gymry uniaith oedd yn siarad y Gymraeg fwyaf cyfoethog a glywais i'n dod o enau undyn.

Y Llwybrau Gynt (gol. Alun Oldfield-Davies), 2 (1972), 81-82

JONES, Syr HENRY (1852-1922)
421

Wales will never be made richer by neglecting its language; nor do I think that English will be known better. For, on the border counties where they do lose their Welsh, or have done so, and become English, there is degradation of intelligence because they do not really become English.

dyf *Cofnodion...Eisteddfod Genedlaethol Cymru*, Blaenau Ffestiniog (1898) 304
Ni fydd Cymru byth elwach wrth esgeuluso'i hiaith; nid wyf yn meddwl chwaith y deuir i wybod Saesneg yn well. Canys, yn siroedd y gororau lle y maent yn colli eu Cymraeg, neu wedi ei cholli, a throi'n Saeson, y mae dirywiad deallol am nad ydynt mewn gwirionedd yn troi'n Saeson.

422

I must not forget the master's attitude towards the Welsh language, the only habitual language of the village and country. The speaking of it was strictly forbidden, both in the school and in the playground. The master every morning handed over to a child in each of the higher classes a small block of wood, through which a string passed. That child was to watch and listen till he heard someone speak Welsh: and one Welsh word was enough. Then the 'Welsh stick' was passed on, and every child who held it had either a stroke of the cane, or two verses of the Bible to learn, as a penalty.

Old Memories (1924), 33
Rhaid imi beidio ag anghofio agwedd yr athro tuag at yr iaith Gymraeg, yr unig iaith a arferid yn gyson yn y pentref [Llangernyw] a'r gymdogaeth. Gwaherddid ei siarad yn gyfan gwbl yn yr ysgol a hefyd yn yr iard. Byddai'r athro bob bore yn rhoi i blentyn ym mhob un o'r dosbarthiadau uchaf ddarn bychan o bren a llinyn drwyddo. 'Roedd y plentyn hwnnw i wylio a gwrando nes clywed rhywun yn siarad Cymraeg: ac yr oedd un gair Cymraeg yn ddigon. Yna trosglwyddid y 'pren Cymraeg', a byddai pob plentyn a oedd yn ei ddal yn cael naill ai ergyd â'r gansen neu ddwy adnod o'r Beibl i'w dysgu, yn gosb.

JONES, Y Parchedig IDWAL
423

A siom pob siom ydi gweld yr ysgolion ma yn gneud pob ciamocs i gal plant i sgwennu a darllan Cymraeg cyn iddyn nhw ddysgu 'i siarad hi. Ma'r iaith wedi byw am ganrifoedd er fod pawb oedd yn 'i siarad hi 'n sgwennu yn Saesneg; fasa hi ddim byw am flwyddyn tasa pawb yn medru 'i darllan a'i sgwennu hi a neb yn 'i siarad hi.

Atgofion, 2 (1972), 73

424

Rhyfal a thlodi! Dyna'r ddau fwgan mawr pan oeddwn i'n blentyn...A'r arwydd sicr i mi yn bod ni wedi cal y llaw ucha arnyn nhw, am ryw sbel beth bynnag, ydi'r brwdfrydedd newydd ma efo'r iaith a'r helynt mawr ynghylch arwyddion ffyrdd...A mi fydd rhai o'r plant ma'n holi pam na fasa ni wedi ymladd brwydr yr iaith pan oedda ni'n ifanc. Ma'r atab yn reit syml—am yn bod ni'n rhy brysur yn brwydro ar ddau ffrynt arall, pwysicach o dipyn, gyda phob parch i'r iaith.

79

425
Wedi i radio a theledu 'i gwneud hi'n bosib i siarad â'r genedl gyfan, mi gododd anhawster newydd, sef tafodiaith. Mi glywais i rywun yn dweud, oni bae am y Beibl Cymraeg, y buasai'r Gymraeg wedi chwalu'n dair ne bedair tafodiaith a thrwy hynny wedi diflannu'n llwyr erbyn hyn. Darllen y Beibl yn yr holl eglwysi ym mhob rhan o'r wlad, medden nhw, roddodd inni iaith sy'n ddealladwy i bob Cymro. Ond iaith sgrifenedig ydi honno, iaith llyfr. Pan ddewch chi at yr iaith lafar, 'dydi pethau ddim mor esmwyth; er mai un Gymraeg sy' ar bapur, mae 'na ddwy ne dair ar dafodau Cymry.
Crafu Ceiniog (1975), 55-56

426
Nid mater o fethu deall ein gilydd ydi o'n bennaf [mater y tafodieithoedd], er fod 'na duedd gre' ym mhobol y De a'r Gogledd i droi i'r iaith fain er mwyn gwneud hynny. Y drwg mwya' ydi nad yden ni ddim yn medru dilyn tafodieithoedd ein gilydd yn ddigon da i'w mwynhau nhw. Flynyddoedd yn ôl, mi oedd 'na gyfres radio o Fangor, *Teulu'r Siop*...unwaith yr aech chi'n is i lawr na Llandeilo, 'doedd fawr neb yn 'i gwrando

hi am nad oeddan nhw ddim yn medru dilyn 'iaith y North' yn ddigon da i'w mwynhau hi. Fe'i dilynwyd hi gan gyfres o'r De, *Teulu Tŷ Coch*, os ydw i'n cofio'n iawn. 'Roedd honno'n 'i thro'n cael derbyniad cynnes i lawr 'na ond bawd ar y botwm gâi hi yn y Gogledd, am yr un rheswm.

56

427
Nid darlledwyr a theledwyr yn unig sy'n cael trafferth gyda thafodiaith. Mae o'n blino pregethwyr hefyd, yn enwedig y math 'sgwrslyd' eu dull. Mi ellid dod drosto, wrth bregethu, trwy gadw'n glos at Gymraeg y Beibl ond 'dydw i ddim mor siŵr pa mor olau ydi Cymry heddiw yn 'u Beibl o'n cymharu ni â'n tadau. Mae pobol yr iaith yn pwyso'n arw os cyll Cymru 'i hiaith y cyll hi ei chrefydd hefyd. Tybed nad ydyn nhw'n rhoi'r drol o flaen y ceffyl ac mai'r gwir ydi ein bod ni'n colli'n hiaith am ein bod ni'n colli'n crefydd?

57

JONES, Y Parchedig JAMES RHYS ('Kilsby'; 1813-89)
428
Nid yr Eisteddfodau a'u cadeiriau derw, a chyd-floeddio 'Oes y byd i'r Iaith Gymraeg', a'i gwared hi rhag tranc; ac ni fedr gadw anadl bywyd yn ei ffroenau yn *hir* hyd yn oed yn yr areithle a'r Ysgol Sabothol, er bod ohonynt y moddion gorau tuag at ei chynhaliaeth a'i hirhoedledd. Y rhai a'i gosodant hi i farwolaeth fydd—nid estroniaid ond ei thylwyth ei hun. Cylla, cefn, llogell, a phen y Cymro a rydd iddi ddyrnod

marwol: y pedwariaid hyn a'i clywant yn tynnu yr ochenaid olaf.

Y Geninen, i (1883), 18

429

Mae *poced* y Cymro uniaith wedi hir ddioddef oblegid anwybodaeth ei pherchennog o iaith y Saeson. Nis gwyddom am gymaint ag *un* Cymro uniaith a gasglodd gyfoeth heb wybod Saesneg.

20

430

Ni fu Cymru erioed o'r blaen yn dwyn cynifer o olion y Sais: a phan fyddo y bwrdd-ysgolion, a'r colegau y bwriedir eu hadeiladu er mwyn cyfrannu addysg uchraddol, wedi gwneud y gwaith y bwriedir hwynt ar ei gyfer, fe fydd adnoddau yr iaith Gymraeg yn annigonol i ddiwallu angenrheidiau meddyliau pobl ifainc ddarllengar y flwyddyn 1900. Mae dyddiau awduron a llyfrwerthwyr Cymraeg yn prysur ddirwyn i ben.

22

431

Os medr y Gymraeg gyd-fyw â'r Saesneg wedi i honno ddyfod yn dafodiaith gyffredinol y bobl, da iawn—purion; ond y tebygolrwydd yw taw 'treisio' wna'r 'trecha", ac mai 'gweiddi' fydd tynged y 'gwana". Mae hi eisoes wedi marw, ond mewn dau blwyf, yn sir Faesyfed; ac y mae Brycheiniog yn cyflym ddilyn ei chymdoges o'r tu arall i'r afon Gwy a rana rhyngddynt. Marw beunydd mae hi yn rhyw ran neu'i gilydd o'r Deheudir, ac ar gyffiniau Clawdd Offa.

Pe byddai yn ddichonadwy cadw y

Gymraeg yn fyw at wasanaeth crefydd, a'i gwneud yn fath o iaith sanctaidd, ni flinid mo'n hysbryd pe na chlywid dim ond Saesneg yn ystod yr wythnos. Ond a fedr y ddwy gyd-fyw?

22-23

JONES, JOHN ('Jac Glan-y-gors': 1766-1821)

432

A Lowri Dafydd ddwedai ar fyrder,
'Ai 'machgen annwyl i wyt ti?'
'Bachgen,,--Tim Cymra'g—hold your
    bother,
Mother, you can't speak with me.'

A Lowri a ddanfonai'n union
Am y person megis Pab,
A fedrai grap ar iaith y Saeson,
I siarad rhwng y fam a'r mab.

Yna'r person 'n ôl ymbleidio
A'i tarawodd gyda'i ffon,
Nes oedd Dic yn dechrau bloeddio,
'O! iaith fy mam, mi fedraf hon.'
['Cerdd Dic Siôn Dafydd']
    Gwaith Glan y Gors (O.M.Edwards,
Cyfres y Fil, 1905), 53

433

'My Lord and Gentlemen of the Jury:-
Mae llawer o feddylie, 'rwy'n gofyn eich
    barn,
Yn Gymraeg ac yn Saesneg, i'r gair elwir
    CARN,--
'Carn ceffyl', 'carn twca', a'i gyfieithu o
    chwith,
Gellwch alw 'carn lleidr' yn 'hilt of a thief'.
80

434

Y peth rhyfedda a glybuwyd erioed ymhlith pobl wylltion ddi-gred, ragor Cristianogion, fod pedwar esgob yn cael taledigaeth fawr am gymryd arnynt bregethu i bobl na fedr yr esgob ddarllen mo'i bader yn eu hiaith hwy; ac er nad ydyw'r esgob yn deall mo iaith y bobl, na'r bobl iaith yr esgob, mae e'n deall pa fodd i dderbyn eu harian hwy; ac wrth hynny yn tylodi'r wlad, ac yn cadw'r bobl mewn tywyllwch o anwybodaeth...

Mae'n gywilydd i foneddigion ac offeiriadau Cymru na fyddent yn barod i gynyddu, ac i gynorthwyo ysgolion Cymraeg er mwyn plant y Cymry uniaith; ond am un a fo'n barod i ddysgu ac i gynyddu gwybodaeth, mae deg o offeiriadau na fynnant ddim sôn am y fath beth; ac ambell gecryn o offeiriad dideimlad yn erbyn rhoi eglwys ei blwyf i ryw ddynan synhwyrol dysgedig, yn ddiddos iddo i ddysgu plant ddarllen ac ysgrifennu Cymraeg.

Seren tan Gwmmwl (1795; arg. newydd, 1923), 36

JONES, JOHN ('Talhaiarn': 1810-69)
435
I love the old language as I love and venerate my mother; but I love the English language as I would love a young bride.
Caraf yr hen iaith fel y caraf ac y parchaf fy mam; ond caraf yr iaith Saesneg fel y byddwn yn caru priodferch ifanc.

Gwaith Talhaiarn, I (1855), 422

436
Pan anwyd y *steam engine*, ganwyd angau y Gymraeg. Ym mhen tri chan' mlynedd ni cheir gair o Gymraeg yng Nghymru, ac fe fydd Cymry Patagonia wedi troi yn Hispaeniaid, Indiaid, Buffaloaid.

Dewi M. Lloyd, *Talhaiarn*, 54

JONES, J. E. (1905-70)
437
Credais ar hyd y blynyddoedd fod llu mawr o'r di-Gymraeg yn gywirach Cymry na nifer fawr o Gymry Cymraeg.

Elfen i uno'r genedl fu'r iaith dros y blynyddoedd; cefais y di-Gymraeg—ar wahân i'r gwasaidd yn eu plith hwythau—yn gryf a selog dros yr iaith.

Tros Gymru (1970), 83

438
O gychwyn y Blaid ymlaen, bu brwydrau aml tros gael defnyddio'r iaith yn swyddogol...Yng Nghyngor Dosbarth Deudraeth y bu un o'r brwydrau cyndynnaf; dylai'r ardal honno deimlo balchder o'i phlegid byth. A'r aelodau oll yn Gymraeg, siaredid yr iaith bob amser yn y Cyngor. Heblaw hynny, pasiwyd i gadw'r cofnodion yn Gymraeg *yn unig*. Yr oedd John Jones, Clerc Cyngor Deudraeth, yn un o'r glewion. Trefnodd hefyd i gadw Cyfrifon y Cyngor yn Gymraeg.

146

439
Yr iaith nas defnyddid gynt o gwbl ynglŷn ag unrhyw waith swyddogol, yr iaith yr oedd gan y llu gywilydd ohoni cyn codi o'r Blaid, fe wnaed llawer yn y cyfnod hwn [1930-35] i ddechrau ail-ennill iddi ei lle yn ein gwlad.

150

440

Ceisiodd y Dr D.J. a'r Dr Noëlle Davies sefydlu Ysgol Werin yn eu cartref helaeth, Pantybeiliau, Gilwern, Sir Frycheiniog...Ysgol i wrthsefyll iseldra, ac i ail-sefydlu iaith a diwylliant Cymru yn y cylchoedd hynny oedd y fenter a'r weithred ffyddiog hon.

150

441

Yr oedd ardaloedd Saesneg eu hiaith yr un mor unol â'r rhai Cymraeg: Sirhywi ym Mynwy, er enghraifft, gyda dim ond 11 y cant yn medru Cymraeg, ond 99 y cant yn arwyddo'r Ddeiseb [1938-9] yn galw am wneud Cymraeg yn unfraint â Saesneg.

209

JONES, JOHN GWILYM (1904-88)
442

Er bod gennyf ymdeimlad o Gymreictod erioed, ni theimlais i na Tomos na'r un o'r lleill bod y Gymraeg mewn unrhyw fath o berygl yn ystod ein hamser yn y coleg. Yn rhyfedd iawn, 'roedd llawer o'r athrawon a'r darlithwyr yn ymwybodol bod ganddynt gyfrifoldeb at yr iaith ac amryw ohonynt oedd yn Saeson rhonc wedi dysgu siarad Cymraeg yn rhugl. Oherwydd hynny, nid oedd awyrgylch wrth-Gymreig i'w deimlo o gwbl...ac ni chafwyd yn fy amser i'r cythrwfwl digon teg a gafwyd yn ddiweddarach i sicrhau ei phriod le i'r Gymraeg.

Ar Draws ac ar Hyd, 50-51

443

Peth onglog yw'r Gymraeg i mi, nid peth llyfn. Mae hi fel petae yn greigiog ac wrth ei llefaru rhaid pwyso ar y rhannau sy'n eu taflu eu hunain allan er mwyn ffurfio geiriau'n dlws.

112

444

Mae gennym i gyd gymaint o eiriau sydd yn eiriau goddefol inni. Er na fyddwn yn eu defnyddio efallai, deallwn eu hystyr yn syth o'u clywed mewn pregeth, er enghraifft. Os na chawn ddramâu sydd yn gweithio ar yr egwyddor bod yn rhaid defnyddio'r geiriau goddefol, byddwn yn colli cyfoeth yr iaith Gymraeg.

114

445

Er bod rhai yn amheus ac ymddiheurol, nid oes, yn wir, angen cyfiawnhau cyfieithu dramâu na dim arall i Gymraeg...Geill cyfieithiad fod yn waith creadigol ynddo'i hun i gyfoethogi llenyddiaeth ein gwlad. Pwy bellach sy'n meddwl am *Yr Ymarfer o Dduwioldeb* neu *Perl mewn Adfyd* fel cyfieithiadau?...Pa obaith fyddai gan y rhan fwyaf ohonom i wybod dim am Chekov, Ibsen...a Beckett heb fod wedi darllen cyfieithiadau o'u gwaith i Saesneg?...Dylem ninnau yng Nghymru ymhyfrydu mewn cael gweithiau'r meistri yn ein hiaith ein hunain.

Pethe Brau (1963) (cyf. Emyr Edwards o Tennessee Williams, *The Glass Menagerie*), Rhagair.

446

Mae'n hen bryd i'r dydd wawrio pan fydd siarad Cymraeg nid yn rhywbeth i ymorchestu ynddo nac i ymfalchïo'n herfeiddiol ynddo—gwastraff ynni yw hynny—ond yn rhan mor naturiol o'n cyfansoddiad ni fel cenedl fel y gallwn ei wneud mor ddifeddwl a diarwybod, a'i gael mor angenrheidiol i'n cadw'n fyw, â chymryd anadl. [O lwyfan Eisteddfod y Fflint, 1969]

Yr Eurgrawn (Gwanwyn 1971), 38

447

Dagrau pethau yng Nghymru yw fod yma gymaint o bobl mor gibddall nes bod gofyn eu darbwyllo y gellir bod mor ddiwylliedig ar ôl astudio Cymraeg fel pwnc ag ar ôl astudio unrhyw iaith arall dan haul.

Ysgrifau Beirniadol (gol. J. E. Caerwyn Williams) II, 12.

JONES, Y Parchedig JOHN GWILYM
448

Fe ddywedir gan y di-Gymraeg mor anodd yw hi iddynt ddysgu'r iaitth am eu bod yn teimlo'r fath swildod o wneud eu camgymeriadau mewn cwmni. Profiad rhai rhieni ifanc sy'n ceisio dysgu'r iaith yw eu bod yn ei chael hi'n haws o lawer ei dysgu hi gyda'r plant. Maent hwythau eu hunain yn tyfu i mewn iddi heb yr embaras.

Cristion, Medi/Hydref 1993, 20

JONES, JOHN LEWIS (1913-2008)
449

Er y Ffin, nid un ar ffo
Yw'r heniaith, sicr yw honno.
Trwy sianel ein harddeliad
Mae i'r Gymraeg ei mawrhad,
Mae'n iaith fyw at bob rhyw raid,
Deil ein hanadl a'n henaid.

Rhestr Testunau Eisteddfod Genedlaethol Bro Delyn (1991), 12

JONES, Syr JOHN MORRIS, gw. **MORRIS-JONES**, Syr JOHN

JONES, Y Parchedig JOHN PULESTON (1862-1925)
450

Nid...Cymraeg cwbl lân oddi wrth eiriau Saesneg a feddylir wrth Gymraeg Cymreig. Ystyrir gan rai mai trosedd dybryd yn erbyn purdeb ein hen iaith yw gollwng gair o Saesneg i mewn iddi. Ceir cymdeithasau gwleidyddol a llenyddol a osodant ddirwy drom ar eu haelodau am ddifwyno'u haraith â geiriau tramor. Ond cam ag ystwythder y Gymraeg ydyw rhoi arni unrhyw gaeth-reol fel hon. Pa niwed iddi hithau, yr un fath ag ieithoedd eraill, fenthyca gair neu ddeunydd gair oddi ar ei chymdoges? Benthycodd lawer amser a fu oddi ar y Lladin, a mwy nag y mae neb braidd yn ei feddwl oddi ar y Saesneg hefyd; canys y mae rhai o'r geiriau dieithr a gyfrifwn ni yn rhai diweddar, mewn gwirionedd, lawer ohonynt, wedi hen gartrefu yn yr iaith.

Y Geninen, viii (1890), 89

451
Caledu ac nid gwella'r iaith fyddai gomedd iddi y rhyddid i fenthyca a fu ganddi erioed.
89

452
Arfer gwlad, yn ei llên, ac yn bennaf dim yn ei llafar, a ddylai benderfynu pa beth sydd yn Gymraeg da. Ni chynnwys hyn y dylai yr iaith fod yn llac a llipa...ond bod yn ystwyth, hywaith, i ddatgan aml i arlliw o wahaniaeth ystyr na allai Cymraeg gosod y gramadegwyr ddangos mohono.
90

453

Gwaith yn gofyn llawer o dringarwch ydyw ychwanegu at yr iaith Gymraeg. Geill hithau gymeryd dieithr bethau i mewn; eithr yn araf y gwna hi hynny. Y mae hi, o'i chymharu â'r Saesneg, fel dinas wedi ei chydgysylltu ynddi ei hun, ac felly yn gymharol anodd helaethu ei therfynau heb ddifwyno ei magwyrydd. Diau y dylid helaethu ei therfynau. Disgwyl yr ydys y bydd hi'n union deg yn iaith gwyddor a chelf, fel y mae yn awr yn iaith barddas.

92

454

Gellir cyfaddasu y Gymraeg at ddiweddaraf ddull y byd, heb iddi golli dim o'i nodwedd gynhenid ei hun. Oes y byd iddi! Ie; ond byddai yn well gennyf i iddi hi farw na llurgunio byw wedi mynd yn rhywbeth annhebyg iddi hi ei hun.

93

455

Ymddengys fod yr hen Gymry...yn hoff o eiriau cryfion cryfion...Eithr y mae yr hyn sydd yn anair i'r genedl yn glod i'r iaith. Canys beth yw y gallu hwn i gofnodi ebychion ond un enghraifft fechan o allu'r Gymraeg i fynegi teimlad. Dyma sy'n ei gwneud yn iaith y prydydd. Dyma sy'n ei gwneud yn iaith hiraeth a dyhead crefyddol, nes bod rhai a ollyngsant eu gafael ohoni at bob amcan arall, yn ei dewis hi o hyd yn iaith i addoli ynddi. Nid peth dieithr yw cael aml un wedi colli ei Gymraeg o fewn dim...yn dal i werthfawrogi pregeth Gymraeg o hyd...Mae fod rhai fel hyn yn profi... fod rhyw allu areithyddol yn yr hen iaith na

fedd yr ieithoedd nesaf ati hi fawr iawn ohono.

Y Geninen, ix (1891), 250

456

Pan oedd ef [Syr Owen Edwards] yn ifanc, yr oedd hi'n dymor, chwedl Emrys ap Iwan, o ailddechrau Cymraeg, ac Edwards a wnaeth fwyaf i wneuthur y Gymraeg newydd yn ffasiwn. Yr oedd y peth a wawdid gynt fel Cymraeg plwy, Cymraeg Rhydychen, Cymraeg Llafar Gwlad, yn bod ar hyd yr amser. Cadwesid y traddodiad amdano'n fyw yng nghanol y bedwaredd ganrif ar bymtheg—cyfnod sych, diffrwyth ar yr iaith Gymraeg—gan Nicander a John Mills; a chyhoeddasid anathema gan Lewis Edwards ar y Cymraeg gosod a ddygasid i mewn dan ddylanwad Pughe a Gwallter Mechain. Ond rywsut fe ddaliai pobl i 'sgrifennu Cymraeg gosod, Cymraeg gwahanol i'r hyn a siaradent, er gwaethaf yr holl gondemnio oedd arno...Owen Edwards a wnaeth fwyaf i greu'r ffasiwn sydd ar Gymraeg heddiw.

Ysgrifau Puleston (gol. R. W. Jones), 47-48

457

Ond er bod llawer, hen yn ogystal ag ifanc, yn gweld gwrthuni'r Cymraeg gosod, Owen Edwards a wnaeth fwyaf i'w ladd ef. O ganlyniad, daeth ysgrifennu Cymraeg o fod yn grefft gudd i'r ychydig, yn waith rhwydd i'r lliaws.

49

458

Ffrwyth cyntaf addysg uwchraddol i ferched yng Nghymru oedd peri na

fyddai'r un ferch braidd byth yn ysgrifennu llythyr Cymraeg os medrai hi 'sgrifennu Saesneg. Dyna'r fel y byddai hi, yn bendifaddau, rhwng 1870 ac 1890. Heddiw chwi gewch gystal llythyr Cymraeg gan ferch â chan fab; a pho orau addysg y ferch, gorau oll fydd ei Chymraeg.
49

459
Ac yng *Ngheninen* Gorffennaf [1920] y mae araith o waith...Llew Tegid. Baich honno yw bod yr ymdrech i wneuthur trefn ar yr iaith Gymraeg wedi peri i lawer betruso ysgrifennu Cymraeg, gan nas gwyddant pa le y maent.
53

460
Y mae'r rhagor rhwng Cymraeg papur newydd yn 1920 a Chymraeg papur newydd yn 1880 fel bywyd o feirw.
54

461
Ond am ŵr o safle Syr Owen Edwards...yr oedd ei oes gymharol fer wedi gwneuthur llawer iawn at weddnewid llenyddiaeth ei genedl, ac wedi estyn oes yr iaith Gymraeg. Gosododd Gymraeg a chynddelwau Cymreig ar dir yn yr ysgolion nas cilir mwy yn ôl ohono.
56-57
Gw. hefyd **JONES**, R. W.

JONES, J. R. (1911-70)
462
Tasg y Gymraeg yn nyddiau'r diwygiadau crefyddol fu'r dasg o achub y Cymry *fel unigolion* i gadwedigaeth yr enaid. Ei hunig dasg arbennig bosibl bellach yw'r

dasg ffurfiannol o achub y Cymry *fel Pobl* i gadwedigaeth eu gwahanrwydd.
A Raid i'r Iaith ein Gwahanu? (1967), 16

463
[Y] neges a gynigiaf fi yw fod yna dasg benodol ac analiwnedig i'r Gymraeg yn ail hanner yr ugeinfed ganrif—tasg na fedr dim arall drwy'r hollfyd ei chyflawni—sef y dasg ffurfiannol o fod *yr unig foddion i achub gwahanrwydd y Bobl Gymreig rhag difancoll.*
16

464
O ddechrau adfer parch tuag at y Gymraeg...ar y gwastad ffurfiannol yn unig i gychwyn, y mae gobaith ennill dynion i'w hadfeddiannu'n 'weithredol' wedyn, sef i'w dysgu o'r newydd, neu o leiaf i wneud yn siŵr drwy'r tew a'r tenau fod eu plant yn ei medru. Adennill cariad tuag ati, nid am fod ynddi obaith elw—bydol neu addysgiadol—ond am na fedr Pobl a ymglywodd â balchder eu gwahanrwydd beidio â chael eu meddiannu gan ryferthwy o barch tuag at yr iaith honno a *ddug eu ffurfiant gwahanol hwy i fodolaeth.*
17

465
Y mae'r iaith Gymraeg bellach—yn oes y cyfryngau torfol—mewn brwydr am ei heinioes ar y ffrynt diwylliannol—brwydr â'r cenllif o ddylanwadau diwylliannol estron sy'n gorlifo ei throedle...Ynghanol y frwydr hon heddiw y mae'r iaith Gymraeg ac y mae ei gobaith i'w hennill yn amlwg yn y fantol. Eithr yn ei brwydr greulon hon—am ddim llai na'r gobaith i

bara mewn bod—y mae cloffrwym ofnadwy wedi ei osod arni: hen gloffrwym eithr bod iddo bellach golyn newydd am ei fod yn cloffrwymo'r iaith yn union awr ei brwydr am ei bywyd. A hwnnw yw cloffrwym ei diffyg 'statws swyddogol'. Yn gyfansoddiadol, a siarad yn gwbl fanwl, 'dyw'r Gymraeg ddim yn *bod.*

20

466

Nid yn unig y mae treftadaeth y Gymraeg dan draed y gelyn, y mae caredigion ac ymladdwyr brwydr y Gymraeg hefyd dan bob math o gabledd a chloffrwym. Cânt eu helcyd a'u goganu ar bob llaw—y maent yn rhamantwyr anghyfrifol, peryglus, yn deyrnfradwyr ac yn bleidwyr culni a chroesineb ac anundeb, yn ffasgiaid ac yn chwerwon, yn blwyfol, yn ffoi i'r gorffennol ac yn elynion cynnydd a moderniaeth, ac—uwchlaw'r cwbl oll— yn wrth-Gristnogol, yn elynion y pwyslais Cristnogol ar gyffredinoliaeth a brawdoliaeth dyn. Yr ydym yn wir yn rhwym ac yn wrthodedig mewn mwy nag un math o garchardy.

25-26

467

Y mae Tudur Aled, wrth resynu at drallodion y Cymry, yn rhyw daflu ei bod hi fel petai Duw wedi penderfynu ein difetha. Ond sylwch sut y mae'n geirio ei gwestiwn: 'Ai difa'r iaith yw dy fryd?' 'Difa'r iaith'—dyna i chwi enghraifft o Gymro, yn nydd nerth ein hathrylith, yn ei chael hi'n naturiol i *uniaethu* Pobl â'u hiaith.

Ac Onide (1970), 166

468

Ond rŵan, yn dra gwahanol i hyn bellach y mae trwch y Cymry yn synio am eu perthynas â'r iaith Gymraeg. Yn y darlun ohoni yn eu meddwl, y mae hi wedi ei theneuo allan o'r berthynas drwchus, dufewnol hon â bodolaeth eu gwahanrwydd a'i throi yn ddim mwy nag *atodiad* iddo—crair a weddilliwyd gan ein hen hanes nad oes iddi gysylltiad â pharhad yr endid 'Wales' ac a fedrai, gan hynny, ddiflannu heb yrru'r genedl allan o fod.

Beth a barodd deneuo, ac aliwneiddio, arwyddocâd yr iaith fel hyn? Yn fy marn i, yr hyn a elwais yn 'brydeiniaeth' meddwl y Cymro...Nid cyflwr real, ond cyflyriad ar feddwl, yw hwn.

167

469

Ac oblegid ein cyflyru fel hyn...Aeth y *Saesneg* o reidrwydd felly yn iaith ein 'byd' a darostyngwyd y Gymraeg i fod yn ddim ond math o odrwydd rhanbarthol y llwyddodd rhyw weddill gwledig ohonom i'w chadw, ond a gollwyd gan y mwyafrif mawr, ac sydd, i bob pwrpas, yn hepgoradwy gan bawb.

168

470

Sut na ryfeddem ni fwy...fod arwyddocâd ein priod iaith wedi mynd fel hyn yn beth mor denau a thila yn ein golwg? Arwydd ein bod yn glaf yw y dichon nad ymddengys hyn *i ni'n hunain* yn beth od o gwbl. Ond gan ein bod ni'n Bobl ac nad yr un Bobl mohonom â'r Saeson, y mae ein annheyrngarwch dirmygedig hwn i'n hiaith yn medru taro estron fel peth cwbl wrthun ac annaturiol...Sut na chaem *ni* ein taro'n debyg? Yr union ffaith na chawn ni mo'n taro yw mesur yr anrhaith a wnaed ar ein cof. Methwn â gweld y gwyrdroad a barwyd ynom oblegid ein socian am bedair canrif yn amwysedd Prydeindod.

168-69

471

Nid oes inni fodolaeth fel priod Bobl— Pobl ag iddynt enw a hunaniaeth a fu'n hawl a braint briod iddynt hwy eu hunain dros yr oesoedd—ond drwy gydymdreiddiad ein preswylfod, sef 'y cornelyn hwn o'r ddaear', â'r iaith Gymraeg.

170

472

A sut dichon fod y 'cof Cymreig'...gan y neb a gollodd y Gymraeg? Hi yw cof y Cymry. Nid cyfrwng cyfathrebu yn unig mo iaith...Y mae hi hefyd yn gyfrwng cronni gwin y gorffennol a'i drosglwyddo i'r cenedlaethau a ddêl.

170

473

Dim ond gelynion yr iaith—Cymry wedi ei cholli hi eu hunain ac yn dirgel ddymuno ei thranc—a fedr *ystyried* posibilrwydd cadw'r 'meddwl Cymraeg' a'r iaith ei hun wedi diflannu.

171

474

Mi ddywedwn i mai dynion, nid Duw ac nid 'hanes', a wnaeth Gymru'n ddwyieithog. Ni wna hanes ond adrodd stori cywilyddiad a chlafychiad yr iaith

Gymraeg. *Dynion* a ewyllysiodd ei thranc. A pha ddynion? Diau i'r Cymry eu hunain gydsynio'n slafaidd i'w darostyngiad, ac i Gymry a'i collodd droi, mewn llawer achos bellach, yn elynion iddi. Ond daeth yr ymosodiad arni—y *dreif* ymosodol i'w mwydo hi allan o fod oddi wrth Loegr a Llywodraeth Loegr. Nid fod y dreif yn un echblyg a bwriadus, wrth gwrs. Camystumio hanes fyddai honni hynny.

171-72

475

A chaniatáu fod treiglad amser, ffurfiad arferion, datblygiadau economaidd a phwysau amgylchiadau yn gyffredinol wedi prysuro clafychiad y Gymraeg, yn rhywle yng nghraidd yr holl fusnes yr oedd yna *ewyllys* ar waith. Fe ewyllysiwyd dilead ein gwahanrwydd gan y pŵer a drawsgipiodd ein sofraniaeth.

172

476

Y gwir yw fod y Gymraeg, naill ai'n *waeth na diwerth* i chwi, *neu* yn iaith gwneuthuriad eich gwahanrwydd ac...yn werthfawrocach, felly, yn eich golwg nag unrhyw iaith arall yn y byd.

175

477

Fedrwn ni ddim eistedd yn ôl *fel Pobl* a holi yn hunanfoddhaus tybed na fyddai ddim o 'werth', neu o 'fudd', i *ni* gadw'n hiaith. Pe diflannai'r Gymraeg oddi ar wyneb y ddaear, fyddai yna ddim 'ni'.

Gwaedd yng Nghymru (1970), 21

478

Pa mor bell bynnag yw'r cri oddi yma'n awr i Gilmeri yn 1282, dyma un linc ddidor o'n gorffennol hwnnw sy'n fyw ar ein gwefusau ni heddiw. Pa ryfedd i'r concwerwr wneud y fath ymdrech i fwydo'n hiaith ni allan o fod!...Canys pa mor fawr bynnag ei thrueni a'i gwaradwydd—ie ymysg ei phlant ei hun—hi yw'r iaith y mae inni drwyddi yr unig hunaniaeth a feddwn ni fel Pobl wahanol.

53

479

Y gwir yw na chadwodd yr un Bobl erioed mo'u hiaith *yn unig am ei bod hi'n gaffaeliad 'gwerth ei gadw'*... Dim ond y balchder hwnnw ynddi a gyfyd o ymglywed â'i pherthynas dufewnol â'n hunaniaeth ac, felly, â'n *bodolaeth* fel Pobl, a fedr esgor ar gymhelliad digonol i gadw'r iaith Gymraeg. Canys dan ddreif y cymhelliad hwn...ei chadw'n fyw y byddwn am ein bod ni *wedi penderfynu ein cadw ein hunain yn fyw*—am fod ein gwahanrwydd oesol o'r diwedd wedi magu ewyllys i barhau.

71-72

480

Bellach mewn ardal ar ôl ardal yng Nghymru, fel y digwyddodd yng Nghernyw, nid erys yn iaith y tir ond enwau'r lleoedd.

Prydeindod (1976), 14

JONES, J. T.
481

Bu protestio yn ddiweddar yn erbyn cyfieithu, yn enwedig cyfieithu o'r Saesneg. Mae'r mwyafrif o Gymry, meddir, yn abl i ddarllen gweithiau Saesneg yn yr iaith wreiddiol; ac ni ellir cefnogi cyfieithu heb ar yr un pryd anghefnogi cyfansoddi Cymraeg gwreiddiol. Carwn innau awgrymu mai hanner-gwirioneddau yw'r gosodiadau hyn, a bod hanner-gwirioneddau bob amser yn niweidiol.

Cyfansoddiadau...Eisteddfod Genedlaethol Cymru, Aberdâr (1956), 146

JONES, MICHAEL D. (1822-98)
482

Y Cymry eu hunain sydd o'u gwirfodd yn gollwng y Saesneg i fewn, ac yn gwneud egni i droi y Gymraeg allan o'n teuluoedd, o'n capeli, o'n masnach, ac yn llwfr oddef i Saeson i'w throi o'n llysoedd cyfreithiol. Mae at ewyllys y Cymry eu hunain i'r Gymraeg farw neu fyw; ac os lleddir hi, arnynt hwy eu hunain y bydd y bai. Gofaled pob Cymro am gadw ei iaith ar yr aelwyd, yn iaith ei addoldy, ac yn iaith ei fasnach, hi a fydd byw...Fe'n perchir yn llawer mwy gan Saeson drwy i ni sefyll yn deg a gwrol dros ein hiawnderau.

Y Geninen, ix (1891), 246

JONES, MORGAN D.
483

Y trefniant yn y mwyafrif o eglwysi yw rhyw gymysgedd di-lun o Gymraeg a Saesneg gyda'r olaf yn raddol ennill tir... Mae'r dryswch ieithyddol yn cael ei gymhlethu ymhellach gan y ffaith y gellir cael yn yr un gynulleidfa, gnewyllyn bychan sy'n hyddysg yn yr iaith lenyddol, safonol, nifer mwy sy'n siarad y dafodiaith leol, a'r gweddill sydd heb feddu mwy na gwybodaeth elfennol iawn o'r iaith.

Cristion, Mawrth/Ebrill 1990, 17

484

Mae safle'r Gymraeg yn cael ei erydu ymhellach...oherwydd bod tuedd anffodus ymhlith rhai o'r Cymry Cymraeg i siarad Saesneg â'i gilydd, a'u bod trwy hynny yn creu awyrgylch Seisnig, gan esgeuluso eu dyletswydd i roi esiampl a chymhelliad i'r rhai sy'n awyddus i ddysgu Cymraeg.

17

485

Mae'r dimensiwn ysbrydol sydd mewn oedfa yn gwneud problem dwyieithrwydd yn un fwy difrifol nag mewn cylchoedd seciwlar, canys wrth fethu dilyn y gwasanaeth yn llawn oherwydd prinder eu gwybodaeth o'r Gymraeg, mae rhan o'r gynulleidfa yn rhwym o golli dogn helaeth o'u maeth ysbrydol.

17

486

Gyda'r Gymraeg yn graddol adennill ei bri y dyddiau hyn ym mywyd y genedl ac yn dechrau hawlio ei lle mewn cylchoedd ehangach, onid teg yw disgwyl i'r sawl sydd yn flaenllaw ym myd hollbwysig crefydd wneud ymdrech lewach i'w meistroli a'i harddel? Teg yw cofnodi ar yr un pryd y gwelir ymdrech ganmoladwy ar ran rhai o offeiriaid ieuainc yr Eglwys yng Nghymru a'r Eglwys Babyddol (Saeson a Gwyddelod yn eu plith) i unioni'r cam.

18

487

Erbyn heddiw fe gollodd enwadaeth lawer o'i grym...onid buddiol fyddai i eglwysi ystyried uno ar dir iaith?

Byddai llawer mwy o urddas a bri ar y Gymraeg o dan drefniant felly nag wrth raddol golli'r dydd o dan amodau niweidiol dwyieithrwydd.

18

488

Da o beth fyddai gweld y Cymry Cymraeg yn ein heglwysi'n ymhyfrydu mwy yn eu hiaith a'u treftadaeth, a'r di-Gymraeg hwythau'n ymroi'n ddycnach i ddysgu'r iaith er mwyn cyfoethogi eu bywyd diwylliannol ac ysbrydol.

18

489

Trwy ei ymchwiliadau dyfal i gyfoeth adnoddau'r iaith Gymraeg a'i llenyddiaeth, a'i ofal cywir dros sicrhau ei pharhad, gellir ei restru [Gruffudd Hiraethog] yn uchel ymhlith prif gymwynaswyr iaith a diwylliant ei genedl.

Cymwynaswyr y Gymraeg (1978), 13-14

490

O'r adfywiad llenyddol yn amser Dafydd ap Gwilym hyd Tudur Aled (m. 1526)...cadwodd yr iaith Gymraeg ei lle fel iaith y bendefigaeth. Ond wedi i Harri Tudur esgyn i orsedd Lloegr dechreuodd yr hen ddiwylliant Cymraeg ddirywio, gan i lawer o arweinwyr y genedl Gymreig droi cefn ar eu hetifeddiaeth genedlaethol er mwyn ennill ffafr yn llysoedd y brenin. Erbyn diwedd yr unfed ganrif ar bymtheg yr oedd argoelion cryfion fod gwybodaeth o'r iaith a phob diddordeb ynddi fel cyfrwng mynegiant yn prysur ddiflannu. Yn wir, ceir amryw o ysgrifenwyr Cymraeg y cyfnod hwn yn datgan eu gofid ynglŷn â chyflwr gresynus yr iaith... ac yn darogan ei thranc, oni wneid rhywbeth ar unwaith i'w hachub.

15

491

Cymwynas fawr Williams Pantycelyn ag iaith Barddoniaeth a thrwy hynny â'r Gymraeg ei hun fel cyfrwng mynegiant oedd iddo ei hystwytho a'i rhyddhau o hualau'r hen ddulliau traddodiadol. Wrth wneud hyn arloesodd a rhwyddhaodd y ffordd i ysgrifenwyr Cymraeg ar ei ôl, yn feirdd, yn nofelwyr, ac yn ddramodwyr. Ni bu'r iaith Gymraeg byth yr un peth ar ôl bod trwy ei ddwylo ef. Rhoes iddi egni a hyder, ynghyd â disgyblaeth a phrofiad newydd i wynebu unrhyw ofynion a wneid arni...

Yn y rhwymyn annatod a rhiniol hwnnw sy'n clymu crefydd ac iaith mae i'w emynau ef le pwysig ac arbennig, a phan beidier â chanu emynau Williams Pantycelyn odid na fydd yr iaith Gymraeg hithau ddim yn hir cyn diflannu oddi ar wefusau cenedl y Cymry.

76-77

492

Mynnodd Twm o'r Nant ddefnyddio'r Gymraeg yn ei dillad gwaith megis, gan ei chyfoethogi a'i grymuso â'i ddoniau llenyddol diamheuol ei hun, a'i gwneud yn erfyn miniog a gloyw yn llaw gwerin gwlad.

82

493

Y mae cyfraniad Thomas Gee fel cyhoeddwr a newyddiadurwr i fywyd Cymru yn y bedwaredd ganrif ar bymtheg yn un pwysig a sylweddol iawn...Erbyn 1854 yr oedd Gee wedi dechrau ar antur enfawr, sef cyhoeddi'r *Gwyddoniadur Cymreig*...Wrth gael rhai i ysgrifennu ar bob math o bynciau trwy gyfrwng y Gymraeg, bu Thomas Gee yn gymorth i ehangu gorwelion yr iaith Gymraeg a hithau'n cael ei defnyddio a'i haddasu i gyfarfod â gofynion pob math o wybodaeth.

101-02

JONES, ROBERT AMBROSE ('Emrys ap Iwan'; 1848-1906)
494

Yn wir, nid oes gan y Cymry mwyach ddim y gallant ymffrostio ynddo yn arbennig, heblaw eu hiaith; ac wele! y maent trwy ddirfawr draul a thrafferth, yn cynorthwyo eu darostyngwyr i ddileu honno... Ys anodd dirnad paham yr ymddiriedodd Rhagluniaeth iaith mor farddonol ac athronyddol i bobl ag y mae cynifer ohonynt yn rhy bŵl i weled ei gwerth.

Cofiant (1912), 139

495

Y sarhad o beidio â bod yn genedl a fyddai y sarhad mawr; colli'n hiaith a fyddai yn golled erchyll. A'i cholli yn ddiau a wnawn ni rywbryd, os na wnawn ymdrech fwy effeithiol i'w chadw nag a wnaethom hyd yn hyn; ac unwaith y coller iaith, hi a fydd 'fel dwfr a dywelltir ar y ddaear, yr hwn ni ellir ei gasglu i fyny mwy'.

215

496

Gan mai pobl anaml ydym, yn preswylio parth bychan o Ynys Prydain, ni allwn argyhoeddi estroniaid ein bod yn ddim amgen na Saeson heb eu llwyr wareiddio os na bydd gennym iaith wahanol. I ni, y Gymraeg yw'r unig wrthglawdd rhyngom a diddymdra, ac y mae'r sawl a dorro'r gwrthglawdd hwnnw, trwy barablu iaith ein gorchfygwyr heb raid nac achos, yn euog o ddibristod sy'n dangos eu bod wedi colli pob parch iddynt eu hunain.

Erthyglau...(casglwyd gan D.M.Lloyd), I (1937), 23-24

497

Y mae tynged yr iaith Gymraeg yn dibynnu ar ewyllys y Cymry eu hunain. Ni ddywedaf y byddai marw crefydd Cymru ym marwolaeth y Gymraeg, er y credaf y derbyniai ergyd arw. Ond credaf yn sicr y derfydd am Fethodistiaeth o Gymru pan ddarfyddo am y Gymraeg.

59

498

Os ydynt [Saeson] yn dyfod atom i fyw, boed iddynt eu cyfaddasu eu hunain atom...Dysgwch eu hiaith hwynt, ond nid er mwyn hepgor iddynt hwy'r drafferth i ddysgu eich iaith chwi. Dangoswch iddynt fod gennych iaith gwerth ei dysgu, ac iaith y mae'n rhaid iddynt ei dysgu cyn cael mwynhau eich rhagorfreintiau crefyddol, ac oni bydd eu hathrawon yn anfedrus iawn...gallant cyn pen blwyddyn ddeall a darllen Cymraeg yn rhwydd.

60-61

499

Daliwch yn awr ar hyn—o holl hen bethau Cymru, y rhyfeddaf a'r gwerthfawrocaf yw iaith Cymru.

74-75

500

Nid adeilad o goed a cherrig difywyd a fynnai'r rhai hyn [Fandaliaid] ei ddistrywio, ond adeilad o eiriau byw, prydferth—adeilad a wnaed nid gan ddyn, ond gan genedl, ac nid yn gyfan gwbl gan genedl, eithr gan Dduw. Pan oedd Lloegr yn rhoddi ei holl nerth allan i lethu'r Gymraeg, glynodd eich hynafiaid wrthi'n gyndyn. Ond yn awr, gyda bod dysgedigion y Cyfandir wedi agoryd eu llygaid ar ei rhagoriaethau, dyma chwithau yn eich tro yn ceisio'i bwrw oddi wrthych.

77

501

Yn fy marn i, ni all un cyfieithiad, pa mor dda bynnag, fod yn gyfieithiad clasurol, os na bydd o'n gyfieithiad o *waith* clasurol; am hynny nid wyf yn cyfrif y *Llwybr Hyffordd*, o gyfieithiad Robert Llwyd o'r Waen, a'r *Ymarfer o Dduwioldeb*, o gyfieithiad Rowland Fychan o Gaer Gai, yn gyfieithiadau clasurol.

II (1939), 30-31

502

Y mae'n hawdd gweled wrth bob peth a sgrifennodd Stephen Hughes ei fod yn credu y dylai iaith llyfr fod yn debycach i iaith lafar.

40

503

Fel rheol, Cymry tlawd eu meddwl sy'n cael y Gymraeg yn dlawd. Odid byth y bydd eisiau gair nac ymadrodd ar y neb a astudiodd yr iaith yn ddigon da i allu meddwl ynddi. I'r meddyliwr manwl, cyfoeth y Gymraeg ac nid ei thlodi sy'n peri anhawster. 'Pa air a ddewisaf?' ac nid 'Pa air a gaf?' yw ei waedd ef.

57-58

504

Pe troid yr ysgolion elfennol a wnaed i Seisnigo plant y Cymry yn ysgolion i'w diwyllio, sef yw hynny, pe dysgid hwy'n gyntaf dim i ymberffeithio mewn iaith anodd a chywrain fel y Gymraeg, a phe dysgid Saesneg iddynt trwy'r Gymraeg, fe allai ysgolion Cymru fod o ran dull ac effeithioldeb eu haddysg yn fath o athrofeydd bychain na byddai mo'u rhagorach mewn un wlad.

47-48

505

Rhaid addef bod Cymraeg llyfr, pa mor dda bynnag y bo, yn anodd i'w ddarllen, am ei fod gymaint mwy clogyrnog na Chymraeg llafar.

64

506

Y mae llawer un yn rhoi achos i estroniaid feddwl bod y Gymraeg yn iaith arw oherwydd ei fod yn pwyso gormod ar lythrennau cras. Yn wir, y mae clywed ambell Gymro yn rhochian yr *ch* yr un fath yn union â chlywed un o Wyddelod Conamara yn chwyrnu yn ei gwsg.

66

507

`Iaith ystwyth yn hytrach na manwl a geir yn y Beibl, ac iaith felly a geir yn *Nrych y Prif Oesoedd*. Morgan Llwyd, neu'n hytrach Elis Wynn, oedd y cyntaf a wnaeth iaith fanylach y bobl yn iaith lenorol, ac a seiliodd ystwythder ar fanylder. Y mae ei iairh ef, er yn llai swynol nag iaith hynafol y *Drych*, yn fwy buddiol i bob perwyl.

70

JONES, R. BRINLEY

508

Rapidly increasing facilities for transport and communications, tourism, radio, television, cinema, English books, papers, periodicals, education, afforestation, management, evacuation, military service, the decline of the chapel, mixed marriages—all these conditions have not been without their effect on the language.

The Welsh Language Today (ed. Meic Stephens, 1973), 28

Cynnydd cyflym mewn cyfleusterau teithio a chyfathrebu, twristiaeth, radio, teledu, y sinema, llyfrau, papurau, cyfnodolion Saesneg, addysg, coedwigaeth, rheolaeth, diboblogi, gwasanaeth milwrol, dirywiad y capel, priodasau cymysg—ni fu'r rhain i gyd heb eu heffaith ar yr iaith.

509

Gallai'r cyfnewidiadau gwleidyddol, cymdeithasol, a chrefyddol fod wedi gwneud hafog â'r iaith Gymraeg. Coron yr hafog fyddai Deddf 1536...Nid dyma'r tro cyntaf i'r Gymraeg fod mewn perygl, ond yn y gorffennol yr oedd y beirdd wedi diogelu canonau'r iaith...Eisoes yr oedd y traddodiad barddol yn pylu a ffasiynau newydd Ewrob yn herio'r dulliau traddodiadol. At hyn yr oedd y Dadeni Dysg a'r Diwygiad Protestannaidd yn cynnig lledaenu gorwelion darpar ddarllenwyr.

Ysgrifau Beirniadol (gol. J. E. Caerwyn Williams), VIII, 50-51

510

Ffordd arall o gyfoethogi'r iaith oedd ennill bri iddi y tu allan i Gymru; dyna paham y cyfansoddodd Siôn Dafydd Rhys ei Ramadeg yn Lladin er mwyn dangos 'perpheithrwydd ac odidawgrwydd eych Hiaith chwi a'ch petheu i olwc holl Europa mywn iaith gyphredin i bawb.'

55-56

511

Y mae traethawd anghyhoeddedig William Salesbury...a'r adrannau ar Rethreg yn llyfrau gramadeg Gruffydd Robert, Simwnt Fychan, Wiliam Cynwal, Siôn Dafydd Rhys, Tomas Prys a John Davies yn dangos yn eglur gymaint oedd ffydd y cyfnod mewn Rhethreg fel modd i gyfoethogi'r iaith.

57

512

Daeth *A Briefe and a Playne Introduction* William Salesbury yn 1550 (yr ymdriniaeth seinegol gyntaf o'r iaith).

57

513

Ystwythder yr iaith yn y cyfnod, y ddawn a'r gallu i dderbyn neu wrthod yw cyfrinach ei bywyd yn yr unfed ganrif ar bymtheg. Nid iaith farw ydoedd ond iaith â gwaed

yn rhedeg drwyddi...Peth organig sydd yn derbyn ac yn gwrthod, a hawl ac awydd i fyw. Peth felly oedd yr iaith Gymraeg erbyn dechrau'r ail ganrif ar bymtheg.

69

JONES, R. E. ('Glan Ednant', Llanbrynmair)

514

Pan eloch i ffwrdd oddi cartref
  I rywle na wyddoch i b'le,
Siaradwch hen iaith eich cyndadau,
  Ni chlywir ei gwell tan y ne';
Oblegid mae'n well gan y Saeson
  Eich clywed yn siarad Cymraeg—
'Does dim â yn fwy at eu calon
  Na'ch clywed yn mwydro eu haeg:
Siaradwch Gymraeg, siaradwch Gymraeg,
'Does iaith ar y ddaear mor goeth â'r
  Gymraeg.
Blodau'r Gwanwyn (1876), 30

JONES, R. GWMRYN

515

Fe fu Cymraeg, iaith Cymru fad,
  Am lawer canrif faith,
Yn hedyn mwstard eiddil gwan,
  Y lleiaf o bob iaith:
Ond deffro wnaeth ei dewrion feib
  I godi'r wlad yn ôl;
A'r hen Gymraeg fu'n hir dan draed
  Godasant yn eu côl.
Blodau'r Gwanwyn (Aberystwyth, 1900; dyf. *Y Casglwr*, Gaeaf 2004, t. 2)

JONES, ROBERT MAYNARD (**Bobi Jones**; 1929-)

516

Mae'r natur driphlyg hon sydd i arwyddocâd yr iaith [dadansoddiad o fodolaeth, cyfrwng cyfathrebu, symbol cenedlaethol] wedi esgor ar gymhellion gwahanol i bobl wrth ei dysgu hi...(1) yr awydd syml i ddysgu iaith fel y cyfryw...(2) yr awydd i gymdeithasu...(3) yr awydd i fod yn Gymro neu Gymraes.

Barn, Rhif 276, Ionawr 1986, 16

517

Hoff gennyf i...yw synied am y cymhelliad o *ymladd yn erbyn marwolaeth* fel rhan bwysig...o'r dasg o atgyfodi'r iaith genedlaethol. I mi rhan ganolog o'r hwyl o ymroi i hybu'r iaith Gymraeg yw ein bod yn ymdrechu o blaid bywyd...yn y bôn, *bywyd* daearol yn ei lawnder yw'r hyn sy'n cyffwrdd â'r iaith pryd bynnag y dymunir ei hadnewyddu.

16-17

518

Rydw i'n dal i gredu mai'r unig ffordd i atgyfodi'r iaith yw yn gyntaf oll trwy sefydlu ymgyrch, rhyw ugain gwaith mor gryf â'r 'ymdrech' sydd ar gerdded ar hyn o bryd, i ddysgu'r iaith yn uniongyrchol i oedolion; hynny'n flaenaf, ac i'w weld yn flaenaf, yw calon unrhyw adfywio ar yr iaith, ynghyd ag ymdrech a ddaw wedyn yn anochel i amlhau ysgolion meithrin (yn ogystal, *o ganlyniad*, â Chymreigio pob gradd arall yn y gyfundrefn addysg); ac yn olaf—o ran pwys ac yn sicr o ran amser—cytunaf mai angenrheidiol yw Cymreigio'r Sefydliad masnachol (a llywodraethol wedyn).

Fy Nghymru I (gol. John Jenkins, 1978), 30

519

Ni cheir yr un cwrs cyfoes mewn ail iaith mwyach na chafodd fudd o'r arloesi a gafwyd drwy fudiad Cymraeg Byw. Daeth rhyw wedd neu'i gilydd ar Gymraeg Byw yn uniongrededd bellach i'n hathrawon ail iaith.

Y Traethodydd, Ionawr 2000, 10

520

Pe bai llenorion ac addysgwyr gynt wedi rhoi'u cefnogaeth gref i ymgyrch G. J. Williams i hyrwyddo Cymraeg Llafar Safonol, dichon y buasai gwell graen ar iaith y cyfryngau heddiw. Y maent yn medi'u cynhaeaf bellach. Rhwng 'Ni byddaf yma' y ceidwadwyr a 'Dda i 'ma' y talfyrwyr, saif bellach y peth gwrthun erlidiedig hwnnw *Cymraeg Byw*, 'Fydda-i ddim yma'. Diolch amdano. Mae'n bosibl inni ddysgu peth felly gyda hyder yng Nghaerdydd, ym Mangor, yn Nhyddewi, yn Wrecsam.

13

521

Yng Nghymru heddiw, rhyw fath o bioden yw'r iaith ysgrifenedig yn hel ffurfiau llafar, orgraff, a chystrawennau, gydag ystyron amrywiol, wedi eu casglu o wahanol gyfnodau hanesyddol ac o wahanol dafodieithoedd.

Tafod y Llenor (1974), 265-66

522

Erbyn hyn, mae mwy o sôn nag a fu erioed am gydnabod yr iaith Gymraeg yn iaith wirioneddol swyddogol yn wleidyddol, ac fe fyddai'r fath ddatblygiad yn agor y llifddorau i lawer iawn mwy o gyfieithu. Os ydym yn mynd i sicrhau mai'r Gymaeg ei hun fydd yr iaith y cyfieithir iddi, mae angen llawer mwy na rhyw geintachau blêr ynghylch idiomau Saesneg ac achwyn yn niwlog ynghylch effaith dwyieithedd. Mae angen cyfundrefnu'n drwyadl yr astudiaeth gymharol o natur y ddwy iaith.

Trafodion Anrhydeddus Gymdeithas y Cymmrodorion (1965), Rhan II, 219

523

'Rydw' i wedi ceisio dadlau fod llunio disgrifiad manwl sy'n cyferbynnu'r ddwy iaith, Cymraeg a Saesneg, yn angenrheidiol wrth geisio cynyddu lle neu statws y Gymraeg yn addysg, masnach a gwleidyddiaeth y gymdeithas. Y mae i'r Gymraeg ei natur feddyliol ei hun, Fe ddaw hynny i'r amlwg yn neilltuol wrth ddadansoddi seicoleg ei gramadeg, yn enwedig efallai wrth ddadlennu adeiladwaith meddyliol y ferf.
219

JONES, R. MERFYN

524

Y mae'n eglur ar sail tystiolaeth Lerpwl fod y defnydd o'r Gymraeg yno gan ymfudwyr wedi ei gyfyngu i leoedd, ac i raddau llai i bersonau. Cymraeg oedd iaith aelwyd y plant, iaith y capel hefyd, ac o bosibl iaith gwyliau yng Nghymru, ond ar wahân i'r mannau hyn, hyd yn oed rhwng Cymry Cymraeg yr ail genhedlaeth, gwyddys mai Saesneg, iaith gyffredin ysgol a heol, oedd y cyfrwng...A hithau gan mwyaf yn gaeth i'w haelwyd, y mae defnydd y fam o'r Gymraeg yn aml yn gwbl hanfodol i barhad yr iaith yn y cartref, a'r wybodaeth a gafwyd yw fod mwy nag un Cymro wedi rhoi'r gorau'n llwyr i'r iaith ar ôl marw'r fam.

Cymry Lerpwl a'u Crefydd (1984), 28

525

Bach o sylw y gellir ei ddisgwyl i'r Gymraeg, a bach o ymdrech i'w dysgu hefyd, gan y sawl sydd o'i blentyndod cynnar wedi siarad Saesneg â'i gyfeillion a'i gyd-weithwyr a'i swyddogion ac yn y siopau, ac yn troi i'r Gymraeg yn unig ar yr aelwyd ac yn clywed ei llefaru'n gyhoeddus yn unig yn y capel. Y syndod yn wir yw amled yr ymfudwyr a ymroddodd o'u bodd...i siarad yr iaith orau y gallent, ac yn arbennig ei harfer â'r plant. Yr ymddiddan olaf hwn â'r plant yw'r allwedd bwysicaf i gadwraeth iaith.
29

526

Yn Lerpwl y golygwyd y papur newydd cyntaf i ffynnu yn yr iaith; a thyfodd Lerpwl yn un o brif ganolfannau cyhoeddi yn y Gymraeg.
31

527

Y mae'n hollol ddiamau fod lliaws o'r Cymry a symudodd i Lerpwl a thros y ffin i fannau eraill, wedi magu eu hymdeimlad o Gymreictod ar hyd llwybr gwahanol i bobl eu cynefin. Yn gyntaf, yr oedd yn rheidrwydd arnynt, yn hytrach nag yn ddymunol, i fedru Saesneg, a hyd yn oed ar ôl meistroli'r iaith, yr oedd eu hacen ('St. George's Hole' bob amser, nid 'St. George's Hall'), a'r hwyl a geid am ei phen, yn dal i osod nod y Cymry arnynt. Sefyllfa gwbl naturiol oedd bod yn Gymro yng Nghymru, ond yn Lerpwl yr oedd hynny'n tynnu sylw ac i'r Cymro ei hun yn creu ymwybod o'i sefyllfa.
33

JONES, ROBERT OWEN

528

Byddai'n anodd iawn dal pen rheswm yn y Gymraeg â pherson sydd yn uniaith Saesneg...Faint o Gymry Cymraeg, tybed, a fyddai'n rhoi'r Gymraeg yn gyntaf a derbyn anallu'r person arall i gyfathrebu yn y Gymraeg fel eu hunig reswm dros ddefnyddio'r Saesneg? Yn anffodus mae llawer o Gymry Cymraeg yn siarad Saesneg â'i gilydd a hyn yn fynych yn tarddu o'r ffaith eu bod yn fwy cartrefol yn trafod rhai meysydd yn y Saesneg.

Hir Oes i'r Iaith (1997), 58

529

'Roedd y Gymraeg yn iaith y werin, yr uchelwyr a'r tywysogion. 'Roedd yn iaith hela, rhyfela, amaethu, masnach, adloniant a diwylliant. 'Roedd iddi amrywiol gyweiriau a'i hadnoddau ieithyddol yn cael eu hymestyn i gyfarfod â sefyllfaoedd newydd ac i fynegi profiadau newydd. Mewn geiriau eraill 'roedd y Gymraeg yn unig iaith y boblogaeth, ac yn gwbl ddigonol ar gyfer byw bywyd cyflawn. Ar ddiwedd y chweched ganrif hi oedd iaith trigolion rhan ddeheuol yr Alban a gogledd Lloegr ac i lawr arfordir y gorllewin drwy Cumbria heddiw a Swydd Gaerhirfryn a rhannau o Swydd Efrog ac yna i lawr drwy Gymru hyd at enau afon Hafren yn y de.

89

530

Dim ond iaith gyhyrog a pharch iddi a allai feithrin a datblygu llenyddiaeth mor wych â'r hyn a gawn yng nghyfnod Cymraeg Canol. Daeth yr iaith yn fwy na chyfrwng cyweiriau materion pob dydd.

Yn ystod mileniwm cyntaf ei bodolaeth...'roedd yn iaith swyddogol uchelwyr a gwerin. Datblygodd yn gyfrwng llenyddol-llafar i ddechrau ond yn ysgrifenedig yn ddiweddarach. Datblygodd amrywiad safonol llenyddol a oedd yn ddealladwy drwy'r wlad i gyd...Yn wir, cyfnod Cymraeg Canol oedd Oes Aur yr iaith Gymraeg.

102

531

Ar yr olwg gyntaf gellid meddwl y byddai cwymp y tywysogion a cholli annibyniaeth wleidyddol yn 1282 yn farwol i'r Gymraeg. Nid felly y bu hi a hynny oherwydd safle cymdeithasol cadarn yr iaith.

102-3

532

Bu'r iaith Gymraeg yn rhwystr i'r broses o Normaneiddio Cymru.

110

533

Digwyddodd y difrod mawr ym Maesyfed yn ystod y ddeunawfed ganrif. Yn ail hanner y bedwaredd ganrif ar bymtheg ildiodd y Gymraeg ardaloedd sylweddol yn Sir Frycheiniog a dyma i bob pwrpas gyfnod enciliad syfrdanol y Gymraeg yn ne-ddwyrain Cymru drwy Sir Forgannwg hyd at Afon Llwchwr.

236

534

Mor gynnar â dechrau'r ddegfed ganrif ceir sylwadau yn y *Computus Fragment* yn y Gymraeg ar dablau astronomegol Beda. Yn y Lladin gwreiddiol ceir enghreifftiau o gywair technegol manwl ac eto...mae'r esboniad Cymraeg hefyd yn glir ac yn gwbl ddiamwys...

Yr hyn sy'n dra phwysig o safbwynt y Gymraeg yw fod yr iaith wedi ymaddasu i'r dim fel cyfrwng i ryddiaith a ymwnâi â byd dysg a gwybodaeth.

111

535

Yn 1234 plediodd canoniaid Llanelwy ar i'r Pab roi iddynt esgob a siaradai'r Gymraeg. Yn yr un flwyddyn gorchmynnodd y Pab, Gregori IX, y dylid penodi i fywoliaethau offeiriaid a fyddai'n rhugl yn iaith y cymunwyr. 'Roedd yn amlwg ddigon fod y Gymraeg wedi hawlio'i lle ac wedi ymsefydlu'n ddigon rhwydd a diffwdan yn y cywair crefyddol.

112

536

O gyfnod cynnar iawn 'roedd yn amlwg yr ystyrid y Gymraeg yn ddigon urddasol ar gyfer trafod materion cyfreithiol ac 'roedd ei hadnoddau yn ddigonol ar gyfer manylu a disgrifio diamwys. Mor gynnar â'r wythfed ganrif yn *Memorandum y Surexit* o Lyfr St. Chad cawn enghraifft o drin a thrafod hawliau cyfreithiol yn y Gymraeg.

Cadwyd testunau o'r Cyfreithiau Cymraeg mewn llawysgrifau sy'n dyddio o'r cyfnod 1180 hyd 1500. Dangosant mor ystwyth ac addas ydoedd y Gymraeg i drafod hawliau a materion technegol manwl a chymhleth.

113-14

537

Beth bynnag yw'n hymateb i dwyll bwriadol Iolo, erys un ffaith yn gwbl glir--

rhoes rhamantiaeth a dyfeisgarwch Iolo statws a bri arbennig ar yr iaith Gymraeg, Drwy'r Orsedd cyflwynodd i'r Cymry amlygiad gweledol o barhad traddodiad aruchel a chyfrin, a'r cyfan ynghlwm wrth y Gymraeg!

225

538

Pan ddaw'r Saesneg yn gyfrwng llythrennedd, caiff effaith gwbl andwyol ar y Gymraeg hyd yn oed yn llafar. Mae'n rhaid i'r Gymraeg fod yn iaith amlgyfrwng, nid iaith lafar yn unig, ond rhaid i'w siaradwyr allu ei defnyddio fel cyfrwng llythrennedd hefyd. Dyma un rheswm paham y cyfeiriwyd...at Ysgolion Griffith Jones a'r Diwygiad Methodistaidd yn gyffredinol fel y prif gyfryngau cadarnhaol yng nghadwraeth yr iaith yn ystod y ddeunawfed ganrif. Oni bai amdanynt hwy y tebyg yw y byddai cysgod dwyieithrwydd wedi ymledu'n llawer cyflymach tua'r gorllewin.

228

539

Drwy gydol y ganrif [19 g.] cafwyd diwygiadau crefyddol...Daeth y capel yn ganolfan gymdeithasol bwysig ac yn un o bileri'r iaith Gymraeg a Chymreictod, boed hynny yng nghefn gwlad, yn yr ardaloedd diwydiannol, yn Lerpwl, ym Manceinion, yn Llundain neu yng Ngogledd yr Amerig.

255

540

Mae'n drueni na welwyd olynydd i'r *Gwyddoniadur Cymreig*...Mae'n rhaid pwysleisio bod Thomas Gee...wedi

llwyddo i ymestyn gorwelion a pherthnasedd yr iaith Gymraeg. Cafodd ysgrifenwyr i gyfrannu ar bob math o bynciau drwy gyfrwng y Gymraeg. Defnyddiwyd yr iaith, felly, mewn cyddestunau cwbl newydd a bu'n rhaid cymhwyso cystrawennau a geirfa nes eu bod yn addas ar gyfer ymdrin â gwahanol fathau o wybodaeth. Ystwythwyd yr iaith, ymestynnwyd ei defnydd ac fe'i gwnaed yn offeryn byw a chreadigol ar gyfer trafod meysydd newydd a chyfoes.
260-61

541
Ar ddechrau'r bedwaredd ganrif ar bymtheg, daeth addysg yn gyfystyr â dysgu'r Saesneg...Hi oedd iaith ymddiwyllio ac iaith symudoledd cymdeithasol. 'Roedd y Gymraeg yn iawn yn yr Ysgol Sul ac yn gwbl briodol fel cyfrwng dysgu darllen a thrin a thrafod materion crefyddol. Ond pan oedd galw am ddyfnhau gwybodaeth ac ymestyn meistrolaeth arbenigol, yna drwy gyfrwng y Saesneg yn unig y gellid gwneud hynny. 'Roedd y fath agwedd yn sarhad llwyr ar y Gymraeg...hwn oedd y safbwynt a dderbynnid yn gwbl ddigwestiwn, hyd yn oed gan Gymry Cymraeg unieithog.
266-67

542
'Roedd y Deddfau Uno wedi llwyddo i gyflyru'r ddelwedd ynglŷn â lle a statws y ddwy iaith ym mywyd Cymru. Aeth 'Brad y Llyfrau Gleision' un cam ymhellach drwy ymosod yn uniongyrchol ar ewyllys y bobl gyffredin i gynnal eu hiaith. Cysylltwyd y Gymraeg â thlodi, anwybodaeth, cyntefigrwydd a safle cymdeithasol israddol. Dyma'r ymagwedd a wenwynodd achos y Gymraeg drwy weddill y ganrif.
274

543
Ni fyddai'n ormodiaith dweud fod y capeli Anghydffurfiol wedi bod yn elfen holl bwysig yng nghymdeithaseg y Gymraeg yn ystod y ganrif ddiwethaf...'Roedd iaith a chrefydd y Cymro yn anwahanadwy...Tra oedd grym ysbrydol a chymdeithasol i'r capeli, 'roedd statws i'r Gymraaeg a swyddogaeth bwysig iddi.
287

544
Erbyn canol y ganrif [19g.] cododd Darwiniaeth ei phen gan ddylanwadu i ryw raddau ar athroniaeth iaith...Pwysleisiai'r syniadaeth Ddarwinaidd fod esblygiad yn gwbl angenrheidiol er sicrhau ffyniant iaith. Gan fod iaith yn organig, ni ellid ymyrryd â'r amser terfynedig a oedd iddi. Nid oedd diben mewn brwydro yn erbyn y llif; derbyn y diwedd ac ymbaratoi ar ei gyfer oedd y cam doethaf. Dyna'n sicr pam y pleidiodd David Rees, Llanelli, Seisnigrwydd ym mhopeth, hyd yn oed ym mywyd y capel. Yn nhermau crefyddol, enghraifft o drefn Rhagluniaeth oedd hyn ac ofer, felly, fyddai ymyrryd.
288-89

545
Wrth i'r Gymraeg golli ei gafael ar y gymdeithas deuai teuluoedd cymysgiaith yn dra chyffredin. Byddai'r aelodau hynaf

yn rhugl eu Cymraeg, y canol oed yn gwbl rugl yn y ddwy iaith, yr ifanc yn defnyddio mwy o Saesneg na Chymraeg a'u plant hwythau yn ddi-Gymraeg. Y ffactor allweddol yn y cefnu ydoedd mai un garfan ieithyddol yn unig a ddaeth yn ddwyieithog, sef y Cymry Cymraeg. Pe byddai'r rhai a oedd yn uniaith Saesneg wedi dod yn ddwyieithog, ni fyddai'r broses o Seisnigo wedi bod mor anorfod. Yr hyn a gafwyd oedd dwyieithrwydd ansefydlog, a chanlyniad ffenomenon o'r fath bob amser yw unieithrwydd yn yr iaith sy'n gweithredu fel *lingua franca*.

318-21

546

'Roedd diwydiannu a mewnlifiad siaradwyr di-Gymraeg yn ffactorau o bwys ond gwreiddyn yr erydu a'r hyn a brysurodd gyfnewid iaith oedd statws israddol y Gymraeg...Cafodd polisïau addysg a'r gorbwyslais ar bwysigrwydd y Saesneg effaith seicolegol andwyol ar Gymry Cymraeg. Effeithiodd ar eu hyder ac ar y ddelwedd wael a oedd ganddynt o'u hiaith eu hunain. Cafodd sawl cenhedlaeth ei hargyhoeddi fod dysgu'r Saesneg yn gwbl angenrheidiol yn y byd newydd a oedd ohoni a bod y Gymraeg yn gwbl ddiwerth ac yn rhwystr i lwyddiant addysgol eu plant...Nid oedd yn rhaid i'r mewnfudwyr ddysgu iaith newydd tra oedd y brodorion mor barod i ymgymathu atynt hwy. Pa bwynt oedd mewn ymdrechu gan nad oedd siaradwyr y Gymraeg yn rhoi unrhyw bris arni? Nid oedd yn iaith ddiwydiant na masnach, na'r gyfraith na llywodraeth leol. Nid oedd yn iaith addysg ac felly pa ddefnydd oedd iddi?...Nid oedd yr amodau cymdeithasol na'r ymagweddu tuag at yr iaith yn ddigon cadarnhaol i allu cymathu'r newydd ddyfodiaid yn ieithyddol nac yn ddiwylliannol. Erbyn diwedd y bedwaredd ganrif ar bymtheg 'roedd olion amlwg fod cenedlaethau o ddifrïo a diraddio'r Gymraeg yn dechrau medi cynhaeaf chwerw.

324

547

Gwelwyd cynnydd sylweddol yn niferoedd y rhai a siaradai'r Gymraeg yn ystod degawd cyntaf y ganrif gan gyrraedd brig o dros filiwn yn 1911. Ond yn yr un cyfnod cynyddasai niferoedd y di-Gymraeg yn gyflymach gan beri i ganran siaradwyr y Gymraeg ostwng i 43%. Am y tro cyntaf erioed 'roedd Cymry Cymraeg yn lleiafrif yn eu gwlad eu hunain.

328

548

Cyfrannodd O. M. Edwards lawer i godi safon ac i roi urddas i lenyddiaeth Gymraeg...Gwelodd mai ymhlith yr ifanc y dylid lledaenu neges gobaith a hyder; hwy oedd y rhai a ddylai gael delwedd iach a chytbwys o'u hiaith; hwy oedd dyfodol yr iaith. Llwyddodd y mudiad [Urdd Gobaith Cymru] a bu'n foddion arbennig o effeithiol i farchnata'r Gymraeg.

333

549

Mae'n gwbl amlwg fod cysylltiad rhwng cynnydd dwyieithrwydd ac erydiad y Gymraeg. Byddai'n gwbl anghywir, serch hynny, tybio mai dwyieithrwydd fel y cyfryw yw'r 'gwenwyn'. Rhaid cydnabod bod sawl math o ddwyieithrwydd...Pan fydd siaradwyr dwy iaith yn hollol barod i fod yn ddwyieithog yn ieithoedd ei gilydd a phan nad yw un â statws uwch na'r llall, gall dwyieithrwydd esgor ar sefyllfa ieithyddol sefydlog...Ni ellir byth mwyach obeithio sefydlu cymunedau Cymraeg uniaith, ond yn sicr byddai'n ymarferol anelu at gael cymdeithas gwbl ddwyieithog lle y byddai cyfle i'r Cymro Cymraeg a'r Cymro di-Gymraeg fod yn ddwyieithog yn ieithoedd ei gilydd.

Ar ddechrau'r ganrif hon, dwyieithrwydd unochrog a weithredid yng Nghymru. 'Roedd yn rhaid i Gymry Cymraeg ieuainc ddysgu'r Saesneg, ond nid oedd unrhyw reidrwydd ar i'r di-Gymraeg ymdrafferthu ag iaith arall.
337

550
Pe byddai [yr erydiad] wedi parhau ar ôl 1921 ar yr un raddfa â'r cyfnod cyn 1921, byddai'r Gymraeg wedi llwyr ddiflannu o'r tir cyn diwedd yr wythdegau.
337

551
Bellach mae'n gwbl amlwg fod yn rhaid cymathu'r mewnfudwyr yn ieithyddol neu bydd dyddiau cymunedau Cymraeg eu hiaith yn Nyfed a Gwynedd wedi eu rhifo.
349

552
Yn 1991 am y tro cyntaf yn ystod y ganrif, 'roedd mwy o bobl ieuainc na hen bobl yn siarad y Gymraeg.
356

553
Gellir yn gwbl gyfiawn ystyried twf addysg Gymraeg fel y datblygiad unigol pwysicaf ym mhrosesau adfer y Gymraeg yn ail hanner yr ugeinfed ganrif.
363

554
Oni ellir mynd â'r iaith o'r dosbarth i'r gymdeithas, ymarferiad academaidd yn unig fydd dysgu'r Gymraeg fel ail iaith...Mae gan yr ysgol gyfraniad pwysig i'w wneud mewn atal erydiad y Gymraeg, ond man cychwyn yw'r dosbarth; yn y gymuned yr enillir neu y collir y frwydr.
379

555
Daw llawer mwy o rym drwy wybod y gellir defnyddio iaith ym mhob sefyllfa oherwydd bod cyfraith gwlad yn gwarantu hynny. Dichon mai hon yw brwydr amlycaf yr ugeinfed ganrif. Hi, hefyd, yw'r frwydr y bydd yn rhaid ei hennill os yw'r Gymraeg i ffynnu yn y dyfodol. Mae sicrhau hawliau ieithyddol yn broses gymhleth; mae'n wleidyddol, yn seicolegol ac yn ieithyddol. Yn achos y Gymraeg bu'n ymdrech araf a phoenus.
418

JONES, R. TUDUR (1921-98)
556
Gwnaeth Michael D. Jones gyfraniad a oedd ar y pryd yn gwbl newydd. Bu digon o foli'r iaith tros y cenedlaethau ac yr oedd ganddi ei chymwynaswyr disglair ym mhob oes.. Ond y rhagdybiaeth oedd mai i'r bywyd lleol, personol a phreifat y perthynai hi. Y canlyniad ymarferol oedd fod y Gymraeg yn iaith crefydd,

llenyddiaeth a'r bywyd teuluol, ond nid yn iaith llys a llywodraeth. Heriodd M. D. Jones y rhagdybiaeth hon. O'i safbwynt ef, rhan o'r bwriad ymerodrol oedd difreinio'r iaith a hynny fel cam tuag at ddifodi'r genedl. Yr oedd tynged yr iaith felly'n fater gwleidyddol.

Cof Cenedl (gol. Geraint H. Jenkins) I, 113

557

Gwelodd [M. D. Jones] yn eglur nad digon oedd annog pobl i ddefnyddio'r Gymraeg yn bersonol mewn cylchoedd preifat, er na flinai bwyso am arwyddion cyhoeddus Cymraeg ac am i wŷr busnes o Gymry ddefnyddio'r iaith ar eu papur ysgrifennu. Yr oedd yn rhaid ennill safle swyddogol iddi...Cryfhaodd ei gred mai dim ond ymgyrchu cymdeithasol a gwleidyddol a sicrhâi statws priodol i'r iaith.

114

558

Yr oedd [M. D. Jones] yn gynnes ei gefnogaeth i safiad Emrys ap Iwan dros yr iaith, ond nid oedd ganddo lawer i'w ddweud wrth Gymdeithas yr Iaith Gymraeg a sefydlwyd ym 1885. Gwelai honno fel cyfrwng i brysuro'r Seisnigeiddio yng Nghymru oherwydd iddi annog dysgu'r Saesneg trwy gyfrwng y Gymraeg. Yn ei farn ef, llwyr Gymreigio'r ysgolion ym mhob rhan o'r Cymru Gymraeg a ddylai fod yn bolisi Cymdeithas yr Iaith.

114

559

Bu i'r Ysgol Sul effeithiau trymion yn ddiwylliannol, yn grefyddol ac yn gymdeithasol. Yr oedd yn ysgol Gymraeg. Trwythwyd miloedd o bobl ar raddfa fwy nag erioed o'r blaen yng nghyfoeth yr iaith. Dysgasant fynegi syniadau cymhleth a haniaethol a dysgu sut i drafod pwyntiau astrus yn rhwydd ac yn eglur.

Hanes Annibynwyr Cymru (1966), 198

560

Dagrau pethau oedd na welwyd fod y ddeddf hon [Mesur Addysg 1870] yn gwneud ysgolion Cymru'n rhan o gyfundrefn addysg Lloegr ac yn offeryn gloyw i danseilio'r iaith Gymraeg.

266

561

Gan fod cysylltiad amlwg rhwng ffyniant yr iaith a'r traddodiad Cristionogol Cymreig, teimlwyd fod anghenraid wedi'i osod ar yr arweinwyr [Ymneilltuol] i fod yn llawer mwy sbriws eu hamddiffyniad i'r Gymraeg. Un o gyfraniadau gorau Beriah Gwynfe Evans i'w genhedlaeth oedd hoelio sylw ar y pwnc yma. Iddo ef, yr oedd cyswllt neilltuol rhwng dyfodol crefydd a'r iaith a bu'n selog dros ddyrchafu safle'r Gymraeg byth er 1886. Un o'i ymgyrchoedd mwyaf pigog oedd honno i Gymreigio'r colegau enwadol... Araf, er hynny, oedd y cynnydd mewn defnyddio'r Gymraeg fel cyfrwng ynddynt.

290

562

Nothing perhaps conveys quite so vividly the way in which the Welsh language bridges centuries of religious changes as the fact that a Welshman today can read Rhygyfarch's

'Life of St. David' (which was written about 1090) without undue difficulty. His language is still very much ours.

The Welsh Language Today (ed. Meic Stephens, 1973), [64]

Efallai nad oes dim sy'n cyfleu yn hollol mor fyw y modd y mae'r iaith Gymraeg yn pontio canrifoedd o newid crefyddol â'r ffaith y gall Cymro heddiw ddarllen *Buchedd Ddewi* gan Rygyfarch (a ysgrifennwyd tua 1090) heb ormod o anhawster. Ei iaith ef i raddau helaeth yw'r eiddom ni o hyd.

563

Whatever his [Bishop Morgan's] *own private or public opinions may have been about the Welsh language and its future, his Bible was the most momentous book ever published in it.*
66

Beth bynnag oedd ei farn bersonol neu gyhoeddus ef [yr Esgob Morgan] ynglŷn â'r iaith Gymraeg a'i dyfodol, ei Feibl oedd y llyfr pwysicaf a gyhoeddwyd ynddi erioed.

564

Prif gynheiliad addysg Gymraeg [yn y bedwaredd ganrif ar bymtheg] oedd yr Ysgol Sul. Wrth drugaredd, ni ddaeth i feddwl yr arweinwyr crefyddol i ddefnyddio'r ysgolion Sul fel cyfryngau dysgu Saesneg. Felly, ceid ynghlwm wrth bob capel Ysgol Sul a oedd yn cymryd yn ganiataol mai Cymraeg oedd y testun i'w astudio ac mai Cymraeg oedd cyfrwng yr addysgu i fod...

Ac yr oedd llawer o ysgolion dyddiol yn Gymraeg hefyd. Cymraeg oedd iaith ysgolion Thomas Charles...a llifai traddodiad Ystradmeurig yn bell—hyd yn

oed i'r gwersyll Ymneilltuol. Yn nyddiau Edward Richard, Cymraeg oedd iaith yr ysgol enwog honno wrth weithio a chwarae.

Ysgrifau Beirniadol (gol. J. E. Caerwyn Williams), V (1970), 123-24

JONES, R. W.

565

Bu'r Gymdeithas fechan hon [Cymdeithas Dafydd ap Gwilym] yn foddion i beri chwyldroad pwysig yn hanes ysgrifennu Cymraeg. Purwyd gramadeg yr iaith, cywirwyd ei horgraff, tacluswyd ei chystrawen, a chymhellwyd llenorion a beirdd Cymru i ystyried hardded a godidoced oedd ei llên fore bell wrth druaned ei llên ddiweddar. O'r Gymdeithas yma y cododd yr Orgraff Ddiwygiedig a ddysgir heddiw i bob plentyn.

John Puleston Jones (1930), 6

566

Credai mai arfer gwlad, yn ei llên, ac yn bennaf dim yn ei llafar, a ddylai benderfynu pa beth sydd yn Gymraeg da.
266

567

Nid teithi Cymraeg Meirionnydd yn unig a geir yn ei ysgrifau, ond rhyw gymaint o Gymraeg gorau pob sir yng Nghymru. 'Gallai llenyddiaeth', meddai, 'fod ar ei mantais o godi ambell i air nad arferir yn awr ond mewn rhai ardaloedd yn unig,'
267

568

Y tri Chymraeg gorau gan Puleston, fel gan Goleufryn, oedd Cymraeg y Beibl, Cymraeg y Bardd Cwsg, a Chymraeg Goronwy Owen; ac o'r tri yna Cymraeg

Goronwy a ystyriai ef yn orau at bob pwrpas cyffredin.
269

569
Gwyddai Puleston mai gwaith yn gofyn llawer o dringarwch ydyw ychwanegu at yr iaith Gymraeg. Edrychai ar y Gymraeg, o'i chymharu â'r Saesneg, fel dinas wedi ei chydgysylltu ynddi ei hun, ac felly yn gymharol anodd helaethu ei therfynau heb ddifwyno ei magwyrydd. Lluniai Puleston eiriau newyddion o ddeunydd cartref, heb i hynny ddolurio llygaid neb.
270

Gw. hefyd **JONES**, J. PULESTON

JONES, Y Parchedig ROGER (1903-82)
570
Caraf hon, cryf ei heniaith,---y cynnes
    Acenion di-lediaith;
    Yma fe ddeil ein mamiaith
    Fel yr oedd, am oesoedd maith.
['Gwlad Llŷn']
    Awelon Llŷn (1970), 9

571
Canu 'r wyf i Fro Dwyfor,
Am nawdd mwyn mynydd a môr,
Hanes hen i hon y sydd,
Cynnes fynwes Eifionydd,
Gwladaidd, hafaidd bentrefi,
Môr o Gymraeg ei mur hi.
    Haenau Cynghanedd (1975), 36

572
Iaith fy nghân, iaith fy ngeni,---iaith olau,
    Iaith aelwyd a chwmni;
    Iaith ddi-nam fy mam i mi,
    Iaith gyhoeddus, iaith gweddi.
    Ysgubau Medi (1979), 53

JONES, ROWLAND (1722-74)
573
The properest, if not the only method of attaining a perfect knowledge of the Celtic is from conversation, or reading the Bible, 'Whole Duty of Man', or some other Welsh books, which may be had in the English language.
    The Origin of Language and Nations (1764), [15]
Y ffordd fwyaf priodol, onid yr unig un, i ennill gwybodaeth berffaith o'r Gelteg yw wrth ymddiddan, neu ddarllen y Beibl, *Holl Ddyledswydd Dyn*, neu ryw lyfrau Cymraeg eraill y gellir eu cael yn yr iaith Saesneg.

574
It is...agreed that the inhabitants of Wales are, as the name 'Walsh' expresses them to be, descended from the Gauls, and they at this time know themselves by no other name than Cymbri, or their language by any other than Cymbraeg; and as they still continue to speak a language which will define all European languages, as well as the ancient names of persons and places, preferable to any other language, the people of Wales and their language still remain living witnesses of this part of antiquity.
    [24]
Cyrunir...bod trigolion Cymru'n ddisgynyddion i'r Galiaid, fel y dengys yr enw 'Walsh', ac fe'u galwant eu hunain heddiw wrth enw nid amgen na 'Cymbri', a'u hiaith wrth enw nid amgen na 'Cymbraeg'; a chan eu bod yn parhau o hyd i siarad iaith a fydd yn diffinio'r holl ieithoedd Ewropeaidd, yn ogystal â hen enwau personau a lleoedd, yn rhagorach nag unrhyw iaith arall, y mae pobl Cymru'n dal i fod yn dystion byw i'r rhan hon o hynafiaeth.

JONES, THOMAS (1752-1845),
Creaton
575
Mawr yw eich breintiau, y Cymry annwyl. Er colli ohonoch dir eich hynafiaid, iaith a gadwasoch hyd heddiw yn lled fyw, a byw fyddo hi hyd ddydd brawd. Nid oes, y mae'n debygol, un iaith fyw mor hen ar yr holl ddaear, nac un iaith mor gref a rhagorol â'r hen Frutaniaith: am hynny, camwedd a thrueni dirfawr ydyw na bai iddi well ymgeledd, a mwy o barch. Y mae iddi lawer o elynion, a gais yn ddiwyd ei dinistrio, a'i gyrru allan o'r byd...Ond y pennaf o'i chaseion yw balchder. Gan hynny erfyniaf arnoch, bob gradd o hiliogaeth yr hen Frutaniaid, na chymysgoch iaith y Saeson â'ch anghymharol famiaith, am nad oes arni achos i gardota yng ngwlad neb, os caiff ymgeledd cymwys a'r parch a haeddai yn ei gwlad ei hun. Ni ryfygaf ddywedyd fy mod i yn hyddysg ynddi, am fy mod yn aros ymhlith y Saeson ers llawer o flynyddoedd; eto medraf ddywedyd fy mod yn ei charu, ac yn dymuno ei llwyddiant. Dyma un o'ch breintiau, bod eich hen iaith eto'n fyw.

Tragywyddol Orphwysfa'r Saint (1790), iii

JONES, THOMAS (1870-1955)
576
Pan ddeuir i'r amseroedd diweddar rhaid meddwl o hyd am y Cymry'n ychydig o nifer, dan 600,000 o'r holl bersonau'n trigo yng Nghymru a Mynwy yn 1801; a dengys y cyfrifiad diweddaraf fod llai na miliwn yng Nghymru heddiw'n siarad Cymraeg. Mae'r ystyfnigrwydd a ddangosodd y nifer bychan hwn o bobl yn cadw'u hiaith a'u traddodiadau yn dyst i wydnwch na chydnabyddir yn gyffredin ei fod ganddynt. Y wyrth yw bod ganddynt hunaniaeth a chymeriad yn aros o gwbl.

Cerrig Milltir (ail arg., 1942), 40

577
Aeth yr iaith Gymraeg drwy bob gwedd ar anrhydedd a darostyngiad. Goroesodd y naill argyfwng ar ôl y llall, fel petai tân mewnol yn ei phorthi. Cyflawnwyd gwyrth ei hatgyfodi o'r llwch dan draed y Tuduriaid gan gyfieithwyr y Beibl yn 1588.
41

578
Ffwlbri yw hawlio purdeb gwaed iddynt [y Cymry]. Yr un nod gwahan diamau a feddant yw eu hiaith, a deil ysgolheigion Cymreig mai hanes yr iaith yw hanes Cymru. Ond gwelsom fod llai na hanner y trigolion yn siarad yr iaith. Ai eiddo'r rhain yn unig yw cymeriad y Cymro neu a raid inni chwilio amdano yn ei burdeb ymhlith bugeiliaid Pumlumon ac Eryri?
42

JONES, T. GWYNN (1871-1949)
579
Un hen ŵr a fyddai'n gweithio ar fferm fy nhad...iddo ef, nid oedd neb llai nag ysgwier gwlad a fedrai siarad Cymraeg yn ŵr bonheddig.

Brithgofion, 21

580
Y bore cyntaf yr euthum i'r ysgol honno [yr Ysgol Fwrdd], dodwyd fi i sefyll ar fy nhraed ar fainc am siarad Cymraeg, gyda chennad i fynd i lawr os achwynwn ar rywun arall a droseddai drwy wneud yr

un peth. Yr oeddwn wedi fy nysgu erioed mai peth salw oedd achwyn ar eraill am beth a wnaech eich hun, ac er imi glywed plant yn siarad Cymraeg tan eu llais ag eraill, ar y fainc y bûm drwy'r bore.
34

581
Dôi porthmyn trwsiadus o'r gororau i'r ffeiriau'r pryd hynny...byddent yn medru tipyn o Gymraeg mwy neu lai chwithig, digon i brynu anifail, a chael tipyn o hwyl ar fargeinio.
57

582
Y mae yn anodd i Gymro gweddol beidio ffieiddio ei genhedlaeth...wrth weled enw pob heol mewn tref a phentref, a llan, yn gybolfa o Gymraeg a Saesneg, ac enwau y trefi eu hunain yn cael eu troi a'u hanffurfio rywfodd i ateb anallu rhyfeddol peiriannau cynghanol Saeson a hanner Saeson, a lledfegynod o Ddic Siôn Dafyddion.
David Jenkins, *Thomas Gwynn Jones: Cofiant* (1973), 89

583
Y mae mursendod cynganeddol a newyddiadurol ar ddarfod a llenorion Cymru'n dechrau dyfod i weled fod gan naturioldeb llafar gwlad allu i ddweud eu meddyliau'n amgenach a Chymreigeiddiach na thermau Seisnig wedi'u cyfieithu'n llythrennol.
90

584
Y mae rhywbeth yn drist mewn meddwl ei bod yn ddigon posibl na bydd neb a

fedro lefaru'r Gymraeg yng Nghymru gan mlynedd i heddiw [1928].
305

585
Fe stiffiai hynny [gwrthwynebiad egniol Saeson i'r iaith Gymraeg] asgwrn cefn y Cymry a fedr Gymraeg cyn iddi fynd yn rhy hwyr. Ni waeth addef na pheidio, byddai carcharu ychydig Gymry go flaenllaw yn fwy effeithiol na mil o bwyllgorau neis neis, celwyddog a diegwyddor, i wrando tystiolaethau cynffongwn a chachaduriaid y wlad (chwedl y Dr Siôn Dafydd Rhys).
307

586
Ni chlywais i neb yn yr Wyddgrug...yn britho cymaint ar ei Gymraeg â Wil Bryan, trwy ddwyn i mewn iddi gynifer o eiriau Saesneg nas benthyciwyd erioed i un dafodiaith Gymraeg yn unman. Y mae cyn wired â hynny i mi glywed, gan fwynwyr ag enwau Gwyddelig a Seisnig arnynt, yn Sir y Fflint, dafodiaith mor Gymreig a rhydd oddi wrth Saesneg ag a glywais yn unman erioed.
Y Llenor, 1 (1922), 234

587
Rhydd 'byddan nhw' y sain a'r union bwys, weithiau, dro arall rhaid cael 'byddan-w'. A geir amgenach dangosiad na 'byddant hwy' a 'byddant'? Nid yw hyn, wrth gwrs, ond cefnogi'r dull llenyddol fel cymod rhwng y tafodieithoedd, a dyna'n gymwys yw pob iaith lenyddol.
237

588

Os deil pawb at ei dafodiaith ei hun, bydd yn rhaid cael amryw argraffiadau gwahanol o bob drama, neu ynteu gydnabod nad oes mo'r fath beth ag iaith Gymraeg, fel y dywed rhai Saeson hollwybodus eisoes.

238

589

Hyd heddiw, ym mhlith y bobl na byddant yn gwrando llawer o bregethau, darlithiau, ac areithiau y ceir y Gymraeg ryddaf oddi wrth chwydd ymadrodd y Saesneg, a llawnaf o droeon ymadrodd a dywediadau gwir Gymreig. Ac am hynny, credu'r wyf i, na chyll Cymraeg llenyddol glân a syml mo'i apêl at un dorf o Gymry eto, os bydd ganddo neges atynt.

239

590

Gwir bod hanes y Gymraeg wedi peri bod yn rhaid rhoi pwys arbennig ar orgraff, gramadeg, a chystrawen am y rheswm eu bod, yn ystod y ganrif ddiwethaf, wedi myned mor bell oddi wrth yr iaith lenyddol gynt a'r iaith fyw hefyd. Feallai fyned yr awydd am 'buro' a 'gloywi''r iaith ychydig yn rhy bell gan rai. Y mae rhai ffurfiau, sydd yn anghywir ynddynt eu hunain, na ellir er hynny bellach mo'u bwrw allan.

241

591

Ond meddwl yn glir, fe ddaw sgrifennu yn ddealladwy a naturiol, ac nid yw'r gwahaniaeth rhwng Cymraeg byw a Chymraeg llenyddol ystwyth, syml a dirodres, cymaint â'r gwahaniaeth rhwng

iaith Bernard Shaw ac iaith gwerin Lloegr, o beth difesur.

241

JONES, Y Parchedig T. R. ('Clwydydd'; 1868-1950)

592

Y mae iaith y llyfr hwn [W. Ambrose Bebb, *Crwydro'r Cyfandir*] yn gweddu'n dda i'w ansawdd. Cyfunir yma iaith lên ag iaith lafar. Gellid casglu ohono lu o eiriau ac ymadroddon o'r ddau ddosbarth na fuont erioed mewn Geiriadur, ac eto sy'n eu cymeradwyo'u hunain ar unwaith fel rhai mynegiadol a chlir...Nid anghofiodd Mr Ambrose Bebb dermau bob dydd fferm ei hen gartref, wrth gymhathu iaith gaboledig y Colegau.

Y Traethodydd, Gorffennaf 1936, 183

JONES, WATCYN LLOYD

593

Gyda'r dylanwadau economaidd yn gwasgu a'r Saeson yn dylifo i gefn gwlad, gwael yw rhagolygon yr iaith Gymraeg. A fydd pentrefi Cymreig eu hanfod a Chymraeg eu hiaith, tebyg i Gapel Celyn gynt, yn bod mewn deng mlynedd ar hugain eto? Amhosibl yw meddwl am bum plwyf Penllyn heb yr hen iaith, ond bob blwyddyn daw cylch y Bala yn fwy a mwy poblogaidd gydag ymwelwyr.

Cofio Tryweryn (1988), 281-82

Kilsby, gw. **JONES**, Y Parchedig JAMES RHYS

KYFFIN, EDWARD (c. 1558-1603)

594

Wrth weled mor ofalus ydyw ieithyddion eraill am eu gwlad-iaith...Pa faint mwy y dylem ni ymgeleddu ein hiaith ein hunain, yr hon a ddeffynnodd y Goruchaf Dduw yn yr unlle yn y deyrnas hon ers seithgant ar hugain o flynyddoedd, ac ychwaneg, ymysg cynifer o amrafaelion cenhedloedd, terfysgoedd a dinistroedd a fu i'n mysg er yr amser hwnnw i geisio difa a dinistrio yr iaith a'i phobl yn llwyr. Yr hyn beth ni all un nasiwn nac iaith ar sydd dan Gred a Bedydd heddiw ddoedyd y cyffelyb. Am yr hyn yr ydym ni yn fwy rhwymedig i'r Arglwydd na holl bobl y byd: ac nyni yn olaf ac yn ddiweddaraf am osod allan Ogoniant Duw yn ein hiaith ein hunain.

Rhann o Psalmae Dafydd Brophwyd (1603), [iii]

KYFFIN, MORRIS (c. 1555-98)
595
Mi a dybiais yn oref adel heibio'r hen eiriau Cymreig y rhai ydynt wedi tyfu allan o gydnabod a chyd-arfer y cyffredin,* ac a ddewisais y geiriau hawsaf, rhwyddaf, a sathredica 'g allwn, i wneuthur ffordd yr ymadrodd yn rhydd ac yn ddirwystrus i'r sawl ni wyddant ond y Gymraeg arferedig.

[*Ymyl y ddalen: Nid arfer neb dysgedig atgyfodi'r cyfryw eiriau methedig mewn iaith yn y byd.]

Deffynniad Ffydd Eglwys Loegr (1595), [iv]

596
Hawdd yw gwybod am ryw eiriau Seisnig, nad oes, ac ni bu erioed eiriau Cymreig i'w cael.

[v]

597
Ac am y geiriau Lladingaidd, pwy nis gŵyr nad yw'r iaith Gymraeg yn ei herwydd,

ddim amgen, onid hanner Lladin drwyddi. Mi allwn...wneuthur llyfr digon ei faint o'r geiriau Cymreig arferedig a fenthyciwyd, nid yn unig o'r Lladin a'r Ffrangaeg, eithr o iaith Itali ac iaith Sbaen hefyd; heblaw'r dafod Roeg, ac Ebryw, a'r cyfryw. Rhywrai di-ddysg, disynnwyr, a ddoedant ddarfod i'r ieithoedd hynny fenthycio gan y Gymraeg, ac nid yr iaith Gymraeg ganddynt hwy. Nid gwiw mo'r ymresymu â'r fath ynfydion cynhwynol, namyn eu gadel mewn anwiredd ac oferedd.

[v-vi]

598
Yn wir, chwith iawn yw dal sylw ar lawer o wŷr eglwysig Cymreig yn byw ar bris eneidiau dynion, a bagad eraill o Gymry yn cymryd arnynt eilun dysg a goruchafiaeth heb ganddynt fri'n y byd ar iaith eu gwlad, eithr rhuso i doedyd a chwilyddio'i chlywed, rhag ofn isáu ar eu gradd a'u cymeriad; heb na medru darllen na cheisio myfyrio dim a fai a ffrwyth ynddo'n Gymraeg.

[vi]

599
Amdanaf fy hun, mi allaf ddoedyd, er dwyn ohonof y rhan fwyaf o'm byd hyd yn hyn o'm hoes ymhell oddi wrth wlad Gymru, eto wrth fod ymysg ieithoedd dieithr...ni bu fwy fy ngofal ar fyfyrio a dal i'm cof un iaith no'r Gymraeg; gan ddymuno allu ohonof wneuthur rhyw les i'r iaith a'r wlad lle y'm ganwyd.

[vi-vii]

600
Prin y gwela' i ddim (ond llyfr Gair Duw'n unig) yn y Gymraeg, a dim ffrwyth

rhinwedd ynddo...Doctor Wiliam Morgan a gyfieithodd y Beibl drwyddi yn hwyr o amser; gwaith angenrheidiol, gorchestol, duwiol, dysgedig; am yr hwn ni ddichyn Cymry fyth dalu a diolch iddo gymaint ag a haeddodd ef. Cyn hynny hawdd yw gwybod mai digon llesg oedd gyflwr yr iaith Gymraeg, pryd na cheid clywed fynychaf ond y naill ai cerdd faswedd ai ynte rhyw fath arall ar wawd heb na dysg, na dawn, na deunydd ynddi.

[vii-viii]

601

Eisiau dysg a duwioldeb, ac nid eisiau llythrennau i adrodd dysg, sydd ar yr iaith Gymraeg. Nid gwaeth gan y newynog fwyd mewn dysgl bren, nog mewn dysgl arian.

[x]

602

A chymesur yw adrodd i ti yn hyn o fan pa ddialedd a llwyr-gam a wnaeth gŵr eglwysig o Gymru mewn Eisteddfod; pan grybwyllwyd am roi cennad i un celfydd i brintio Cymraeg, yntef a ddoedodd nad cymwys oedd adel printio math yn y byd ar lyfrau Cymreig, eithr ef a fynne i'r bobl ddysgu Saesneg, a cholli eu Cymraeg, gan ddoedyd ymhellach na wnâi'r Beibl Gymraeg ddim da, namyn llawer o ddrwg...A alle Ddiawl ei hun ddoedyd yn amgenach?...Herwydd pwy ni wŷr mor amhosibl fydde dwyn yr holl bobl i ddysgu Saesneg ac i golli eu Cymraeg.

[xii]

LEWIS, CERI W.

603

This language, with such a wealth of tradition behnd it, and which can boast one of the oldest extant literatures in Western Europe, is now struggling for its very existence...The present century has witnessed a steady and appreciable decrease in the proportion of persons speaking Welsh, from 49.9 per cent in 1901 to...28.9 per cent in 1951...A particularly depressing feature is the fact that the unrelenting decrease in the proportion of persons speaking Welsh only, from 15.1 per cent in 1901 to...1.7 per cent in 1951, was appreciably greater than the decrease in the proportion able to speak both Welsh and English. The serious reduction in the number of monoglot speakers can only lead to a progressive corruption of idiom, syntax and vocabulary.

'The Welsh Language', Pennod X yn *The Cardiff Region: a Survey* (1960), 167

Mae'r iaith hon, sydd â'r fath draddodiad cyfoethog y tu ôl iddi ac sy'n gallu ymffrostio yn un o'r llenyddiaethau hynaf ar glawr yng Ngorllewin Ewrop, heddiw'n ymladd am ei bywyd...Mae'r ganrif bresennol wedi gweld lleihad cyson a sylweddol yng nghyfran y personau sy'n siarad Cymraeg, o 49.9 y cant yn 1901 i...28.9 y cant yn 1951...Nodwedd neilltuol o drist yw'r ffaith fod y lleihad diarbed yng nghyfran y personau sy'n siarad Cymraeg yn unig, o 15.1 y cant yn 1901 i...1.7 y cant yn 1951, yn sylweddol fwy na'r lleihad yn y gyfran sy'n gallu siarad Cymraeg a Saesneg. Ni all y gostyngiad difrifol yn nifer siaradwyr uniaith ond arwain i fwy a mwy o lygru priod-ddull, cystrawen, a geirfa.

604

The picture, however, is not one of unrelieved gloom, for there is some evidence in recent years of a more enlightened outlook and policy in official circles...A determined attempt to arrest the steady decline in the number of those able to speak the language has been made by the establishment of schools where the medium of instruction is entirely Welsh. But important as these measures are, there are many who now feel that, if the Welsh language is to survive, more radical and far-reaching measures are necessary. There is, in brief, a growing body of opinion which holds that the difficulties which beset the language are basically political, and that therefore they can only be effectively countered by political means.

168-69

Nid darlun o anobaith llwyr mohono, fodd bynnag, oherwydd yn y blynyddoedd diwethaf gwelir rhyw arwydd o ymagwedd a pholisi mwy goleuedig mewn cylchoedd swyddogol... Gwnaed ymdrech benodol i atal y lleihad cyson yn nifer y rhai sy'n gallu siarad yr iaith drwy sefydlu ysgolion a'r cyfrwng dysgu ynddynt yn gwbl Gymraeg. Ond er pwysiced y mesurau hyn, mae llawer sy'n teimlo'n awr, os yw'r iaith Gymraeg i oroesi, fod rhaid wrth fesurau mwy sylfaenol a phell-gyrhaeddol. Mewn gair, mae mwy a mwy o bobl yn barnu mai gwleidyddol yn y bôn yw'r anawsterau sy'n bygwth yr iaith, ac na ellir ymateb iddynt yn effeithiol ond drwy foddion gwleidyddol.

LEWIS, HENRY (1899-1968)
605
Yr iaith y benthyciodd y Gymraeg fwyaf o ddigon arni yw'r Saesneg. Nid peth diweddar yn hanes yr iaith Gymraeg yw hyn chwaith, canys cawn yn ein llenyddiaeth yn bur gynnar enghreifftiau

o'r benthyca hwn o'r Saesneg yn yr hen gyfnod, hynny yw, benthyciadau o'r Hen Saesneg, sef cyn y ddeuddegfed ganrif.

Datblygiad yr Iaith Gymraeg (1931), 85

606
Ofer fyddai ceisio penderfynu'r flwyddyn na'r ganrif chwaith pryd y ganed y Gymraeg. Ond y terfynau bras a roir i gyfnod cynnar yr iaith yw o'r amser pan ymwahanodd yn bendant â'r famiaith Frythoneg hyd ddiwedd yr wythfed ganrif.
96

607
Ceir arysgrif Gymraeg ar faen coffa sydd yn awr yn eglwys Tywyn Meirionnydd. Gall hon fod yn perthyn i'r seithfed ganrif, a hi yw'r arysgrif hynaf a feddwn yn yr iaith Gymraeg.
97

608
Bu i'r iaith farddonol y rhoes Dafydd ap Gwilym safon newydd iddi bwysigrwydd anarferol yn natblygiad yr iaith yn y cyfnod diweddar, canys troes yn amddiffynfa gadarn i'r iaith pan ddaeth adfyd drosti o du gwleidyddiaeth.
108

609
Yn yr unfed ganrif ar bymtheg collodd yr iaith gan mwyaf y nawdd a gawsai erioed gan ei phendefigion ei hun. Aeth ei charedigion i ofni ei bod ar dranc...Yr oedd safon cywirdeb yn gwegian, a'r unoliaeth a welir mor amlwg yn y cyfnod canol yn dechrau rhwygo. Yn y ganrif hon gellir dweud gyda sicrwydd go bendant i ba ran o'r wlad y perthynai awdur rhyw

waith gan fod ei waith yn frith o ffurfiau a dulliau lleol. Ni olyga hynny ei bod bob amser yn brin o brydferthwch ac urddas; ond pe cawsai pawb o bob cwr fynd i'w ffordd ei hun darfuasai am yr un iaith lenyddol a fyddai'n offeryn i genedl gyfan. Achubwyd y Gymraeg rhag mynd yn sicr i'w thranc gan gyfieithiad y Beibl yn 1588...O hyn ymlaen daw'r pulpud i ofalu am y safon, ac i adennill yr unoliaeth urddasol y bu mor agos i'r iaith ei cholli

108

610

Mae'r eirfa eisoes wedi cynyddu oherwydd y cysylltiad agos a chymhleth rhwng Cymru a Lloegr o'r bymthegfed ganrif hyd yn awr. Rhoed cartref Cymreig i lu o eiriau Saesneg yn ein llenyddiaeth. Ond efallai na chafodd y Gymraeg gymaint o berygl ac o niwed felly ag a gafodd ar law rhai o'i charedigion. Ceisiodd William Salesbury roi urddas newydd iddi drwy estroneiddio'i gwisg yn ôl ffasiynau ei oes, ond methodd. Cofir yn dda i William Owen Pughe hefyd geisio'i phuro a'i chywiro yn ôl ffasiynau ieithyddol ei ddydd yntau. Cafodd Pughe fwy o ddilynwyr na Salesbury, ysywaeth, a dioddefodd yr iaith yn fawr o'u plegid am y rhan orau o ganrif. Cymwynaswyr oeddynt oll, yn ôl y goleuni a rodded iddynt.

109

611

Mae holl yrfa wych yr iaith yn y gorffennol at ein llaw ni. Gwelwn mai tyfu a wnaeth o oes i oes, am fod bywyd ynddi. Gwyliwn ninnau rhag gadael i'w gorffennol gwych ladd ei dyfodol.

10

612

Rhaid inni gofio...nad y tro cyntaf y gwelwn ni gyfnewidiad mewn ffurf a chystrawen yn ein llenyddiaeth yw'r tro cyntaf i hwnnw ymddangos o angenrheidrwydd. Mae'r iaith hoyw oedd yn byw ar dafod leferydd cyn dechrau'n hoedl ni yn beth na allwn wybod yn fanwl amdano, ac ar yr iaith honno y seilir yr iaith lenyddol, boed honno mor geidwadol ag y bo. Pan fo cyfnewidiadau fel hyn wedi greddfu ymhell yn yr iaith lafar ac yna wedi ymwthio i lenyddiaeth, gwaith ofer a diangen yw ceisio'u llwyr ddileu er mwyn yr hen sydd wedi marw.

121

613

Carwn bwysleisio'r farn nad y gramadegydd na hanesydd 'yr iaith sy'n mynd i'w chadw hi'n fyw. Mae defnydd eu gwaith hwy eisoes yn farw, canys yr iaith o'r dechrau hyd yr awr hon yw maes eu hymchwil a'u hastudiaeth...Eithr nid eiddynt hwy'r dyfodol yn rhinwedd eu crefft. Eiddo'r genedl yw dyfodol yr iaith ac fe fydd iddi ddyfodol tra pery'r genedl i roi ei bywyd ei hun i'w hiaith.

122

614

Hyd yr awr hon gwnaeth y genedl Gymraeg i'w hiaith adrodd ei stori yn weddol lawn, ac ni phetrusodd ei newid a'i thrwsio pan fyddai'r stori yn newid. Nid trwy ei chaboli a'i rhoi dan ddisgleirdeb ei byclau pres ar ford y parlwr y bydd hi byw...trwy fynnu ei defnyddio a'i hystwytho a'i chyfoethogi â bywyd heddiw ac yfory y gallwn ni sy'n ei charu ei gwasanaethu orau a buddiolaf.

122

615

Yn y cyfnod pan oedd Ynys Prydain yn rhan o Ymerodraeth Rhufain, sef o ganol y ganrif gyntaf hyd ddechrau'r bumed, llifodd nifer mawr o eiriau Lladin i mewn i iaith yr hen frodorion a drigai yn rhannau gorllewinol yr ynys. Yr enw a roir i'r iaith honno yw Brythoneg, ac ohoni hi y tarddodd yr iaith Gymraeg, yn ogystal â'r Gernyweg a'r Llydaweg.

Yr Elfen Ladin yn yr Iaith Gymraeg (1943), 1

LEWIS, HYWEL D. (1910-92)

616

Mae un arfer ddiweddar anffodus ar gynnydd...sef benthyca ac addasu geiriau Saesneg lle mae geiriau Cymraeg da wrth law...arfer a aeth yn rhemp yng ngwaith ein hawduron gorau.

Beth sydd o'i le yn y benthyca medrus yma? Onid yw pob iaith yn gwneud yr un peth, a'r Gymraeg hithau o ddyddiau cynnar? Geiriau Lladin yw llawer a arferwn o hyd bob dydd, ac mae'r 'Elfen Ladin' yn ein hiaith yn gwrs Prifysgol ers tro.

Purion, ond mae ein safle heddiw yn hynod argyfyngol...Llithro yr ydym o hyd, a hyn heb braidd wybod, ac os erys yr arfer o fenthyca termau Seisnig, yn enwedig lle mae ymadroddion cymwys Cymraeg i'w cael, byddwn wedi llithro o fod yn Gymry i fod yn Saeson, a hyn ar draul oferedd y rhai y dibynnwn fwyaf arnynt am noddi a chyfoethogi'n hiaith a'n diwylliant.

Taliesin, 67 (Awst 1989), [117]

LEWIS, J. SAUNDERS (1893-1985)

617

Ymgasglodd muthos o chwedloniaeth ddisail ers canrif o gwmpas Beibl 1588.

Honnwyd er enghraifft iddo achub yr iaith Gymraeg rhag difancoll, ac eto iddo osod patrwm o arddull i bob rhyddiaith Gymraeg a ysgrifennwyd ar ei ôl. Ailadroddwyd y ddau osodiad hyn mewn nifer o erthyglau...Er hynny, nid gwir na'r naill na'r llall.

Yn y ddeunawfed ganrif y daeth dylanwad arddull y Beibl i foldio iaith lenyddol y Gymraeg...a hynny drwy gyfrwng yr ysgolion teithiol, trwy sefydliadau'r diwygiad crefyddol, ac yn arbennig drwy'r emynau.

Ati, Wŷr Ifainc (gol. Meg Elis, 1986), 26

618

Buan iawn...wedi y derfydd y Cymry uniaith y derfydd am einioes y Gymraeg. Canys y pryd hynny ofer fydd sôn am werth ysbrydol a gwerth addysgol y Gymraeg...Gan hynny, os mynnwn ymladd o gwbl dros y Gymraeg, rhaid inni ymladd o ddifrif dros barhad y Cymry uniaith.

65

619

Ehangu buddugoliaeth cyfalafiaeth yw effaith sicr lladd Cymraeg.

66

620

Y mae'n hiaith Gymraeg ni, trysor ysbrydol ein cymdeithas, mewn dygn berygl...Os collwn ein hiaith...a'r gymdeithas Gymraeg, ni bydd adferiad wedyn.

71

621

Er dechrau'r ganrif ddiwethaf y capel fu canolfan yr iaith Gymraeg...Heddiw hefyd, y capel yw unig ganolfan cymdeithasol yr iaith Gymraeg. Yno'n unig y rhoir i'r Gymraeg urddas iaith swyddogol; yno'n unig hyd yn oed yn y rhannau helaethaf o Gymru Gymraeg sydd eto'n aros. Tra nad oedd bywyd cymdeithasol Cymreig ond yn y capel, yr oedd yr iaith yn ddiogel a chyfoethog. Heddiw, rhywbeth ar odre bywyd y gymdeithas Gymreig yw'r capel, ie hyd yn oed yn y pentrefi gwledig.

71-72

622

Moeth, amheuthun, peth i'w fwynhau yn oriau hamdden yr wythnos, adloniant cymdeithasol, dyna yw crefydd heddiw yng Nghymru ymneilltuol. Ac yn gymaint â bod yr iaith Gymraeg a'r diwylliant Cymraeg a'r traddodiadau Cymreig oll ynghlwm wrth y bywyd crefyddol hwn ac nad oes ganddynt sylfaen arall, byddant farw gyda'r grefydd sy'n marw.

73

623

Heddiw, nid oes gan y mwyafrif o blant ysgolion uwchradd y siroedd Cymreicaf yng Nghymru na thafodiaith dda na geirfa eu tadau.

84

624

Dyletswydd pob cynghorwr a fedro yw llefaru Cymraeg ar ei gyngor, hyd yn oed pan fo'n Gymraeg tlawd.

84

625

Bydd pawb yn cytuno ar yr egwyddor yma: y mae diogelu a sefydlu ffyniant yr iaith Gymraeg yn bwysicach i genedl y Cymry nag ennill Senedd i Gymru...Fe all yr iaith gadw'r genedl; ni all Senedd wneud hynny heb yr iaith.

84

626

Golyga [sefydlu addysg Gymraeg uwchradd], yn y rhannau y mae'r ddwy iaith yn gymysg ynddynt, fod dwy ysgol dan yr unto, un yn Gymraeg a'r llall yn Saesneg...Y pwynt y ceisiaf bwyso arno'n awr yw bod hyn yn chwyldroad mewn addysg yng Nghymru, ond yn chwyldroad na ellir hebddo gadw'r Gymraeg yn iaith fyw ac yn iaith effeithiol mewn cymdeithas a gweinyddiaeth. Mae hyn bellach yn angerddol angenrheidiol. Hebddo, ofer pob sôn am gadw'r Gymraeg.

84

627

Y mae'n rhagrith ac yn annhegwch amlwg ceisio gosod y Gymraeg yn iaith arferol awdurdod lleol a'r un pryd roddi iddi statws y Ffrangeg neu iaith dramor arall yn ysgolion uwchradd yr awdurdod. Os mynnwn ni ei dwyn i mewn i weinyddiaeth a llywodraeth, rhaid inni roddi iddi'r eirfa a'r ymarfer yn y gwyddorau anhepgor ar gyfer hynny.

84-85

628

Onid yw'n wrthun meddwl mai ni yw'r unig genedl sy'n aros yn Ewrop heb na phrifysgol na choleg athrawon yn defnyddio iaith y wlad yn gyfrwng addysg?

85

629

Hanner gwirionedd twyllodrus yw bod crefydd yn bwysicach nag iaith. Y mae crefydd hefyd ynghlwm wrth iaith...Bodloni i golledion ysbrydol anhraethadwy yw bodloni i newid iaith.

85

630

Oni chadwer rhyw ddarn o ddaear Cymru yn wlad uniaith Gymraeg, ofer pob sôn am gadw'r Gymraeg yn fyw yng Nghymru.

86

631

Wrth gwrs y mae gan y Gymraeg elynion egnïol o hyd yng Nghymru. Nid llywodraeth Loegr na'r swyddogion o Saeson yng Nghymru yw gelynion pennaf y Gymraeg, eithr y Cymry mewn swyddi o awdurdod. Oblegid hynny y mae cael cydnabod y Gymraeg yn iaith swyddogol gydradd â'r Saesneg yn holl fywyd gweinyddol Cymru yn bwysicach lawer na chael senedd i Gymru.

87

632

Y Gymraeg yw'r unig arf a eill ddisodli llywodraeth y Sais yng Nghymru.

101

633

Rhaid sefydlu neu adfer cymdeithas ar ddarn o dir neu ar ddarnau o dir Cymru na bydd unrhyw iaith ond y Gymraeg yn

anhepgor ynddi, mewn ysgol, mewn coleg, mewn llys barn, mewn swyddfa drethi, mewn ysbyty, mewn carchar, mewn gwallgofdy neu swyddfa deledu. Dyna ailsefydlu'r ghetto Cymraeg.

10

634

Teledu a'r gyfundrefn addysg a fu ac a erys yn ddiffeithwyr uniongyrchol pennaf yr iaith Gymraeg...Mae'r teledu...yn clymu Lloegr a Chymru yn un genedl uniaith sy'n byw ar ffarm yr *Archers* ac ar ddiwylliant *Coronation Street*.

108

635

Nid oes ond adfer yr iaith Gymraeg i barch a all roi'n ôl urddas person a hunan-barch cyfrifol i bob Cymro a Chymraes...Brwydr dros urddas y ddynoliaeth Gymreig yw brwydr yr iaith.

108

636

Ni bydd Cymru heb Gymraeg. Gwlad arall fydd hi heb yr iaith hon yn gadarn ar ei daear,,,Ac o'r herwydd...nid oes ond un frwydr sy'n werth ei hymladd y dwthwn hwn yng Nghymru. Brwydr yr iaith yw honno, y frwydr i'w chael hi'n ôl i *holl* fywyd Cymru.

Barn, Chwefror 1971, 89

637

Buan iawn...wedi y derfydd y Cymry uniaith y derfydd am einioes y Gymraeg. Canys y pryd hynny ofer fydd sôn am werth ysbrydol a gwerth addysgol y Gymraeg. Ni bydd yn hanfodol er mwyn byw yng Nghymru, a phan na bydd yn hanfodol yn unman, yna'n sicr ddigon fe'i gollyngir i'w thranc ym mhobman.

Canlyn Arthur (1985), 6

638

Drwg, a drwg yn unig, yw bod Saesneg yn iaith lafar yng Nghymru. Rhaid ei dileu o'r tir a elwir Cymru: *delenda est Carthago*.

63

639

O ddyddiau'r Mabinogi hyd at oes Eben Fardd a Robert ap Gwilym Ddu bu bywyd gwledig Llŷn a Chymreigrwydd pur y fro...yn rhan o gadernid yr iaith Gymraeg.

10

640

Troi'r Gymraeg yn iaith llys, dyna ystyr achub yr iaith a'i chweirio a'i pherffeithio. A mynnodd Salesbury oni wnelsid hynny 'cyn darfod am y to y sydd heddiw, y byddai ryhwyr y gwaith wedyn'. Diau mai Deddf Uno Cymru a Lloegr a oedd ym meddwl Salesbury, a holl dueddiad polisi Harri Wyth.

Efrydiau Catholig, ii. (1947), 5

641

Deallodd llawer fod Salesbury'n dweud bod yr iaith Gymraeg ar drengi a bod rhaid ei 'hachub' yn y genhedlaeth honno...ac yna dadleuwyd ddyfod y cyfieithiad Cymraeg o'r Beibl mewn pryd i 'achub yr iaith'. Ni ddywed Salesbury o gwbl fod yr iaith Gymraeg ar drengi. Yn hytrach fe'i cawn yn cwyno droeon mai uniaith Gymraeg oedd y mwyafrif o'r Cymry yn ei oes ef, ie hyd yn oed o'r boneddigion. A gwelsom i Humphrey Lhuyd ddweud yn 1568 nad oedd ond

ychydig iawn o'r bobl gyffredin yng Nghymru na fedrent ddarllen ac ysgrifennu Cymraeg.

Meistri'r Canrifoedd (gol. R. Geraint Gruffydd, 1973), 13

642

Thesis G.J.Williams yw bod gennym ni Gymry Cymraeg ddwy iaith, yr iaith fyw a'r iaith lenyddol. Y mae i'r iaith fyw amryw ganghennau, sef y tafodieithoedd. Nid iaith fyw, nid iaith y tafod, mo'r iaith lenyddol...

Y mae fy thesis innau yn groes i hynny. Yn syml iawn, daliaf fod yr iaith lenyddol *yn* iaith fyw... Fe darddodd hi o draddodiad ysgolion y beirdd a gwnaeth John Davies hi'n iaith y Beibl Cymraeg. Gwnaeth y diwygiad Methodistaidd hi'n iaith y pulpud Cymraeg drwy Gymru gyfan, ac wedyn o gam i gam yn iaith y seiat, y cyfarfod gweddi...y darlithio ar ddirwest, yr areithio politicaidd, ac yna, diolch i John Morris-Jones, yn iaith llwyfan yr Eisteddfod a'r beirniadu ar awdl a phryddest, ac o'r diwedd yn iaith darlithiau prifysgol yn adrannau'r Gymraeg...Os nad yw hynny oll yn *fyw*, beth atolwg sy'n iaith fyw?

Problemau Prifysgol (1968), [i-ii]

643

Y ffaith amdani yw mai dyn dwy-ieithog oedd pob Cymro uniaith hyd at 1914 ac i raddau hyd at 1938. Yr oedd ganddo iaith ei fro, iaith y stryd a'r chwarel a'r pwll a'r cae rygbi a'r siop. Yr oedd ganddo hefyd iaith y seiat a'r cyfarfod gweddi...a'r cyfarfod llenyddol. Fe wyddai fod yr ail iaith hon, nid yn dafodiaith leol—er ei bod hi'n benthyg llawer gan y tafodieithoedd—ond yn iaith gyhoeddus gyffredin i bawb. Dyna gamp fawr genedlaethol y pulpud Anghydffurfiol Cymraeg. Ac nid oedd y Cymro cyffredin...yn cymysgu dim. Fe wyddai ba iaith i'w harfer lle bynnag y byddai, ac fe roes ystwythder hapus sy'n aros hyd heddiw ar yr iaith lenyddol Gymraeg.

[ii]

644

Yn fy marn i, yr ail iaith fyw hon, yr iaith lenyddol Gymraeg, yw'r unig gyfrwng posib i theatr cenedlaethol ac i ddrama genedlaethol. Sicr iawn fod yn briodol defnyddio'r ffurfiau ystwythaf arni, y ffurfiau sy'n gyffredin iddi hi a'r tafodieithoedd.

[ii]

645

Gofynnir imi'n weddol aml, a ydych chi heddiw yn fwy gobeithiol am barhad yr iaith nag yr oeddych ddeng mlynedd yn ôl?...Nid oes a wnelo hynny ddim â gobaith. Y mae'n iawn ymdrechu tra galler dros gynnal yr iaith Gymraeg yn iaith lafar ac yn iaith lên oblegid mai felly'n unig yn y darn daear hwn y gellir parchu'r ddynoliaeth a fagwyd arno ac y sydd eto'n ei arddel. Dirmygu dyn yw bodloni i iaith a fu'n etifeddiaeth i'n tadau ni fil a hanner o flynyddoedd farw.

Tynged yr Iaith (1962), 5-6

646

Mi ragdybiaf...y bydd terfyn ar y Gymraeg yn iaith fyw, ond parhau'r tueddiad presennol,. tua dechrau'r unfed ganrif ar hugain.

7

647

Ar ôl 1536 fe beidiodd y syniad o Gymru'n genedl, yn undod hanesyddol, â bod yn atgof na delfryd na ffaith...o ganlyniad ni bu chwaith unrhyw gais politicaidd hyd at yr ugeinfed ganrif i adfer statws yr iaith Gymraeg na chael ei chydnabod mewn unrhyw fodd yn iaith swyddogol na gweinyddol. Bodlonwyd drwy Gymru gyfan i'w darostyngiad llwyr.

10

648

Bu gwrthgymreigrwydd esgobion a phersoniaid yr Eglwys Wladol a'u gelyniaeth i'r Gymraeg yn rhan fawr o'r ddadl o blaid Datgysylltiad, yn rhan hefyd o ddadl y Degwm.

19

649

Traddodiad o ddioddef dirmyg ac erlid yw traddodiad amddiffyn politicaidd i'r iaith Gymraeg. Yng Nghymru gellir maddau popeth ond bod o ddifri ynglŷn â'r iaith. Dyna brofiad Ieuan Brydydd Hir, Michael Jones, ac Emrys ap Iwan.

22

650

Bu amser, yng nghyfnod deffroad y werin rhwng 1860 a 1890, y buasai'n ymarferol sefydlu'r Gymraeg yn iaith addysg a'r brifysgol, yn iaith y cynghorau sir newydd, yn iaith diwydiant. Ni ddaeth y cyfryw beth i feddwl y Cymry...Heddiw nid yw hynny'n bosibl...Iaith ar encil yw'r Gymraeg yng Nghymru mwyach, iaith lleiafrif a lleiafrif sydd eto'n lleihau.

22-23

651

Nid yw'n rhan o dasg y Weinyddiaeth Addysg orfodi'r Gymraeg ar ysgolion Cymru na hyd yn oed orfodi dysgu effeithiol ar y Gymraeg. Cymell, cefnogi, calonogi---purion.

25

652

Yr oedd y cynllun [cynllun dŵr Corfforaeth Lerpwl] yn chwalu cymdeithas Gymraeg uniaith yn un o ardaloedd gwledig hanesyddol Meirion. Amddiffyn iaith, amddiffyn cymdeithas ydyw, amddiffyn cartrefi a theuluoedd. Heddiw ni all Cymru fforddio chwalu cartrefi'r iaith Gymraeg. Maen' nhw'n brin ac yn eiddil.

25-26

653

Y mae amryw o arweinwyr y pleidiau politicaidd ac o arweinwyr awdurdodau lleol yng Nghymru a chanddynt wenwyn i'r Gymraeg. Ac y mae miloedd ar filoedd o weithwyr dur a glo a neilon a'r crefftau newydd o bob math na wyddan' nhw ddim bellach hyd yn oed fod yr iaith.

27

654

Llawn mor fygythiol yw agwedd meddwl cynghorau sir ac awdurdodau lleol y parthau Cymraeg. Nid oes ganddynt ond un ateb i broblem nychdod y broydd gwledig, sef pwyso ar y Llywodraeth am ddwyn iddynt hwythau ffatrioedd a diwydiannau o Loegr, a gwahodd corfforaethau dinasoedd megis Birmingham i sefydlu maestrefi ym Môn neu Feirion neu Sir Drefaldwyn...Ni

ddywedaf i ond hyn am y polisi yn awr: hoelen arall yw hi yn arch yr iaith Gymraeg.

27-28

655

Y mae traddodiad politicaidd y canrifoedd, y mae holl dueddiadau economaidd y dwthwn hwn, yn erbyn parhad y Gymraeg. Ni all dim newid hynny ond penderfyniad, ewyllys, brwydro, aberth, ymdrech.

28

656

Fe ellir achub y Gymraeg. Y mae Cymru Gymraeg eto'n rhan go helaeth o ddaear Cymru ac nid yw'r lleiafrif eto'n gwbl ddibwys.

30

657

Nid dim llai na chwyldroad yw adfer yr iaith Gymraeg yng Nghymru. Trwy ddulliau chwyldro yn unig y mae llwyddo. Efallai y dygai'r iaith hunan-lywodraeth yn ei sgil; wn i ddim. Mae'r iaith yn bwysicach na hunan-lywodraeth. Yn fy marn i, pe ceid unrhyw fath o hunan-lywodraeth i Gymru cyn arddel ac arfer yr iaith Gymraeg yn iaith swyddogol yn holl weinyddiad yr awdurdodau lleol a gwladol yn y rhanbarthau Cymraeg o'n gwlad, ni cheid mohoni'n iaith swyddogol o gwbl, a byddai tranc yr iaith yn gynt nag y byddai ei thranc hi dan Lywodraeth Loegr.

32

658

Blwyddyn gofiadwy yn hanes llenyddiaeth Gymraeg yw 1567. Y flwyddyn honno y daeth o'r wasg y

cyfieithiadau o'r Llyfr Gweddi Gyffredin
a'r Testament Newydd, ac y cyhoeddwyd
hefyd y rhan gyntaf o Ramadeg Cymraeg
Gruffydd Robert ym Milan. Trwy'r
gweithiau hynny, fe wyddom yn awr, y
datguddiwyd ysblander Dadeni Dysg yr
unfed ganrif ar bymtheg mewn
llenyddiaeth argraffedig Gymraeg.
Torrodd dydd newydd ar Gymru.

Ysgrifau Dydd Mercher (1945), 50

659
Nid bechan yw dyled llenyddiaeth
Gymraeg i ddyneiddiaeth yr Eidal. Un o
ryfedd gastiau ffawd yw mai mewn
gwinllan ym Milan neu yn Rhufain y
lleolwyd ymddiddan a newidiodd yrfa
rhyddiaith Cymru ac a gychwynnodd
gyfnod y Clasuron Cymraeg a'n
llenyddiaeth fodern.

59

660
Nid rhaid ond teithio mewn bws yn y
wlad Gymraeg a gwrando ar sgwrs y bobl
o'ch cwmpas, yn arbennig yr ifainc, er
mwyn sylweddoli mor resynus yw'r
Gymraeg gyfoes. Nid yw hi'n fynych ond
clytwaith o Saesneg a'r geirynnau
cysylltiol, cystrawennol yn unig yn
Gymraeg. Gwnaeth addysg Cymru ei
gorchwyl yn rhagorol; barbareiddiodd
Gymru yn drwyadl. Nid yw'r Gymraeg yn
meistroli nac yn meddiannu offer
gwareiddiad heddiw.

101

661
Nid yw beirdd ifainc Cymru'n darllen
digon ar y Gymraeg. Darllenant ac
astudiant ac efelychu beirdd Saesneg

cyfoes. Ni ellir bardd fel yna. Y dasg
hanfodol, anhepgor i fardd yw
meddiannu ei iaith ei hun...Dylai bardd
Cymraeg a fo mewn difrif roi diofryd i
ddarllen barddoniaeth Saesneg am
flynyddoedd meithion. Dylai ymdrwytho
mewn Cymraeg; holl Gymraeg y
canrifoedd...Tlodi iaith y beirdd ifainc
Cymraeg yw eu nodwedd amlycaf.

101

LEWIS, ROBYN (1929-)
662
Mae parhad a ffyniant fy iaith yn
hollbwysig i mi fel Cymro. I'r Cymro
Cymraeg, ei Gyfiawnder ef yw cael byw
pob agwedd o'i fywyd, os mynn, trwy
gyfrwng ei iaith ei hun.

Geiriadur y Gyfraith (1992), 14

663
Fe sylweddolais—yn annisgwyl braidd,
rwy'n addef—bod gan y Gymraeg lawer
rhagor o eiriau cyfreithiol cysefin iddi ei
hun nag sydd gan y Saesneg.

14

664
Am unwaith yr ydw i am fenthyca gair o'r
Saesneg. ('Dwn i ddim pam y bydd yr
ieithmyn a'r ysgolheigion a'r
geiriadurwyr yn dweud 'benthyca',
chwaith---canys ni roir byth mohono yn
ôl! Onid rheitiach a chywirach fyddai
dweud 'dwyn', neu o leiaf 'cymryd'?)

Y Cymro, 8 Chwefror 1995, 2

665
Po fwyaf cymhleth y bo llywodraeth leol,
mwyaf oll o ffurflenni a gyhoeddir ac a
ddefnyddir i'r pwrpas...Ac yn Saesneg y

mae'r mwyafrif llethol ohonynt...

Peth drwg yn ein barn ni yw cael fersiynau Cymraeg a Saesneg ar wahân. Y rheswm am y farn hon yw fod trefniant o 'arwahanrwydd' fel hyn yn tueddu i greu dau ddosbarth mewn cymdeithas... Teimlwn yn gryf iawn yn erbyn hyn o beth. Awgrymwn gan hynny y dylai'r Cyngor ofalu argraffu'r ffurflenni a'r dogfennau hyn mewn ffurfiau dwyieithog yn unig.

Y Gymraeg a'r Cyngor (1972), 8

666

Ychydig ryfeddol o bobl--hyd yn oed cenedlaetholwyr a ieithwyr brwd—a fydd yn ateb y teleffôn gyda'r rhif yn Gymraeg. Anodd yw torri hen arferiad, ond mae modd gwneud. Nid oes reswm o gwbl dros beidio ateb y teleffôn yn Gymraeg. Gellir troi i'r Saesneg yn ddiweddarach os bydd angen.

13

667

Weithiau gwelir ambell gerbyd ac arno arysgrif yn y ddwy iaith. Ond mae'n dal i fod yn beth prin...Nid oes rwystr yn y byd i gael y Gymraeg ar y naill ochr i'r cerbyd, a'r Saesneg ar y llall. Mae Bwrdd Nwy Cymru a'r Swyddfa Bost hyd yn oed, *eisoes wedi gweithredu dwyieithedd* ar lawer iawn o'u cerbydau.

14

668

The great landmark in the history of the Welsh language is the Act of Union of 1536...There can be little doubt that the Act of Union not only brought about ultimately the loss of status that the Welsh language has suffered and is suffering still, but also that it conditioned generation after generation of Welsh people to accept such a situation without demur.

The Welsh Language Today (gol. Meic Stephens, 1972), [195]-196

Deddf Uno 1536 yw'r garreg filltir bwysig yn hanes yr iaith Gymraeg...Nid oes nemor amheuaeth i'r Ddeddf Uno nid yn unig beri yn y diwedd y colli statws y mae'r iaith Gymraeg wedi bod, ac yn parhau i fod, yn dioddef ganddo, ond hefyd gyflyru cenhedlaeth ar ôl cenhedlaeth o Gymry i dderbyn y fath sefyllfa yn ddiwrthwynebiad.

LOADER, Y Parchedig MAURICE
669

Mae'n dda gen i dystio i eglwys Soar, Pant-y-buarth [ger yr Wyddgrug] fod yn ddinas noddfa i Gymry'r ardal am genedlaethau. Hi, ac eglwysi eraill tebyg iddi, a roes loches i Gymreictod y fro. Yr eglwys, sylwer, nid yr ysgol, oherwydd Saesneg oedd iaith honno o'i bôn i'w brig. Rhyw ddiwrnod, mi gaiff eglwysi Cymru'r clod dyladwy am noddi'r Gymraeg pan nad oedd nawdd i'w ddisgwyl o gyfeiriad nemor unrhyw sefydliad arall.

Erbyn hyn, mae'r rhod wedi troi. Mae addysg Gymraeg i'w chael yn yr ardal hon bellach, ond mae capel Pant-y-buarth, fel sawl capel arall, â'i ddrws ynghau. Ac i mi...mae 'na rywbeth yn chwithig, os nad yn drofaus, mewn gweld cenhedlaeth o Gymry'n codi sydd â'r iaith ar eu gwefus, ond heb lusern y Ffydd sydd wedi mowldio cymeriad y genedl hon, a'i gwneud yr hyn ydi hi.

Cristion, Tachwedd/Rhagfyr 1991, 7

LLEWELYN, EMYR
670

[Y] meddwl Seisnig...yw gelyn pennaf yr iaith Gymraeg...Mae'n peri i ni anghofio fod gyda ni iaith ein hunain ers bron dwy fil o flynyddoedd a bod gyda ni hawl i siarad a defnyddio'r iaith honno heb gael ein nacáu gan neb.

Gweithredu Anghyfreithlon, 21-22

671

Dyna pam mae'r iaith Gymraeg yn bwysig, nid am ei bod hi'n hen, ac yn annwyl, ac yn gynefin, ond am mai hi yw'r allwedd i'r gorffennol. Nid trasiedi colli cyfrwng mynegiant na chwaith trasiedi colli corff cain o lenyddiaeth fyddai trasiedi colli'r iaith Gymraeg, ond y drasiedi o golli adnabod arnom ni'n hunain fel pobl, oherwydd na fyddai i ni bellach wreiddiau. Heb iaith does gyda ni ddim gorffennol, a heb orffennol does dim ystyr i'n bywydau ni.

23

672

Byddaf yn hoffi meddwl am yr iaith fel mae un bardd cyfoes yn meddwl amdani, sef fel llestr yn cynnwys y gorffennol. Costrel gain yw'r iaith, yn llawn o ddŵr bywiol y gorffennol. Mae'r meddwl Seisnig yn ceisio dinistrio'r gostrel gain. Sut ydyn ni'n mynd i rwystro hyn? Y paradocs rhyfedd yw mai yn yr iaith Gymraeg ei hun y mae'r nerth i wrthsefyll a hyd yn oed dinistrio'r meddwl Seisnig. Gadewch i ni sylweddoli hyn ac yn lle amddiffyn yr iaith gadewch i ni ei defnyddio fel arf.

23

LLOYD, D. TECWYN (1914-92)
673

Y mae pen-draw i iaith,---décini; o leia', i iaith ddoe; mae'r iaith fyw, iaith 'fory, yn fusnes parhaol a bydd ein geiriadurwyr, fel y gwyddau effro yn Rhufain gynt, yn gwylio ar y mur am bob tro a thric gan honno ac yn eu hel i geubal Atodiad ar ôl Atodiad. I Atodiadu, 'does dim diwedd.

Cofio Rhai Pethe a Phethe Eraill (1988), 84-85

674

Byddai i ddyfeisydd o Gymro neu bensaer neu wyddonydd dynnu allan chwech neu saith o gynlluniau o ddyfeisiau neu o wybodaeth newydd wirioneddol bwysig yn *Gymraeg*, yn gwneud mwy i hyrwyddo lledaeniad y bywyd Cymreig na dwy fil o awdlau a phryddestau. Yn yr un modd gydag ysgolheictod. Ar y pwynt hwn, rhaid imi anghytuno â Dr Iorwerth Peate, sy'n awgrymu y dylid cyhoeddi gweithiau safonol a newydd ar faterion Cymreig yn Saesneg, iaith y byd. Na ddylid: canys lle'r byd ydyw dyfod at Gymru a dysgu ei hiaith os myn wybod rhywbeth am Gymru: ein gwaith ni ydyw parhau yn falch, yn drahaus ac yn ffroenuchel Gymreig. Yr un pryd, ein dyletswydd ni hefyd ydyw manteisio ar bob gwybodaeth bosibl sydd gan y byd i'w chynnig inni, ei gyfieithu i'r Gymraeg, a'i addasu, os yw'n dda, i'n bywyd ein hunain.

Bwrier mai gan wyddonwyr o Gymry mewn labordai dirgel...y dyfeisiwyd bomiau atomig, a bod eu hadroddiadau o'r gwaith wedi eu sgrifennu i gyd yn Gymraeg. Odid na byddai pob cenedl dan haul yn prysuro i feistroli ein cystrawen.

Erthyglau Beirniadol (1946), 17

LLOYD, IDWAL
675
Daw yn gryf o dynn grafanc
Gwaetha' trais sy'n bygwth tranc,
A'i thwf yn gydnerth ifanc.

Er ingoedd â her angau,
Y rhuddin sy'n ei gwreiddiau
Bair i hon o hyd barhau.
Cerddi Idwal Lloyd (2000), 34-35

LLOYD, Syr J. E. (1861-1947)
676
Pa un ai marw ai byw wna'r Gymraeg, pa
un ai myn'd yn fwy Seisnigaidd ai yn fwy
Cymreig a wna, dyma gwestiynau na
allwn roi atebion iddynt, er bod yn
bryderus iawn yn eu cylch, am fod y gallu
yn llaw UN arall.
National Eisteddfod Association Report
(1889), 53

LLOYD, NESTA
677
Yr oedd Saesneg yn treiddio i mewn i
iaith Môn yn bur sylweddol yn nechrau'r
ail ganrif ar bymtheg os oedd iaith Elen
[Gwdman] yn gynrychioliadol o iaith
merched uchelwrol y sir. Rhaid cofio
fodd bynnag nad oedd Tal-y-llyn ymhell
o'r briffordd a redai o Lundain i Gaergybi,
y porthladd i Ddulyn, tramwyfa
boblogaidd iawn fel y dengys llythyrau'r
Morrisiaid yn y ganrif ddilynol. Mae'n
rhesymol tybio y clywid mwy o Saesneg
yng nghyffiniau'r lôn bost a dorrai drwy
ganol yr ynys nag ym mhellafoedd pen
Llŷn neu gilfachau Ardudwy, dyweder.
*Blodeugerdd Barddas o'r Ail Ganrif ar
Bymtheg,* I (1993), 319

LLOYD-JONES, JOHN (1885-1956)
678
Iaith y Beibl yw sylfaen yr holl ryddiaith
Gymraeg a ysgrifennwyd ar ei ôl.
Gymaint cymwynas a wnaeth Morgan â'r
iaith Gymraeg drwy roddi cyfrwng mor
rhagorol i'w rhyddiaith! ---iaith ofalus,
bendefigaidd, a choeth, iaith glasurol
wedi ei seilio ar iaith y cywyddwyr. Y
mae'n wir i gampwyr fel Morgan Llwyd,
Elis Wynne, a Theophilus Evans ddyfod
ag elfen newydd, bersonol iddi, ac i rai o
ysgrifenwyr y ganrif ddiwethaf wyrdroi
cryn lawer arni. Er hynny, Cymraeg y
Beibl fu'r gallu pennaf yn natblygiad a
thyfiant yr iaith, a gwelir ei harddwch yng
Nghymraeg ein llenorion gorau ni
heddiw.
Y Beibl Cymraeg (1938), 52

679
Ni allwn roddi gormod clod i Wiliam
Morgan am greu iaith mor odidog ac
aruchel, a rhoddi urddas arhosol ar
ryddiaith Gymraeg.
54

680
Pa faint bynnag o feiau oedd ym mhobl
'grefyddol' dechrau'r ganrif ddiwethaf ---
pobl y Capel, y Cyfarfod Gweddi, y Seiat,
a'r Ysgol Sul,---a pha mor gyfyng bynnag
ydoedd eu diwylliant...ganddynt hwy, ac
nid gan neb arall, y cadwyd yr iaith
Gymraeg.
58

681
Nid cyfanswm o seiniau a brawddegau
[ydyw'r iaith], nac ychwaith gyfrwng
cymundeb yn unig, eithr rhan o fywyd ac

enaid cenedl. Datblygodd a thyfodd gyda hi, ac adlewyrchir ynddi hanes ei gogoniant a'i llwyddiant, ynghyd â gormes, trais a gorthrwm. Hi ydyw trysorfa urddas a bri'r oesoedd gynt

Y Beirniad, 1911; dyf. Gwynfor Evans, *'Eu Hiaith a Gadwant...'* (1948), 6

LLOYD-JONES, Y Parchedig D. MARTYN (1899-1981)
682
Ein dyletswydd ni...yw ei chadw [yr iaith Gymraeg]...Yr hyn y dylem ei wneud , yn hytrach, yw ei defnyddio hyd yr eithaf---defnyddio'r iaith, yn arbennig fel cyfrwng y mae'n fraint fawr i ni gael dangos gogoniant yr Efengyl drwyddi. Dyna'r her i ni felly. Os na wnawn ni hyn â'n holl egni, nid bradychu ein cenedligrwydd yr ydym ni, ond bradychu'r Efengyl hefyd.

Gwerth Cristionogol yr Iaith Gymraeg (dyf. *Cristion*, Gorffennaf/Awst 1991), 7

LLWYD, ALAN (1948-)
683
Alltud o fewn ei filltir—ei hunan
  Yw hon, a gyfyngir
I un darn bychan o dir;
Yn ei thud fe'i gwrthodir.
Oblegid fy Mhlant (1986), 5

684
Hi yw'r glaw sy'n ireiddio'r ddaear, hi yw'r rhuddem hardd;
Awel cynhaeaf, a'i threigl yn y gwenith a'r ŷd;
Glain y goleuni yw hon, hi yw'r emrallt yn y gwellt gwyrdd,
Hi yw siffrwd yr haidd ar y maes, hi yw'r saffir drud...

Hi yw'r rhaff uwch yr affwys rhwth, a rhag anhrefn ein hendref nobl,
Hi yw'r did a'n deil, hi a eilw'i gwehelyth ynghyd.
Os tyrr y ddolen yn chwilfriw, pa ryw ddinistr a ddaw?—
Y mae'r rhaff fesul cainc yn ymddatod ar y dibyn draw.
Cerddi'r Cyfannu a Cherddi Eraill (1980), 27

LLWYD (neu **LHUYD**), HUMPHREY (c. 1527-1568)
685
Their tongue [Ceredigion] *...is esteemed ye finest, of al the other people of Wales. And Gwynedh: the purer, wtout permixtion, commying nearest vnto thauncient British. But the Southerne most rudest, & coursest, bycause it hath greatest affinitie with strange tongues.*
The Breuiary of Britayne (1573), fol. 75b

Ystyrir eu tafodiaith hwy [Ceredigion]... yr orau o dafodieithoedd pawb arall o'r Cymry. A'r eiddo Gwynedd y fwyaf pur a digymysg, yn dod yn nesaf at yr hen Frythoneg. Ond tafodiaith y De y fwyaf amrwd a chwrs am mai hi sy'n ymwneud fwyaf â ieithoedd estron.

Llyfr Coch Hergest
686
Y uoli dewi da Gymraec ehofyn.
The Poetry in the Red Book of Hergest (ed. J. Gwenogvryn Evans, 1911), 1189. 13

Llyfr Du Caerfyrddin
687
Cvhelin doeth. kymraec coeth. kyvoeth awyrllav.

The Black Book of Carmarthen (ed. J. Gwenogvryn Evans, 1906), 15.5-8

Llyfr Dysgread Arfau (15 g.)
688
Mi a ymcenais droi o Ladin a Ffrangeg mewn iaith Gymraeg gyfran o waith amrafaelion awduriaid o'r gelfyddyd hon...ac am fod iaith Gymraeg mor anaml na cheffir ohoni ddigon o eiriau perthynol i'r gwaith newydd hwn, rhaid yw ymwest ar ieithau eraill lle bo hi diffygiol.

Medieval Heraldry (ed. E. J. Jones, 1943), 6

Llyfrau Gleision, Y (1847)
689
The Welsh language is a vast drawback to Wales and a manifold barrier to the moral progress and commercial prosperity of the people. It bars the access of improving knowledge to their minds. Because of their language the mass of the Welsh people are inferior to the English in every branch of practical knowledge and skill.

dyf. *Cof Cenedl* (gol. Geraint H. Jenkins), II, 127

Y mae'r iaith Gymraeg yn anfantais ddirfawr i Gymru ac yn rhwystr mewn llawer ffordd i gynnydd moesol ac i ffyniant masnachol y bobl. Y mae'n cau drws eu meddyliau yn erbyn gwybodaeth sydd er gwell. Oherwydd eu hiaith, y mae crynswth y Cymry yn israddol i'r Saeson ym mhob gwyddor a medr.

690
His language keeps him under the hatches, being one in which he can neither acquire nor communicate the necessary information.. It is the language of old-fashioned agriculture, of theology, and of simple rustic life, while all the world about him is English

127

Y mae ei iaith yn ei gadw [y Cymro] dan yr hatsys, am ei bod yn gyfryw ag na all nac ennill na chyfleu'r wybodaeth angenrheidiol ynddi. Iaith amaethyddiaeth hen ffasiwn ydyw, iaith diwinyddiaeth, a bywyd syml cefn gwlad, ac yntau â'i holl amgylchfyd yn Seisnig.

LLYWELYN-WILLIAMS, ALUN (1913-88)
691
Fyddai neb ohonom yn gallu honni fod yr iaith lenyddol, yr iaith y byddwn-ni yn ei sgrifennu yng Nghymru heddiw, yr iaith a ddarllenwn-ni yn ein llyfrau, yn ddrych o'r iaith lafar...Mae yna wahaniaethau bychain er enghraifft rhwng Saesneg llafar a Saesneg llyfr. Ond yn Gymraeg, nid mân wahaniaethau a gawn-ni, ond gagendor mawr, mwy o agendor o bosibl nag a geir mewn unrhyw iaith arall.

Ambell Sylw (1988), 11

692
Un o brif ddogmâu y gramadegydd hanesyddol yw bod iaith yn newid, fod newid yn anhepgor i ddatblygiad iaith. Mae'n fwy na hynny, wrth reswm; mae'n egwyddor fywydegol. Dydi'r iaith Gymraeg ddim yn eithriad i'r rheol. Mae'r iaith lafar, yr iaith fyw, wedi newid yn ddirfawr, mae'n parhau i newid

heddiw. Ar dafodleferydd, mae hi wedi datblygu'n ystwythach cyfrwng nag oedd hi gynt, wedi symleiddio'i chystrawen, wedi chwynnu ei geirfa, wedi talfyrru a chreu a benthyca, a'i chymhwyso'i hunan (hyd yn ddiweddar iawn beth bynnag— ac o fewn cyfyngiadau ffurf-gymdeithas arbennig bid sicr) ar gyfer pob math o wahanol amgylchiadau ac amrywiol ddiddordebau bywyd bob dydd. Mae'n rhaid cydnabod wrth gwrs ei bod hi wedi colli rhyw gymaint o'i hurddas. Dyw'r werin ddim wedi llwyddo i greu iaith lafar safonol i'r wlad yn gyffredinol....

A dyna sut mae'r gagendor wedi tyfu yn Gymraeg rhwng llyfr a llafar. Mae'r naill wedi aros yn ei hunfan, a'r llall wedi newid a datblygu'n rhydd a dilyffethair--- yn ddiarweiniad, gwaetha'r modd. Mae'n deg inni osod llawer o'r bai am y gagendor felly ar y gramadegwyr a'r llenorion...Teimlo yr ydw i fod yr iaith lenyddol yn cael sylw'r gramadegwyr ar draul yr iaith lafar; a bod y gramadegau o'r herwydd yn disgrifio ac yn dadansoddi iaith sydd wedi marw oddi ar dafodleferydd y bobl ers llawer dydd.

17-18

693

Mae gofyn i iaith llyfr fod yn goethach ac yn fwy cymhleth nag iaith lafar, ond mae cymaint gwahaniaeth rhwng y ddwy ag a gawn-ni yn Gymraeg yn sicr yn wendid difrifol. Dyma sy'n peri i lawer ofni mai iaith i bobl ddysgedig yn unig a fydd y Gymraeg cyn bo hir. Ond mae'r broblem yn bwysicach heddiw am fod dyfais y radio wedi dod i ddylanwadu ar ddatblygiad iaith ac i wrthweithio dylanwad yr argraffwasg a'r llyfr...Mae'n

ymddangos fod y radio wedi dechrau effeithio hyd yn oed ar ffurfiau cwbl lenyddol, fod yr iaith lafar, gyda chymorth y cyfrwng newydd a chyfryngau tebyg fel y sinema...yn dylanwadu mwy ar iaith llyfr heddiw nag erioed o'r blaen.

19

694

'Fedr ein diwylliant llenyddol ni heddiw ddim peidio â bod yn rhan o ddiwylliant ehangach...Mae hanes y ganrif hon hyd yma yn awgrymu nad oes dim *rhaid* i'n dwyieithogrwydd beri inni lacio dim ar ein hymrwymiad i'r iaith Gymraeg a'i llenyddiaeth. I'r gŵr deallus sy'n ymwybodol o'i Gymreictod, ac i'r llenor a'r bardd sy'n ymwneud yn rhinwedd eu galwedigaeth â meithrin creadigrwydd yr iaith, fe erys y Gymraeg yn offeryn unigryw i fynegi hunaniaeth arbennig ac fe ddylai'r amodau cydwladol presennol fod yn gyfle inni dystio i'r hunaniaeth gerbron y byd a'i chyfoethogi i ni'n hunain ar yr un pryd.

128-29

695

Mae'r ddrama, 'ddyliwn i...wedi magu cynulleidfa newydd sylweddol i fwynhau difyrrwch celfyddyd adloniadol bwysig yn yr iaith Gymraeg.

131

696

'Does dim amheuaeth nad yw'r radio a'r teledu Cymraeg...eisoes wedi cael effaith fawr ar gwrs yr iaith...Maen-nhw wedi cyfoethogi'n geirfa ni a phoblogeiddio termau newydd wrth drafod yn y newyddion ac mewn rhaglenni dogfen bob math o bynciau, er nad yw'r iaith a glywn ni ar y radio a'r teledu, mae'n rhaid cyfaddef, ddim bob amser mor gywir a glân ag y dylai fod..Maen-nhw mewn llawer dull a modd yn ehangu profiad y gwyliwr a'r gwrandawr drwy arfer y Gymraeg ymhob cylch ar fyw, ac ymarfer yr iaith yn naturiol ymhob cylch posibl o'r bywyd cyfoes cymhleth yw'r unig warant heddiw i'w ffyniant a'i pharhad.

133

697

Mae'n anodd bod yn optimistig heddiw ynglŷn â dyfodol yr iaith a'i diwylliant, fel y gallem fod ar ddechrau'r ganrif pan oedd miliwn ohonom bron yn siarad Cymraeg. Ac eto, mae'r dirywiad mae'n ymddangos wedi dechrau arafu peth, a phwy a ŵyr na fydd moddion cyfathrebu newydd yr oes dechnolegol yn profi yn y diwedd yn fwy o atgyfnerthiad i'n hachos nag yr ofnem?

134

698

Yn y sefyllfa chwithig y cawn ein hunain ynddi'n awr fel cymdeithas, mae dwy iaith yn cyfeirio'n holl brofiad. Arwydd o hyn, os oes angen esiampl cartrefol, yw fod llawer iawn o'n digrifwch, o'n hiwmor ni, yn dibynnu ers tro byd ar ddal yr ergyd mewn ymadrodd neu air neu odl Saesneg. Mae'n anodd bod yn ddoniol, fe ymddengys, mewn Cymraeg pur.

138-39

699

Nid i'n hoes fer ni yn unig y perthyn cymdeithas. Mae hi, a'i dulliau byw a meddwl, yn greadigaeth canrifoedd, ac

wrth gofio hyn, mae gan yr iaith Gymraeg, hyd yma o leiaf, fantais amlwg i'r llenor. Y Gymraeg yn unig a all agor ein profiad ar gyflawnder bywyd y gorffennol. Nid bod y gorffennol fel y cyfryw yn bwysig...Unig bwysigrwydd y gorffennol i'r llenor yw fod ynddo stôr o brofiad dynol na ellir iawn ymgysylltu ag ef yn deimladol ac yn ddeallol ond trwy'r iaith a fu'n fynegiant parhaol iddo ar hyd y canrifoedd. Mae'r weithred o lenydda yn Gymraeg felly yn ein cydio wrth brofiad arbennig.

150

700

Efallai, wedi'r cwbl mai'r cyfiawnhad pennaf dros lenydda yn Gymraeg...yw ei fod yn fynegiant o'n hunan-barch fel cymdeithas ac o'n penderfyniad i ymdrechu yn erbyn difancoll. Mae'r ymdrech o leiaf yn amod bywyd, ac y mae gennym awdurdod beirniad mawr o Sais dros gredu, petai llais y Cymro Cymraeg yn distewi, y byddai amrywiaeth godidog diwylliant Ewrob gyfan, a'r byd i gyd ond odid, yn teimlo'r golled.

151

701

Da cofio...fod Erging, neu rannau deheuol Sir Henffordd, yn y cyfnod hwnnw [16 g.] mor Gymraeg ei hiaith ag unrhyw ran o Gymru.

Crwydro Brycheiniog (1964), 1

702

Yma [yn Llanfihangel Cwm Du] y bu Carnhuanawc, un o feibion disgleiriaf Brycheiniog, yn gweinidogaethu am dros chwarter canrif. Yma y bu farw, ac yma y claddwyd ef, a gweddus yw...aros yma ambell dro...i dalu teyrnged i ŵr a lafuriodd mor ddygn, ac mor llwyddiannus yn ei ddydd, dros y Gymraeg a'i diwylliant...

Yma, ar lan ei fedd, y mae'n amhosibl peidio â theimlo'n drist wrth feddwl fod ei holl lafur dros yr iaith Gymraeg i bob golwg heddiw wedi profi'n gwbl ofer. Mae'r heniaith wedi diflannu o'r tir bellach, ac nid yn unig yn nyffryn tlws Rhiangoll a holl wlad y Mynydd Du ond o gylch ei hen gartref hefyd [yn Llanfihangel Brynpabuan].

53-55

703

'Rwyf bron â chredu imi gwrdd â'r olaf o frodorion Cwm-du a bletiai'r iaith...a chan fod y gof yno wrth ei waith, ni allwn lai na tharo sgwrs ag yntau a holi hynt y Gymraeg yn y fro. 'There's an old man living in that house across the road,' meddai, 'I believe he speaks Welsh.' Aeth i'r tŷ i'w ymofyn, a dychwelyd ymhen ychydig gan arwain gŵr tua phedwar ugain oed a oedd bron yn ddall, gallwn dybio, ac a gerddai'n araf ar bwys ei ffon. Fe'i cyferchais yn Gymraeg, ond yn Saesneg y daeth yr atebion ar y dechrau. Ni wn i pryd y clywsai ddiwethaf air o'i famiaith, ond yr oedd fel petai'n analluog am rai munudau i berswadio'i dafod i ynganu seiniau a fuasai'n ddieithr iddo ers llawer dydd. O'r diwedd, troes i lefaru'n araf a herciog yn iaith ei fam. Ac yna torrodd yr argae, a chefais wrando ar lifeiriant o'r Cymraeg pereiddiaf a glywais erioed. 'Roedd dagrau yn llygaid yr hen ŵr pan fu raid inni ffarwelio.

56

704

Yr oedd Carnhuanawc yn ŵr o flaen ei oes mewn llawer peth. Yr oedd yn un o'r ychydig Gymry yn y ganrif ddiwethaf a oedd yn ddigon call i sylweddoli mai trwy'r famiaith y dylid addysgu plentyn ac yn ddigon diwylliedig i gredu nad cyfystyr addysg â dysgu Saesneg. Cafodd y Gymraeg lawn chwarae teg ganddo yn ysgol Llanfihangel Cwm Du ganrif a chwarter yn ôl.

56-57

MATHEWS, BETHAN MAIR
705

Nid cyd-ddigwyddiad mo'r ffaith i'r cynnydd mewn unieithrwydd Saesneg a'r diddordeb ym myd y sinema gyd-fynd â'r dirywiad yn arfer y Gymraeg a chrefydd ymysg ieuenctid a thrigolion y de-ddwyrain diwydiannol.

Y Traethodydd, cliii, Ionawr 1998, 8

MATHIAS, ROLAND
706

Inside Wales itself the work of Howell Harris and Daniel Rowland had made Welsh the language and impetus of Methodism...Adherents and proselytisers of this new movement, almost violently active by 1740, began to appear in the anglicised areas, re-establishing Welsh enclaves in the lost lands.

The Welsh Language Today (ed. Meic Stephens, 1973), 49

O fewn Cymru ei hun, gwnaethai llafur Howell Harris a Daniel Rowland y Gymraeg yn iaith a symbyliad Methodistiaeth...Dechreuodd pleidwyr a phroselyteiddwyr y mudiad newydd, a oedd wrthi bron yn ffyrnig erbyn 1740, ymddangos yn y rhanbarthau Seisnigedig, gan ail-sefydlu ynysoedd o Gymreictod yn y tiroedd coll.

McDERMID, ANGUS (g.1920)
707
Y mae Cymru yn awr yn tyfu, yn yr agwedd wleidyddol. Y mae ysbryd newydd yn y wlad, y mae hynny'n eglur. Mae'n anodd rhagfynegi dyfodol yr iaith, ond 'rwy'n sicr na fydd diflaniad heb ymladd hir a chwerw.
Fy Nghymru I (gol. John Jenkins, 1978), 192

MILLS, RICHARD (1809-44)
708
Eglur yw, oddi wrth brofion beunyddiol, fod yr iaith Gymraeg yn cilio, ac yn colli tir yn barhaus o ran yr ymarferiad ohoni yn llawer rhan o'r Dywysogaeth.
Traethawd ar Ddyledswydd y Cymry i Goleddu eu Hiaith (1838), [3]

709
Ein cydwladwr anghymharol yn ei wybodaeth ieithyddol, Syr William Jones, a ofidiai yn fawr oherwydd iddo fod cyhyd heb wybodaeth ohoni, gan y barnai fod hynny yn angenrheidiol a manteisiol er cyrraedd gwybodaeth o'r rhan fwyaf o'r ieithoedd dwyreiniol.
8

710
Dywedodd un fod *addewid* yn unig o ryw ddaioni i gyfaill gan Gymro yn iaith ei fam yn *rymusach* na'r cyflawniad ohoni gan Sais neu Wyddel. Y fath, yn wir, ydyw gorlawnder a phriodolder ei geiriau, fal y gellwch, megis Cicero a Demosthenes

gynt, beri i'ch cymdogion wneuthur neu gredu pa beth bynnag a ewyllysioch.
9-10

711
Pe darfyddai y Gymraeg, amddifadid y nifer amlaf o'n cydwladwyr o unig gyfrwng eu gwybodaeth a'u haddysg, y rhai a ddibynnant arni yn gwbl am y cyfryw, a darostyngid hwynt yn gydradd ag anifeiliaid y maes. Ni ddeallent eu dyletswydd at eu Crëwr na'u cydgreaduriaid.
12

712
Gwerth gwaed yw ein hiaith, a phechu yr ydym yn erbyn gwaed ac einioes ein hynafiaid, ac yn erbyn breintiau a hawledigaeth ein holafiaid, trwy esgeuluso eu dwyn i fyny mewn gwybodaeth ac ymarferiad ohoni.
15

713
Wele y Cymry y dydd hwn yn genedl wahanawl a digymysg, er gwaethaf pob ymgyrch ac ymosodiad yn eu herbyn; a'u hiaith megis mur amddiffynnol, neu rwymyn cymdeithasol, yn eu dal mewn undeb a chydgysylltiad.
15

714
Ofer yw geiriau a gwag ymffrost, oni ddangoswn ffyddlondeb ein hewyllys tuag ati mewn modd mwy effeithiol na hyn. Nid taranu y byrddau mewn gwleddoedd, a gweiddi uwch ei phen, 'Oes y byd i'r iaith Gymraeg', a'i ceidw rhag trengi.
21

715

Ei bennaf hyfrydwch oedd dangos rhagoriaeth A thegwch ei famiaith i wledydd y byd.['Galareb ar Farwolaeth...Dr W.O.Puw']
35

MORGAN, Y Parchedig D. DENSIL
716

Er ei fod yn medru'r Gymraeg [yr Esgob A.G.Edwards], ni allai lai nag ystyried yr iaith yn anwar a chyntefig: 'Welsh, the last refuge of the uneducated', meddai... Daeth amwysedd A.G.Edwards ynghylch Cymreictod, ynghyd â'i ddirmyg at yr iaith, yn nod angen ei bolisi esgobaethol.
'Eu Hiaith a Gadwant'? (gol. G.H.Jenkins a Mari A.Williams, 2000), 360

717

Yr oedd Pabyddiaeth yn rhoi gwerth ar y Gymraeg am ddau reswm, sef, am y gallai defnyddio'r iaith fod yn gyfrwng i adennill y bobl i'r 'hen Ffydd', ac am fod ynddi werth cynhenid fel creadigaeth Duw.
368

718

Hyd at ganol yr ugeinfed ganrif ac wedi hynny yn yr ardaloedd lle'r oedd y Gymraeg yn parhau yn brif iaith, crefydd oedd yr unig faes lle y câi'r Gymraeg droedle cadarn.
378

719

Beth bynnag a ddaw yn y milflwyddiant newydd, bydd y defnydd a wnaed o'r iaith Gymraeg at ddibenion crefyddol yn ystod yr ugeinfed ganrif yn parhau i adlewyrchu'n bendant ei gwerth i'r gymuned ehangach.
380

MORGAN, DYFNALLT (1917-)
720

Ni ddaw'r Gymraeg yn iaith swyddogol fyth
Yng Nghymru. Y mae'r bobol wedi gweld
Na thâl hi ddim. Mae mwy na'u hanner nhw
Heb fedru gair, a heb ddymuno gwneud.
Mae'r gweddill fel y merched yn Hongkong
Sy'n eistedd ar gadeiriau'r neuadd ddawns
Yn disgwyl am wahoddiad gan ddau fyd.
Y Llen a Myfyrdodau Eraill (1967), 35

MORGAN, GERALD (1935-)
721

The dyke, always connected with the Mercian king Offa...did not act as a linguistic boundary; there were large numbers of Welsh-speakers to the east of the dyke in Shropshire, Herefordshire, Gloucestershire, and even Worcestershire, maintained by the solid monoglot country to the west.
The Dragon's Tongue (1966), 16
Ni wasanaethodd y clawdd, a gysylltir yn wastad ag Offa, frenin Mersia...fel ffin ieithyddol; yr oedd llaweroedd o siaradwyr Cymraeg y tu dwyreiniol i'r clawdd yn siroedd Amwythig, Henffordd, Caerloyw, a hyd yn oed Gaerwrangon, a gynhelid gan y wlad uniaith gadarn ar y tu gorllewinol.

722

The Norman attacks were the first but not the most serious menaces to the Welsh language. In the wake of the Normans came settlers to the towns which the invaders established round their castles. A colony of Flemings...settled in South Pembrokeshire...successfully pushed the language out of the south of the county for good and all.

17-18

Ymosodiadau'r Normaniaid oedd y bygythiadau cyntaf, ond nid y mwyaf difrifol, i'r iaith Gymraeg. Yn dilyn y Normaniaid daeth ymsefydlwyr i'r trefi a gododd y gorchfygwyr o gwmpas eu cestyll. Llwyddodd trefedigaeth o Ffleminiaid a ymsefydlodd yn ne Penfro i wthio'r iaith allan o ran ddeheuol y sir unwaith ac am byth.

723

The Welsh princes themselves gave the lead in a practice which today is weakening the language drastically, though then it probably helped strengthen it—marriage with the daughters of the invaders... Interestingly, Shakespeare makes Mortimer determined to learn Welsh for his wife's sake, reflecting a practice which was common when the status and position of the language forced it on anyone who lived among Welshmen:

But I will never be a truant, love,
Till I have learn'd thy language; for thy tongue
Makes Welsh as sweet as ditties highly penn'd,
Sung by a fair queen in a summer's bower,
With ravishing division, to her lute.

18

Yr oedd tywysogion Cymru yn blaenori yn yr arferiad sydd heddiw'n gwanychu'r iaith yn ddirfawr, ond a oedd efallai ar y pryd yn help i'w chryfhau—priodi merched y gorchfygwyr...Yn ddiddorol, mae Shakespeare yn gwneud Mortimer yn benderfynol o ddysgu Cymraeg er mwyn ei wraig [Catherine, ferch Owain Glyn-dŵr], gan adlewyrchu'r arferiad a oedd yn gyffredin pan oedd statws a safle'r iaith yn ei chymell ar unrhyw un a oedd yn byw ymhlith Cymry:

Ond byth ni fydd im chwarae triwant, fun,
Nes dysgu dy iaith di; cans ar dy fin
Y mae'r Gymraeg mor bêr â chanig goeth
A gân brenhines deg mewn deildy haf,
Ag amrywiadau hudol, gyda'i liwt.

724

One consequence of the decline of the language has been a sharpened awareness of its value, reflected in the increasing value given to it in education, an increasing number of people learning it for its own sake, in much modern Welsh literature, and in the recent movement to achieve legal status for the Welsh language on a par with English.

29-30

Un canlyniad i ddirywiad yr iaith fu ymwybyddiaeth fwy byw o'i gwerth, a adlewyrchir yn y gwerth cynyddol a roddir arni mewn addysg, yn y nifer cynyddol o bobl sy'n ei dysgu er ei mwyn ei hun, mewn llawer o lenyddiaeth Gymraeg fodern, ac yn y mudiad diweddar i sicrhau statws cyfreithiol i'r iaith Gymraeg yn gyfartal â'r Saesneg.

725

The final conquest of 1282 was not the disaster for the Welsh language that one might have expected...The main impact of the Conquest...was to strengthen the grip of Latin and later French on the written side of legal and administrative work, but Welsh was widely used orally, and the monoglot Welshman was at no legal disadvantage.

34

Nid oedd concwest derfynol 1282 yn gymaint trychineb i'r iaith Gymraeg ag y gallesid disgwyl...Pennaf effaith y Goncwest...oedd cryfhau gafael Lladin ac yn ddiweddarach Ffrangeg ar ochr ysgrifenedig gwaith cyfreithiol a gweinyddol, ond siaredid Cymraeg gan laweroedd, ac nid oedd y Cymro uniaith dan unrhyw anfantais *gyfreithiol*.

726

Perhaps it is evidence, of a negative kind, that the Act of Union did not intend to persecute the language, that printing Welsh was not forbidden...At first, this loophole meant little or nothing, because only a handful of Welsh books were published, but it left room, literally, for the salvation of the language.

37-38

Efallai fod y ffaith na waharddwyd argraffu Cymraeg yn dystiolaeth, o fath negyddol, nad oedd y Ddeddf Uno'n bwriadu erlid yr iaith, ...Ar y cyntaf, nid oedd y ddihangfa hon yn golygu nemor ddim, gan na chyhoeddid ond rhyw ddyrnaid o lyfrau Cymraeg, ond gadawodd le, yn llythrennol, i achub yr iaith.

727

At once [after the Act of 1563] the language was given a status which for centuries was to be more important than status in the law-courts. It ensured that everybody in Welsh-speaking Wales (and in the Welsh-speaking parts of Herefordshire and Shropshire) would respect Welsh as the language of religion, and that they would hear it every Sunday. Moreover, thanks to Salesbury, Bishop Morgan and Bishop Richard Davies, the Welsh that was read from the Bible was of the highest standard...There can be no doubt that the provision of the Bible at this critical moment helped to save Welsh from the fate of Irish and Breton.

39-40

Ar unwaith [ar ôl Deddf 1563 yn gorchymyn cyfieithu'r Beibl a'r Llyfr Gweddi Gyffredin i'r Gymraeg] rhoddwyd i'r iaith statws a oedd i fod am ganrifoedd yn bwysicach na statws yn y llysoedd barn. Sicrhâi y byddai'r holl siaradwyr Cymraeg yng Nghymru ac yn y rhannau Cymraeg o siroedd Henffordd ac Amwythig yn parchu'r Gymraeg fel iaith crefydd, ac y byddent yn ei chlywed bob Sul. Yn ogystal â hynny, diolch i Salesbury, yr Esgob Morgan a'r Esgob Richard Davies, yr oedd y Gymraeg a ddarllenid o'r Beibl o'r safon uchaf...Ni all fod dim amheuaeth fod darparu'r Beibl ar y foment dyngedfennol hon wedi helpu i arbed y Gymraeg rhag tynged yr Wyddeleg a'r Llydaweg.

728

This document [the proclamation of the Caerwys Eisteddfod of 1568]...was in effect Royal recognition of the existence of the Welsh language and its culture, and is evidence of the continuing connection of the North Wales gentry with the language.

41

Yr oedd y ddogfen hon [cyhoeddi Eisteddfod Caerwys, 1568]...i bob pwrpas yn gydnabyddiaeth Frenhinol fod yr iaith Gymraeg a'i diwylliant yn bod, ac yn dystiolaeth fod cysylltiad boneddigion Gogledd Cymru â'r iaith yn parhau.

729

The late Lord Raglan, well-known for his hostile attitude to many things connected with the Welsh language, was asked what he thought of its future prospects. 'It'll see me out,' was his dry reply. He was wiser than many who have been prophesying the death of the language for centuries; some in sorrow and some in joy...

The reason why the early prophets' gloom was not verified was their failure to realise the resilience of a monoglot culture with limited educational opportunities. Such has been that resilience that even during the 1939-45 war many hundreds of evacuees unexpectedly acquired the language in North and West Wales villages. Needless to say, in earlier centuries the process was widespread, especially where immigration was gradual...Now, however, that resilience has been sapped. The only monoglots are the very young and the very old, though there is still a considerable body of people who are much happier speaking Welsh than English.

131-32

Gofynnwyd i'r diweddar Arglwydd Raglan, a oedd yn adnabyddus am ei agwedd elyniaethus at lawer peth ynglŷn â'r iaith Gymraeg, beth a feddyliai o'i

rhagolygon. 'Bydd yma ar f'ôl i,' oedd ei ateb swta. Yr oedd yn ddoethach na llawer a fu'n proffwydo tranc yr iaith am ganrifoedd, rai gan ofidio a rhai gan lawenhau...

Y rheswm na wireddwyd digalondid y proffwydi cynnar oedd eu methiant i sylweddoli gwydnwch diwylliant uniaith a'i gyfleoedd addysgol yn gyfyng. Bu'r gwydnwch hwnnw'n gyfryw ag y bu i gannoedd lawer o noddedigion, yn ystod rhyfel 1939-45, ddod yn annisgwyl i fedru'r iaith ym mhentrefi gogledd a gorllewin Cymru. Afraid dweud, mewn canrifoedd cynharach yr oedd y broses yn eang, yn enwedig lle'r oedd y mewnlifiad yn raddol... Bellach, fodd bynnag, y mae'r gwydnwch hwnnw wedi gwanhau. Yr unig rai uniaith yw'r ieuainc iawn a'r hen iawn, er bod o hyd gorff sylweddol o bobl sy'n llawer hapusach wrth siarad Cymraeg na Saesneg.

730

The linguistic border is no longer a line running down Wales—it is a line that runs through every village, through every hearth (thanks to TV) and through every Welshman's mind. Bilingualism is a delicate condition; it requires the weights and pressures to be evenly balanced, but they are not so balanced in Wales. Increasingly, a conscious decision and effort is needed to be 'Welsh'

Insofar as there will always be people who will make this decision, the language will never die.

132

Nid llinell yn rhedeg i lawr drwy Gymru yw'r ffin ieithyddol bellach—llinell ydyw sy'n rhedeg drwy bob pentref, drwy bob aelwyd (diolch i'r teledu) a thrwy feddwl pob Cymro. Cyflwr anodd yw dwyieithrwydd; mae'n gofyn bod y pwyso a'r gwasgu yn gytbwys, ond nid felly y maent yng Nghymru. Mae mwyfwy o alw am benderfyniad ac ymdrech ymwybodol i fod yn 'Gymry'.

Cyn belled ag y bydd pobl yn dal i wneud y penderfyniad hwn, ni bydd i'r iaith byth farw.

731

Once the monoglot community has disappeared, the major economic reason for learning the language has disappeared. There is another economic reason—the usefulness of Welsh as a qualification for a job. This reason will contract as the Welsh-speaking population contracts, but it will never entirely disappear.

134

Unwaith y bo'r gymuned uniaith wedi diflannu, bydd y prif reswm economaidd dros ddysgu'r iaith wedi diflannu. Y mae rheswm economaidd arall—defnyddioldeb y Gymraeg fel cymhwyster am swydd. Bydd y rheswm hwn yn crebachu fel y bydd nifer y siaradwyr Cymraeg yn lleihau, ond ni bydd iddo byth ddiflannu'n gyfan gwbl.

MORGAN, JOHN (1688-1745), Matchin

732

Nâd i'r gwyfyn, bryfyn brau,
Ysu dysgeidiaeth oesau;
Nâd i'r ddyfniaith drwy ddefni
A gwall ei bro golli bri.
Iaith gynt bob man, llan a llys
A gwŷr enwog yr ynys,
Iaith nerthog, wrthiog Arthur,
Iaith ddilediaith berffaith bur;

O dywyllwch di elli
Ei dwyn oll ar daen i ni;
Er bod amhuredd heddiw
Rhwd a llwch ar hyd ei lliw,
Di fedri di loywi'n lân
Ei dull a'i gosod allan,
A thaenu'r hen Frythoneg
Hyd Gymru mewn print du teg. [Apêl am un i noddi'r iaith]

Llsgr *LlGC* 17; gw. Saunders Lewis, *Meistri'r Canrifoedd* (gol. R. Geraint Gruffydd, 1973), 227-28

MORGAN, T. J. (1907-86)

733

Daw'r ymdeimlad o wahaniaeth a rhagoriaeth i Ddeheuwr dibrofiad pan sieryd â Gogleddwyr, rhyw deimlad o swildod neu o gywilydd neu o arswyd pan ddaw ei 'ô'r' a'i 'cinno' a'i 'pido' ef wyneb yn wyneb â pherffeithrwydd y ddelw yn 'oer' a 'cinio' a 'peidio' 'r Gogleddwr. Rhyw Gymraeg parch yw, fel dillad parch, i'w ddefnyddio ar y Sul ac yn y capel. Yr oedd yr argraff mor ddwfn arnaf i mai pregethwyr o'r Gogledd yn unig a arferai'r ieithwedd barchedig hon, pan euthum i'r Gogledd am y tro cyntaf a mynd i dafarn ym Mangor gallaswn dyngu fod y lle'n orlawn o bregethwyr cyrddau mawr.

Dal Llygoden (1937), 85

734

Yr ydym wedi arfer canmol Cymraeg y Beibl ac wedi sôn ei fod wedi gosod 'safon'; ond gosod safon i 'ffurf' geiriau a wnaeth y Beibl; glynu wrth ffurfiau'r penceirddiaid a pheidio ag arfer ffurfiau a oedd yn 'dafodieithol' neu'n sathredig...Ond o ran cystrawen, y mae ynddo gant a mil o bethau sy'n anghydnaws â chystrawen naturiol gywir yr iaith Gymraeg.

Ysgrifau Beirniadol (gol. J. E. Caerwyn Williams), V. 274

MORGAN, Yr Esgob WILLIAM (1545-1604)

735

Siqui consensus retinendi gratia, nostrates vt Anglicum sermonem ediscant adigendos esse potius, quam Scripturas in nostrum sermonem vertendas esse volunt: dum unitati student, ne veritati obsint cautiores esse velim.

Y Beibl Cyssegr-lan (1588), iii

Os myn rhywrai, er mwyn gwarchod undeb, mai cymell ein cyd-wladwyr i ddysgu Saesneg a ddylid, yn hytrach na chyfieithu'r Ysgrythurau i'n hiaith ni: mi garwn iddynt fod yn fwy gwyliadwrus rhag iddynt, yn eu sêl dros undeb, fod yn rhwystr i'r gwirionedd.

736

Quamuis...eiusdem insulae incolas eiusdem sermonis & loquelae esse magnopere optandum est: aeque tamen perpendendum est, istud vt perficiatur tantum temporis & negotij peti, vt interea Dei populum miserima illius verbi fame interire, velle, aut pati nimis sit saeuum atque crudele. Deinde non dubium est, quin religionis quam sermonis ad vnitatem plus valeat similitude & consensus.

iii

Bod trigolion yr un ynys o'r un iaith a thafodiaith—er bod hynny i'w fawr chwennych, eto i gyd y mae'r un mor bwysig ystyried y byddai sylweddoli hyn yn gofyn cymaint o amser a llafur nes y byddai ewyllysio neu oddef i bobl Dduw

drengi o newyn truenus am ei Air yn galed a chreulon i'r eithaf. Yna y mae uwchlaw amheuaeth mai unffurfiaeth a chytundeb crefydd, yn hytrach nag iaith, sydd fwyaf effeithiol er undeb.

737

Quam non sapiunt, si verbi diuini in materna lingua habendi prohibitionem, aliena vt ediscatur quicquam mouere opinantur? Religio enim nisi vulgari lingua edoceatur, ignota latitabit.

iii

Pa mor ddiddeall ydynt, os ydynt yn barnu bod gwahardd cael Gair Duw yn eu mamiaith yn unrhyw gymhelliad i ddysgu iaith estron? Canys ynghudd ac anhysbys y bydd crefydd oni ddysgir hi yn iaith y bobl.

MORRIS, EDWARD (1607-89)

738

Mae iaith gain Prydain heb bris,
Mae'n ddiwobrwy, mae'n ddibris;
Darfu ar fath, dirfawr fodd,
Ei 'mgleddiad, ymgwilyddiodd.
Y Gymraeg a gamrwygir,
Cwilydd ar gywydd yw'r gwir;
Darfu ei braint; a'r faint fu!
Ai mewn lloches mae'n llechu?

Barddoniaeth Edward Morris (gol. H. Hughes, 1902), 39

739

Gorthrymu, gwaith hir amarch,
Fy nynion heb union barch;
Llesgáu braint, llosgi heb rôl
Fy llyfrau, fu wall afrol;
Y dwyll erioed dallu'r iaith,
Bwrw'n y tân braint unwaith. [Yr iaith Gymraeg sy'n siarad]

Gwaith Edward Morus (O. M.

Edwards, *Cyfres y Fil*, 1904), 21

[Cf. y cwpled 'Ysgeler oedd i Sgolan/ Fwrw'r twr llyfrau i'r tân' (dyf. yn 1567 *Testament Newydd*, xxvii-xxviii); *Hen Gwndidau*...(gol. L. J. Hopkin-James a T. C. Evans, 1910) 188, A danfon Scolan, gythraul gau./I losgi llyfrau'r Cymro.]

MORRIS, WILLIAM (1889-1979)

740

Bu adeg yn ein gwlad pan roddid *Welsh Note* [*sic*] (W.N.) am wddf plentyn ysgol a feiddiai siarad iaith ei fam yn yr ysgol. Y mae gennyf i gof byw am athro na fynnai i ni blant yn ei ysgol siarad dim ond Saesneg, a hynny yn Stiniog o bob man! Gwaradwyddai'r Gymraeg yn aml, ond effaith hynny oedd ein gwneud ni'n fwy o Gymry i gyd. 'Roedd aelwyd a chapel yn drech nag ef.

Crist y Bardd (1975), 10

741

Os oedd Marc, ac 'Ioan' hefyd, yn ysgrifennu yn yr iaith Roeg, yr oeddent yn meddwl mewn Aramaeg. Gwyddom ni, Gymry, yn dda am beth fel yna. 'Rwyf yn cofio sylw Ernest Bevin un tro am D. Lloyd George: 'Nid wyf,' meddai, 'yn malio cymaint am yr hyn a ddywaid yn Saesneg, ond byddaf yn dyfalu llawer pa beth tybed sy'n mynd trwy ei feddwl yn Gymraeg'.

11

742

Y mae ein llenyddiaeth ni, Gymry, mor ddyledus i'w gynnwys [y Beibl] â'r un genedl arall dan haul. Gogoniant yr iaith Hebraeg yw ei symlrwydd a'i nodwedd ffigurol. Am hynny y llwyddodd y

cyfieithwyr Cymraeg i wneud gwaith mor loyw ar y trosi. 'Yr oedd gan William Morgan,' meddai'r Athro John Lloyd-Jones, 'reddf naturiol at arddull gain, a dyna'r iaith a fu'n sylfaen yr holl ryddiaith Gymraeg a sgrifennwyd ar ôl ei ddyddiau ef ac Edmwnd Prys.' Dyna'r fantais a droes yn fywyd i'r iaith Gymraeg, ac yn ddeffroad crefyddol i'n gwlad.

17

743

Dôi â heulwen i'w dalaith,
Golau dysg i'w wlad a'i iaith...
Dygai wŷr brwd i garu
Cymraeg oedd â'i thinc mor gu.
Hyfryd ei waith i'n hiaith hen,
Hi a'i rhywiog gystrawen.
O dan ŵn ni chafwyd neb
Astutach drosti i ateb...
  Gweinidog awen ydoedd,
Mur o gylch y Gymraeg oedd.
Gwae'r un anwlatgar ei waith
A rôi anair i'r heniaith. [I Syr John Morris-Jones]

Y Traethodydd, Ionawr 1938, 2-4

MORRIS-JONES, Syr JOHN (1864-1929)

744

Y mae'r gri am burdeb geiriau yn llawer hŷn na Dr Pughe...Achwynai Gronwy ar Ddafydd ap Gwilym, a beiai Edmwnd Prys cyn hynny ar Wiliam Cynwal am ddwyn geiriau Saesneg i'w gwaith...Nid yw'r gri nemor hŷn na'r unfed ganrif ar bymtheg; ac yr oedd, hyd yn oed yn y ganrif honno, rai a welai ei chyfeiliorn. Fe ganfu Dr Gr. Roberts yn 1567 mai benthyca geiriau oedd un o ddulliau naturiol a chyfreithlon pob iaith o

ymhelaethu...A phan eir yn ôl, y mae
digon o eiriau benthyg o'r Saesneg a'r
Ffrangeg, heb sôn am hen eiriau o'r
Lladin, i'w canfod yn y Mabinogion a'r
Brutiau a'r Cyfreithiau, ac yng
ngweithiau'r holl hen feirdd: ysgrifenna'r
awduron yn naturiol, nid yn 'wreiddeiriol'.

Ellis Wynne, *Gweledigaetheu y Bardd
Cwsc* (adarg. 1898), xlv-xlvi

745

Wrth gwrs, y mae gronyn o wir yn
naliadau'r purdebwyr; nis gellir cymryd
pob gair Saesneg a'i alw'n air Cymraeg.
Dyma wirionedd bach a wêl plentyn, a
methu â gweled mwy na hyn yw eu coll
hwy. Nis gwelant fod gair o hir drigo
mewn iaith yn dyfod yn rhan ohoni o ba
le bynnag y daeth. O'r Groeg drwy'r
Lladin, ac nid o wreiddeiriau Cymraeg fel
yr honnai Pughe, y tardd *eglwys* ac *efengyl*,
eto pwy a wad nad yw'r rhain yn eiriau
Cymraeg?...Nid 'gwreiddeiriau' sy'n
penderfynu Cymreigrwydd gair; y mae
perygl yn well gair Cymraeg na *danjer*, nid
am ei fod yn tarddu o wraidd Cymreig,
canys nid yw amgen na'r gair Lladin
periculum, ond am ei fod wedi hen
gartrefu yn yr iaith, a'r llall heb ei freinio,
ac yn wir heb golli eto mo'i wedd estronol.

xlvi

746

Rhaid addef mai da y gwnaeth y
purdebwyr geiriol yn cadw o'r iaith eiriau
llediaith o'r tafodieithoedd fel y rhai a
welir mor lliosog yn Llyfr y Vicar; ond
anghymwynas â hi oedd ceisio'i hysbeilio
o hen eiriau da a arferir drwy'r holl wlad
ac a welir yng ngweithiau'r awduron gorau.

xlvii

747

Y gŵyn fwyaf yn erbyn y purdebwyr
diweddar ydyw'r cam a wnaethant â
chystrawen yr iaith. Y maent fel pe
meddyliech am bensaer yn trafferthu
cymaint ynghylch defnydd y priddfeini,
nes anghofio fod y fath beth â chynllun i'r
adeilad. Nis gallant roi dau briddfaen
wrth ei gilydd ond ar ddamwain...
syllasant ar eiriau nes methu â chanfod
fod i'r iaith y fath beth â phriod-ddull, a
gwthiasant arni bob cystrawen ond yr
eiddi ei hun—andwyo enaid yr iaith wrth
geisio gofalu am ei chorff.

xlvii-xlviii

748

Nis gellir llai na theimlo, wrth ddarllen y
Bardd Cwsc, fod ysgrifennu Cymraeg
erbyn hyn yn gelfyddyd goll.

xlxix

749

Nid am eu bod yn ysgolheigion
ieithyddol dyfnddysg y cymerir yr hen
ysgrifenwyr yn awdurdod, ond am eu bod
yn dystion byw o'r gwahaniaeth y ceisir ei
gadw eto yn yr iaith lenyddol. Y duedd yn
amser Elis Wyn oedd ysgrifennu'r seiniau
yr ydym ein hunain yn dystion ohonynt;
ond drwy ddysg Lewis Morris a Goronwy
aethpwyd yn ôl at yr hen ffurfiau
llenyddol; ac os yw'r rhain yn werth eu
cadw y maent yn werth eu cadw'n gywir.

lxxvi

750

A chain y seinia'r hen Gymraeg
  Yn ei hyfrydlais hi;
Mae iaith bereiddia' 'r ddaear hon
  Ar enau 'nghariad i.

A synio'r wyf mai sŵn yr iaith,
    Wrth lithro dros ei min,
Roes i'w gwefusau'r lluniaidd dro,
    A lliw a blas y gwin.
    Caniadau (1907), 9

751

'R wy'n hoffi cofio'r amser,
    Ers llawer blwyddyn faith,
Pan oedd pob Cymro'n Gymro gwir
    Yn caru'i wlad a'i iaith;
Llefarai dewr arglwyddi
    Ein cadarn heniaith ni;
Parablai arglwyddesau heirdd
    Ei pheraidd eiriau hi...
Ond wedi hyn trychineb
    I'r hen Gymraeg a fu...

O'r plasau a'r neuaddau
    Fe'i gyrrwyd dan ei chlais;
Arglwyddi, arglwyddesau beilch
    Sisialodd iaith y Sais...
Ond clywid eto 'i seiniau hoff
    Ym mwth y Cymro tlawd;
Meithrinodd gwerin Cymru
    Eu heniaith yn ei chlwy'
Cadd drigo ar eu tafod fyth,
    Ac yn eu calon hwy.
Gogoniant mwy gaiff eto,
    A pharch yng Nghymru Fydd;
Mi welaf ddisglair olau 'mlaen,
    A dyma doriad dydd!
    2-3

752

Ein hiaith i'n bonedd heddyw,
'Barb'rous jargon' weithion yw;
Sŵn traws y 'peasant,' a rhu
I'r 'ignorant' i'w rygnu.
    58

753

Nid oes brinder geiriau barddonol yn yr iaith Gymraeg, ond y mae eisiau llawer o eiriau newyddion i drafod ynddi syniadau diweddar mewn rhyddiaith. Fe wnaeth geiriadurwyr ac ysgrifenwyr y ganrif ddiwethaf eu rhan yn y mater hwn; ac o blith cannoedd o eiriau a ddyfeisiasant y mae nifer da'n dderbyniol ac ar arfer...

Bu'n rhaid i mi lunio llawer o eiriau newyddion eraill, megis cyfieithiadau o dermau gramadegol a rhetoregol, a thermau i drin y gynghanedd yn fanylach...Gwell gennyf bob amser ddefnyddio hen dermau lle bônt yn foddhaol, ac nid arferais yr un newydd er mwyn newydd-deb na newid.
    Cerdd Dafod (1925), viii-ix

754

Y mae teithi'r iaith Gymraeg yn peri bod ymadroddion haniaethol yn fwy gwrthun mewn barddoniaeth ynddi hi nag yn Saesneg. Ysywaeth y mae gennym lawer o eiriau o'r fath...*Dylanwad*, er enghraifft.
    20

755

Odid nad yw enwau priod yn amrywio mwy hyd yn oed na geiriau cyffredin yn eu gwerth barddonol...Yr oedd gan hen feirdd Cymru fantais fawr ar feirdd yr oes hon yn hyn o beth: gallent alw eu cyfoedion wrth eu henwau eu hunain heb ddwyn hagrwch ac anghytgord i mewn i'w canu. Yr oedd yr enwau'n rhan o'r iaith, yn wir yn rhan o'i barddoniaeth.
    26

756

[Yr] enw Cymraeg Gwen, yr enw tlysaf ar ferch mewn iaith yn y byd.

27

757

Y mae enwau lleoedd yng Nghymru...yn rhan o'r iaith ac o'i barddoniaeth.

28

758

The term 'heniaith', which is sometimes applied to it, is not a mere rhetorical flourish; it has the additional merit of being true to fact.

Y Cymmrodor, xxviii. 34

Nid term rhethregol blodeuog yn unig mo 'heniaith', fel y gelwir hi weithiau; y mae iddo'r teilyngdod ychwanegol o fod yn gyson â ffaith.

759

Nid wyf yn annog gwneuthur Cymraeg yn iaith yr ysgol; nid wyf yn galw am i'r athrawon siarad mwy o Gymraeg â'r plant, hyd yn oed wrth ddysgu Cymraeg iddynt, nag y siaradant o Ladin wrth ddysgu Lladin iddynt. Ond yr wyf yn dywedyd fod addysg y plant yn dioddef cam lle ni cheisir gwneuthur y defnydd gorau o'r iaith Gymraeg wrth ei gyfrannu.

Y Genedl Gymreig, 28 Ebrill 1903 (gw. *Taliesin*, Rhagfyr 1992, 146)

760

Oherwydd anwybodaeth y gramadegwyr, y mae yr enw berfol, un o rannau ymadrodd clysaf a chryfaf yr iaith, yn cael ei wrthod. 'Darlleniad a gweddi,--nid *darllen* a gweddi,' ebai Tegai.

Y Geninen, v, rhif 3, Gorffennaf 1887, 181

761

Yr ydym wedi bod yn rhy selog o lawer, yn y dyddiau a fu, yn dyfeisio geiriau newydd am bob dim: awrlais am gloc, diddosben am het, cerbydres am drên, a llu ohonynt, gan dybied mai iaith bur yw iaith â'i geiriau'n perthyn dim i eiriau'r un iaith arall. Ffolineb yw hynny: y mae gan bob iaith allu i fabwysiadu geiriau estronol yn eiriau iddi ei hun. Ac y mae yr iaith Gymraeg wedi mabwysiadu cannoedd o eiriau Lladin a geiriau Saesneg erioed, ac y maent yn eithaf geiriau Cymraeg erbyn hyn. Y prawf o air Cymraeg yw, a arferir ef gan y bobl ai peidio? Os y gwneir, y mae'n air Cymraeg; os na wneir, nid yw. Felly y mae cloc yn air Cymraeg, ond nid yw awrlais. Tra'n ceisio puro yr iaith yn y dull plentynnaidd hwn, collasom ein golwg yn llwyr ar ei phriod-ddull. Y priod-ddull sydd yn bwysig; a phriod-ddull yr iaith Gymraeg sydd mewn perygl. Y mae y gramadegau Seisnigaidd, a chyfieithu llythrennol o'r Saesneg, wedi gwneud hafog enbyd arno. Saesneg mewn gwisg Gymraeg yw y rhan fwyaf o Gymraeg y papurau newyddion.

181

762

Y mae llawer o sôn am hen lenyddiaeth Cymru. Y mae yn ein hen lenyddiaeth Gymraeg tlws a grymus, ond chwi a dybiech, wrth ddarllen iaith llawer o'r rhai sy'n brolio cymaint arni, mai y *Daily Telegraph* yw yr unig lenyddiaeth a ddarllenasant hwy.

Os ydym am i'r hen iaith fyw, y mae'n rhaid i ni ofalu sut i'w hysgrifennu. Bydd yr hen iaith farw pan gyll hi ei phriod-ddull. A pha ddiben iddi fyw, wedyn?...

Y Cymraeg gorau ydyw'r Cymraeg tebycaf i hwnnw sy'n cael ei siarad.

182

763

Sieryd Cymro dirodres y Gymraeg â'i gystrawen Geltaidd a ddysgodd gan ei fam. Ond pan gymer hwnnw bin yn ei law, ysgrifenna chwyddiaith annaturiol y buasai arno gywilydd ei siarad. Paham? meddwch. Oblegid sieryd wrth reddf— ysgrifenna wrth ei reswm; ac y mae greddf y gŵr yn hyn, fel llawer peth arall, yn fwy cywir arweinydd na'i reswm.

Y Gwyddoniadur Cymreig, (ail arg., 1891), III, 67b

764

Fel yr ymdaena gwybodaeth ieithyddol yng Nghymru, ac y gwelir yn amlycach mai twf araf sydd i iaith, fel i bren, ac nid sefydlogrewydd difywyd maen, ni theimlir cymaint o rwymau mwy i arfer ffurfiau meirw sy'n awr yn annaturiol, ac fe gyfnewidia'n hiaith lenyddol yn araf i gyfarfod ein hiaith lafar; ac yna bydd ar Gymro o addysg gymaint o gywilydd siarad tafodiaith ag a fuasai arno siarad iaith lenyddol heddiw. Dyna'n gobaith--- ac yn wir dyna'n gobaith am fywyd yr iaith; oblegid os yw'r hen Gymraeg i fyw, rhaid iddi fod yn un iaith---yn un ar lafar ac mewn ysgrifen.

68a

MOSELEY, CARYS
765

Un o broblemau mwyaf difrifol Cymru heddiw yw'r perygl o addoli'r iaith a'r diwylliant sydd ynghlwm wrth yr iaith, a

gan fod y diwylliant hwnnw gan amlaf naill ai yn seciwlar neu yn Gristnogaeth nad [yw]'n pwysleisio goruwchnaturiolaeth Duw y Drindod, 'does ryfedd fod pobl yn ansicr ac yn ffocysu ar Gymru ar draul ffocysu ar y Duw sy'n cynnal bywyd a phobl Cymru.

Cristion, rhifyn 107, Gorffennaf/Awst 2001, 17

NICHOLAS, JAMES (1928-)
766

Ein hurddas yw ei harddel
Yn yr oes hon â mawr sêl;
Hithau, wlad, yn ei thlodi,
Iaith hen yw ei chyfoeth hi.
Geiriau hon oedd inni'n grud
A hi biau ein bywyd...
Y Gymraeg, gwae yma'r awr,
Ai darfod ei hoen dirfawr?
Iaith llys gynt, chwith y llesgáu
A gwan yw ar ein genau,
Annedwydd a chlaf ydyw—
Priod-ddulliau, geiriau gwyw.

Ffordd y Pererinion (2006), 8-9

767

I'r Cristion Cymraeg ei iaith, y Gymraeg yw iaith ei weddi—cyfrwng cyfathrebu â Duw. I'r Cristion y mae'r cyfrwng yn gysegredig a byddai gweld difodi'r Gymraeg yn gweld torri llinell arall sy'n gyfrwng rhwng bod dynol a Duw... Y mae [iaith yn] rhan o'r galon a'r enaid, yn hanfod y bersonoliaeth—yn rhan o wead y sawl a grewyd ar lun a delw Duw. Clywsom yn ddiweddar Archesgob Cymru, y Parchedicaf George Noakes, yn pwysleisio'r agwedd hon. Ni fyddai ef yn breuddwydio gweddïo mewn unrhyw iaith arall ond y Gymraeg—am mai

Cymro Cymraeg cynhenid ydyw. Iaith ei weddi yw'r Gymraeg...Y mae bod iaith yn iaith gweddi pobl yn ernes o'i pharhad.

Cristion, Gorffennaf/Awst 1991, 7

768

Bu'r Gymraeg yn gyfrwng efengylu am ganrifoedd, a deil felly heddiw. Dyletswydd y Cristion yw achub y Gymraeg fel cyfrwng efengylu. Cyfrifoldeb y Cristion Cymraeg heddiw yw gweld bod y Gair a roddwyd i ni eto ar ei newydd wedd yn hydreiddio bywyd y genedl am y canrifoedd sydd i ddod. Y mae hynny yn golygu mai cyfrifoldeb Cristnogol a braint yw achub yr iaith rhag difodiant.

7

OWEN, DAVID ('Dewi Wyn o Eifion'; 1784-1841)

769

Iaith bêr, iaith Gomer, iaith gymen—
iaith lwys,
    Iaith lesawl i'w pherchen,
Iaith a'i gwaith o wyth gwythen,
Iaith a saif er eithaf sen.

Llsgr. *LlGC* 672, 202

OWEN, DAVID ('Brutus'; 1795-1866)

770

Nis gallaf lai na synnu wrth droi dalennau SEREN GOMER, a gweld gyda pha haerllugrwydd y beiddia dynion ag yr edrychir arnynt fel Solomoniaid yr oes, wneuthur y fath haeriadau di-sail [wrth ddangos rhagoriaeth y Gymraeg]; o barth i iaith ag nad oes ar ei holl feysydd loffion digonol i dalu traul dieithr ddyn am ymdrafferthu dyfod yn hyddysg ynddi.

Seren Gomer, vii (1824), 80b-81a

771

Ymdrechir hyd yr eithaf i atal llewyrch goleuni gwybodaeth rhag tywynnu arnom, trwy ein cadw o fewn terfynau y Gymraeg, a syfrdanu ein clustiau â geiriau ag sydd mor ddiystyr ag ydynt mewn gwrthunwch.

82a

772

Gobeithiaf Mr Gomer...y bydd y SEREN yn ddwyieithawg cyn hir, ac erbyn yr oes nesaf y bydd yr iaith Saesneg wedi gorlenwi bryniau a broydd Cymru; canys trwy hyn, a hyn yn unig, y gwneir daioni sylweddol, yn dymhorol ac yn ysbrydol.

82b

773

Yn awr y mae yr Omeraeg yn rhwystr i ni gynyddu mewn gwybodaeth, ac i ymgeisio at wybodaeth, am hynny ein dyletswydd ydyw gwneuthur aberth ohoni, a'i dileu, fel trwy hynny y rhoddem le i iaith, trwy gyfrwng yr hon y gwnawn gynyddu mewn pethau, ac y mae rhwystrau anorfod o'n blaen, cyhyd ag y coleddom yr iaith Gymraeg Yn fy mryd i, byddai yr ennill yn fwy na chan cymaint y golled; canys wedi hynny yn lle achlesu iaith *anial* a *chlogyrnog*, gwelid meibion Gwalia wedi eu trosglwyddo i dir newydd, ynghanol cyfryngau gwybodaethau.

83a

774

Ond dwyn yr iaith Saesneg i ymarferiad cyffredin, nid yn unig gwneid dwy genedl yn fwy brawdol, ond megis *un*...canys cyhyd ag y byddo dwy iaith mewn ymarferiad yn Ynys Prydain...bydd canolfur gwahaniaeth yn cadw y naill bobl oddi wrth y llall, ac amhosibl eu huno, a'u gwneuthur megis un, heb dynnu i lawr, a dileu un o'r ieithoedd, ac yn ôl pob rheswm, eiddo y wannaf a'r anamlaf fyddai hawddaf ei diddymu: nyni yw y gwannaf a'r anamlaf, am hynny ein hiaith ni ydyw yr hawddaf ei dinistrio; ac wedi cwblhau y gorchwyl ysgafn hwn, byddem ni a hwythau yn un a chytûn, yr hyn beth ni ddygir yn dragywydd oddi amgylch tra parhao y Cymry i lynu gyda eu hiaith eu hunain.

83a

775

Os gwir ydyw 'Vox populi, vox Dei', y mae yr ymdrechiadau presennol i barhau a bytholi y Gymraeg o fewn Tywysogaeth Cymru, nid yn unig yn milwrio yn erbyn undeb, brawdgarwch a chydgordiad, ond yn gwrthwynebu y mesurau hynny ag sydd yn ôl ewyllys y Goruchaf, a boddlonrwydd y nef; am hynny i lawr â hi fel maen melin i'r môr, modd y gallo Cymry a Saeson fod megis un genedl.

83a-b

776

Pa ddyn o dan y nef mor ddwl, mor anwybodus, ac mor gibddall â Chymro uniaith, heb dderbyn dim o un lle, nac o un man, ond a gafodd o'r Gymraeg?

83b

777

Ped ysgrifennid y llyfr mwyaf gwreiddiol a gorchestol erioed yn yr iaith Gymraeg, ni byddai ei daeniad ond o fewn cylch cyfyng; ac ni chyrhaeddai clod yr awdwr

ond yn brin hyd derfynau y Dywysogaeth. Eithr nid felly y mae pethau yn sefyll o'r tu draw i Glawdd Offa; y mae gorchestion y dysgedigion hynny...nid yn unig wedi galw sylw Ewrop, ond wedi synnu y byd.

84a

OWEN, GERALLT LLOYD (1944-)
778

Cawsom wlad i'w chadw,
darn o dir yn dyst
ein bod wedi mynnu byw...
A chawsom iaith er na cheisiem hi,
oherwydd ei hias oedd yn y pridd eisoes
a'i grym anniddig ar y mynyddoedd.
  Cerddi'r Cywilydd (1972), 9

OWEN, GORONWY ('Goronwy Ddu o Fôn'; 1723-69)
779

Bardd a fyddaf, ebrwydd, ufuddol,
I'r Gymdeithas, wŷr gwiw a'm dethol,
O fri i'n heniaith, wiw, frenhinol,
Iawn, iaith geinmyg, yw inni'th ganmol.

Fy iaith gywraint fyth a garaf,
A'i theg eiriau, iaith gywiraf;
Iaith araith eirioes, wrol, fanolfoes,
Er f'einioes, a'r fwynaf.

Neud esgud un a'i dysgo,
Nid cywraint ond a'i caro,
Nid mydrwr ond a'i medro,
Nid cynnil ond a'i cano,
Nid pencerdd ond a'i pyncio,
Nid gwallus ond a gollo
Natur ei iaith, nid da'r wedd,
Nid rhinwedd ond ar honno.
  Barddoniaeth Goronwy Owen (1896), 7

780

E fu agos i'r llychwytgi gan Dd. ap Gwilym â lladd y Gymraeg wrth gymysgu Saesneg â hi, yr hyn a wnaethai yn ddifeth oni buasai rai o wŷr Gwynedd heb fedru dim Saesneg. Yr un llwybr a ddilynodd ei gyd-wladwyr hyd y dydd heddiw fel y tystia Foses Williams, Theophilus Evans person Llangamarch, Richards a chant eraill, ac nid wyf fi yn amau na ffynna ganddynt ryw bryd hyd na bo ddim Brythoneg yn y Deau mwy nag sydd yng Nghernyw.

The Letters of Goronwy Owen (gol. J. H. Davies, 1924), 111

781

Our language undoubtedly affords plenty of words expressive and suitable enough for the genius of a Milton...Our language excels most others in Europe, and why does not our poetry? It is to me very unaccountable. Are we the only people in the world that know not how to value as excellent a language? Or do we labour under a national incapacity and dullness? Heaven forbid it! Why then is our language not cultivated?...And if our countrymen write anything that is good, they are sure to do it in English...Are they afraid that their own language should gain anything by them? Or are they unwilling that their countrymen should get their knowledge at too cheap a rate unless they go to the trouble of learning English?

Llythyrau Goronwy Owen (1895), 4

Mae gan ein hiaith ni, yn ddiamheuol, gyflawnder o eiriau mynegiadol ac addas ddigon i athrylith rhyw Filtwn...Mae ein hiaith ni'n rhagori ar y rhan fwyaf o'r lleill yn Ewrop, a pham nad gwir hynny am ein barddoniaeth? I mi, anodd iawn yw cyfrif

am hyn. Ai ni yw'r unig bobl yn y byd na wyddant sut i werthfawrogi iaith mor odidog? Ynteu a ydym yn llafurio dan anallu a dylni cenedlaethol? Y nefoedd a'n gwaredo! Pam felly nad ymgeleddir mo'n hiaith?...Ac os bydd i'n cyd-wladwyr ysgrifennu dim sydd dda, y maent yn siŵr o wneud hynny yn Saesneg...Ai ofni y maent y bydd i'w hiaith hwy eu hunain fod yn ddim elwach erddynt? Ai ynteu anfodlon ydynt i'w cyd-wladwyr ennill eu gwybodaeth yn rhy rad onid ânt i'r drafferth o ddysgu Saesneg?

OWEN, Syr HUGH (1804-81)

782

Let the perpetuation of the vernacular and other peculiarities of the nation be left to the free choice and sympathies of the people when fully enlightened as to their own interests; but meantime let the light enter.

dyf. *Cof Cenedl* (gol. Geraint H. Jenkins) II, 142

Gadawer parhad yr iaith frodorol a phriodolion eraill y genedl i rydd ddewisiad a theimladau'r bobl pan fyddant wedi eu llwyr oleuo ynglŷn â'u lles eu hunain; yn y cyfamser, llewyrched y goleuni.

OWEN, Y Parchedig JOHN (1864-1953), Morfa Nefyn

783

Ni siaradai'r Athro ddim ond Cymraeg â ni y tu allan i'r ysgol [Ysgol Clynnog], ond talem ddimai o ddirwy os clywid ni'n siarad Cymraeg y tu mewn i'r ysgol.

dyf. W.J.Edwards, *Cerdded y 'Clawdd Terfyn'* (1992), 47

OWEN, MORFYDD
784
Un o ogoniannau'r iaith Gymraeg ydyw geirfa dechnegol y cyfreithiau. Y mae'r eirfa hon yn gymhleth iawn. Yn ieithegol, gellid dirnad sawl haen ynddi. Haen o eiriau Celtaidd brodorol y mae iddynt eu cytrasau Gwyddeleg...Haen o eiriau Lladin sydd o bosibl yn adlewyrchu dylanwad y Rhufeiniaid ar sefydliadau brodorol, a haen o eiriau benthyg o Hen Saesneg...a adlewyrcha fenthyciadau o sefydliadau Anglo-Sacsonaidd.
    Y Traddodiad Rhyddiaith yn yr Oesau Canol (gol. Geraint Bowen, 1974), 223

OWEN, ROBERT (Bob Owen, Croesor; 1885-1962)
785
Mae gennyf yn fy meddiant fap cynnar o Philadelphia a deugain milltir sgwâr o ranbarth o'i hamgylch. Y mae pedwar ugain y cant o'r ffermydd sydd arno yn dwyn enwau Cymraeg. Canfûm hefyd fod mwy o Gymraeg i'w glywed ar heolydd Philadelphia yn 1726, na'r un iaith arall yn y byd. Ac erbyn 1726, cofiwch chi, yr oedd Philadelphia yn dref go nobl.
    Dyfed Evans, *Bywyd Bob Owen* (1977), 142-43

OWEN, Y Parchedig ROBERT (g.1908)
786
Eirias mewn dadl ac araith
Ar goedd oedd tros Gymraeg iaith;
Rhin hon ddôi'n gyfran inni
O'i ystên i'n llên yn lli...
Hen arwr Rhydcymerau
Yma'n ei thir mwy ni thau;
Yr heniaith glywir yno,
Iachus yw o'i achos o;
Er ei gau yn dragywydd,
Byw tra bo'r heniaith y bydd. [Marwnad D. J. Williaams]
    Y Ffiol (1973), 49

787
Cymryd aur Cymrodoriaeth
I'r lludw oer, a ellid waeth?
A throi i elawr athrylith
Maestro llên, pen-meistr y llith?
Ni roed i bwll beddrod bach
Ynghudd ieithydd oedd ddoethach.

O droi saer wnâi drwsio iaith
I'r gro i huno, gwae'r heniaith ;
Lle bo gwall bwy a'i gwella?
A phwy yn hwy a'i glanhâ?
Iawn byth yw anobeithio
Am yr iaith os marw yw o;
Diau llygru wna'n fuan,
Marw o glwy' wna'r Gymraeg lân.
[Marwnad Dr D. Tecwyn Evans]
    Y Traethodydd, Gorffennaf 1960, 123

OWEN[-PUGHE], WILLIAM (1759-1835)
788
I had the gratification of coming to the end of it. Not however before nearly twenty years of my life had passed away; and which made many of my prudent friends often to condemn what they called so unprofitable a sacrifice of time as the collecting together the words of a nearly expiring language...
    Of my favourite object of forming the Welsh Dictionary...I presumed that it might be the means of preserving the remains of a language of an ancient nation, whose fate, probably, is to become indiscriminately blended with their more powerful neighbours.

A Welsh and English Dictionary (1803), [v]
Cefais y boddhad o'i orffen. Nid cyn treulio bron ugain mlynedd o'm hoes, fodd bynnag, a pharodd hyn i lawer o'm cyfeillion doeth gondemnio'n fynych yr hyn a alwent hwy yn aberth mor anfuddiol o amser â chrynhoi geiriau iaith sydd ar ddarfod amdani.

Am fy hoff amcan o lunio'r Geiriadur Cymraeg...cymerais yn ganiataol y gallai fod y moddion i ddiogelu gweddillion iaith cenedl hynafol a dynghedwyd, mae'n debyg, i ymgymysgu'n ddiwahân â'u cymdogion mwy nerthol.

PARRY, Syr THOMAS (1904-85)

789

Ar 8 Ebrill 1911 yr oedd [Henry Parry-Williams, Rhyd-ddu] yn annerch Cymdeithas Athrawon Gwynedd ar y testun 'The place of Welsh in the curriculum of Elementary Schools.' Y mae'r hyn a ddywedodd yn dra diddorol.

Y mae'r siaradwr yn dechrau trwy ddweud mai dyma'r tro cyntaf erioed iddo annerch cynulleidfa yn Saesneg (yr oedd yn 53 oed). Y cwestiwn hanfodol yw pam y dylid rhoi lle anrhydeddus i'r Gymraeg ym maes llafur ysgolion, ac y mae'n nodi tri rheswm: 1. Y mae cenedligrwydd Cymru yn ei hawlio—heb iaith, heb genedl. 2. Trwy'r iaith y tyfodd cenedl y Cymry i fod yn genedl grefyddol. 3. Y mae'r iaith yn gyfrwng addysg tra effeithiol, oherwydd y mae ei nodweddion gramadegol yn gofyn ymarfer prif gyneddfau'r meddwl i'w deall a'u gwerthfawrogi. Y mae gwerth yr iaith yn cael ei gydnabod ym Mhrifysgolion y Cyfandir. Y mae'n amlwg, er na ddywedir

hynny, fod Parry-Williams yn gorfod ymladd yn erbyn difrawder ynglŷn â'r iaith yn yr ysgolion ac yn erbyn dibristod llwyr ohoni fel cyfrwng addysgol.

Y Genhinen, 28/2,3 (1978), 69

790

Un o ryfeddodau llenyddiaethau Iwerddon a Chymru yw cael ynddynt ddefnyddio rhyddiaith i ddibenion artistig yn gynnar iawn yn eu hanes...Pa bryd y dechreuodd hyn ni wyddys, ond y mae'n amlwg fod yr iaith Gymraeg, o ran cystrawen a geirfa, yn gyfaddas i gyflawni gorchwylion pur astrus yn y ddegfed ganrif. Tua chanol y ganrif honno y galwodd Hywel Dda y gynhadledd enwog i'r Tŷ Gwyn ar Daf i drefnu cyfreithiau'r wlad...

Prawf y Cyfreithiau...bod yr iaith yn cynnwys toreth o eiriau a thermau technegol ag iddynt ystyron pendant a manwl...Yr oedd i'r iaith bob adnoddau, yn eiriau a chystrawennau, yr oedd yn rhaid wrthynt i gloi cyfraith mewn pendantrwydd digamsyniol. Mewn gair, yr oedd y Gymraeg yn offeryn addas i'r rheswm a'r deall.

Hanes Llenyddiaeth Gymraeg hyd 1900 (1945), 54-55

791

Y mae ar gael heddiw un dernyn byr o ryddiaith...Fe'i gelwir y *Computus Fragment*, ac fe ddigwydd mewn llawysgrif a ysgrifennwyd yn y ddegfed ganrif... Amcan y darn rhyddiaith hwn yw egluro pwnc anodd yn un o'r tablau seryddol a luniwyd gan Beda...Llwyddodd yr ysgrifennwr, pwy bynnag ydoedd, i wneuthur hynny'n gwbl glir. (O leiaf, y

mae'n glir wedi i'r Athro Ifor Williams ei egluro!) Dyma ddefnyddio'r iaith at bwrpas un o ganghennau mwyaf dyrys dysg y cyfnod.
55

792
Nid yn ei fydryddiaeth y mae camp Edmwnd Prys; yn hytrach yn ei feistrolaeth fawr ar yr iaith Gymraeg. Gwyddai gyflawnder ei geirfa, ei chystrawennau yn ei chyfnodau euraid, ei dawn i fynegi meddwl yn gryno; a defnyddiodd y rhain i gyd pan fai angen.
148

793
Buasai ceisio mesur dylanwad y Beibl ar yr iaith Gymraeg a'i llenyddiaeth yn orchwyl mawr, amhosibl efallai...Efallai mai cymwynas fwyaf y Beibl i lenyddiaeth Gymraeg oedd rhoi i'r genedl iaith safonol goruwch pob tafodiaith. Mewn gwlad nad oedd iddi brifysgol na dim sefydliad diwylliadol i ganoli ei bywiogrwydd llenyddol...buasai perygl i'r iaith ddirywio yn nifer o dafodieithoedd digyswllt, fel y digwyddodd yn Llydaw.
153

794
Pan fyddai'r uchelwyr wedi gorffen troi'n Saeson, a'r beirdd caeth wedi tewi, ni byddai neb mwyach yn gwybod y Gymraeg lân a fu gynt yn iaith gyffredin i'r wlad oll. Daeth y Beibl, a daeth yn union mewn pryd, pan oedd yr iaith urddasol eto'n fyw, ac offeiriaid o Gymry yn ddigon o feistri arni i fedru ei defnyddio'n briodol.
153

795
Gellir awgrymu'n betrusgar nad cwbl anfuddiol fuasai bod wedi defnyddio iaith ystwyth y canu rhydd wrth gyfieithu'r Beibl. Buasai llai o agendor rhwng yr iaith lenyddol a'r iaith lafar heddiw, a buasai'n haws cael ymddiddan naturiol mewn dramâu a nofelau efallai. Ond yn wyneb y llurgunio a fu ar yr iaith rhwng hynny a diwedd y bedwaredd ganrif ar bymtheg, yr oedd yn dda bod y Beibl a'i holl goethder wrth law, fel y gallai rhywun na fynnai ddilyn ffasiynau dirywiedig ei oes syrthio'n ôl arno pan garai weled ymadroddi glanwaith a difympwy.
153-54

796
Y cwestiwn yw pa fodd y dysgodd y gwerinwr o Gymro ddarllen ei iaith ei hun. Y mae'n ddiamau i lawer iawn ddysgu—y naill oddi wrth y llall efallai—trwy'r llyfrau a gyhoeddwyd. Mewn llawer iawn o lyfrau'r cyfnod hwn fe gynhwysid dalen ag arni'r ABC a chyfarwyddyd i ddarllen. Nid oes wadu nad oedd medru darllen Cymraeg ar gynnydd mawr yn ystod hanner olaf y ganrif [y 17 g.]...Y mae poblogrwydd yr almanaciau...yn nechrau'r ddeunawfed ganrif yn profi bod cyhoedd go helaeth yn eu darllen, ac y mae Stephen Hughes yn annog pobl i'w defnyddio i ddysgu darllen.
201-2

797
Nid oedd neb yn ei ddydd ef [John Peters (Ioan Pedr; 1833-77)] â chanddo gymaint o ddiddordeb yn y Gymraeg fel iaith, ac yn ei chwaer-ieithoedd Celtaidd.
263

798

Ysgolhaig iaith yn bennaf dim oedd John Rhys. Yn 1877 ymddangosodd ei *Lectures on Welsh Philology*, yr ymgais gyntaf gan Gymro er dyddiau Edward Lhuyd i drafod yr iaith Gymraeg yn wyddonol ac yn unol â deddfau ieitheg.

280

799

Yn 1886 sefydlodd rhai o fyfyrwyr Cymreig Rhydychen gymdeithas yn eu mysg eu hunain, a'i galw'n Gymdeithas Dafydd ap Gwilym...Yng nghyfarfodydd y Gymdeithas hon y dechreuwyd rhoi trefn ar orgraff yr iaith, ac yn hynny o beth...yr oedd gwaith y gwŷr ieuainc hyn yn taro yn erbyn arferion eu cyfnod, a chawsant eu dilorni a'u difrïo, a galw eu gwaith yn 'Gymraeg Rhydychen'. Trawent yn erbyn yr hen arferion mewn peth arall hefyd, sef eu dull o ysgrifennu rhyddiaith. Ysgrifennent yn syml a diymchwydd, arddull wedi ei sylfaenu ar y Mabinogi a llafar gwlad.

280

800

John Morris-Jones oedd y chwalwr a'r adeiladwr mwyaf ar ein hiaith a'n llên...Yn 1913 cyhoeddodd *A Welsh Grammar*, llyfr yn dadwneuthur holl waith cyfeiliornus William Owen Pughe, ac yn disgyn yn unionsyth yn llinach John Davies...Ar wahân i rai mân bethau, erys ei ddisgrifiad o'r iaith yn yr adran ar ramadeg pur yn ddiogel wedi deng mlynedd ar hugain o astudiaeth fwy trylwyr ar yr iaith Gymraeg nag a fu erioed o'r blaen.

281

801

Nid ysgrifennodd Cymro erioed lyfnach nac esmwythach Cymraeg [nag Owen Edwards]. Nid turio i'r Mabinogi a Chymraeg Canol a wnaeth, a chwilio am batrymau fel ysgolhaig, ond ysgrifennu o gyflawnder ei enaid fel Cymro o Lanuwchllyn.

289

802

Gwelai [Emrys ap Iwan] bob smicyn o berygl a fygythiai'r iaith Gymraeg, ac yr oedd yn danbaid dros ei chadw'n fyw.

291

803

Cyn diwedd y ganrif [y bedwaredd ganrif ar bymtheg] yr oedd rhwd blynyddoedd eisoes wedi ei dynnu oddi ar yr iaith Gymraeg, a'i gwneuthur yn offeryn addas i lenorion eang eu diwylliant draethu eu meddwl ynddi...Nid am iddynt gynhyrchu rhyddiaith lenyddol yn unig y mae pwysigrwydd yng ngwaith y dynion a ysgrifennai. Gwnaethant gymwynas amhrisiadwy trwy ddarparu iaith a fai'n gymwys i ysgrifenwyr nofelau, storïau byrion ac ysgrifau ein canrif ni.

293

804

Y mae pryder mawr ymhlith pawb meddylgar yng Nghymru heddiw ynghylch yr iaith. Pryder ynghylch ei pharhad yw hwnnw gan amlaf, ofn iddi beidio â bod fel cyfrwng cyfathrach lafar a mynegiant llenyddol...

Ond y mae pryder arall ym meddyliau rhai Cymry, a minnau'n un ohonynt, sef pryder, nid am ddyfodol yr iaith yn unig, ond am ei hansawdd.

R. E. Jones, *Llyfr o Idiomau Cymraeg* (1975), Cyflwyniad

805

Yn y blynyddoedd diwethaf, fel rhan o'r diffyg parch at ddisgyblaeth a threfn yng ngwledydd y gorllewin, y mae llawer ohonom ninnau yng Nghymru yn gwrthod safonau sefydledig ein hiaith. Y mae ein llyfrau a'n cylchgronau—rhai o'n cylchgronau yn arbennig—yn frith o wallau iaith o bob math.

Cyflwyniad

806

Canmoladwy ddigon ar un ystyr yw'r hyn a wneir yn enw 'Cymraeg Byw', a gellir dadlau dros ysgrifennu 'maen nhw', 'aton ni' a'r cyffelyb mewn rhai cysylltiadau. Ond o fewn terfynau go gyfyng yn unig y dylid gwneud hyn. Y trychineb (ac nid yw'n ddim llai) yw bod rhai ysgrifenwyr, ar yr esgus o ysgrifennu Cymraeg byw, yn gwadu pob arfer draddodiadol a rheol.

Cyflwyniad

807

Yn sicr ddigon, nid cymwynas â'r sawl sy'n dysgu'r iaith nac â'r iaith ei hun yw mynd yn groes i'r confensiynau ysgrifenedig a dyfodd yn y corff o lenyddiaeth a gynhyrchwyd yn y tair canrif ddiwethaf, heb sôn am ddodwy rhyw greadigaethau di-dras fel 'ydy', na fu ar dafod neb erioed nac ar femrwn na phapur chwaith.

Cyflwyniad

808

Y mae rhai awduron yn credu fod rhinwedd mewn ysgrifennu mewn tafodiaith fratiog ac aflêr, yn arbennig wrth groniclo sgwrs mewn stori neu ddrama...Fe ddylai pob llenor wybod mai nid atgynhyrchu annibendod yr iaith fel y mae'n cael ei siarad yw ei fusnes. Nid oes dim creu llenyddol yn hynny. Ac i wneud y stomp yn waeth fe geir cymysgfa o ffurfiau llafar a ffurfiau traddodiadol...ar yr un tudalen.

Cyflwyniad

809

Y mae'n edrych i mi fod gafael ein llenorion a'n beirniaid ar hanfodion yr iaith yn llacio, un ai am fod eu cefndir yn y bywyd bob dydd yn teneuo o ran ei Gymreigrwydd, neu am nad ydynt hwy eu hunain yn darllen digon o Gymraeg clasurol.

Cyflwyniad

810

Yr wyf eisoes wedi dwrdio'r sawl sy'n cynnwys yn eu gwaith lygriadau'r iaith lafar. Ond y mae i'r iaith lafar ei swyddogaeth i bawb sy'n mynnu ysgrifennu Cymraeg cydnerth a lliwgar, oherwydd fe geir ynddi gannoedd o ymadroddion graenus wedi eu corffori mewn cystrawennau glân.

Cyflwyniad

811

Am safle'r Gymraeg, yr oedd yn wahanol iawn hanner can mlynedd yn ôl. Yr oedd papur Cymraeg wythnosol yn cael ei gyhoeddi ym Mangor, a phedwar yng Nghaernarfon. Nid oedd na radio na theledu...Mewn gair, nid oedd safle'r iaith yn edrych yn agos mor beryglus, ac felly nid oedd angen i ni godi twrw a malu pethau. A choelied a goelio, ni feddyliodd neb erioed y pryd hwnnw am goleg Cymraeg ym Mhrifysgol Cymru.

Ysgrifau Beirniadol (gol. J.E.Caerwyn Williams), IX, 368

812

Brwdfrydedd gwlatgar y bobl ifanc, llwyddiant yr ysgolion dwyieithog, agwedd oleuedig ambell gyngor lleol...dygnwch yr ychydig sy'n dal i fynd i gapeli ac eglwysi, a'r gweinidogion yn arbennig—dyna rai o'r pethau sy'n codi calon dyn ac yn peri iddo feddwl efallai wedi'r cwbl y bydd byw yr iaith Gymraeg a rhywfaint o'i diwylliant am dipyn eto.

375

PARRY-WILLIAMS, Syr T. H. (1887-1975)
813

Y mae un ohonynt [pryddestau] mewn tafodiaith...Yn gymysg â'r dafodiaith bur (Morgannwg) fe geir ganddo ymadroddion llafariaith ben-stryd sathredig a macaronig, ac y mae'r gymysgedd yn adlewyrchu'n ddigon teg rai o'r elfennau sydd, ysywaeth, yn nodweddu'r iaith lafar fyw drwy Gymru gyfan.

Cyfansoddiadau a Beirniadaethau Eisteddfod Genedlaethol Cymru, Y Rhyl (1953), 68

814

Y rhyfeddaf oll o rymusterau geiriol y Gymraeg ydyw'r hyn a elwir yn Gynghanedd—rhywbeth y mae celfyddyd fydryddol wedi ei ddatblygu nes dyfod y peth mwyaf annhebyg i waith celfyddyd, ond ei gael yn ei berffeithrwydd. Mewn cynghanedd, y

mae'r gair iawn--a phopeth sy'n perthyn iddo, yn sain ac acen—yn cymryd rhan yn yr 'effaith'. Dyma'r ymdriniaeth eiriol gelfyddgar fwyaf cywrain y gellir meddwl amdani; ac eto, os llwyddir i feistroli'r grefft neu ddatblygu'r ddawn gynhenid hon sydd mewn ambell ddyn, y mae'r canlyniad y peth mwyaf naturiol posibl, fel petai'r cyfosodiadau geiriau wedi bod erioed ac yn disgwyl i rywun eu darganfod a'u dal mewn cynghanedd.

Lloffion (1942), 56

815

Mynd at y ffin rhwng Cymru a Lloegr...a wnes i--a throsti mewn un man, i fynd i Ddyffryn Olchon. Yr oedd elfen o dristwch yn y cyfan. Yn un peth, dyma'r fan, fel llawer man arall, lle y mae darfodedigaeth Cymru a Chymraeg, a malltod popeth a ystyriwn ni'n etifeddiaeth inni, wedi gweithio i mewn i'n cyfansoddiad. Saesneg—a Saeson i bob pwrpas—sydd yma; ond y mae'r enwau lleoedd, fel cerrig beddau, yn dal yn Gymraeg o hyd. Ac nid oes yma ddim esgus o'r hyn a lysenwir yn 'ddwyieithogrwydd'.

Myfyrdodau (1957), 62-63

816

Os byddi yn y cysegr yn cael blas
    Ar foliant yn Gymraeg, pob hwyl i ti;
Ni wnei ddim drwg i neb â moddion gras,
    Na dim o'i le â siant neu litani.
Ond rhag i bethau fyned yn draed-moch
    Wrth drin hanfodion cenedl yn dy blwy',
Gofala di na chodi di dy gloch
    Ac enwi'r iaith yn un ohonynt hwy.
Cei ganmol hon fel canmol jẁg ar seld;
Ond gwna hi'n hanfod—ac fe gei di weld.

Ugain o Gerddi (1949), 42

PAYNE, FFRANSIS G. (1900-92)

817

Edwinodd Cymraeg Ewias yn rhan gyntaf y ganrif ddiwethaf a diflannodd i bob pwrpas yn yr ail rhan. Erbyn dechrau'r ganrif hon ni cheid o waelod Glyn Olchon hyd flaenau'r Dyffryn Aur ond dyrnaid o bobl—rhyw bump neu chwech yn ôl a glywais i—a fedrai siarad hen iaith Sir Henffordd.

Crwydro Maesyfed, I (1966), 17

818

Diflannodd olion olaf y Gymraeg yma [yn Ergin] tua'r un adeg ag yn Ewias neu ychydig ynghynt.

18

819

Hyd yn oed yn y cyfnod pan sgrifennai Joshua Thomas ei *Hanes y Bedyddwyr* yno [yn Llanllieni], ar achlysuron prin yn unig megis diwrnod Ffair Fehefin y clywid Cymraeg yn y dref. Ond ar ddiwrnod felly, wrth i wŷr Dyffryn Tyfeidiad a Dyffryn Gwy ac Ewias gwrdd â'i gilydd ar yr heol deuai Llanllieni yn ôl o'r gorffennol am ennyd.

19

820

Cofiais ddarllen hanes Lewis Morris o Fôn am ei arhosiad yno [y *King's Head*, Ceintun]...yn 1742...ar ôl cinio dyma fe'n troi i orffen llythyr at ei frawd William. 'All English here,' ebr ef, 'New Radnor...is not four miles from hence, where there is nothing but Welsh.'

26

821

Daliodd y Gymraeg ei thir yng Nglasgwm yn hwy nag a dybir yn gyffredin. Arferid y ddwy iaith yma yn rhan gyntaf y ganrif ddiwethaf. Cedwid hefyd ambell hen arfer megis gwasanaeth y Plygain...Yr oedd y cwbl yn Gymraeg a chenid carolau traddodiadol ac emynau, rhai ohonynt o waith Ficer Pritchard.

49

822

Dywedodd [y Parchedig Benjamin] Marsden...iddo gladdu'r Gymraes olaf a oedd yn enedigol o'r plwyf [Glasgwm] yn 1867 ac nad oedd neb arall yn y plwyf ond ef a fedrai siarad Cymraeg â hi. Dynion dod yw Cymry Cymraeg Glasgwm oddi ar yr amser hwnnw. Adeg Cyfrifiad 1951 yr oedd pump ohonynt.

49

823

Oherwydd mai'r Gymraeg oedd prif iaith yr ardaloedd hyn [plwyfi Pencraig a Llanandras] a rhannau o sir Henffordd yr enwyd Esgob Henffordd gydag esgobion Cymru yn 1563 pan orchmynnwyd iddynt baratoi cyfieithiad o'r Beibl a'r Llyfr Gweddi.

64

PEATE, IORWERTH C. (1901-82)

824

Cyfetyb argyfyngau'r iaith Gymraeg â'r argyfyngau cymdeithasol...Peryglwyd hi yn ei phlentyndod gan y goresgyniad Rhufeinig. Am dri chan mlynedd Lladin oedd iaith awdurdod a diwylliant y gorllewin, ond ymladdodd yr iaith rhag ei boddi yn y cenllif. Yn wir, fel pob iaith fyw, ymgyfoethogodd trwy gymhathu elfennau newydd o'r Lladin.

Cymru a'i Phobl (1948), 78-7

825

Ond gyda'r Tuduriaid y daeth y praw mwyaf ar ynni a bywyd yr iaith Gymraeg...perthynent i gyfnod yr oedd iddo duedd bendant mewn gwladweiniaeth at ganoli awdurdod...A golygai llwyddiant y polisi hwn ddifodiant llawer peth yn y bywyd Cymreig a ystyrid hyd hynny yn hanfodol. Un o'r pethau hynny oedd yr iaith. Mynnai'r Tuduriaid...mai trwy droi'r Cymry yn Saeson y ceid Prydain unol. Eu camgymeriad oedd na ddeallent na fedrir troi Cymro yn Sais....Dyna gyfnod pan ddaeth Rhydychen a Chaergrawnt yn wir boblogaidd fel mannau addysg plant cyfoethogion Cymru. Gadawyd y Gymraeg felly yng ngenau'r werin a chollodd Cymru ei phendefigaeth frodorol...Collodd y beirdd lawer o'u noddwyr nes bod dyn fel William Salsbri yn 1546 yn ofni bod tranc yr iaith yn ymyl.

79-80

826

Clwyfwyd yr iaith hefyd trwy ddifodiant y mynachlogydd...Dyma oedd un o effeithiau'r Diwygiad Protestannaidd— gosod Cymry Seisnig a Saeson i lenwi swyddau'r hen offeiriaid gynt a roesai nodded a chymorth i'r iaith.

80

827

Y mae'n wir mai i hyrwyddo'r Cymry i ddysgu Saesneg y gorchmynnwyd cyfieithu'r Beibl i'r Gymraeg. Yr oedd hyd yn oed John Penry yn pwysleisio pwysigrwydd gwybodaeth o'r Saesneg. Ond effaith gwaith William Morgan ar y naill law a John Penry ar y llaw arall oedd gosod sylfaen ac ynni newydd i'r iaith. Daeth bellach yn iaith addoli ac ar yr un pryd cymhwyswyd iaith yr hen draddodiad llenyddol gynt at briod-ddulliau'r Ysgrythur...a chyda dyfod ysgolion Gruffydd Jones a'r Ysgol Sul rhoddwyd cymorth pellach i'r achos.. Ac yn sicr ni ddylid anghofio dylanwad ieithyddol y Diwygiad Methodistaidd.

81

828

Torrodd y Diwygiad Diwydiannol...i beryglu'r iaith i raddau helaethach nag erioed o'r blaen...daeth ton o bobl i'r wlad na wyddent ddim am y traddodiad Cymreig, na malio dim amdano...Daeth cymoedd Morgannwg yn gartref hanner poblogaeth Cymru ac yn wyneb y dylifiad mawr hwn, collodd yr iaith afael ar ran helaeth o'r wlad. Erbyn heddiw daeth elfennau newydd i wneuthur y broblem yn fwy cymhleth fyth, elfennau megis y cerbyd modur i uno lleoedd mwyaf anhygyrch y wlad ag ardaloedd poblog Cymru a Lloegr, a'r radio i ledaenu ei swynion Seisnig i glustiau na chlywsant odid air o iaith estron cyn hynny.

81

829

Gwelir cysylltiadau iaith a daearyddiaeth yn amlwg iawn yn hanes Maesyfed. Bu llawer o ddyfalu o dro i dro am y rhesymau dros anghymreigrwydd Maesyfed. Yr oedd gan ffyrdd lawer i'w wneud ag ef. Yn y dyddiau pan oedd ffyrdd y porthmyn, er enghraifft, yn elfen bwysig ym mywyd y wlad...yr oedd Maesyfed y pryd hwnnw â'i hwyneb tua Cheredigion ac mewn cysylltiad agos â hi. Y pryd hwnnw yr oedd yn Gymraeg. Pan beidiwyd â'r porthmona...fe droes Maesyfed ei hwyneb i gyfeiriad Henffordd. Tuag yno yr âi masnach; oddi yno y deuai ei phobl ddyfod...a chollodd Maesyfed ei hiaith bron yn gyfan gwbl.

82

830

Pe dilynid yr iaith i bob cwm a llethr, fe welid...y cysylltiad cyfrin rhwng bro ac iaith...Digon yma yw sylwi mai yn y lleoedd mwyaf anhygyrch y cedwir ei thraddodiad gryfaf, ac y ceir mwy o gymrodedd ag iaith arall fel y deuir i gymdogaethau poblog mewn cysylltiad agos â'r bywyd modern. Y mae'n amlwg hefyd na fedrir osgoi tranc yr iaith oni threfnir ei dysgu'n rheolaidd i bawb o breswylwyr y wlad, o'u babandod i fyny.

82

831

Y mae yng Nghymru *frontier*...Tu hwnt iddo bob amser y mae bro'r hanner-peth, ardaloedd lle y ...collwyd yr iaith, a'r gwŷr a'r gwragedd yno mwyach heb fedru na Chymraeg na Saesneg ond yn hytrach yn siarad Cymraeg (er na wyddant hynny) mewn geiriau Saesneg. Ardaloedd felly a geir ar y gororau o fôr i fôr, lle y clywir idiomau Cymraeg wedi eu trosi yn eu crynswth i'r Saesneg, a'u llefaru atolwg yn y gred mai Saesneg ydynt...hwynt-hwy na fedrasant gyfranogi o gyfoeth y diwylliant Saesneg er colli ohonynt eu Cymraeg

yw'r ddadl orau bosibl tros barhad yr iaith Gymraeg. Ni all na chyfraith gwlad na gorchymyn brenin drawsnewid cymdeithas Gymreig yn un Seisnig.

83

832

Yng nghanoldir Maldwyn yn y cyfnod hwnnw [tua chanrif yn ôl] yr iaith Gymraeg oedd y gryfaf ac yn ei phriodddulliau hi y siaredid llawer o'r Saesneg a ddaeth i'w disodli. Erbyn heddiw, y gwrthwyneb sy'n amlwg mewn llu o ardaloedd ledled Cymru. Saesneg yw'r iaith gryfaf o lawer o'r ddwy...ac erbyn hyn lluosogwyd ym mhob cyfeiriad yr enghreifftiau o Gymry yn siarad Cymraeg trwy briod-ddulliau Saesneg.

Rhwng Dau Fyd (1976), 26

833

Y mae cymdeithas unieithog yn hanfodol i barhad y Gymraeg, ac wrth i'n harbenigwyr addysgol a gwleidyddol achlesu'n frwdfrydig y syniad o Gymru gwbl ddwyieithog, canant gnul terfynol tynged ein hiaith...Cyn gynted ag y diflanna'r Cymry uniaith yn llwyr, ni fydd mwyach unrhyw ddadl *ar dir ymarferol* tros barhad yr iaith Gymraeg.

27

834

Cyhoeddwyd...yn 1928...*Yr Amgueddfa a'i Chynnwys: Hyfforddwr Byr.* Ceir ynddo am y tro cyntaf yn Gymraeg ffurfiau megis *archaeoleg, anthropoleg, botaneg, ffawna* a *söoleg* (nid yr erchyll '*swoleg*'!). Y mae'r termau hyn bellach wedi hen ennill eu plwyf yn yr iaith Gymraeg ond mentr ydoedd eu llunio yn

1928...Ceisiais eu ffurfio ar seiliau'r iaith glasurol y deilliai'r geiriau ohoni, ac nid fel cymreigiad trwy'r iaith Saesneg.

174

835

Yn y bywyd dinesig, fe ddiddyfnir dyn o'r bywyd agos at y pridd...Rheolir ei fywyd gan ddeddfau dyn, gan ffasiwn y funud, gan gonfensiwn. Pellter gwerin Cymru oddi wrth y pethau *artificial* hyn a'i gwnaeth yn warchodwr y traddodiad Cymraeg, yn geidwad yr iaith Gymraeg, yn etifedd yr hen bethau. Yn y wlad ac nid yn y dref y gwelir yr iaith Gymraeg yn ei chadernid a'r traddodiad cysefin yn ei naturioldeb. Ond ysywaeth daeth tro ar fyd...Y mae cymdeithas y dref a'r confensiynau annaturiol yn ennill ar y wlad, ac y mae treftadaeth pobl gyffredin Cymru mewn perygl.

Sylfeini (1938), 92

836

Ni allaf i ymfalchïo yn 'safiad dewr' y werin Gymraeg yng nghyfnod y Tuduriaid ac yn y ddeunawfed ganrif, yn y safiad a achubodd iaith a thraddodiad Cymru. Nid yw'r werin byth yn ddewr...Safodd yn yr oesoedd a aeth heibio dros yr iaith Gymraeg am reswm digon syml. Ni wyddai ei bod yn sefyll gan nad oedd ganddi iaith arall. Ni allai nad oedd yn ddewr tros y Gymraeg, canys nid oedd ganddi ddim arall i fod yn ddewr trosto.

Syniadau (1969), 41

837

Byddaf yn tosturio wrth y plant o Gymry a fegir yn yr ardaloedd di-Gymraeg. Trwy ddygn ddiwydrwydd eu rhieni, tyfant â'r iaith ar eu min ond nid yw yn eu calon na naws yr hen ddiwylliant yn eu gwaed.

42

838

Os caf ddatgan fy nghyffes ffydd...ni chredaf fod gwerth mewn unrhyw gymreictod a ysgarwyd oddi wrth yr iaith Gymraeg. I mi y mae parhad yr iaith yn ei chadernid yn hanfodol, yn sylfaenol bwysig.

80

839

Un o'r pethau sy'n tristáu dyn yw ystyried y gwahaniaeth syfrdanol rhwng ansawdd Cymraeg gwŷr tros eu pedwar ugain oed a Chymraeg gwŷr dan ddeugain oed. Bûm yn gwrando'n ddiweddar ar recordiau...o leisiau henwyr...pob un ohonynt yn adrodd hanes dyddiau ei febyd yn y gymdeithas uniaith...Yr oedd cyfoeth y geirfâu, cadernid pob cystrawen a sicrwydd pob ymadrodd yn dwyn dagrau i'm llygaid o sylweddoli'r dirywiad yn iaith Cymry'r oes hon. Dyma wŷr a wyddai am ryddid gogoneddus sicrwydd iaith, heb eu caethiwo gan ansicrwydd gwybod dwy iaith a dwy gyfundrefn gystrawennol.

81-82

840

Nid oes gan yr iaith Gymraeg statws swyddogol o gwbl ac oherwydd hynny'n arbennig, y cwbl a wna'r polisi dwyieithog yw prysuro'r proses o droi gwerin Cymru yn werin Saesneg uniaith. Fe ddysg plant Llŷn a Llanuwchllyn a Llanbryn-mair Saesneg fel ail iaith, canys y mae popeth o du'r bwriad. Hi yw'r unig iaith swyddogol, hi yw iaith swyddogol yr ysgolion a'r brifysgol, hi yw iaith adloniant yr awyr, hi yw iaith fawr y byd. Ond a ddysg miloedd plant Caerdydd Gymraeg, yr iaith ddi-urddas, ddi-statws, iaith y lleiafrif? Dim byth dan yr amodau presennol.

82

841

Afon yn derbyn i'w chôl ddyfroedd y nentydd a red iddi yw pob iaith fyw sy'n gadarn ac yn iachus—yn benthyg ac yn cymathu a chymhwyso. Tybed nad yr hyn sy'n digwydd heddiw yw fod môr mawr yr iaith Saesneg yn boddi gwely afon yr iaith Gymraeg nes bod holl natur y dŵr yn newid? Yn ein gorffennol hir, bu cyfnodau tyngedfennol yn hanes yr iaith...Ond bob tro yr oedd ceyrydd y gymdeithas uniaith yn ddigon cadarn i wrthsefyll unrhyw ymosodiadau ieithyddol. Erbyn hanner cyntaf yr ugeinfed ganrif...ymddatododd y gymdeithas uniaith, ac oherwydd hynny y mae gwrthdrawiad yr iaith Saesneg yn erbyn yr iaith Gymraeg heddiw yn ffenomen hollol newydd yn ein hanes. Môr yn gorlifo ydyw ac nid nant yn chwyddo'r afon.

84

842

Trwy'r radio a'r teledu cawn lawer o enghreifftiau o Gymraeg ein cyfnod ni, canys yn eu tro ymddengys pob math o Gymry gerbron y meicroffôn a'r camera—yn ffermwyr, yn athrawon, yn siopwyr, yn weinidogion, a llawer dosbarth arall. A sylwasoch chwi mor druenus yw ansawdd iaith llawer ohonynt? Yn Lloegr ni byddai aelod o staff unrhyw Brifysgol yn meddwl am ymddangos ar y teledydd i siarad *pidgin-English*, ond yn gymharol ddiweddar gwelais amryw ddarlithwyr yn ceisio eu mynegi hwy eu hunain mewn rhaglenni Cymraeg yn y fratiaith ryfeddaf a glywodd neb erioed...Nid wyf yn beio neb wrth ddatgan hyn oll; yn hytrach nodi'r ffaith yr wyf fod Cymraeg llafar trigeiniau'r ganrif hon wedi dirywio cymaint nes ei bod yn fratiaith yn hytrach nag iaith. A chofier bob amser mai'r iaith a leferir yw'r unig iaith fyw. Nid cymathiadau o iaith arall a geir ond geiriau ac ymadroddion Saesneg wedi'u llyncu heb eu treulio a'u gosod mewn ffrâm fach wan o arddodiaid ac ansoddeiriau Cymraeg. Ac wrth wneuthur hynny collwyd pob golwg ar gystrawen yr iaith gysefin.

84-85

843

Yn y cyswllt hwn, y mae gan y staffiau darlledu gyfrifoldeb mawr iawn, canys fe wrandewir ar y radio'n gyson trwy'r wlad...Hwy...sydd fwyaf cyfrifol am ddwyn dulliau'r ysgolion cynradd Cymraeg o drin rhifolion at bwrpas dysgu rhifyddeg i blant bychain, a'u cymhwyso at bob rhif sy'n bod. Pan fydd farw gŵr yn bump a thrigain, chwe deg pump ydyw ar y radio, a chlywais hyd yn oed gyfeiriadau at blant yn un deg un ac yn un deg dau, fel pe na buasai unarddeg a deuddeg yn ein geirfa...Dyma'r math o beth a ddigwydd i iaith ddi-statws a gollodd ei hurddas yn llwyr.

85

844

Bellach...deuthum i'r casgliad pendant nad yw creu llenyddiaeth Gymraeg o'r radd flaenaf yn bosibl o gwbl mewn cymdeithas ddwyieithog. Cymdeithas afiach yw'r gymdeithas a thros dro'n unig yr erys. Os deil yr amodau presennol, fe dry'n gymdeithas Saesneg uniaith yn yr hanner can mlynedd nesaf ac fe fydd hynny'n ddiwedd ar holl broblemau'r iaith Gymraeg. Os digwydd hynny, byddwn ni...wedi myned i'n difancoll cyn gweled y trychineb mwyaf a all wynebu cenedl.

87

845

Ydyw, y mae'n bosibl achub yr iaith Gymraeg, ond...mater o wleidyddiaeth ydyw...Ac fe ofyn sefyllfa bresennol yr iaith Gymraeg am gadernid ac asgwrn cefn: rhaid i'r Cymry Cymraeg sefyll yn gadarn tros yr iaith Gymraeg.

87-88

PETER, JOHN ('Ioan Pedr'; 1833-77)
846

Gwelwn, yn gyntaf, fod 'dodo' yn air urddasol, o waedoliaeth henafol...Tybed nad ydyw, gan hynny, yn teilyngu lle yn ein Geiriaduron? Gwelwn, yn ail, fod plant yn cydnabod eu modrabedd yn y cyfnod Aryaidd cynhanesiol...Gwelwn... yn olaf, fod hanes ac athroniaeth yn ymgasglu o gwmpas mân eiriau diystyraf ein hiaith, ac mai pwysig yw casglu a chofnodi holl ebrion y Gymraeg ym mhob ardal a chwmwd.

Y Dysgedydd, 52 (1873), 15

847

Pe byddai llenorion yn fwy cydnabyddus â thrysorau llenyddol yr estron ni phetrusaf ddweud y caem gyfansoddiadau llawer cywirach a chyfoethocach nag a fedd ein hiaith yn bresennol.

Rhianydd Morgan, *Ioan Pedr* (1999), 30

PIERCE, Y Parchedig T. MORDAF (1867?-1919)
848

Beth bynnag fydd hanes yr iaith yn y dyfodol, bydd yn amhosibl anwybyddu Dr Pughe fel un o'i charedigion pennaf yn y gorffennol. Bydd o angenrheidrwydd yn aros fel maen cof ar lwybr ei hymdeithiad, ac yn nodi y drofa bwysig a gymerodd yr iaith tua thir y bywyd, ac nid tua bro marwolaeth. Er gwell neu er gwaeth, bu Dr Pughe yn foddion i ddeffro'r Cymry i weled trysorau'r iaith, i weled posibilrwydd yr iaith, ac i weled y mawr angen am well trefn ar yr iaith.

Dr W. Owen Pughe (O. M. Edwards, *Cyfres y Fil*, 1914), 172

-

PRICE, neu **PRYS**, Syr JOHN (1502-55)
849

Ac yn awr y rhoes Duw y print i'n mysg ni er amlhau gwybodaeth o'i eiriau bendigedig Ef, iawn inni, fel y gwnaeth holl Gristionogaeth heblaw, gymryd rhan o'r daioni hwnnw gyda hwynt...ac er im ddymuno gwybod o bob un o'm ciwdodwyr i, y Cymry, Saesneg neu Ladin, lle traethir o'r pethau hyn yn berffeithiach, eto am na ellir hynny hyd pan welo Duw yn dda...pechod mawr oedd ado i'r sawl fil o eneidiau i fyned ar gyfyrgoll rhag eisiau gwybodaeth y ffydd gatholig ag y sydd heb wybod iaith yn y byd onid Cymraeg.

Yn y Lhyvyr hwnn (1546/7), Rhagair

PRICE, Y Parchedig THOMAS ('Carnhuanawc'; 1787-1848)

850

If the Welsh were an uncultivated language, the mere patois of an illiterate people, we must own it would be difficult to defend its continuance, or to justify our exertions for its preservation, for we might then be fairly accused of perpetuating a worse than useless dialect; but so far from being that worthless incumbrance, that unlettered jargon, I have no hesitation in asserting, that the Welsh language is at the present day to the Welsh peasant, a much more cultivated and literary medium of knowledge than the English is to the Englishman of the same class.

Transactions of the Honourable Society of Cymmrodorion (1954), 24-25

Petai'r Gymraeg yn iaith anniwylliedig, yn ddim mwy na bratiaith pobl anllythrennog, byddai'n rhaid inni addef mai anodd fyddai dadlau dros ei pharhad, neu gyfiawnhau ein hymdrechion i'w chadw, oblegid teg wedyn fyddai ein cyhuddo o estyn oes tafodiaith waeth na diwerth; ond a hithau gyn belled o fod y llyffethair diwerth hwnnw a'r fath fregliach anllythrennog, honnaf yn ddibetrus fod yr iaith Gymraeg heddiw i'r gwerinwr o Gymro yn gyfrwng gwybodaeth llawer mwy diwylliedig a llenyddol nag ydyw'r Saesneg i'r Sais o'r un dosbarth.

851

We are told that our language is in that state of decline that it is almost expiring; and therefore they say, we ought to abandon it, and even hasten its extinction. Truly, this is a most honourable piece of advice, especially to us descendants of the Britons; to desert an old friend and relative, because he is so reduced by weakness as to be almost expiring. What! should you abandon an aged parent in his last days, and leave him to his helplessness, or to hasten his dissolution because he is old and infirm? Our language is to us as a venerable and aged parent, and shall we abandon it?

The Literary Remains of the Rev. T. Price (1855), II, 126-27

Dywedir wrthym fod ein hiaith wedi dirywio i'r fath raddau nes ei bod bron â marw; a chan hynny, meddent, dylem adael iddi, a hyd yn oed brysuro'i thranc. Yn wir, dyma air o gyngor anrhydeddus iawn, yn enwedig i ni, ddisgynyddion y Brythoniaid; troi cefn ar hen ffrind a pherthynas am ei fod mewn cymaint o wendid nes ei fod bron â threngi? Beth? A ddylech gefnu ar riant oedrannus yn ei hen ddyddiau, a'i adael yn ei ddiymadferthedd neu brysuro'i ymddatodiad am ei fod yn hen a llesg? Mae'n hiaith i ni fel rhiant hen a pharchus, ac a ydym am ei rhoi heibio? [Araith yn Eisteddfod y Trallwm, 1824]

852

Who can tell but that when the present English sleeps with the Latin, the Saxon, and the Norman French, the accents of our mountain tongue may yet rouse some remains of the Britons to patriotism and glory? Fortunate will it then be for those who are acquainted with the Ancient British language, which, having already lasted through the revolutions of ages, may reasonably be expected to continue as it has done, and to surmount every opposition. The cultivation of the Ancient British language must be useful while there are tens of thousands who know no other...and how many have of late years lamented the injudicious conduct of their parents, who neglected to teach them the Welsh language in their youth, and who permitted them to attain manhood in this state of ignorance, when they found out their deficiency with so much regret!

128

Pwy all ddweud, pan fydd y Saesneg bresennol yn huno ynghyd â'r Lladin, y Sacsoneg, a'r Ffrangeg Normanaidd, na fydd acenion ein hiaith fynyddig ni eto'n cyffroi rhyw weddillion Brytanaidd i wladgarwch a gogoniant? Ffortunus bryd hynny fydd y sawl sy'n gyfarwydd â'r hen iaith Frytanaidd, sydd eisoes wedi parhau o oes i oes ac y gellir yn rhesymol ddisgwyl iddi barhau fel y mae wedi gwneud, a goresgyn pob gwrthwynebiad. Mae coleddu'r hen iaith Frytanaidd yn ddefnyddiol o raid tra bo degau o filoedd heb fedru'r un iaith arall...a chynifer sydd yn ddiweddar mewn bywyd, pan welsant eu diffyg gyda'r fath ofid, wedi gresynu at annoethineb eu rhieni, a esgeulusodd ddysgu Cymraeg iddynt yn eu hieuenctid a chaniatáu iddynt dyfu'n oedolion yn y cyflwr hwn o anwybodaeth! [Araith yn Eisteddfod y Trallwm, 1824]

853
It is hard to be taunted with the uselessness of our native tongue, when every resident of the Principality, whether Celt or Saxon, must live in the daily experience of the benefits resulting from its cultivation, in the civilized and peaceable conduct of those around him, among whom he lives, who have derived instruction through its means. Who would wish to extirpate such a language as this? To choke up at once such channels of knowledge? Who would wish to extinguish such a flood of light, from which the mightiest beams have emanated, and rays of more than earthly splendor?

134

Caled yw clywed dannod annefnyddioldeb ein mamiaith, pan fo pob un o breswylwyr y Dywysogaeth, boed Gelt neu Sacson, yn gorfod byw yn y profiad beunyddiol o'r manteision sy'n deillio o'i choleddu, yn ymarweddiad gwâr a heddychlon y rhai o'i gwmpas y mae'n byw yn eu plith, ac sydd wedi derbyn hyfforddiant drwy gyfrwng yr iaith. Pwy fynnai ddadwreiddio'r fath iaith â hon? Tagu ar unwaith y fath sianelau o wybodaeth? Pwy ddymunai ddiffodd y fath lif o oleuni y mae'r tywyniadau mwyaf nerthol wedi ffrydio ohono, a phelydrau a'u hysblander uwchlaw'r daearol? [Araith yn Eisteddfod Aberhonddu, 1826]

854
There has commenced a new era...our countrymen are in possession of the press; and never was a press so unobjectionally employed; there is not in any whatever, so strict an adherence to the most rigid propriety, or so little that could call for disapprobation even from the most fastidious.

134-35

Mae oes newydd wedi gwawrio...mae'n cydwladwyr yn meddu ar argraffwasg; ac ni ddefnyddiwyd gwasg erioed mor ddiwrthwynebiad; nid oes yn unrhyw un o gwbl ymlyniad mor fanwl wrth y gwedduster mwyaf caeth, na chyn lleied a allai beri hyd yn oed i'r mwyaf cysetlyd ei anghymeradwyo.

PRYS, EDMWND (1543/4-1623)
855
Profais, ni fethais, yn faith,
O brif ieithoedd braf wythiaith;
Ni phrofais dan ffurfafen
Gwe mor gaeth â'r Gymraeg wen.

T. R. Roberts, *Edmwnd Prys* (1899), 217

856
Cerais yr iaith, cur sy raid,
A cherais ei chywiriaid.

225

857
Ac iaith Gymräeg weithian,
Agos ar goll, gysur gwan,
Cyffrois benrhaith ein hiaith ni
Â chellwair, rhag ei cholli,
I geisio mydrweithio mawl
Am y bwrdd â mab urddawl,
I gymysg ein dysg ni'n dau
I roi gwir ar y gorau. [Marwnad Wiliam Cynwal]

G. Aled Williams, *Astudiaeth...o ymryson barddol Edmwnd Prys a Wiliam Cynwal* (Traethawd Ph.D. Prifysgol Cymru, 1978), 235

PUGHE, WILLIAM OWEN, gw. OWEN[-PUGHE], WILLIAM

PHILIPPS, KATHERINE ('Orinda Ddigymar'; 1631-64)
858
If Honour to an ancient name be due,
Or Riches challenge it for one that's new.
The British language claims in either sense,
Both for its age, and for its opulence...
But though the Language hath the beauty lost,
Yet she has still some great Remains to boast.
For 'twas in that, the sacred Bards of old,
In deathless numbers did their thoughts unfold...
This Merlin spoke, who in his gloomy cave,
Ev'n Destiny herself seem'd to enslave...
This spoke King Arthur, who, if Fame be true,
Could have compell'd mankind to speak it too.
In this once Boadicca valour taught,
And spoke more nobly than her soldiers fought...
This spoke Caractacus, who was so brave,
That to the Roman Fortune check he gave.

Minor Poets of the Caroline Period (ed. G. Saintsbury, Oxford, 1905), I, 580

Os ydyw enw hen yn haeddu clod
Neu gyfoeth newydd iaith â'i her yn dod,
Mae i'r Frutaniaith hawl i'r naill a'r llall
O ran ei hoed a'i chyfoeth mawr di-ball.
Er colli o'r iaith y tlysni iddi a fu,
Gall eto ymffrostio mewn gweddillion lu.
Cans ynddi hi y bu y cynfeirdd hen
Mewn cerddi didranc wrthi'n traethu'u llên...
Pan ydoedd Myrddin yn ei ogof iaith
Fel pe'n dal Ffawd yn gaeth, hon oedd ei iaith...
Iaith Arthur Frenin, ac os gwir y si,
Gallsai gymell dynol ryw i'w siarad hi.
Ennyn yn hon ddewrder bu Buddug fad,
Glewach ei her na chyrch ei gwŷr yng nghad.

Hon ydoedd iaith Caradog, wrol gawr,
A luddiodd rawd ffortunus Rhufain fawr.

PHILLIPS, EDGAR ('Trefin'; 1889-1962)
859
I'm henfro annwyl bu mwyn forwynig,
A'i llon wefusau yn llawn o fiwsig;
Hi gylchai haddef pob hael bendefig—
Hi garai glosydd y gwŷr eglwysig...

Bu yn yr henllys i felys foli
Ei châr a'i noddwr, a choron iddi...

Er oedi'n ysig yn hir dan iasau,
A rhyniol oerwynt yr anial erwau,
Nid llai ogoniant ei lliw a'i gwenau,
Ac nid llai'r swyn yn ei mwyn emynau
Ar ei chlwyfus wefusau, na phan oedd
Yn nhyrau llysoedd yr hen iarllesau!...

Y fun fu'n ymdaith yw'r heniaith heini—
Daeth i oludoedd wedi ei thlodi!
Doeth a wêl modd y daeth hi, mal o'i bedd,
I wlad ei hannedd ar ôl dihoeni!
    Caniadau Trefin (1950), 31-32

860
Un ffasiwn, gwn, nad da'i gwaith,
Ei rhan yw gwadu'r heniaith.
Hon roes graith i'n heniaith ni,
Er daed—mae ar dewi!...
O na chaem ein difalch iaith
Yn ôl i ffasiwn eilwaith!
Ffasiwn! mynnwn am unwaith
Ffasiwn hoff o iwsio'n hiaith.
    102

PHILLIPS, JOHN a **GRIFFITHS**, GWYN
861
Mae i dafodieithoedd eu manteision a'u hanfanteision. Ar eu gwaethaf fe allant olygu fod pobol er yn siarad yr un iaith yn cael anhawster i ddeall ei gilydd. Fe honnid, yn wir fe honna rhai pobol o hyd, fod hon yn broblem rhwng De a Gogledd yng Nghymru. Yn gyffredinol er hynny, diolch i ddylanwadau radio a theledu, bellach mae'r broblem hon bron â diflannu...

Yn y blynyddoedd diwethaf gwelwyd math o iaith Gymraeg 'safonol' yn tyfu—hwyrach fod hynny'n beth da yn enwedig o safbwynt y rhai sy'n dysgu'r iaith. Ond credwn mai peth drwg i'r Gymraeg fyddai colli ei thafodieithoedd. Yn y rhain y mae cryfder, rhuddin a chymeriad iaith, yr idiomau a'r pertrwydd ymadrodd nad yw'n rhan o rywbeth fel 'Cymraeg Byw', er mor anochel yw hwnnw.
    Wês Wês (1976), [viii]

862
Mae [y Ddyfedeg] yn dafodiaith eithafol ac arbennig iawn yn siŵr ac mae iddi dlysni cyfareddol. Mae iddi hefyd wahaniaethau sylweddol o'i mewn hi ei hunan hyd yn oed, a cheir byd o wahaniaeth er enghraifft rhwng iaith Solfa a iaith Crymych...

Ac eithrio un o emau'r Gymraeg, 'Pwll Deri' gan Dewi Emrys, ychydig iawn a sgrifennwyd yn y Ddyfedeg, ac mae hyn yn drueni. Mae'n arwydd, fe dybiwn, fod pobol Ddyfed yn llawer rhy swil i arfer eu tafodiaith y tu allan i'w bro. Tueddant i addasu eu tafodiaith wrth symud allan o'u cynefin ac y mae angen eu hatgoffa o'r iaith yr arferent ei siarad.
    [viii-ix]

PHILLIPS, Syr THOMAS (1801-67)

863

The Welsh language shall be taught exclusively during one hour every school-day, and be then the sole medium of communication in the school; and shall be used at all other convenient periods as the language of the school, so as to familiarize the scholars with its use as a colloquial language. The master shall give lectures in that language upon subjects of a philological, scientific, and general character, so as to supply the scholars with examples of its use as a literary language, and the medium of instruction on grave and important subjects. The primary intent and object of the founder (which is instruction and education in the Welsh language) shall be faithfully observed. Should the language, however, cease as a colloquial and literary language, the education shall still be such as to qualify young men, either for Lampeter College or other useful callings: and it is recommended that instruction in geology, mineralogy, and chemistry...shall be substituted for the disused Welsh language.

Wales, the Language, Social Conditions... (1849), 361

Yr iaith Gymraeg yn unig sydd i'w dysgu yn ystod un awr bob diwrnod ysgol, ac yna i fod yr unig gyfrwng cyfathrebu yn yr ysgol; ac i'w defnyddio bob ysbaid gyfleus arall yn iaith yr ysgol, er mwyn cynefino'r disgyblion â'i defnyddio fel iaith lafar. Mae'r Meistr i ddarlithio yn yr iaith honno ar bynciau o natur ieithegol, wyddonol, a chyffredinol, i roddi i'r disgyblion enghreifftiau o'i defnyddio fel iaith lenyddol a chyfrwng hyfforddiant mewn pynciau pwysfawr. Cedwir yn ffyddlon at brif fwriad ac amcan y

sefydlydd (sef hyfforddiant ac addysg yn yr iaith Gymraeg) . Pe digwyddai, fodd bynnag, i'r iaith ddarfod fel iaith lafar a llenyddol, bydd i'r addysg barhau i fod yn gyfryw ag i addasu gwŷr ieuainc naill ai i Goleg Llanbedr neu i alwedigaethau defnyddiol eraill, ac argymhellir hyfforddiant mewn daeareg, mwnyddiaeth, a chemeg yn lle'r iaith Gymraeg y peidiwyd â'i harfer. [Rheolau Ysgol Llanymddyfri; gw. hefyd **EVANS**, W. GARETH]

REES, ALWYN D. (1911-74)

864

Dim ond pethau sy'n union yr un fath â'i gilydd a all fod yn wirioneddol gydradd, ac nid pethau felly yw dynion, na ieithoedd chwaith. Yn sicr, ni all iaith gysefin cenedl ar y naill law, a iaith a wthiwyd arni o'r tu allan ar y llaw arall, byth fod yn gydradd gan nad yr un arwyddocâd sydd iddynt, ac y mae'r *radd* a roir i'r naill a'r llall yn dibynnu ar safbwynt y sawl sy'n eu graddio—ai'r safbwynt mewnol ai'r un allanol ydyw.

Gweithredu Anghyfreithlon, 24

865

Hyd nes y chwyldroir y gyfundrefn addysg o'r pen i'r gwaelod, a gwneud dysgu Cymraeg i blant a myfyrwyr di-Gymraeg yn ddyletswydd a gymerir o ddifrif, fel y gwneir â dysgu Saesneg i'r Cymry Cymraeg heddiw, ac hyd nes y dysgir pynciau eraill trwy gyfrwng y Gymraeg i'r un graddau â thrwy'r Saesneg, ni all y Gymraeg gystadlu'n gyfartal â'r Saesneg fel iaith bob dydd y genedl. Ni pheidia â bod yn iaith eilradd ar y gwastad gweithredol nes y gall

Cymro gymryd yn ganiataol fod y dyn neu'r wraig nesaf a gyferfydd ar y stryd neu yn y siop, mewn ffatri neu swyddfa, yn deall Cymraeg.

26

866

Eithr y mae yna fyd uwch na'r byd gweithredol, ystadegol. Byd egwyddorion ac hanfodion yw hwnnw...Ac ar y gwastad hwn, 'does dim dwywaith ynglŷn â pha iaith yw iaith bennaf Cymru. Y mae'r Gymraeg yn rhan o *hanfod* y genedl...O ran ei hanfod, ail iaith yw'r Saesneg yng Nghymru.

26-27

867

Fe welir mai iaith crefydd, ac iaith i ni siarad amdanom ein hunain ynddi, yw'r Gymraeg ar y cyfan...Heb chwyldro buan yn ein cyfundrefn addysg ac yn ein holl agwedd, crebachu'n gyson a wna maes y Gymraeg ym mywyd Cymry. Ni all iaith fyw os nad yw'n gyfrwng diwylliant a difyrrwch a diddordeb yr oes.

Ym Marn Alwyn D. Rees (gol. Bobi Jones, 1976), 82-83

868

Nid dim byd yn natur yr iaith Gymraeg sy'n gyfrifol am yr ymdeimlad o gydraddoldeb ac agosatrwydd sydd erbyn hyn ynghlwm wrthi. Ei sefyllfa israddol a wnaeth hynny'n bosibl. Iaith cyfeillion a chymdogion yw hi erbyn hyn. Nid ydym wedi arfer cael gorchmynion ynddi ond oddi wrth dad a mam ac athro Ysgol Sul. Ychydig o'r bobl sydd mewn awdurdod heddiw a all gofio cael cerydd gan athro ysgol neu rybudd gan blisman yn

Gymraeg, ac ni chollfarnwyd neb yn Gymraeg mewn llys barn ers canrifoedd. Iaith pobl sy'n 'nabod ei gilydd mewn cymdeithas glos yw hi, ac nid yw pawb yn gysurus ynddi wrth siarad â'u gwell nac â'r rhai sy'n israddol iddynt.

93

869

Hyd heddiw, dyma bron yr unig gylch [y cylch crefyddol] lle y cafodd y Gymraeg ei phriod le ac y siaredir hi'n gyhoeddus heb i neb deimlo'n hunan-ymwybodol wrth wneud hynny. Ar y llaw arall, ni ellir amau na fu'r rhyddid hwn yn y cylch crefyddol yn foddion i wneud y Cymro'n barotach i ymfodloni ar israddoldeb y Gymraeg ym mhob cylch arall—digon oedd ei chael yn iaith y capel ac iaith y Nefoedd. Dim ond yn awr, mewn cyfnod o golli diddordeb mewn crefydd, y sylweddolir mor gyfyng ac unochrog fu maes y Gymraeg ac y dechreuir hawlio statws iddi mewn cylchoedd pwysig eraill—cylchoedd lle na chafodd fawr o gyfle i fagu geirfa ar eu cyfer ers canrifoedd.

112-13

870

Heb chwyldroi'r gyfundrefn addysg...o'r ysgol feithrin i'r brifysgol, ni wnaiff y penderfyniad i roi statws swyddogol i'r Gymraeg yn ei gwendid presennol nemor mwy na'i chyfreithloni cyn iddi farw—fel y gellir ei chladdu'n weddus.

127

871

Beth yw diben y Gymraeg heddiw pan yw pawb yn deall Saesneg? Gellir crefydda a gwleidydda a llenydda, addysgu a chymdeithasu a masnachu hebddi. O safbwynt ymarferol, t“edda'r Gymraeg i fod yn rhwystr ac yn dramgwydd ym mhob cylch ar fywyd. A all hi bellach fod yn rhywbeth mwy na chrair i'w gadw am resymau sentimental? A oes iddi bwrpas y tu hwnt iddi hi ei hun, pwrpas na fedrir ei gyflawni trwy unrhyw iaith arall? Os nad oes, iaith sbâr ydyw, ac ni fydd hi byw yn hir.

Un alwedigaeth arbennig yn unig a adawyd iddi, sef ennyn yr ymdeimlad cenedlaethol a bod yn gyfrwng i weithredu drwyddo. Hi yw'r cyswllt rhwng y genedl a'i gorffennol, ni feddwn ddim Cymreiciach na hi. Ac yn y dyddiau unffurfiol, cosmopolitanaidd sydd o'n blaen, hi yn unig a fedr ein cadw yn genedl ar wahân. Nid digon bellach yw ei diogelu fel trysor prin, nid digon chwaith yw 'byw ynddi' a llenydda a chyhoeddi ynddi...Rhaid ei defnyddio'n ymwybodol fel caer o'n cwmpas, ac fel cleddyf i herio'r galluoedd sy'n dwyn ein bodolaeth oddi arnom.

170-71

872
Fe ddylai cael gweld a chlywed y Gymraeg, hyd yn oed os nad yw yn ei deall, fod yn rhan- hanfodol o addysg gymdeithasol pob Cymro...Golygai hyn hefyd y byddai gwybodaeth o'r Gymraeg yn gymhwyster *ystyrlon* wrth apwyntio swyddogion i'r llysoedd. Nid addurn 'dymunol' fyddai'r Gymraeg bellach ond cymhwyster a fyddai'n help i'r swyddog wneud ei waith yn ddeallus. Dyna ddechrau dod â'r Gymraeg yn ôl i gylchrediad ym myd y gyfraith.

200

873
Fe selir tynged iaith pan gysylltir hi â gwerin anfreintiedig. Difethwyd y Gymraeg trwy iddi fynd yn iaith gweision yn hytrach nag yn iaith y meistr—oherwydd iaith y parlwr a efelychir ac nid iaith y gegin. Ac fe fyddai wedi mynd i ddifancoll, fel Cymraeg, erbyn hyn oni bai am un ffactor fawr a'i hachubodd. Gwnaeth y Diwygiad Methodistaidd hi'n iaith crefydd, nid er ei mwyn ei hun ond fel cyfrwng i achub eneidiau pobl na ddeallent y Saesneg. A thrwy'r Diwygiad hwnnw...dyrchafwyd statws crefydd ei hun yng ngolwg y Cymry. Aeth statws pregethwr i fyny gyda hi...ac yr oedd Cymraeg graenus yn un o gymwysterau pregethwr mawr. Felly y daeth y Gymraeg yn iaith barch yn y cylch parchedicaf ar fywyd, a thorrai hyn ar draws yr holl bwerau a'i darostyngai.

273

874
Ffordd cyfiawnder i'r Gymraeg yw'r unig ffordd i adfer parch at gyfraith yng Nghymru.

379

875
Ambell i waith y bydd dyn yn mynd i lys barn, ond mae'r teledu wrthi'n ddyfal yn difetha'r Gymraeg bob noson o'r flwyddyn. Ac y mae cael rhyddid i'r Gymraeg ar hwnnw'n anhraethol bwysicach na'i gael mewn llys barn—ac yn waith mwy anodd.

417

876
Hawdd oedd i ddyn ei dwyllo ei hun ar y dechrau y gallai'r Gymraeg ddal ymlaen

fel iaith answyddogol. Câi'r plant addysg Gymraeg yn yr Ysgol Sul a bu ffyddlondeb y werin i'r capel yn foddion i liniaru anrhaith yr Ysgol Ddyddiol. O'r braidd y byddai gennym ni iaith i boeni amdani heddiw oni bai am y ffactor hon. Ond ni allasai fod yn ffactor barhaol. Hanai'r capel o gyfnod cyn i'r Gymraeg fynd yn iaith sbâr. 'Roedd yn sefydliad Cymraeg am mai'r Gymraeg oedd unig iaith mwyafrif y bobl yn y ddeunawfed ganrif a hanner cynta'r bedwaredd ganrif ar bymtheg. Wedi i'r werin gyfarwyddo â'r Saesneg, mater o draddodiad, a hwnnw'n graddol golli ei swyddogaeth, fu ymlyniad y capeli wrth y Gymraeg.

534

877

Gellir defnyddio'r Saesneg i ddadlau dros y Gymraeg, ond drwy ddefnyddio'r Gymraeg y troir y siarad yn weithredoedd.

539

878

Rhyfel hirfaith sydd o'n blaenau os ydym o ddifrif ynglŷn ag achub yr iaith, rhyfel di-waed, ni a obeithiwn, ond nid rhyfel heb wrthwynebwyr na heb ddioddefaint... Y mae hyd yn oed brwydro di-ddifrod heb ddefnyddio unrhyw arf ond yr iaith ei hun, yn mynd i ennyn chwerwedd mewn calonnau lawer. A bydd rhaid inni anwybyddu rhybuddion y gwagobeithwyr mai gwneud drwg i'r iaith a wna pob ymrafael...Os yw dulliau ymosodol yn creu gelyniaeth, maent hefyd yn argyhoeddi: mae agwedd y Cymry tuag at yr iaith wedi gwella yn ddirfawr yn ystod y pedair blynedd diwethaf.

540

REES, CHRIS
879
The earliest reference to the Welsh language in an English statute is probably that contained in the Act of 1536 commonly known as the Act of Union...The one feature which gave unity and reality to the ill-defined area loosely described as Wales was its language. Wales and England were divided by their speech: 'the people of the same dominion have and do daily use a speche nothing like one consonaunt to the naturall mother tonge used within this Realme.'

The Welsh Language Today (gol. Meic Stephens, 1973), [231]

Y cyfeiriad cynharaf, mae'n debyg, at yr iaith Gymraeg mewn statud Seisnig yw hwnnw yn Neddf 1536 a adnabyddir yn gyffredin fel y Ddeddf Uno...Yr unig nodwedd a roddai undod a realrwydd i'r rhanbarth amwys a ddisgrifid yn fras fel Cymru oedd ei iaith. Eu hiaith oedd yn gwahanu Cymru a Lloegr: 'mae gan bobl y diriogaeth honno iaith a ddefnyddiant yn feunyddiol sydd ymhell o fod yn gyson â'r famiaith naturiol a ddefnyddir yn y deyrnas hon.'

880
There is...frequently, a total failure to realise what is involved in the retention of a language such as Welsh, that the framework of institutions through which other modern languages perpetuate themselves is virtually non-existent here. The creation of such institutions is a task too massive for the voluntary efforts of dedicated enthusiasts. The Central Government is the only agency with the necessary resources, and political decisions are therefore crucial in any

consideration of the fate of the Welsh language today and tomorrow.

246

Methir yn lân...yn fynych, â sylweddoli beth y mae cadw iaith fel y Gymraeg yn ei olygu, nad oes yma i bob pwrpas mo'r fframwaith o sefydliadau sy'n sicrhau parhad ieithoedd modern eraill. Y mae creu'r fath sefydliadau yn dasg ry anferthol i ymdrechion gwirfoddol y brwdfrydig ymroddgar. Y Llywodraeth Ganolog yw'r unig asiantaeth sydd â'r adnoddau angenrheidiol, ac felly y mae penderfyniadau politicaidd yn hanfodol mewn unrhyw ystyriaeth a roddir i dynged yr iaith Gymraeg heddiw ac yfory.

REES, Y Parchedig DAVID (1801-69), Llanelli

881

Dylai pob parodrwydd fod i gwrdd â llediad y Saesneg. Er mor alarus ydym yn teimlo ar ôl yr hen Omeraeg seiniol a chyflawn, eto nis gallwn lai na gweled ei hangau yn amgylchiadau dyfodol ein gwlad. Ond trueni fydd i Annibyniaeth ac Ymneilltuaeth ddiflannu gyda hi oherwydd ystyfnigrwydd a phenbwleidd-dra ei charedigion. Dylai fod medrusrwydd parodol ymhob rhan o'r Dywysogaeth i siarad iaith y Sais, a'i phregethu, fel y mae achos ar ryw droeon agos ymhob congl o'r wlad.

David Rees, Llanelli (gol. Glanmor Williams, 1950), 50-51

REES, IOAN BOWEN (1929-99)

882

Er mor hanfodol ydyw'r iaith i barhad Cymreictod, mae angen mwyfwy o bwyslais yn y ddwy iaith ar hanes a

daearyddiaeth Cymru...Eisoes y mae diffyg athrawon Cymraeg yn gymaint o fagl i'n cynlluniau datblygu addysg Gymraeg â diffyg arian. Os nad oes digon ohonynt i ddysgu Cymraeg i bawb, dysgwn hanes Cymru i blant ac oedolion, a byddant yn gwirfoddoli i ddysgu Cymraeg. Mwy na hynny, onid ofer ydyw dysgu'r Gymraeg onid oes gynnwys iddi? Hyd yn oed yn hynny sydd ar ôl o'r fro Gymraeg, bydd mwy o awch i ddysgu Cymraeg ymhlith rhai a gafodd gip ar ei harwyddocâd trwy gyfrwng haneswyr neu lenorion Eingl-Gymreig.

Cymru Heddiw: Cenedl ynteu Marchnad (1989), 20

883

Nid oes gennyf fawr o ddiddordeb mewn gwneud rhywbeth yn Gymraeg os nad ydyw'r agwedd hefyd yn Gymreig. Nid er mwyn y Gymraeg y magwn ein plant i'w siarad, ond er mwyn ein plant. Ac nid yn bennaf er mwyn iddynt gael blas ar lenyddiaeth Gymraeg...I lawer ohonom, mae'r Gymraeg wedi dod yn symbol o bethau pwysicach hyd yn oed nag iaith, ac efallai mai dyna fydd ein hachubiaeth. Daeth y Gymraeg i symboleiddio cymdogaeth dda, brawdgarwch a chydraddoldeb. Yn fwy sylfaenol na hynny, mae pob iaith fach yn symboleiddio'r hawl i feddwl yn wahanol, i fynegi barn wahanol ac i fod yn wahanol ac yn rhydd o ormes... Mae'r hawliau hyn i gyd tan fygythiad yng Nghymru ac ym Mhrydain heddiw.

23

884

Mewn cinio...yng Nghaerdydd...gosodwyd fi yn ymyl pennaeth Cymreig cwmni

rhyngwladol gyda'r mwyaf adnabyddus...
Yr hyn a blesiai'r diwydiannwr hwn o Sais
oedd diddordeb cynyddol ei staff yn eu
gwreiddiau, yn hanes Cymru ac yn yr
iaith Gymraeg ac addysg trwy gyfrwng y
Gymraeg.

Syfrdanwyd fi gan eiriau'r diwydiannwr,
ond er gwaethaf ambell i wennol fel hyn,
nid yw hi eto'n wanwyn ar economi
Cymru heb sôn am adferiad y Gymraeg.

30-31

885

Ym 1951, cofiaf T. H. Parry-Williams yn
cael ei wfftio pan fentrodd broffwydo na
fuasai'r Gymraeg yn goroesi'r ugeinfed
ganrif: onid oedd 90% o gyfoedion
cynifer ohonom, o gynifer o bentrefi bach
a broydd gwledig, yn siarad Cymraeg bob
dydd o'r flwyddyn? Ar un ystyr, yr wyf yn
dal i wfftio'r syniad. Mae'r Cymry Cymraeg
yn dal yn rhy gryf fel haen mewn
cymdeithas, os nad fel cymdeithasau cyfan,
i fedru dod i ben yn y dyfodol gweladwy...
Gwnaf y rhan fwyaf o'm gwaith trwy
gyfrwng y Gymraeg...Cymraeg yw iaith
bob dydd y rhan fwyaf o'r cymdeithasau
yr wyf yn perthyn iddynt...Gallasai'r
Gymraeg fyw ar ei bloneg am
genedlaethau eto. Ond faint o'n gor-
wyrion a'n gor-wyresau fydd yn fodlon
byw gyda ni mewn neuadd gynyddol
gyfyng rhwng muriau cynyddol eang?

31

REES, Y Parchedig WILLIAM ('Gwilym
Hiraethog'; 1802-83)
886

Fedrwch chi ddeyd i mi rw reswm...pam y
mae pobol ynghanol Cumry, lle does dim
ond Cumraeg yn caul i siarad, yn rhoi
Sasneg ar i trolie? Gewch glwed pobol yn
gweiddi Oes y bud i'r iaith Gumraeg, a ni
thâl yr iaith Gumraeg ddim gunthyn nhw
i roi ar i trolie yn diwedd...Ond mae peth
arath mwu i bwus na hun eto. Ewch chi i'r
munwentudd yn mhob man trwu
Gumry...a chi gewch weld Sasneg ar fwu
na haner y cerig beddi...Wel tydi peth wel
hyn, mewn difri, ddim yn danos rhw
fflineb dros ben, medde chi, rwan? Rhoid
rhw ribidi res o Sasneg wrth ben pobol na
chlwson nhw fawr air o Sasneg yn i
bywud...? Ai dyma'r ffordd i gadw'r iaith
Gumraeg, tybed?

Llythurau 'Rhen Ffarmwr (1878), 27-
28

887

Da chi Gymru bach daliwch afel yn yr hen
iaith, a throsglwyddwch hi'n fannol i'ch
plant, a phob plant o ran hynu; dyscwch
faint fynoch chi o Sasneg, ond dalwch afel
yn yr hen iaith sydd chwedi hynodi'n
cenedl ni fel y 'Cymru gonest'. Ond os
collwch chi'ch iaith, chi gollwch y cwbwl
o'r gogoniant sun perthun i chi wel
cenedel.

118

888

Y rheswm pam mae Sion ['John Bull']
mor ddig wrth yr hen iaith Gymraeg ydi,
fod o wedi misio'i lladd er gneyd i egni am
oese a chenedlaethe. Mi treiodd hi
ymhob sut a modd, a mi gafodd help
llawer Dic Sion Dafydd o dro i dro, ond y
cwbl yn ofer...byw mae hi a byw fydd hi i
gladdu'r to presennol o broffwydi ac aml i
do ar i hol nhw. Mae'r hen iaith er
gwaetha Sion a'i gyfeillion yn cymryd lês
newydd ar ei hoes—yn codi papure

nwddion, a choeddiade ac yn argraffu mwy o lyfre Cymraeg nag 'rioed.

129

RICHARDS, BRINLEY (1904-81)
889

Yr oedd y Parch. John Davies, Cwmaman, sir Gaerfyrddin, o'r farn tua chanrif yn ôl fod diwedd yr iaith yn agosáu. Ef oedd yn gyfrifol am roi'r enw 'Christian Temple' ar Eglwys Gellimanwydd a 'Hope' ar Eglwys Annibynnol Pontarddulais...Diddorol sylwi bod y parthau hyn wedi cadw'r Gymraeg gystal ag unrhyw ardal arall yng Nghymru.

Barn, rhif 100, Chwefror 1971, 98

890

Sylweddolwn fod yr iaith yn edwino o dad i fab ac yn diflannu o daid i ŵyr. Hon yw'r llinyn a'n dolennai ni â'n treftadaeth ac fe ddeil honno i feinhau. Fe ddiwerinwyd ei llafar ac y mae lle i gredu mai llyfryddol fydd diwedd y daith. Yn fwyfwy bob dydd fe â'n ddi-aelwyd, yn ddi-goleg ac yn ddi-fasnach. Caiff loches dros dro mewn ysgolion Cymraeg cyn iddi ymwasgaru megis cwmwl anniben, a'n gwaddol wedi ei bratieithu'n ddim ond sbwriel. Ar adegau digalon, teimlwn mai'r cyfan a wnawn yw stagro ei hymddatodiad.

98

891

Ni lwyddais erioed yn ddiwrthwynebiad i gael enwau Cymraeg ar strydoedd y cwm na hyd yn oed wrth geisio rhoi enw swyddogol prif adeilad y lle yn 'Neuadd y Dref' yn lle 'Town Hall'. Dywedodd un

cynghorwr ei fod yn gobeithio na roddir rhagor o enwau fel 'Brynllywarch' ar strydoedd y cwm. Ni wyddai beth oedd arwyddocâd yr enw, a hynny yng nghwm Maesteg o bobman. Dywedodd cynghorwr arall...'I am sick and tired of having to explain the meaning of Welsh names to local residents.' Synnwn i ddim na holodd neb yr aelod yma am yr enwau hyn.

99

892

Tybed ai myfi yw'r unig gyfreithiwr yn Ne Cymru o leiaf sydd wedi llunio ewyllys Gymraeg yn y ganrif hon?

99

893

Nid hawdd bob amser yw rhoi lle anrhydeddus a dyladwy i'r iaith. Ni ellir dadwneud mewn blwyddyn neu ddwy y broses o bedair canrif o'n digenedlaetholi.

99

894

Er bod llenyddiaeth fy ngalwedigaeth yn Saesneg, sylweddolaf mai *â phobl* y byddaf yn delio a'm gwaith i yw ceisio cyfleu yn Gymraeg i'r Cymry Cymraeg yr hyn y mae'r gyfraith yn ei olygu. Fel hyn y gellir ymarferoli'r iaith. Gall doctor weithredu yn yr un modd yn ei alwedigaeth yntau.

100

895

Gallaf ddatgan yn bersonol fod yr iaith wedi cawellu fy myfyrdodau ar hyd fy oes, yn rhan rhy annatod ohonof imi ymwadu â hi bellach. Er bod gelyn a châr ers

canrifoedd wedi darogan ei thranc, y mae
ei marwoldeb wedi bod yn weddol
hirhoedlog hyd yn hyn.
100

896
Na'th feier am iti ymglymu
Yn dy ddihoenedd
Wrth gymanfa ganu a steddfod
Ac Ymneilltuaeth;
Y nhw fu'n dy gynnal yn wiw
A'th asbrieiddio i fywyd.
Brinli (gol. Huw Walters a W. Rhys
Nicholas, 1984), 161

897
Eiddil dy gais i gymathu
Masnach byd newydd i'th ffyrdd;
Hen bethau a'th gadwodd yn dirf...
Ni chydfydd dy rin â llwyddiant y bunt.
161

898
Teneuwyd dy waed,
A thithau'n ymgynnal yn wyw
Heb ruddin nac idiom na hoen
Namyn enwau Cymraeg ar ein tai a'n plant
A'r hwb achlysurol ym Mharc yr Arfau
Am barhad dy einioes—
O leiaf am awr neu ddwy.
161

RICHARDS, THOMAS (c. 1710-90),
Llangrallo
899
*As this language has continued for such a
long series of ages past, so we have no reason
to doubt but that the Divine Will is that it
be preserved to the end of time, as we have
the Word of God most elegantly and
faithfully translated into it. And our
translation of the Holy Scriptures seems to
have one peculiar advantage of most
modern versions, in that...the Hebrew
idioms, phraseology or forms of speaking,
are retained, and that with great propriety,
in the British.*
*Antiquae Linguae Britannicae
Thesaurus* (1753), x

Gan fod yr iaith hon wedi parhau am
gynifer o oesoedd yn y gorffennol, nid oes
gennym unrhyw reswm dros amau nad yr
Ewyllys Ddwyfol yw ei chadw hyd
ddiwedd amser, oherwydd y mae gennym
Air Duw wedi'i gyfieithu'n ddichlyn a
ffyddlon ynddi. Ac ymddengys fod i'n
cyfieithiad ni o'r Ysgrythurau Sanctaidd
un fantais neilltuol ar y rhan fwyaf o
fersiynau modern yn gymaint ag y cedwir
yr idiomau, yr ieithwedd neu'r dulliau-
ymadrodd Hebraeg, a hynny'n dra
phriodol, yn y Gymraeg.

900
Mi wn...fod amryw o'm gwladwyr yn
anfoddlon dros ben fod yr hen
Frythoniaith yn cael ei chadw a'i chynnal
yn ein mysg; ac yn dymuno gael ohoni ei
dileu a'i deol yn llwyr oddi ar wyneb
gwlad Cymru...ond ni welaf i fawr argoel
i'r dynion hyn gael byth weled eu gwyn.
xxii

901
Ac onid yw yn gywilydd gwarthus iddynt
hwy, sydd yn cymeryd arnynt fod mor
wybodus oddi gartref, ac mor hyfedr a
chyfarwydd mewn ieithoedd eraill, fod ar
yr un pryd yn anwybodus gartref, heb
fedru siarad yn iawn, chwaethach darllain
a 'sgrifennu iaith eu mamau.
xxii-xxiii

R[ICHARDS], W[ILLIAM] (1643-1705)
902
Their native gibberish is usually prattled throughout the whole of Taphydom except in their market towns, whose inhabitants being a little raised do begin to despise it. 'Tis usually cashiered out of gentlemen's houses...so that (if the stars prove lucky) there may be some glimmering hopes that the British language may be quite extinct and may be English'd out of Wales.

Wallography; or the Britton described... (1682); gw. *Planet*, 22, 65

Pareblir eu cleber brodorol yn gyffredin ledled tiriogaeth Siôn Gymro ac eithrio yn eu trefi marchnad. A'u trigolion wedi ymgodi ychydig, dechreuant ei ddirmygu. Fe'i halltudir yn gyffredin o dai'r boneddigion...nes bod (gyda lwc) ryw lygedyn o obaith y bydd y Frytaniaith wedi llwyr ddarfod amdani a'i Seisnigo allan o Gymru.

RICHARDS, W. LESLIE (1916-89)
903
Ac maen' nhw [estroniaid] â'u hacen anwar
yn wfftio'r brodorion am eu dull clogyrnog
o ynganu eu tafodiaith lwgr...
A'r un yw'r hanes
yng Ngwynfe a Llanddeusant
a mannau eraill ym mherfedd y wlad,
ardaloedd y buom unwaith yn credu
mai nhw oedd asgwrn-cefn yr iaith,
cadarn-leoedd y bywyd Cymraeg,
a noddwyr ein traddodiadau ni;
ynysoedd ein gobaith
na fyddai'r iaith ynddynt farw fyth.
Ond heddiw mae plant ysgol
Capel Isaac a Salem,
Gwynfe, Myddfai, Llanddeusant,

Brechfa a Llansewyl...
yn Saeson yn hytrach na Chymry.
Adledd (1973), 34-35

904
O Dduw, na foed i'r heniaith farw fyth
yn Libanus, Pant-teg a Bwlch-y-corn...
Mewn rhyw oes bell pan ddêl y byd i ben
a chau y drws am byth ar hanes dyn,
bydded i heniaith bêr y broydd hyn
hebrwng eu deiliaid hwy i'w holaf hun.
42

905
Bu didranc ifanc afiaith—a mawr rwysg
i'r hen Gymraeg unwaith,
ond mwy, wedi'i phenyd maith,
dirinwedd ydyw'r heniaith.

Er holl nerth ein trafferthion,---a'n heniaith
yn dihoeni'n gyson,
gwelir eto argoelion
fod bywyd o hyd yn hon. ['Dau fŵd']
55

906
Alltud yw'r Cymro sy'n siarad Cymraeg
yng Nghymru
Yn strydoedd a siopau Seisnigaidd
sidêt y dre,
Mae bron mor henffasiwn heddiw â
sucan a llymru,---
Rhyw anachronistiaeth ac odrwydd i
bawb yw efe.
Bro a Bryniau (1963), 41

907
Os collir pob rhyw obaith
Y daw'r awr i gadw'r iaith,
Daw dydd heb ddim dedwyddwch
Ond gwaeau a drygau'n drwch,

Dydd blin pan dorrir llinach
Adfail fyw ein cenedl fach,
A hafog llif anghyfiaith
Yn wir wedi boddi'n hiaith.

dyf. *Cadwn y Mur* (gol. Elwyn
Edwards), 242

908

A rifwyd dy ddyddiau di Gymru, fel
Groeg a Rhufain,
Ac eraill o ymerodraethau beilch y byd?
A wawriodd y dwthwn i gloi ymhlith
creiriau cywrain
Yr iaith a barhaodd yn gymaint o syndod
cyhyd?

Telyn Teilo (1957), 56

ROBERT, GRUFFYDD (c. 1532-c. 1598)
909

[Yr iaith Gymraeg yn cyfarch 'Wiliam
Harbart, Iarll o Benfro'] Wrth fy ngweled
fy hun, er ys llawer o flynyddoedd, heb
bris gan neb arnaf trwy dir Cymru, na
chwaith ddim gennyf mewn sgrifen â
ffrwyth ynddo i hyfforddi, mewn dysg a
dawn, fy ngharedigion bobl, mi a
dybiais...mai da oedd imi fyned trwy
wledydd Ewropa i edrych ymysg
ieithoedd eraill a gaid yr un cyn
ddiystyred ei chyflwr â mi, ac mor ddiles
i'r bobl sy'n ei doedyd. Ond wedi imi
gerdded o fraidd ben yr Ysbaen trwy
Ffrainc, Fflandria ac Alemania, a'r
Eidal...ni fedrais i weled na chwaith
glywed oddi wrth yr un na bai yn cael
gwneuthur yn fawr ohoni ymysg pawb
sydd o naturiaeth yn ei doedyd...

Pan welais innau hynny, e fu ryfedd
iawn gennyf fod y Cymry mor
ddiddarbod amdanaf, a minnau mor ddi-
fudd iddyn' hwythau, yn enwedig wrth
weled fod fy Nghymry i, o athrylith a
synnwyr, yn abl i 'mgystadlu â'r rhai
gorau yn eu mysg hwy, a minnau mor
llawnllythyr i'm sgrifennu, cyn
gyfoethoced o eiriau, cyn hyned fy
nechreuad â'r falchaf o'r ieithoedd a
enwais.

Gramadeg Cymraeg (gol. G. J.
Williams, 1939), [ii-iv]

910

Canys e ŵyr holl Gymru a Lloegr faint
eich serch i'r Frutaniaith, pryd na
ddoedech wrth Gymro ond Cymraeg, ie,
ymysg penaduriaid y deyrnas, mal y
clywais fagod o wŷr yn doedyd, tan fawr
ddiolch i Dduw, weled eu pennaeth,
mewn gradd a lle cyn uched, yn dangos
dirfawr serch o'i wlad naturiol ar ei
'mddygiad a'i 'madrodd. A bid diau
gennych, f'arglwydd urddasol, fod calon
pob gwir Gymro yn crychneitio yn ei
gorff o wir lawenydd pan glywo ŵr o'ch
anrhydedd chwi yn doedyd ei iaith.

[v]

911

Pe cawn yn awr ddechrau 'mdrwsio tan
eich aden chwi, a gweled o bawb fod
wyneb ein pennaeth tuag ataf, e fyddai
bob Cymro barod i'm studio, i'm
cyfoethogi, ac i'm gwneuthur yn hylwybr
ac yn berffaith.

[vii]

912

Mi a obeithiaf, cyn nemawr o ennyd y
gwelir o'm gwaith i ymysg y Cymry lawer
pwnc o ddysg a gwybodaeth ni ellais mo'i
ddangos iddynt hyd yn hyn. Canys wrth y
cydnabod a gefais ag ieithoedd eraill, yn

hwyr yr owron mi a allaf pan fynnwyf gael ganddynt bob peth a berthyn at gampau a chyneddfau gwŷr rhinweddol, gyngordioledd gramadeg, flodeuau rhetorigyddiaeth, ystryw dialectigyddiaeth, cywreinrwydd meddygon, pwylledd dinaswyr, gwybodaeth philosophyddion, gorchestion milwyr, duwioldeb theologyddiaeth, i ddysgu, helpu, diddanu a pherffeiddio gwŷr fy ngwlad ymhob peth a fo golud iddynt, hyglod yng ngolwg y byd, a chymeradwy gerbron Duw.

[vii-viii]

913

['Yr Iaith Gymraeg yn annerch yr hygar ddarlleydd'] Hon yw'r awr gyntaf yr amcanwyd fy nwyn i lwybr celfyddyd. Yr ydoedd y beirdd 'rhyd Cymru yn ceisio fy nghadw rhag colli neu gymysgu â'r Saesneg. Ond nid oedd genthynt ffordd yn y byd, nac i ddangos yn fyr ac yn hyffordd yr odidowgrwydd sydd ynof rhagor nog mewn llawer o ieithoedd, na chwaith i fanegi rhesom am fagod o ddirgelion a gaid eu gweled, ond chwilio yn fanwl amdanynt.

[x-xi]

914

E fydd weithiau'n dostur fy nghalon wrth weled llawer a anwyd ac a fagwyd i'm doedyd, yn ddiystyr genthynt amdanaf, tan geisio ymwrthod â mi ac ymgystlwng ag estroniaith cyn adnabod ddim ohoni. Canys chwi a gewch rai yn gytrym ag y gwelant afon Hafren, neu glochdai Ymwythig, a chlywed Sais yn doedyd unwaith 'good morow'. a ddechreuant ollwng eu Cymraeg tros gof a'i doedyd yn fawr eu llediaith. Eu Cymraeg a fydd Seisnigaidd, a'u Saesneg (Duw a ŵyr) yn rhy Gymreigaidd. A hyn sy'n dyfod naill ai [o] wir ffolder, yntau o goegfalchder a gorwagrwydd; canys ni welir fyth yn ddyn cyweithas, rhinweddol mo'r neb a wado na'i dad na'i fam na'i wlad na'i iaith.

[xiii-xiv]

915

Ydd wyf yn adolwg i bob naturiol Gymro dalu dyledus gariad i'r iaith Gymraeg: fal na allo neb ddoedyd am yr un ohonynt mai pechod oedd fyth eu magu ar laeth bronnau Cymraes, am na ddamunent well i'r Gymraeg.

[xiv

916

Yn fy marn i, gorau oedd yn gyntaf sôn am ramadeg: canys o ddyno byddai dechrau, os mynnem i'r iaith gynyddu yn llwyddiannus.

8

917

Nid oes...gennym neb a 'mcanodd y llwybr hwn yn y Gymraeg o'n blaen ni, fal y gellid wrth ôl i droed, gael peth cyfrwyddyd.

11

918

O eisiau gwybod y pethau hyn [y treigladau], y mae cymaint o floesgni a llediaith ar y Saeson wrth ddoedyd Cymraeg. Canys ni newidiant hwy mo'r llythyren gyntaf i'r gair, ond ei chadw ymhob man, a hynny sydd yn erbyn tegwch a phriodoldeb yn hiaith ni, a diflas yng nghlust Cymro: megis pe doedai un...fy pen i, dy pen di.

33

919

Rhaid yw bod yn ddiesgeulus...a chraffu'n ddyfal ar briodoldeb yr iaith, a gwilio yn ddiffael rhag llunio un gair yngwrthwyneb i'r arfer sathredig a chymeradwy ymysg y bobl.

113

920

Mi a welaf y Lladinwyr oedd gywaethog eu hiaith yn benthygio gen y Groegwyr lawer gair...y Ffrancod, Yspaenwyr a'r Eidalwyr yn ddiddeincod yn cymryd i nechwyn gan y Lladin, a'r hen Gymry gynt wedi tynnu y rhan fwyaf o'r geiriau allan o'r Lladin neu'r Groeg. Ni ddylai fod arnom ninnau mo'r cywilydd wrth fenthygio i helaethu'r iaith...Ond rhaid edrych yn graff, a chadw yn ddyfal y modd sydd i'w gwneuthur nhwy yn Camreig.

[197-98]

921

Y neb a chwennycho fod yn hyodl...yn y Gamraeg, rhaid iddo edrych yn gyntaf dim, a oes un gair arferedig ym[hl]ith y Cymr[y] eussus, i yspressu i feddwl...Onid oes, rhaid benthygio yn gyntaf gen y Lladin, os gellir yn ddiwrthnyssig i gwneuthur yn gymreigaidd; os bydd caledi yma, rhaid ddwyn i nechwyn, gan yr Eidalwyr, Phrancod, Yspaenwyr, ag od oes geiriau Saesneg wedi'i breinio ynghymru, ni wasnaetha mo'i gwrthod nhwy. mal: claim...sir hal.

[203]-[204]

922

Rhaid... cadw adroddweddau [priod-ddulliau]'r Gamraeg, a eilw'r Groegwyr phrases, canys nid oes dim wrthunach nag ymadrodd na bo ynddi briawd phrasau.

[204]

923

E ddysg dyn gystrawenu'r geiriau Cymraeg yn gynt wrth i glust, a hir ddall [sic] ar yr iaith, nag wrth reolaethau celfyddyd.

[206]-[207]

ROBERTS, Yr Athro BLEDDYN JONES (1906-77)
924

Ar hyn o bryd yr hyn yr hoffwn i ei weld yw nifer bach o bobl cymwys yn addasu'r Beibl Cysegrlan fel cyfrwng byw, effeithiol i ymgeleddu'r iaith heddiw fel cynt, ac aros, efallai dros genhedlaeth neu fwy, nes i'r Gymraeg fodern fagu cyhyrau teilwng i gludo gogoniant y Beibl mewn iaith a chystrawen deilwng.

Y Traethodydd, Gorffennaf 1962, 117

ROBERTS, DAVID ('Dewi Havhesp'; 1831-84)
925

'Does ond Cymreigyddion
All lunio englynion,
Brenhinoedd y beirddion yw'r Brython
    mewn bri;
Yn meddu iaith ddiball,
Iaith awen, iaith ddiwall,
Nad all un iaith arall ei thorri...

Mae iaith 'Gwlad y Bryniau'
Yn gryfach nag angau,
Hi ddeil yng ngeneuau ei bodau am
    byth;
Cymraeg fydd yng Ngwynfa

Gan blentyn hen Walia,
A'r iaith yma gofia'n dragyfyth.
   Oriau'r Awen (1897), 100-01

ROBERTS, EMRYS (1929-)
926
Y mae hirgledd y morglawdd
Yn loyw, Caledfwlch o glawdd;
Uwch y lli cofiwch y llall,--
Mur a heria'r môr arall,
Rhwystro ynni'r estroniaith
A llid ei chrafangau llaith.

Wal enwog Prifwyl uniaith
Yw'r Gymraeg a mur o iaith
Am Bren-teg a'r Garreg Wen,
Yn fur hithau'n Llanfrothen;
Fy heniaith yn Eifionydd
Rhag boddi'n dal, dal bob dydd.
   *Rhestr Testunau Eisteddfod Genedlaethol
Cymru*, Bro Madog (1987), 11

ROBERTS, KATE (1891-1985)
927
I mi, rhôi hynyna [olrhain tarddiad geiriau]
urddas yn yr iaith Gymraeg, a thrwy John
Morris-Jones ac Ifor Williams...y deuthum
i i weld gogoniant a harddwch iaith fy
nghartref a bod ei thras yn bendefigaidd...
Ar hynyna y mae fy nghenedlaetholdeb
wedi ei sylfaenu. Efallai y byddai a'i bod
yn syndod i'r ddau athro mawr yma eu bod
wedi creu cymaint o genedlaetholwyr ac
o aelodau o Blaid Cymru wrth
ddadansoddi geiriau'r iaith Gymraeg.
   Erthyglau ac Ysgrifau Llenyddol (gol.
David Jenkins, 1978), 177-78

928
Trist yw meddwl na ddaw neb eto i
sgrifennu Cymraeg fel D.J.[Williams];

Cymraeg a gododd o ddaear ei gartref,
Cymraeg y gymdeithas gymdogol uniaith
Gymreig a garai ef mor fawr; Cymraeg
cyfoethog ei gyndeidiau o oesoedd pell
yn ôl a gronnodd yng nghof yr awdur a'u
defnyddiodd mor gelfydd yn
adeiladwaith ei storïau.
189

929
Credaf mai ffwlbri noeth yw'r esgus a
rydd Cymry o'r De a'r Gogledd dros
siarad Saesneg â'i gilydd, am na fedrant
ddeall Cymraeg ei gilydd. Os oes arnynt
eisiau siarad Cymraeg maent yn siŵr o
ddeall ei gilydd.
205

930
Oddi ar hynny [Rhyfel 1914-18], tyfodd
oes liprynnaidd, ddi-asgwrn-cefn. Daw ei
phlant yn fwy cyfarwydd o hyd ag iaith
arall, ac o dipyn i beth fe gollir yr hen
idiomau cryfion...ac yn eu lle fe gawn iaith
lastwraidd, ddi-liw...iaith ddiddrwg
ddidda, iaith fydd yn gyfieithiad o'r iaith
Saesneg.
206

931
Ymhen un genhedlaeth eto, bydd
rhywrai'n sefyll yn syfrdan uwch ben
tranc llwyr yr iaith Gymraeg mewn
lleoedd fel Merthyr, Dowlais ac Aberdâr,
lle'r oedd y Gymraeg mor fyw yn
nhridegau a saithdegau y ganrif o'r blaen,
fel mai hi a orfyddai ar y Saesneg ac nid y
Saesneg ar y Gymraeg.
207

932

Yn 1914 yr oeddym yn weddol hyderus y byddai'r Gymraeg yn byw yn yr ardaloedd gwledig hyd yn oed os diflannai o'r ardaloedd diwydiannol. Ond nid oes gennym achos i fod yn hyderus o gwbl erbyn hyn [1946]. Bratiaith flêr a siaredir yn ardaloedd gwledig Sir Gaernarfon gan y mwyafrif. Dim ond yr hen bobl sy'n siarad Cymraeg cryf ac iach. A phan ânt hwy ni bydd fawr o obaith wedyn.

207

933

Os bod yn ddwyieithog yw ein nod, bydd yn rhaid inni fod yn unieithog yn y man. Dim ond am ryw un genhedlaeth y pery gwlad yn ddwyieithog, bydd yn rhaid i un iaith fyned otanodd ymysg mwyafrif mawr y bobl. A gwyddom mai'r Gymraeg a â i lawr yng Nghymru.

211

934

Mae llwyddiant dysgu'r Gymraeg i Saeson yn dibynnu'n gyfan gwbl ar yr athrawon. Oni wnânt hwy'r wers yn ddiddorol, ni ellir disgwyl dim ond syrffed gan y plant.

211

935

Wrth fyfyrio arnynt [geiriau tafodiaith ei bro enedigol, *wyrpaig, besdad, bwrdd glás* a'u tebyg] byddaf yn gweld iaith ein cyfnod ni yn llipa a di-liw ac yn lastwraidd. Mwy na hynny, dengys nad oes ynddi egni o gwbl. Pobl uniaith a luniodd y geiriau uchod, ac yr oedd yn rhaid iddynt eu llunio o'r iaith a oedd

ganddynt yn barod, ac felly ddefnyddio eu meddwl a'u dychymyg. Yr hyn a wna pobl heddiw yw benthyca'n ddiog o'r iaith Saesneg a rhoi cynffon Gymraeg i'r gair.

213

936

Pan welaf awduron heddiw yn benthyca geiriau Saesneg a rhoi rhyw lun o ffurf Gymraeg arnynt, dof i'r casgliad ar unwaith fod yr awduron hynny'n rhy ddiog neu'n rhy anwybodus i feddwl a chreu'r gair iawn...Gwn y gallant ateb drwy ddweud mai dyna iaith y gymdeithas y maent yn byw ynddi heddiw, ond os yw'r gymdeithas honno'n defnyddio iaith bwdr, lle'r awduron yw defnyddio iaith well, er mwyn gwella iaith y gymdeithas.

213

937

Nid digon bod wedi eich magu mewn cymdeithas unieithog Gymraeg. Mae rhywbeth mwy na hynny i iaith. Mae llenorion yr oesoedd wedi cymryd yr iaith lafar a'i threfnu a'i chaboli a'i defnyddio i roi ffurf hardd i'w meddyliau...Felly yr oedd eu hiaith yn dangos *egni* eu meddwl. Mae iaith llawer o'n llenorion heddiw yn dangos anwybodaeth dybryd o lenyddiaeth Cymru, yn dangos ymgydnabyddiaeth fwy â'r iaith Saesneg, yn dangos diogi meddwl wrth ddefnyddio geiriau Saesneg, lle y gellid cael rhai Cymraeg gwell.

215

938

Mae ysgolion Cymru heddiw yn gofyn am wybodaeth eang o'r iaith Saesneg, a

dyma'r canlyniad—anallu i sgrifennu Cymraeg graenus.
215

939

Mae ein Cymraeg dillad parch wedi mynd mor ddiraen â'n Cymraeg bob dydd. Efallai mai o'r pulpud y ceir y Cymraeg gorau.
220

940

Mae'r rhan fwyaf o drigolion y dref hon [Dinbych] yn gallu siarad Cymraeg. Ychydig yw nifer y rhai na fedrant ddim Cymraeg yma...*Ond,* mae'r Cymry hyn, yn ganol oed, ieuainc a phlant yn mynnu siarad Saesneg â'i gilydd, yn y capeli, yn y siopau ym mhobman. Saesneg a glywir cyn i chwi adael y capel ar nos Sul, gan bobl sy'n medru Cymraeg yn well na Saesneg.
221

941

Nid yw rhannu ysgol i adran Gymraeg ac adran Saesneg yn dda i ddim. Saesneg mae'r adran Gymraeg yn ei glywed ar fuarth yr ysgol, ac fe ddileir ei holl Gymreigrwydd ar fuarth yr ysgol ac ar y stryd wedyn.
222

942

Wedyn mae yma rieni dwl na fynnant siarad Cymraeg â'u plant. Mae llawer o'r rhai hyn yn ddifater...Mae eraill sy'n mynnu siarad Saesneg â'u plant am eu bod yn dirmygu'r iaith Gymraeg o fwriad, ac yn cwbl gredu mai iaith daeogaidd ydyw'r iaith Gymraeg.
222

943

Nid yw arwyddion dwyieithog ar y ffyrdd yn mynd i wneud i bobl siarad Cymraeg. Fe rônt statws i'r Gymraeg a dyna'r cwbl.
224

944

Mae'n gwestiwn gennyf a ydym yn sylweddoli beth mae achub y Gymraeg yn ei feddwl. Rhaid ei chlywed ar y stryd, yn y capel, yn y cartrefi ac ymhob man. Hi ddylai fod yn fywyd i ni, hi ddylai fod yn ben. Nid oes dim byd o werth oni ellir ei ddefnyddio.
224

945

Yn nechrau'r ganrif yr oedd digon o bentrefi yng Nghymru lle na siaredid dim ond Cymraeg, a lle'r oedd cymdeithas gymdogol gynnes. Cael y gymdeithas yma'n ôl yw achub y Gymraeg. Ni ddylem fodloni ar ddim llai. Nid yw dysgu dwy iaith yn mynd i gadw'r Gymraeg. Bydd yn rhaid i un gynyddu ac i'r llall leihau. Pa werth sydd mewn cael enwau Cymraeg ac ati wrth ben swyddfeydd ac ar y ffyrdd a'r boblogaeth yn siarad Saesneg?...Os na chawn ni gymdeithas o bobl lle mae'r Gymraeg yn dyfod gyntaf, yna marw a wna'r iaith.
224

946

Yr iaith ydyw ein cenedl ni, nid oes inni ymwybod arall ein bod yn genedl ond ein hiaith. Felly os â'r iaith fe â'r genedl.
225

947

Os ydym ni'n mynd i aros nes cawn y gallu gwleidyddol mwy heb geisio gwneud dim dros yr iaith Gymraeg, dywedaf eto, bydd yr iaith Gymraeg wedi marw. Pa les fydd achub yr iaith Gymraeg, sef y genedl wedyn?

226

948

Ac fe fyddwn i'n dweud mai dymuniad cyntaf y bobl hyn [y Cymry di-Gymraeg] fyddai dysgu Cymraeg, ei siarad a mwynhau ein llenyddiaeth. Da yw cael cydnabod bod ugeiniau ohonynt wedi llwyddo i wneud hyn, ac mae'r rhai hynny mor selog â ninnau y Cymry Cymraeg dros roi'r lle blaenaf i'r iaith.

227

949

Fe anghofir un peth gan ysgrifenwyr pros heddiw, sef bod cyfoeth yr iaith Gymraeg i'w gael yn yr un fan yn union ag yr eir i chwilio am *ddeunydd* stori...sef ym mywyd y bobl, lle mae diwylliant Cymreig yn fyw. Beth sy'n digwydd ysywaeth? Y Gymraeg a geir yn ein storïau heddiw yw Cymraeg Seisnig ein hysgolion—mae arlliw idiom Saesneg arno drwyddo draw. Nid oes dim blas arno o gwbl.

232

950

Dysgwch yr iaith Gymraeg yn gywir...Ysywaeth, y mae cannoedd o Gymry glân gloyw yn ceisio sgrifennu Cymraeg heb falio dim am gywirdeb...Cymry o ardaloedd hollol Gymreig, a llawer ohonynt wedi cael addysg ailraddol ac addysg Prifysgol...Dyma'r lleiafswm o barch y dylai iaith eich mam ei dderbyn gennych, sef ei dysgu'n gywir.

244-45

951

Yr ydym... wedi colli yr un peth sy'n gwneud enaid i bob ysgrifennu, sef idiomau ein hiaith. Fel y dirywia'r iaith Gymraeg, â'n debycach i Saesneg...I ni, hyd yn oed, sy'n hanfod o deuluoedd Cymraeg uniaith, fe welwn fod llawer idiom wedi mynd ar goll, a oedd yn bod cyn ein hamser ni...Pa faint llwyrach a chyflymach y diflanna'r idiomau hyn heddiw, ie, a geiriau unigol, a ddisodlir mewn dull mor hyll gan eiriau Saesneg?...Colled fawr i'n llenyddiaeth felly yw colli'r rhain o arddull ein llenorion, nes ei gwneud yn hawdd troi storïau i'r Saesneg. Ac ni ddylai hynny fod yn beth hawdd, os oes grym o gwbl mewn iaith.

254-55

952

Ym mabandod addysg Cymru, dallwyd llawer o Gymry i brydferthwch a defnyddioldeb eu hiaith eu hunain, a thaflwyd hi heibio fel peth hagr a di-werth. Nid oedd yn werth i'r meibion ei siarad chwaethach y merched...ac ni châi'r Gymraeg ddangos ei hwyneb yn y farchnad nac ar y stryd. Gweinyddai'r wialen gosb eithaf cyfraith ysgol os siaredid y Gymraeg yn rhywle yn nes i'r adeilad hwnnw na'r ffordd...

Ond yn ddiweddar [1914] daeth tro ar fyd...Magodd Cymru ddynion digon mawr erbyn hyn i ganfod gwerth eu hiaith ac i ganfod ei thrysorau, a hudwyd dieithriaid o bell i ddyfod a gweld ei thegwch...Daeth Cymraeg yn iaith ysgol ac yn gyfrwng addysg.

346

953

Cewch ddigon o Gymraeg gan yr hen a chanol oed yma [yng Nghwm Rhondda, yn 1932]; ond nid gan yr ieuanc na'r plant. Ni chlywch ddim Cymraeg ar yr heolydd gan y plant a'r bobl ifanc.

351

954

A pha faint gwell ydych o ddysgu Cymraeg yn dda fel pwnc, pan fo tuedd gweddill addysg yr ysgol yn gwneud Saeson o'r plant?

352

955

A dweud y gwir, ychydig iawn o wybodaeth am Gymru sydd gan drefnwyr rhaglenni y radio a'r teledu. Yr ydym wedi mynd i feddwl bod medru siarad Cymraeg yn ddigon o gymhwyster i unrhyw swydd yng Nghymru. A faint o bobl sy'n medru siarad Cymraeg sy'n defnyddio'r iaith yn eu swydd ar ôl ei chael? Fawr iawn.

395

956

Un o'r pethau yr hoffwn i ei wneud fyddai cadw tŷ bwyta hollol Gymraeg...Buaswn i'n rhoi enw Cymraeg a chanddo ryw gysylltiad â'r dref neu â'r ardal...Ni buaswn yn cyfieithu'r rhestr fwyd i'r Saesneg chwaith, dim ond ei rhoi yn Gymraeg, a gadael i bawb ffeindio

drosto'i hun beth yw ystyr y geiriau. Wedi'r cyfan pan mae pobl yn mynd am dro ar y Cyfandir rhaid iddynt ddarllen y rhestr fwyd yn iaith y wlad y byddant ynddi. Gellid sicrhau'r ymwelwyr na wnânt farw ar ôl bwyta'r bwyd.

421

ROBERTS, Y Barchedig LONA

957

Mae cred ar led nad yw'r Gymraeg yn fyw yn y cymoedd. Do, rhoddodd llawer hi heibio, ond mae pawb o'r hen do yn ei deall hi'n iawn a mwy na'i deall hi hefyd. Gaf fi roi enghraifft neu ddwy i chi?

Wrth ymweld â gŵr yn ddiweddar, minnau'n sgwrsio yn Gymraeg, yntau yn Saesneg, dywedodd hyn fel atodiad i'n sgwrs ar werth teulu: 'That's quite true, you know. Ni wyddoch werth y ffynnon hyd oni elo'n hesb, as they used to say'.

Mae un arall yn siarad bob gair â mi yn Saesneg, ond pan ddaw hi'n amser gweddi: 'You'll pray in Welsh, won't you?'

Cristion, Ionawr/Chwefror 1990, 8

ROBERTS, MEGAN E. a **JONES**, R. M.

958

Er pan lanhawyd yr iaith lenyddol ar ôl diffyg traddodiad y ganrif ddiwethaf, drwy ddychwelyd at yr iaith lenyddol glasurol, bu amryw o dro i dro, megis Emrys ap Iwan a John Morris-Jones, yn ceisio tynnu'r ffurfiau orgraffyddol (ac ati) yn nes at yr iaith lafar. Ceisiodd Ifor Williams wneud hyn mewn amryw ysgrifau, ac yn ei ddarlith radio *Cymraeg Byw*. A thua 1961-2 bu G. J. Williams yn darlithio yn y Cyfadrannau Addysg yn Aberystwyth ac yn Abertawe, gan annog athrawon i fentro dysgu mwy o ffurfiau llafar i'r plant.

Cyfeiriadur i'r Athro Iaith, rhan I (1974), 148

959

Gan fod yr iaith lenyddol ei hun yn closio'n orgraffyddol ac yn eirfaol at y llafar mewn dramâu a nofelau, heblaw mewn ysgrifau a barddoniaeth, y mae'r symudiad hwn yn rhan o broses naturiol a chyffredinol ein hiaith gyfoes.

149-50

ROBERTS, ROBERT ('Y Sgolor Mawr'; 1834-85)

960

There was my grandfather...He had a store of old-fashioned nervous Welsh words at his command, and...his words and sayings were often quoted in the district.

A Wandering Scholar: The Life and Opinions of Robert Roberts (1991), 117

Dyna fy nhaid...Yr oedd ganddo ef gyflawnder o eiriau Cymraeg hen ffasiwn a chyhyrog at ei alwad, a...dyfynnid ei eiriau a'i ddywediadau'n aml yn yr ardal.

961

I saw a good deal of our Anglicised Welsh at that time. They were numerous in Liverpool...I could see that the intercourse with the English of Lancashire had on the whole a beneficial influence over them. They lost much of their narrow-mindedness...A great many no doubt were still clannish in their worship and in their social relations, but this wore out after a few years' stay. The children could not by any possibility be induced to learn Welsh; in the second generation they all became English, and merged in the mass of inhabitants.

234

Gwelais gryn lawer o'n Cymry Seisnigedig yr adeg honno. Yr oeddynt yn niferus yn Lerpwl...Gallwn weld fod y gyfathrach â Saeson sir Gaerhirfryn ar y cyfan wedi dylanwadu arnynt er lles. Cawsant wared ar lawer o'u culfrydedd...Parhâi lliaws, yn ddiamau, yn dylwythol yn eu haddoliad ac yn eu cysylltiadau cymdeithasol, ond peidiai hyn â bod wedi iddynt fyw yno rai blynyddoedd. Cwbl amhosibl oedd cael gan y plant ddysgu Cymraeg; yn yr ail genhedlaeth aent i gyd yn Saeson ac ymgolli yng nghrynswth y trigolion.

962

Castle Caereinion...was situated in a pleasant glen...Offa's Dyke could be traced a mile or two to the eastward, and the line of demarcation between English and Welsh ran through the parish. The lower division was entirely English, and the upper Welsh; while the village situated about the centre, was a sort of Debateable Land. Both languages were known pretty generally, especially by the elder folk, though English was mostly spoken: as to the children, they used English exclusively.

263-64

Yr oedd [Castell Caereinion] mewn glyn dymunol...Gellid olrhain Clawdd Offa am filltir neu ddwy i'r dwyrain, a rhedai'r llinell derfyn rhwng Saeson a Chymry drwy'r plwyf. Yr oedd y rhan isaf yn gwbl Seisnig, a'r uchaf yn Gymreig, tra oedd y pentref, a safai tua'r canol, yn fath o Dir Dadleuol fel petai. Deellid y ddwy iaith yn bur gyffredinol, yn enwedig gan y to hynaf, er mai Saesneg a siaredid gan mwyaf: am y plant, Saesneg yn unig a ddefnyddient hwy.

ROBERTS, Y Parchedig R. PARRI (1882-1968)
963

Ac ynglŷn â'r dafodiaith, ni chafodd fy mhobl erioed drafferth i'm deall, a dyna eu cyffes wrthyf. Yr ydym yn gwneud gormod o'r gwahaniaethau 'ma, ac ni chefais drafferth i ddeall neb yn siarad yn ei dafodiaith briod ei hun os ydyw yn ddyn crefyddol. Y mae yr un Beibl a'r un emynau gennym, a thra bo pobl yn dyfod i sŵn y rheini nid oes fawr o drafferth deall y naill a'r llall. Nid oes gennyf fawr o gydymdeimlad â'r gri yma am gyfieithiad Cymraeg newydd. Yr oedd angen un ar y Saeson, efallai, am fod iaith eu hen gyfieithiad hwy yn wahanol iawn i'w Saesneg llafar...Gwastraff ar amser gwerthfawr, a ddylid ei ddefnyddio i bethau rheitiach o lawer, ydyw rhoi blynyddoedd i gyfieithiad Cymraeg newydd, y mae'r Gymraeg lafar ar ei gorau yn ddigon agos i Gymraeg y Beibl.

Ffarwel i'r Brenin (1972), 19-20

964

Y mae'r gri ysgafala am bregethu'r efengyl yn iaith y dydd yn disodli urddas y pulpud. Mi glywais ddyn ar y radio dro'n ôl yn ceisio pregethu efengyl gras yn iaith caneuon pop Hollywood. Bydd yn dda inni gofio na fedr iaith syrcas ddim cynhyrchu awyrgylch seiat.

105

ROBERTS, SAMUEL ('S.R'; 1800-85)
965

Marw y mae y Gymraeg. Y mae wedi marw yn llys barn. Y mae wedi marw ym marchnad yr arian, a bron ym marchnad pob peth arall. Y mae wedi marw yn safleoedd y rheilffyrdd, a swyddfaau pob elw; ac y mae bron wedi marw yn ei heisteddfod ei hun. Y mae llefain 'Oes y byd i'r iaith Gymraeg' yn ynfydrwydd a rhagrith, pan y mae diferion olaf ei gwaed yn cael eu gwasgu allan gan yr eisteddfodwyr eu hunain. Nid dweud ein dymuniad yr ydym am hen iaith annwyl ein mam; ond dweud ffeithiau, a cheisio cynhyrfu ein cenedl i ddarparu at fyw ar ei hôl.

Y Cronicl, xxii (1865), 306

ROBERTS, SELYF (1912-95)
966

Yn Gymraeg, y llythyren a wisgai allan gyntaf [ar deipiadur] fyddai'r 'y'...Llythyren brysur dros ben yw hon, a phan gofir mai hi yw'r unig lythyren yn ein gwyddor sy'n gorfod gwneud gwaith dwy, 'does ryfedd ei bod hi'n haeddu parch ac arwyddocâd arbennig yn ein iaith. Nid rhyw weithiwr dinod mewn giang yw hon...ond un o'r prifion...Y mae'r llythyren 'y' yn air, yn golygu rhywbeth yn gwbl annibynnol.

Yr Eurgrawn, 170, Hydref 1978, 122

ROBERTS, THOMAS (1765/6-1841), Llwyn'rhudol
967

Fe ŵyr pawb ag sydd yn deall Cymraeg a Saesneg mai anodd iawn ydyw cyfieithu...

Ac mae hyn yn wirionedd a saif byth, fod yn analladwy cyfieithu air yng ngair, a gwneuthur iaith rywiog a deallgar.

Y peth sydd berarogl mewn un iaith a ddrewa wrth ei gyfieithu yn ôl y llythyren i iaith arall. Hyn a allwn weled yn eglur yn yr hyn a ddigwyddodd yng Nghaernarfon pan oedd yr hen William Evans yn cyfieithu geiriau rhywun ag oedd yn tystiolaethu; sef i 'hwn a hwn ei alw e (y tyst) yn garn lleidr'; fe ddigwyddodd y pryd hynny i'r Barnydd (pan welodd bawb yn chwerthin) ofyn pa beth oedd yn ei ddywedyd, ebr [y] cyfieithydd dysgedig, 'He says, he called him the hilt of a Thief.'

Er mai Sais oedd y Barnwr, nis gwyddai yn y byd pa beth oedd yn ei feddwl wrth hynny, mwy nag yn y Gymraeg.

Cwyn yn erbyn Gorthrymder (1798), 19-20

ROWLAND, ROBERT DAVID ('Anthropos'; 1853?-1944)
968
Yr hyn oedd o'r pwys mwyaf ym marn Mr Jones yr 'Ocsiwniar' ydoedd, fod plant y Pentre yn 'dysgu Saesneg'.

'Yr ydych chwi yn eithaf saff o ddysgu Cymraeg,' meddai, 'ond wnewch chwi ddim byd ohoni hi yn y blynyddoedd sydd o'ch blaen os na fyddwch chi yn medru Saesneg. Dydw i ddim yn deud fod y Saesneg yn well na'r Gymraeg,-- dydi hi ddim,--ond hi ydyw iaith masnach; ac os ydech am ennill eich bara a chaws efo rhywbeth heblaw porthi gwartheg a cheffylau, rhaid i chi ymroi i ddysgu darllen, ysgrifennu, a siarad Saesneg. Dyna sydd yn bwysig rŵan...'.

Y Pentre Gwyn (1909; ail arg., 1915), 5

ROWLANDS, E. D.
969
Caem siarad Cymraeg faint a fynnem [yn Ysgol y Llan], a byddai'r athrawon yn defnyddio'r Gymraeg i egluro pethau i ni.

Atgofion am Lanuwchllyn (1975), 78

970
Bu'r rheol *No Welsh speaking in School* mewn grym am amser [c. 1890, yn Ysgol Unedig Llanuwchllyn]. Torrwn i y rheol yn aml iawn o arfer siarad Cymraeg yn yr hen ysgol. Byddai'r bechgyn newydd yn barod iawn i brepian, *'David Rowlands speaking Welsh, Sir'*; yna cerydd gan yr athro, *'David Rowlands, up on the form on one leg.'*

83

ROWLANDS, JOHN (1938-)
971
Un o'r Cymry greddfol ydw i, un o'r rhai diniwed hynny na sylweddolasai fod 'problem' nes iddo adael ei gefn gwlad mwy neu lai uniaith a mynd i'r Coleg ym Mangor...Fe geir digon o Gymry Cymraeg sy'n mabwysiadu Saesneg fel iaith, a hynny'n ymddangosiadol ddi-boen, ac ar y llaw arall ceir Cymry di-Gymraeg yn dysgu'r iaith ac yn troi'n benboeth o'i phlaid. Ni fu gen i ddewis felly erioed.

Fy Nghymru I (gol. John Jenkins, 1978), 19

972
Y trueni bellach yw fod hyn [y ffaith fod modd byw bywyd llawn trwy'r Saesneg] yn dod yn wir...am bentrefi cefn gwlad, am hen gadarnleoedd y Gymraeg. Nid ffin yn symud yn raddol tua'r gorllewin

yw Seisnigrwydd bellach: mae'r pydredd wedi cyrraedd y cnewyllyn.

20

973

Dweud yr wyf mai'r peth sylfaenol yn y sefyllfa sydd ohoni yn ein mysg ni'r ychydig ar hyn o bryd yw hoedl yr iaith. Mae'n rhaid inni sicrhau fod pob copa walltog bosib yn bwrw'i bwysau o'i phlaid mewn rhyw fodd neu'i gilydd, ac rwy'n sicr yn fy meddwl fy hun bod lle i sensro'r rhai sy'n ei gwadu. Rwy'n teimlo y dylai pawb ohonom grisialu'i agwedd sylfaenol at yr iaith fel y gall ateb yn ddifloesgni a yw o'i phlaid ai peidio....Mae pleidio'r Gymraeg yn llawn oblygiadau, fel nad yw rhyw bleidlais resymegol â'r pen yn ddigon da, ond rwy'n meddwl y dylai pob unigolyn fod â'r hawl i benderfynu drosto'i hun sut i weithredu'r oblygiadau hynny.

22

974

Nid beirdd a llenorion yw'r unig rai sy'n ein cyfareddu â phatrymau iaith. Y tu hwnt i'r dimensiwn celfyddydol y mae'r iaith yn gallu bod yn fynegiant o athroniaeth bywyd. Trwy ysgrifeniadau pobl fel Saunders Lewis a J. R. Jones ac Alwyn D. Rees dysgasom chwilio trwyddi am ystyr bywyd. Dysgasom weld ehangrwydd diffiniau'r plwyf...Brwydr dros warineb a chyfrifoldeb yw'r frwydr dros yr iaith, ac er mai â'n plwyf arbennig ni y mae a wnelom yn gyntaf oll, mae i'r frwydr arwyddocâd byd-eang yn yr ystyr mai ymwneud y mae hi â diwylliant, ag amddiffyn yr unigryw, â meithrin cyfrifoldeb yr unigolyn. Dyna pam y

mae'n hanfodol defnyddio dulliau cyfrifol i'w hamddiffyn.

23

975

Fy nheimlad i yw ei bod yn enbytach ar y Gymraeg heddiw nag y mae llawer ohonom yn barod i gyfaddef yn gyhoeddus. Mi ddywedaf eto mai'r *tebygolrwydd* yw y bydd yr iaith farw cyn pen canrif. I lawr llethr llithrig yr â'r ystadegau o gyfrifiad i gyfrifiad. Mi wyddom ninnau yn ein calonnau—wrth edrych ar sefyllfa arswydus rhai o'n hysgolion gwledig, wrth gyfri'r nifer o ymfudwyr Seisnig i'n pentrefi, wrth wneud dim ond cadw'n clustiau ar agor ar stryd, mewn siop, mewn tafarn—bod y dydd o brysur bwyso wedi cyrraedd. Gorau po gyntaf yr wynebwn y sefyllfa'n onest.

24

976

Ein profiad yn y gorffennol yw fod hyd yn oed ddysgwyr Cymraeg yn ymateb i antur, ac mi ddaliant i ymuno â ni os gwelant ein bod ddigon o ddifrif, ac yn ddigon eangfrydig a chroesawgar.

Ac yn ddigon uchelgeisiol a digon penderfynol.

24

977

Mae gweledigaeth ddigon grymus yn siŵr o greu'r moddion i'w gwireddu. Pan sylweddolwn mor anobeithiol yw sefyllfa'r Gymraeg, dyna efallai pryd y dechreuwn gael gweledigaethau sy'n ddigon mawr i'w hachub.

25

978

Mi fentraf ddweud yn ddifloesgni: hyd yn
oed pe tybiwn fod y Gymraeg yn mynd i
farw o fewn canrif, ni theimlwn fod fy
mywyd yn fwy ofer na phetawn wedi'i
fyw'n gyfan gwbl trwy ryw iaith arall. Mi
awn ymhellach a dweud fod byw trwy
argyfwng iaith a diwylliant wedi rhoi ias
arbennig i'm bywyd, yn wir wedi deffro
f'ymwybyddiaeth o rai o hanfodion
bywyd...Mae yna arwyddocâd i fywyd
dyn er iddo farw, ac y mae'r un
arwyddocâd i fodolaeth iaith hyd yn oed
os marw fydd ei thynged hithau.

25

979

Os bydd yr iaith farw, arwydd fydd hynny
mewn ffordd ein bod ni fel pobl wedi
marw...a byddai'n rhaid inni roi rhan o'r
bai am ein tranc arnom ni'n hunain.
Felly'r cwestiwn i ni'n awr yw—nid a
fydd ai ynteu na fydd farw'r iaith—
rywbryd yn y dyfodol, ond yn hytrach a
oes ynom ni'r ewyllys i fyw rŵan---y
funud hon. O gofio mai pobl sy'n rhoi
bywyd i iaith, ac mai creaduriaid brith ac
anarwrol yw'r rhan fwyaf ohonom...
rhyfeddod y rhyfeddodau yw i'r Gymraeg
fyw cyhyd. Ond ein twyllo'n hunain a
wnawn wrth dybio bod y goroesi
hwnnw'n gwarantu dyfodol hir iddi eto, a
gorau po gyntaf y sylweddolwn hynny.

26

RHISIART PHYLIP (c. 1565-1641)
980

Llew oeddyd yn lluydda,
Llawer dewr yn llai'i air da;
Ac oen arwain gnu euraid
I ganu iaith Gymru y'th gaid.

Cymro i gadw Cymraeg ydwyd,
Cymro i Dduw, Cymroaidd wyd.
Myn Duw, mae ynod awen
Mor dda i'n hiaith â Merddin hen. [I
Rhisiart Huws, Cefnllanfair]

*Blodeugerdd Barddas o'r Ail Ganrif ar
Bymtheg*, I (1993), 221

981

Yr iaith hygar, i'w thegwch
Eurawg ei phlaid, Gymraeg fflwch;
Enwog oeddyd mewn gwiwddawn
A phur a theg a ffraeth iawn...
Y ddysg o lawn, ddewis glod
I dda ddeunydd, oedd ynod;
A'th enw ydoedd, beth nodawl,
Iaith Brydain faith, breudon fawl.
Weithion oer a thenau wyd,
Iaith ddi-stôr, fo'th ddi'styrwyd,
A'th blant di, waith blina' tôn,
Aeth i sisial iaith Saeson,
A'th wadu di, waith du dig,
A'th adael yn fethedig.
Gan hir oed gwanhau yr ydwyd,
Galw Dduw, diymgeledd wyd.

233

982

Ban oeddwn yn byw'n eiddil
A brys gwyn o'm bwrw is gil,
Y mab hwn, grym pen aig rodd,
A'm gloywddoeth ymgeleddodd,
Ac a'm rhoes, bo i'r Gymru hedd,
Ar fy nhraed, brif anrhydedd.
Oni bai help wyneb hwn
Yn byw eisoes ni b'aswn. [Yr iaith
Gymraeg, am Dr John Davies]

234

983
A wna Doctor o gôr gwyn
A wnaeth ef, iawn waith ofyn,
O dda i'r eglwys, lwys lefoed,
Ac i'r iaith Gymraeg erioed? [I Dr John Davies]
236

RHYS, BETI
984
Ynghanol y ganrif ddiwethaf ymhyfrydai fy nhadcu yn y ffaith iddo wisgo'r *Welsh Knot* a chael ei gosbi ar ddiwedd y dydd am siarad Cymraeg. Ysgrifennai fy nhad ei sieciau yn Gymraeg ar ddechrau'r ganrif hon, cyn bod sôn am y Blaid Genedlaethol na Chymdeithas yr Iaith...

Yn y flwyddyn 1919 euthum yn ddisgybl i Ysgol Breswyl Hywel yn Llandaf, Caerdydd. Dynes o Darlington oedd y brifathrawes, ac ni wyddai'r rhan fwyaf o'r athrawon odid ddim am Gymru na'i hiaith...

Nid oedd dim Cymraeg yn cael ei ddysgu yn yr ysgol honno hyd nes imi gyrraedd blwyddyn Safon O...Ers pan ddechreuais yn yr ysgol danfonwn lythyr Cymraeg adref at fy nhad bob dydd Sul a dychwelai ef y llythyr wedi'i gywiro ataf erbyn dydd Mawrth, a dyna fel y dysgais i ysgrifennu yn Gymraeg...

Gwyddom i gyd erbyn hyn yr hanes am y Parchg. Lodwig Lewis yn dweud wrth ei fab, Saunders Lewis, ar ôl diwedd y Rhyfel Byd Cyntaf, na fyddai'n dod i adnabod ei hunan nes yr ysgrifennai yn yr iaith Gymraeg...

Gwyn eu byd, plant ysgolion Cymraeg Cymru heddiw, yn cael derbyn eu haddysg drwy gyfrwng yr iaith Gymraeg! Dyna sut y dônt i adnabod eu hunain ac i wybod sut i fyw ac i ymddwyn yn briodol tuag at eu cydweithwyr ar ein ffordd trwy'r byd hwn.
Cristion, Ionawr/Chwefror 1994, 19-20

RHYS, SIÔN DAFYDD (1534-c. 1619)
985
Eithr ninheu y Cymry (mal gweision gwychion) rhai o honon' ynn myned morr ddiflas, ac mor fursennaidd, ac (yn amgenach nog vn bobl arall o'r byd), morr benhoeden; ag y daw brith gywilydd arnam gynnyg adrodd a dywedud eyn hiaith eyn hunain; ief, a gwynn eyn byd ryw rai ohonom fedru bod mor findlws, a chymryd arnam ddarfod inni o gwbl abergofi y Gymraec, a medru weithion (malpei) ddoydyd Saesnec, a Phrangec, ac Italieith, neu ryw iaith alltudaidd arall pa ryw bynnac a fo honno oddieithr Cymraec...Eithr nyd yw y fursennaidd sorod hynn o Gymry (os teg doydud gwir) onid gohilion, a llwgr, a chrachyddion y bobl, a'i brynteion: a megys cachadurieit y wlad.
Garfield H. Hughes, *Rhagymadroddion 1547-1659*, 64

986
Ac wrth hynn, y gellir canfod fod er ys hir dalm o amser fai mawr arr brydyddion a Chymreigyddion Cymry o barth distriwiad ac angeu yr iaith: a diameu nas dichon yr iaith adel ddim o'i gwc a'i gelanastra, onyd yn fwyaf oll arnynt hwy. Canys cadw a chuddio a notaynt y rhei hynn, ac eraill hefyd eu llyfreu a'u gwybodaetheu mywn cistieu a lleoedd dirgel; hyd na ddelei attynt nag arnaddynt na gwynt, nag awyr, na haul, na

lleuad, na llygad dyn; ac hyd na bei vndyn yn gyfrannol o ddim o'r a fei ynddynt...onyd gwedy angeu a marwolaeth eu ceidweid, ddyfod o'r llyfreu hynn...i ddwylo Plantos o'i rhwygo, ag i wneuthur babiod ohonynt; neu at siop wrageddos i ddodi llyssieu sioppeu ynddynt; neu ynteu at Deilwrieit, i wneuthur dullfesurau dillados a hwynt; hyd nad oes nemor o'r petheu odidoccaf ynn y Gymraec (wrth hynn o gamwedd) heb eu hanrheithio a'i difa yn llwyr.

66-67

987

Eithr pei byssynt [y prydyddion]...ynn dodi allan mywn print, ac i olwg y byd, degwch a phrydferthwch y Brydyddiaeth Gymreic...yna y buassei Pennadurieit Lloegr a Chymru a gwyr tramoredic hefyd ynn cymrud cymeint o enrhyfeddod, wrth ganfod y fath degwch ynn yr iaith gymreic... ac y byssynt morr chwenychgar i'n hiaith ni, ac ydym ninheu ac awydd i amgofleidio ac i amgyphred ei haith hwynteu.

68

SALESBURY, WILLIAM (c. 1520-84?)

988

A ydych chwi yn tybieit nat rait amgenach eirieu, na mwy amryw ar amadroddion y draythy dysceidaeth, ac y adrodd athrawaeth a chelfyddodeu, nag sydd genwch chwi yn arveredic wrth siarad beunydd yn pryny a gwerthy a bwyta ac yfed? Ac od ych chwi yn tybyeit hynny voch tuyller. A chymerwch hyn yn lle rybydd y cenyf vi: a nyd achubwch chwi a chweirio a pherfeithio'r iaith kyn daruod am y to ys ydd heddio, y bydd ryhwyr y gwaith gwedy.

Oll Synnwyr Pen Kembero Ygyd (1547), [v]

989

Oni fynnwch fyned yn waeth nag anifeiliaid...mynnwch ddysg yn eich iaith. [vi]

990

Pererindotwch yn droednoeth, at ras y Brenin ae Gyncor, i ddeisyf cael cennat y cael yr yscrythur lan yn ych iaith. [vii]

991

Gan dy welet ti, Gruffydd, dy hun mor hiraethawc am gyweir yr Jaith...nid amgen nath vod yn ceisio ymhel o yma ac o yackw am pop hen kwrach o lyfyr brycheulyd ei ddarllen ac ei chwiliaw drostaw, er cahel peth kymporth tu ac [at] gynnal yr iaith sydd yn kychwyn ar dramgwydd. [W.S. yn annerch Gruffydd Hiraethog]

The Bulletin of the Board of Celtic Studies, ii. 116

SENIOR, NASSAU WILLIAM (1794-1864)

992

I never, said Sir Frankland, countenance the Eisteffods & other contrivances for keeping up the use of Welsh. Want of English is the cause that principally keeps down the people of Wales. It excludes them from domestic service, it prevents their employment in the English towns, it indisposes them to emigration, if they enter the army it prevents their rising below the lowest rank in that it is a badge & a cause of inferiority. But the clergy discourage English, because so long as it continues to be necessary for a clergyman to speak Welsh, Welshmen have a monopoly in the Welsh livings.

Cylchgrawn Llyfrgell Genedlaethol Cymru, vii (1951), 75-76

Nid wyf yn gefnogol o gwbl, meddai Syr Frankland, i'r Eisteddfodau a dyfeisiau eraill i gynnal y defnydd o Gymraeg. Diffyg Saesneg yw'r prif achos sy'n cadw pobl Cymru i lawr. Mae'n eu cau allan o wasanaeth teuluol, mae'n eu rhwystro rhag cael gwaith yn y trefi Seisnig, mae'n eu hanalluogi i ymfudo; os ânt i'r fyddin, mae'n rhwystr iddynt godi islaw'r rheng isaf, yn gymaint â'i fod yn nod ac yn achos israddoldeb. Ond y mae'r clerigwyr yn anghefnogi Saesneg, oherwydd tra parhao'n angenrheidiol i glerigwyr fedru siarad Cymraeg, y mae gan Gymry fonopoli yn y bywoliaethau Cymraeg.

SHAKESPEARE, WILLIAM (1564-1616)

993

This is the deadly spite that angers me:
My wife can speak no English, I no Welsh...
But I will never be a truant, love,
Till I have learn'd thy language; for thy
tongue
Makes Welsh as sweet as ditties highly
penn'd,
Sung by a fair queen in a summer's bower,
With ravishing division, to her lute.

1 King Henry IV, Act III, Sc. 1

Hyn ydyw'r aflwydd mawr sy 'ngwylltio i:
Fy ngwraig heb Saesneg, minnau heb
Gymraeg...
Ond byth ni fydd im chwarae triwant, fun,
Nes medraf i dy iaith; cans ar dy fin
Y mae'r Gymraeg mor bêr ag alaw goeth

A gân brenhines deg mewn deildy haf,
Ag amrywiadau hudol, gyda'i liwt. [Gw. hefyd **723**]

SIÔN CENT (15g.)

994

Gorau un iaith Gymräeg
A draethir yn y tir teg. [I Frycheiniog]

Cywyddau Iolo Goch ac Eraill (1937), 269; 'A geisir...' sydd yno, ond yma dewisir y drll. yn llsgr. *LlGC* 9048, 96a. [O ran diddordeb, tystir weithiau mai ym Mrycheiniog yr oedd y Cymraeg gorau i'w glywed gynt, a dichon fod y dyfyniad hwn yn ategu hynny. Ond gellir awgrymu bod dehongliad arall yn bosibl a mwy tebygol efallai, sef mai'r Gymraeg, yr orau un o'r holl ieithoedd, a glywid yn y fro.]

SMITH, LLINOS BEVERLEY

995

Yn y drydedd ganrif ar ddeg yr oedd acenion y Gymraeg yn berffaith hyglyw ar hyd y ffin â Lloegr...ac ar ddechrau'r bedwaredd ganrif ar ddeg gellid honni mai Cymry uniaith oedd gwŷr arglwyddiaeth Brycheiniog.

Cof Cenedl (gol. Geraint H. Jenkins), I. 4

996

Erbyn y bymthegfed ganrif, os nad ynghynt, aethai'r Gymraeg yn ei blaen ym Mro Morgannwg, gan osod seiliau cadarn i draddodiad llenyddol cynhenid cymdogaeth a fu gynt ym meddiant y Norman.

5

997

Erbyn yr unfed ganrif ar bymtheg tystiai George Owen i'r rhaniad pendant rhwng

Cymro a Sais yn sir Benfro a'r trafferth ymarferol a godai wrth geisio rhychwantu'r ieithoedd.

12

998

Yn ystod y ganrif gyntaf wedi'r goncwest yr oedd i'r iaith ysgrifenedig fesur o gysondeb o ran ei ffurfiau ieithegol a'i horgraff. Mae'n anodd, er enghraifft, pennu tarddle daearyddol sicr i fersiynau Cymraeg *Brut y Tywysogyon* ar sail priodddulliau'r gweithiau, ffaith sy'n awgrymu bod iaith safonol i gryn raddau eisoes wedi'i sefydlu. Yn yr un modd, y mae bodolaeth y Brutiau yn y Gymraeg yn dangos fel yr enillasai'r iaith ei lle yn gyfochrog â Lladin fel iaith dysg a diwylliant. Yr oedd y testunau cyfraith yn yr iaith Gymraeg hefyd wedi'u breinio ag ystwythder ymadrodd ac â mynegiant caboledig, croyw.

15

999

O graffu ar rai o'r testunau ymarferol sy'n deillio, yn ôl pob golwg, o ddyddiad cyn yr Uno, yr hyn sy'n drawiadol yw ystwythder y Gymraeg a'i gallu i gymhathu ac amgyffred termau ac ymadroddion newydd.

16

1000

Rhaid cydnabod bod arferion ysgrifenedig y Saesneg eisoes yn ennill tir dros rannau helaeth o ddaear Cymru cyn i 'gymal yr iaith' yn Neddf Uno 1536 ddeddfu'n ffurfiol ynglŷn â lle'r Saesneg ym myd gweinyddiaeth frenhinol yng Nghymru. Ai tynged anorfod yr iaith oedd iddi sicrhau ei lle yn gyfrwng llên a diwylliant a bywyd ysbrydol y genedl heb ddatblygu'n iaith ddogfen a threfn ac ai cyn yr Uno y seliwyd ei ffawd?...Erys y ffaith mai'r cymal cynhennus hwn sy'n dwyn y bai, ym meddylfryd y genedl, am adfyd yr iaith. Ond yn yr ysgrif hon awgrymwyd bod gofyn ystyried penderfyniad penodol y brenin yng ngolau'r hyn a wyddom am dueddfryd ac ewyllys y genedl ei hun, a hynny cyn i bŵerau gwladwriaeth sofran ddatgan eu dedfryd ar bwnc yr iaith.

31-32

SOUTHALL, J. E. (1855-1928)
1001

Some years ago I knew a Welshman in Newport, who assured me that about 1835 he had conversed in Welsh with the mistress of a farmhouse at Yazor, on the north bank of the Wye, 8 miles from Hereford, who assured him that in her childhood the children generally spoke Welsh there.

Wales and her Language...(1892), 343-44

Rai blynyddoedd yn ôl adwaenwn Gymro yng Nghasnewydd a'm sicrhaodd iddo fod, tua 1835, yn sgwrsio yn Gymraeg â gwraig ffarm yn Yazor, ar ochr ogleddol afon Gwy, wyth milltir o Henffordd. Dywedodd wrtho fod y plant yn gyffredinol yno yn ei phlentyndod hi yn siarad Cymraeg.

Taliesin
1002

Mae ewyllys da yn ardderchog o beth. Fe all y Bwrdd [Iaith] wneud llawer i chwyddo ewyllys da tuag at yr iaith. Ond mae'n wir iawn, iawn nad ar ewyllys da'n unig y bydd byw'r Gymraeg.

Nid ar ddefnyddio'r Gymraeg yn helaethach mewn dogfennau swyddogol o bob math na chwaith ar ei dysgu'n helaethach i blant ac oedolion mewn ysgol a chyrsiau Wlpan y bydd byw'r Gymraeg. Fe all defnydd ehangach gan gyrff cyhoeddus a phreifat o bob math godi statws yr iaith. Fe all ysgol a chwrs Cymraeg roi i bobol y gallu i fedru defnyddio'r iaith; fe allant greu siaradwyr Cymraeg potensial. Ond fe fydd byw iaith tra bod pobol yn ei siarad a'i defnyddio am ei bod yn beth naturiol iddynt wneud hynny. Miloedd ar filoedd ar filoedd o ddigwyddiadau ieithyddol yn amrywio o gyfarchiad 'Bore Da' i brynu neges yn y siop i raglen deledu i bregeth, cyfanswm y digwyddiadau amrywiol hyn, dyna yw bywyd iaith, ac os yw'r Gymraeg i fyw mae'n rhaid bod yn rhywle gymdeithasau cyfain lle mae mwyafrif y digwyddiadau hyn yn naturiol yn Gymraeg.

Taliesin, 67, Awst 1989, 5 ('Golygyddol')

THOMAS, BETH a PETER WYNN
1003
Agweddau digon cymysg sydd gennym ni'r Cymry at y tafodieithoedd. Ddechrau'r ganrif yr oedd Syr John Morris-Jones, arweinydd yr ymgyrch i safoni orgraff a gramadeg yr iaith yn drwm ei law ar ffurfiau tafodieithol. Creu iaith ysgrifenedig glasurol drwy apelio at yr hen safonau oedd nod Syr John ac at feirdd yr Oesoedd Canol y troes yn bennaf am awdurdod. Ni ellir gwadu ei gymwynas â'r iaith ysgrifenedig yn pennu sail urddasol ac angenrheidiol ar gyfer llenyddiaeth y ganrif hon; ond purydd oedd y diwygiwr hwn a gynhwysai lawer o

ffurfiau tafodieithol ymhlith y nodweddion a oedd i'w condemnio. Crynhoes ei athroniaeth gyffredinol tuag at y tafodieithoedd yn ei *Elementary Welsh Grammar*, a gyhoeddwyd yn 1921: 'The value of the tradition,' meddai, 'is that it represents the language in a form which was everywhere recognized as pure, and of which the various dialects represent different corruptions.'

Cymraeg, Cymrâg, Cymrêg (1989), [5]-6

1004
Amharod iawn fydd rhai ohonom i roi cynnig ar ddefnyddio'r iaith y tu allan i gylchoedd yr ydym yn gwbl gyfarwydd â hwy ac y gallwn deimlo'n 'ddiogel' ynddynt. Adlewyrchir y diffyg hyder hwn yn y llifeiriant enwau sydd gan siaradwyr y Gymraeg am eu hiaith eu hunain. Clywsom rai a chanddynt Gymraeg digon praff yn cyfeirio at eu tafodiaith yn ddifrïol fel 'Cymraeg shiprys', 'Cymraeg talcen slip', 'Cymraeg carreg calch', 'Cymraeg pot jam', 'domestic Welsh', ac yn y blaen...

Nid yw diffyg hyder yn gyfyngedig i'r sawl sydd yn siarad yr iaith o'r crud: gall dod i ymgydnabod â helaethedd yr amrywio tafodieithol yn y Gymraeg fod yn dipyn o siom i'r dysgwr yntau a pheri iddo feddwl nad yw'r hyn a ddysgwyd iddo yn Gymraeg 'go iawn'. Yr eironi yw bod nifer sylweddol o Gymry iaith gyntaf o'r farn mai'r gwrthwyneb sy'n wir: credant mai dysgwyr sy'n siarad 'Cymraeg cywir', 'Cymrâg llifir', neu 'proper Welsh'.
6

1005

Gyda datblygu darlledu yn y Gymraeg daeth llawer mwy o bwyslais ar yr iaith lafar yng nghyd-destun y cyfryngau torfol. Ond heb gynllunio ieithyddol gofalus y mae'n ddigon posibl na fydd dod ag acenion eraill i gartrefi drwy'r wlad yn gwneud dim ond cadarnhau'r rhagfarnau sydd eisoes yn bod ac yn cael effaith gwbl groes i'r hyn a fwriadwyd.

7

1006

Er gwaethaf pob barn a rhagfarn y mae lle canolog i'n tafodieithoedd yn ein bywydau beunyddiol a pherthynas hanfodol rhyngddynt a'n milltirsgwardod...

Ymhlith y cliwiau y byddwn yn chwilio amdanynt wrth gyfarfod â rhywun am y tro cyntaf bydd nodweddion ieithyddol, ac acenion a geiriau yn arbennig. Mae nifer fawr o eiriau'r Gymraeg—fel eiddo pob iaith arall—wedi eu cyfyngu yn ddaearyddol i ardaloedd led hawdd eu diffinio. Oherwydd hyn, gall craffu ar eirfa rhywun roi arweiniad clir i'r ditectif ieithyddol sydd yn ceisio dyfalu ym mhle y magwyd person.

7

1007

Pwysig...yw sylweddoli nad oes y fath beth â 'thafodiaith bur' ac nad oes unrhyw eiriau sydd yn eu hanfod yn 'well' na'i gilydd. Ceir geiriau ansafonol a geiriau benthyg yn iaith pob ardal ac nid yw'r ffaith nad yw *fflio* a *rwan* yn dderbyniol yn yr iaith safonol o'r pwys lleiaf wrth drafod tafodiaith. Dyma ffaith y bydd yn rhaid i'r dysgwr ddygymod â hi

yn lled gynnar yn ei bererindod ieithyddol: er cymaint ei ddymuniad i arddel gair Cymraeg am bob gwrthrych a chysyniad, buan y daw i weld mai rhwng cloriau'r geiriadur yn unig y mae cartref ymarferol nifer fawr o'r geiriau a ddysgodd mor frwdfrydig.

7

1008

Syniad ambell un am waith y tafodieithegydd yw mai diogelu 'purdeb y tafodieithoedd' y mae. Ond...mater o agwedd yw 'purdeb' a 'chywirdeb', nid rhywbeth sylfaenol a diymwad yn yr iaith. Disgrifio'r iaith fel y mae y bydd y tafodieithegydd, nid fel yr hoffai iddi fod.

8

1009

Amrywiadau oddi mewn i un iaith yw ei thafodieithoedd...Ond er bod gwahaniaethau yn llafar pobl o wahanol rannau o'r wlad, yr ydym yn derbyn ein bod i gyd yn siarad *Cymraeg*. Gallwn hefyd ddeall nifer o eiriau Llydaweg ond ni fyddai neb yn breuddwydio datgan bod y Llydaweg yn dafodiaith Gymraeg: mae cynifer o wahaniaethau ieithyddol rhwng y ddwy, a siaradwyr y naill a'r llall yn profi cymaint o anhawster wrth geisio deall ei gilydd fel y bo'n rhaid ystyried mai dwy iaith wahanol ydynt.

8

1010

Nid mewn gwagle mae iaith yn bod: *pobl* sydd yn ei siarad. Dros ganrifoedd lawer y datblygodd pob tafodiaith, ac yn ystod y cyfnod hwnnw bu ar bob un ddylanwadau lu. Gall nodweddion tafodiaith, felly, adlewyrchu'r cysylltiadau a fu rhwng ei siaradwyr a phobl o ardaloedd eraill, a'u mynd a'u dod o ardal i ardal.

Yng nghyd-destun tafodieithoedd y Gymraeg, bu cryn drafod am gydberthynas ffiniau tafodieithol ac eiddo hen unedau gweinyddol yr Oesoedd Canol. Gwir graidd y broblem, mae'n debyg, yw'r berthynas rhwng y ffiniau hyn a'r nodweddion daearyddol sydd yn isorweddol i'r ddau. Hyd at yn gymharol ddiweddar cyfyngid yn sylweddol ar gyfathrachu pobl o wahanol ardaloedd â'i gilydd gan rwystrau naturiol fel mynyddoedd uchel ac afonydd anodd eu croesi.

Erbyn heddiw, gyda'r gwella a fu mewn trafnidiaeth a chyfathrebu, nid yw rhwystrau daearyddol mor bwysig ag y buont. Aeth y boblogaeth yn fwy symudol a'r dylanwadau arni yn fwy amrywiol...daw S4C ag acenion o bob rhan o'r wlad i'n haelwydydd yn feunosol. Yr un pryd, darfu am y genhedlaeth uniaith Gymraeg, fel nad oes gan y rhan fwyaf gyfle i glywed ac etifeddu y math o iaith lawn a rhywiog a nodweddai bob pentref yn y gorffennol. Mae'r datblygiadau hyn i gyd yn cyfrannu at lefelu'r gwahaniaethau tafodieithol a fu'n annatod glwm wrth fröydd a chymunedau ers canrifoedd.

8-9

1011

Er mai ag ardaloedd penodol y byddwn yn tueddu i gysylltu'r syniad o dafodiaith, rhaid cofio nad ein bro enedigol yw'r unig ffactor a all ddylanwadu ar nodweddion ein hiaith lafar: gall iaith dyn amrywio hefyd yn ôl ei gefndir cymdeithasol. Er enghraifft, mae'n siŵr y byddai gwahaniaeth rhwng iaith gweinidog ac eiddo labrwr er iddynt gael eu magu yn yr un ardal. Ac mae'r un mor sicr y byddai'r labrwr yn llefaru'n wahanol yn y sêt fawr i'r hyn a siaradai wrth ei waith.

9

THOMAS, CEINWEN H. (1911-2008)
1012

Yr hyn sy'n sail i weithgarwch ieithyddol y deuddeng mlynedd diwethaf, gweithgarwch a grynhoir yn *Cymraeg Cyfoes*. ydyw'r syniad y gellir ac y dylid ymyrryd â ffurfiau'r iaith Gymraeg, gan ymwrthod â safonau traddodiadol yr iaith—eu disodli, nid ceisio eu hedfryd, fel y gwnaeth Syr John Morris-Jones ar gyfer yr iaith lenyddol. O ble y daeth y syniad anffodus hwn? Hyd y gellais olrhain, daeth o'r un man ag y daeth yr enw gogleisiol 'Cymraeg Byw', sef oddi wrth nid neb llai na Syr Ifor Williams yn ei Ddarlith Ŵyl Ddewi'r B.B.C.

Llên Cymru, xiii. (1980), 113

1013

Wrth egluro teitl y ddarlith, meddai Syr Ifor: 'Awgryma hynny fod dau fath o Gymraeg, Cymraeg byw a Chymraeg marw, a blys sydd arnaf i chwanegu fod Cymraeg llyfr i raddau yn Gymraeg marw neu led-farw a bod pob iaith lyfr yr un fath'. O gofio'r canlyniadau, dichon mai dyma'r frawddeg fwyaf anffortunus ar fater yr iaith a lefarwyd yn yr ugeinfed ganrif.

114

1014

Anffodus i'r eithaf oedd y labelau 'Cymraeg Byw' a 'Chymraeg Marw' a osodai [Syr Ifor Williams] ar yr iaith lafar a'r iaith lenyddol a'r syniad bod angen ymyrryd â'r iaith am fod ynddi fylchau. Ymhlith addysgwyr y cafodd syniadau Syr Ifor Williams ddyfnder daear, ac aeth rhai ati i benodi panel i ymgodymu â'r gwaith ymarferol o 'bontio' (dyna'r gair bellach) y bwlch rhwng Cymraeg llafar a Chymraeg llyfr ar gyfer yr ysgolion.

114

1015

Ni all neb weithio yn hir ar unrhyw dafodiaith heb sylweddoli'r lle cwbl arbennig a ddyry ei siaradwyr, pa gyn lleied bynnag o fanteision addysg a gawsant, i'r iaith lenyddol ac i'r iaith lafar safonol, a gysylltir ganddynt fynychaf ag iaith y pulpud. Ymhlith siaradwyr y tafodieithoedd y daw'r tafodieithegydd i ddeall pa mor sicr ydyw'r Cymro cyffredin o safonau traddodiadol yr iaith, yn llafar a llên, a pha mor barchus ydyw ohonynt, ac mor chwithig a di-alw-amdano ydyw ymyrryd â hwy yn y dull sydd wedi mynd yn ffasiynol yn y cylchoedd addysgol. Nid damwain mai ymhlith tafodieithegwyr proffesiynol y Gymraeg y ceir gwrthwynebwyr mwyaf anghymodlon 'Cymraeg Byw' neu 'Gymraeg Cyfoes', os dyna'r enw cyfredol arno.

118-19

1016

Anodd credu bod y fath awgrym chwithig [i lanw bwlch yn sistem yr iaith yn y defnydd o'r trefnolion] wedi dod i ymenyddiau rhai y mae'r Gymraeg yn iaith gynhenid iddynt ac sydd yn ogystal yn raddedigion Prifysgol Cymru yn y Gymraeg. Ac er mor chwerthinllyd ydyw, y mae'n beth i dristáu amdano, oblegid y mae'n brawf digamsyniol—un o lawer, ysywaeth—fod greddf ieithyddol y Cymro Cymraeg yn gwanhau o dan orbwysau'r iaith Saesneg a'n haddysg Saesneg Seisnig, arwydd bod tranc yr iaith yn agos oni ddigwydd rhyw wyrth sydyn iawn.

128

1017

Daw'r tafodieithegydd i gysylltiad yn aml â siaradwyr nad yw eu haddysg Saesneg wedi bod yn ddigon helaeth i danseilio eu Cymraeg ac a gafodd y fantais o addysg yr Ysgol Sul cyn i honno golli tir yn enbyd. Y mae'r rhain yn dystiolaeth fyw i'r ffaith fod rhifolion naturiol y Gymraeg mor hawdd ac mor ymarferol â rhifolion unrhyw iaith arall, a byddant yn eu defnyddio'n naturiol i bob diben y mae angen rhifolion ar eu cyfer, nid eu cyfyngu at ddweud yr amser ac oedran hyd at 30 a ffolinebau felly.

129

1018

Y mae i'r Gymraeg o leiaf un ffurf lafar heblaw'r tafodieithoedd a honno yw'r iaith lafar safonol...Nid iaith wneud mohoni, gan iddi dyfu yn y lle cyntaf i gwrdd ag anghenion y pregethwyr Anghydffurfiol ar draws y wlad. Fel pob iaith naturiol, y mae iddi arddulliau ar gyfer gwahanol sefyllfaoedd: ei harddull ddefodol ar gyfer anghenion cyhoeddus o bob math, gwasanaethau crefyddol...ei harddull lai defodol ar gyfer darlithio mewn prifysgol neu goleg, neu gyhoeddi'r newyddion ar y radio, a'i harddull ymgomiol.

150

1019

Y mae'r werin yn sicr ei greddf wrth fynnu arddel yr iaith hon [yr iaith lafar safonol] ar gyfer pob sefyllfa nad yw tafodiaith (ffurf leol ar yr iaith, wedi'r cwbl) yn addas ar ei chyfer. Ac onid arwydd fod greddf y Cymro addysgedig wedi gwyrdroi ydyw'r diwydrwydd hynod a fu yn ein plith i fathu ffurf newydd safonol i ddisodli'r un a etifeddwyd gennym...Y mae gennym iaith lafar safonol eisoes mewn bod, iaith a dyfodd yn hollol naturiol i gwrdd ag angen y gymuned Gymraeg. Yr hyn sy'n ofynnol ydyw dysgu rheolau hon a sut yn union y bydd y siaradwyr yn ei hamrywio o dan amodau seremonïol neu pan ddefnyddir hi wrth annerch yn gyhoeddus neu wrth ymgomio...Yr ydym, fel cenedl, yn ffodus iawn ei bod hi gennym. Hebddi bydd* y Gymraeg yn dirywio yn gyfres o dafodieithoedd digyswllt a dyna brysuro ei thranc.

151-52

THOMAS, DAVID (1880-1967)
1020

Dywedwyd mewn araith yn Nhŷ'r Arglwyddi ychydig wythnosau'n ôl fod boneddigion Cymru wedi ymseisnigo ar ôl i'r Tuduriaid esgyn i orsedd Lloegr yn 1485, a bod yr iaith Gymraeg wedi edwino o hynny ymlaen. Y mae ail ran y gosodiad hwn yn gwbl gyfeiliornus. Y mae'n wir fod y boneddigion Cymreig

wedi troi'n Saeson, ac ymhen dwy ganrif ar ôl esgyniad y Tuduriaid, sef oddeutu diwedd yr ail ganrif ar bymtheg, yr oedd y cwrs ymseisnigo wedi ei gyflawni yn o llwyr. Nid edwino a wnaeth yr iaith Gymraeg o hynny ymlaen, ond mynd o nerth i nerth am ugeiniau o flynyddoedd.

Lleufer, xv, Gwanwyn 1959, [1]

1021

Yn ystod y ganrif ddiweddar [*sic*] y dechreuodd y Cymry golli eu hiaith, a'r prif reswm am hynny oedd dysgu Saesneg. Nid yr ysgolion a achosodd hynny; buasai'r peth wedi digwydd pa un bynnag, ond fe brysurodd yr ysgolion y gwaith. Cyhyd ag yr oedd y Cymry'n Gymry uniaith yr oedd yr iaith yn ddiogel, ond o dan amodau'r oes newydd yr oedd yn anochel fod y Cymry'n dysgu Saesneg.

2

1022

Y mae llawer o Gymry heddiw, cyhyd ag y medrant Saesneg, ni theimlant angen am yr iaith Gymraeg; Saesneg ydyw iaith y rhan fwyaf o'u diddordebau. Ni waeth heb sôn wrthynt am ogoniant llenyddiaeth Gymraeg; nid ydynt yn cael blas ar lenyddiaeth. Ni waeth heb ddangos iddynt mai drwy'r iaith Gymraeg y gallant fynd i mewn i fywyd eu hynafiaid; nid oes ganddynt ddiddordeb yn eu hynafiaid, nac yn hanes Cymru.

2

1023

Am rai cenedlaethau bydd digon o Gymry sydd â diddordeb mewn diwylliant a hanes i gadw'r iaith yn fyw, hyd yn oed er iddynt fynd yn llai o genhedlaeth i genhedlaeth; ond os ydyw'r iaith Gymraeg i ddal ei thir, a chryfhau yn hytrach na gwanychu, rhaid inni ei gwneud yn werth gan y werin gyffredin ei siarad, a'i dysgu i'w plant.

2

THOMAS, Y Parchedig DEWI W.
1024
Byddai Anti Anne yn dysgu elfennau gwau i'r disgyblion drwy gyfrwng y Gymraeg...Gyda llaw, yr oedd y Gymraeg yn cael lle anrhydeddus yn Ysgol Tegryn, ac...nid ystyrid mohoni yn orthrwm ar blentyn i ddysgu iddo iaith safonol i fodoli'n gyfochrog â'i iaith lafar. Dyna, yn fy marn i, sut y dylai hi fod.

Cysgodau'r Palmwydd (1988), 47

1025
Y mae Llyfr Blegywryd yn llenyddiaeth, ac yn dangos nad iaith beirdd a phregethwyr, yn unig, mo'r Gymraeg. Y mae iddi gyfoeth geirfa ac ystwythder pwrpasol at bob diben, ond bod llawer yn rhy snobyddlyd neu'n rhy ddiog i weld hynny.

Hynt y Sandalau, 8

THOMAS, EDWARD MORLEY neu NED (1936-)
1026
Fe welir yn glir yn narlithiau Arnold *On the Study of Celtic Literature* fod yr un agwedd a oedd yn canmol cyfoeth y llên gynnar, am ddiystyru'r Gymraeg fel cyfrwng llên ac ysgolheictod cyfoes.

Y Traethodydd, Hydref 1990, 194

1027
Ni fedr y cenedlaetholwr mwyaf brwd obeithio creu byd bach cwbl Gymraeg bellach...

Byw gyda'r ymwybyddiaeth o bliwraliaeth—dyna a fydd rhaid i'r Gymraeg a phob iaith arall ei wneud. Mae'r cyflwr yn un sy'n hen gyfarwydd i genhedloedd bychain canolbarth Ewrop, ond mae'n newydd i ni, ac y mae'n gofyn am greadigrwydd newydd yn y diwylliant Cymraeg.

195

THOMAS, MORRIS
1028
Synnwn braidd ei bod yn mentro defnyddio cynifer o eiriau llafar gwlad. Dichon y bydd hyn yn rhwystr i ddieithriaid fwynhau'r stori, ond i mi, sydd yn frodor o'r ardal, yr oedd gweled y geiriau hyn fel cyfarfod â hen ffrindiau. [Adolygiad ar Kate Roberts, *Traed mewn Cyffion*]

Y Traethodydd, Gorffennaf 1936, 187

THOMAS, R. J. (1908-76)
1029
Fe ddichon mai ystrydeb yw'r gosodiad fod astudiaeth o'r tafodieithoedd yn anhraethol anos heddiw nag a fuasai ugain mlynedd yn ôl. Dyna'r caswir, er hynny. Rhwng hap a damwain troell naturiaeth hi aeth bellach yn bur fain ar y tafodieithoedd. Oni bu'r ysgol gyngor ar waith yn unioni ac yn gwastatáu llwybrau llafar gwlad, fel petai, yn briffordd unieithwedd, a rhwnc y corn radio'n trawswthio unrhywiaeth ar iaith, boed lyfr boed lafar?

Yr Eurgrawn, cyf. 139, Medi 1947, 278

THOMAS, R. S. (1913-2000)

1030

Yn sicr ddigon iaith gynganeddol wrth natur ydyw'r Gymraeg. A dyma golled y beirdd Eingl-Gymraeg fel y'u gelwir. Ni fedrant hwy ddyfod ag enwau lleoedd Cymraeg i'w cerddi mewn modd hanner mor naturiol ac effeithiol ag a wna'r beirdd Cymraeg, yn enwedig yr hen gywyddwyr.

Abercuawg (1976), 5

1031

Fel y gŵyr pob un sy'n gorfod siarad Saesneg, mor aml y mae yna demtasiwn i beidio â gwneud cyfiawnder ag enw Cymraeg ynghanol llond ceg o'r iaith fain. Ac yn y modd yma y caiff enwau lleoedd Cymraeg eu llygru a'u llurgunio.

6

1032

Y mae'r iaith Gymraeg mewn perygl. Ym marn rhai y mae ei thranc hi ar y gorwel. Yn sicr bydd caredigion y Gymraeg yn gorfod gofyn iddynt eu hunain yn amlach byth yn y dyfodol: 'I ba ddiben yr holl drafferth ac aberth er cadw'r iaith yn fyw? Onid ydym yn mynd yn debycach i'n gilydd dros y byd i gyd, ac onid hynny sydd i fod?'

8

1033

Oni welsom ni Rydlafar yn troi'n Red Lava, a Phenychain yn Penny Chain, a Chwm Einion yn Artists' Valley, a Phorthor yn Whistling Sands a'r Cymry'n fodlon arnynt? Oni chlywir yr iaith fain ym mlaenau ein cymoedd bellach ac ar gopaon ein mynyddoedd?...Oni

phriodasom ni â phobl ddieithr a magu plant a anghofiodd am eu mamiaith hyd at ei dilorni?

17

1034

Dyma i chi gri'r cyfaddawdwyr. Eu cred nhw ydyw mai'r unig ffordd i ddyfod ag Abercuawg i fod neu i'w hamddiffyn wedyn ydyw trwy beidio â rhwystro datblygiadau cyfoes, eithr ceisio eu troi at ddibenion da. Ond nid trwy gyfaddawdu y cyrhaeddwn ni Abercuawg. Ac y mae dwyieithedd...yn gyfaddawd. Os caiff caredigion dwyieithedd eu ffordd, bydd rhaid cael fersiwn Saesneg ar y mynegbost sy'n cyfeirio at Abercuawg, a honno uwchben y Gymraeg wrth reswm! Ond y gwir ydyw nad oes modd i'w chyfieithu yn fwy nag y mae modd cyfieithu'r gynghanedd.

18

1035

Paham y dylai fod eglwys ddwyieithog mewn ardal hollol Gymraeg, yn unig oblegid bod Sais cefnog yn byw yno? Od oes arno eisiau addoli yn yr eglwys leol, dysged ei hiaith. Ond rhaid yma gofio mai arnom ni y mae ychydig o'r bai hefyd. Os nad ydym yn ein parchu ein hunain, os nad oes gennym ddigon o asgwrn cefn i wrthsefyll y llif Seisnig, nid oes dim arall i'w ddisgwyl ond diystyrwch.

Pe Medrwn yr Iaith ac Ysgrifau Eraill, 44

1036

Petai'r iaith gennyf pan euthum i Fanafon, buasai'n haws eu denu nhw [yr ardalwyr] i'w siarad oblegid yr oedd nifer ohonynt yn ei medru hi o hyd. Cymraeg oedd enw pob fferm a phob teulu, ond acen sir Amwythig oedd gan y rhan fwyaf ohonynt gyda rhyw gymysgedd rhyfedd iawn o briod-ddulliau Cymraeg.

69

1037

Y peth od am Fanafon oedd ei fod yn edrych mor Gymreigaidd er nad oedd yr iaith yno bellach. Gwir fod pobl y dafarn ar noson ffair yn mynd adref yn hwyr y nos dan floeddio emynau dros y lle. Ond nid oedd y Gymraeg yn cael ei harfer ganddynt ond ar adegau. 'Roedd wedi diflannu o ysgol y pentref er cyn dechrau'r ganrif, er yn aros dipyn bach yn hwy yn eglwys y plwyf...Hen blwyf oedd Manafon, gyda'r cofrestri'n mynd yn ôl i'r bymthegfed ganrif. Yn wir, roedd y cofnodion cynnar yn yr iaith Ladin, cyn troi, nid i'r Gymraeg ond i Saesneg. A hyd yn oed yn nyddiau Cymry glew fel Gwallter Mechain, Saesneg oedd iaith y cofnodion oll.

74-75

1038

Yn y Gymru sydd ohoni heddiw, y mae yna le, mi gredaf, i bob math ar lenydda, ar yr amod ei bod mewn Cymraeg byw, ac nid mewn rhyw fratiaith sathredig...Os gelwir ar fardd i ganlyn traddodiad mawr y canrifoedd, gadewch iddo ddangos bod ysblander a choethder o fewn cyrraedd y Gymraeg heddiw yr un fath â doe. Os cred un arall fod angen straeon anturiaethus neu ddigrif, gadewch iddo yntau brofi bod hyn hefyd yn bosibl yn Gymraeg yn union megis mewn ieithoedd eraill.

123

1039

Petai'r Gymraeg mor rymus ac mor hyblyg gennyf ag yr oedd hi yn nwylo Ellis Wynne, dyweder, byddwn yn ei harfer i ddatgelu rhagrith, diogi a thaeogrwydd y genedl heddiw, a'u fflangellu nes bod fy narllenwyr yn cochi o'u corun i'w sodlau.

124

1040

Pan ofynnir i mi: Beth yw Cymro?, byddaf yn ateb yn ddi-feth: Dyn sy'n siarad Cymraeg. Rwy'n gwybod bod yna lawer iawn, yn enwedig ym Morgannwg, sy'n gweld hynny'n rhy gyfyng fel disgrifiad. Eto, rydw i o'r farn mai rhoi troed ar y llithrigfa tuag at Brydeindod ydi ateb yn amgenach.

155

1041

Nid oes gennym ddim byd i'n gwahaniaethu oddi wrth eraill ond y Gymraeg. A ffawd yr iaith honno ydi gorfod brwydro'n erbyn un o'r ieithoedd mwyaf hyblyg a dylanwadol a welodd y byd erioed...Gyda'i holl adnoddau...nid oes ryfedd fod Lloegr yn gallu dallu'r Cymry a chreu teimlad o israddoldeb sy'n eu diddyfnu oddi wrth eu mamiaith.

156

1042

Ni welaf fi ddim ffordd arall at undod yng Nghymru ond trwy'r Gymraeg. Mae'n rhaid dechrau a gorffen yn y fan honno, neu ni bydd ein holl ymdrechion eraill o unrhyw werth. Beth yw Cymru heb y famiaith?

Os oes unrhyw un yn credu y gallai

brofi blas Cymreig heb yr iaith, mae'n ei dwyllo'i hun.
156

THOMAS, W. C. ELVET
1043
Teimlais, a pharhaf i deimlo felly, na all Cymru fyw heb y Gymraeg, a theimlais yn gynnar fod bod yn Gymro i mi yn golygu rhoi fy mywyd i'r Gymraeg.

Fy Nghymru I (gol. John Jenkins, 1978), 102

1044
Gwyddom oll fod lleihad difrifol yn nifer y rhai sy'n gallu siarad Cymraeg a bod yr iaith mewn argyfwng...Er bod yn rhaid ymgodymu â gelyniaeth—ac y mae, fel y gwyddom, elyniaeth ddieflig at yr iaith mewn rhai cyfeiriadau—rhaid ymgodymu hefyd â rhyw ddifrawder neu ddiogi ysbrydol, a gall y difrawder a'r diogi yma fod yn fwy peryglus na gelyniaeth agored. Diogi yn hytrach nag anwybodaeth sy'n gyfrifol am y Gymraeg fratiog a glywir mor aml pan fydd cyfweliadau ar raglenni radio a theledu.
106

1045
Hyd yn oed os oes llai o bobl ar gyfartaledd yn siarad Cymraeg heddiw yr wyf yn ymwybodol iawn fod i'r Gymraeg yn awr amgenach statws nag a oedd iddi pan oeddwn i'n blentyn yng Nghaerdydd. Mae wedi ennill parch mewn cylchoedd lle gynt nad oedd ond dirmyg tuag ati a diffyg cydnabyddiaeth. Pa mor feirniadol bynnag y bôm o'n pobl ieuainc, rhaid cydnabod mai i wroniaid ohonynt hwy, yn anad neb, yr ydym i briodoli'r

gwelliant yma. Drwy frwydro caled ac yn wyneb gwawd ac amhoblogrwydd—a dioddef carchar gan lawer—y cafodd y Gymraeg hynny o 'hawliau' newydd sydd bellach ganddi.
106

1046
Bûm yn siarad Cymraeg â llawer ohonynt [dysgwyr] ac ni allwn lai na theimlo eu bod yn ystyried bod gwybod Cymraeg wedi dod â dimensiwn newydd i'w bywydau.
107

TILSLEY, Y Parchedig GWILYM R. ('Tilsli'; 1911-97)
1047
Fe deimlwn i yn llawer mwy cysurus a ffyddiog pe gallwn gredu bod y rhelyw o'r Cymry Cymraeg yn prisio a charu eu hiaith, ond mewn ardal fel hon sydd mor agos i'r ffin â Lloegr deuaf bron bob dydd ar draws pobl heb rithyn o ofal a fydd yr iaith byw ai peidio. Troant yn gyson i siarad Saesneg â'u cyd-Gymry, deuant â Saesneg yn gwbl ddiachos i drafodaeth Gymraeg, siaradant Saesneg â'u plant ac y mae holl faes eu darllen a'u sgwrsio a'u holl ddiddordebau yn uniaith Saesneg.

Yr Eurgrawn, 163, Gwanwyn 1971, [1]

1048
Y mae'r ffaith bod yn rhaid i Gymro Cymraeg yn ei wlad ei hun ymladd am bob owns o gyfiawnder i'w iaith yn creu chwerwedd yn y galon ac yn gwneud torcyfraith yn y diwedd bron yn anorfod.

163, Haf 1971, [49]

1049

Na phrysured neb i gyhoeddi'r angladd: y mae mwy o wytnwch yn y Gymraeg nag a dybiodd llawer.

163, Haf 1971, [49]-50

1050

Caiff rhai miloedd o blant Cymru gyfle bellach yn yr ysgol i ddysgu darllen ac ysgrifennu'r iaith, ac mewn enw o leiaf gweithredir polisi dwyieithrwydd ym mhob rhan o Gymru. Ond hyd yn oed lle gweithredir polisi o'r fath yn gyson a chydwybodol, bendith gymysg iawn yw dwyieithrwydd lle bo un iaith yn wannach na'r llall. Un o'r dylanwadau cryfaf o blaid Saesneg ac yn erbyn y Gymraeg erbyn hyn yw'r set deledu.

165, Haf 1973, 51

1051

Dywedir gan rai, mi wn, ei fod [Dr Tecwyn Evans] wedi torri calon ambell ysgrifennwr ifanc fel na ddefnyddiai'r Gymraeg byth mwy, ac efallai bod hynny'n wir. Purydd a pherffeithydd ydoedd ef ac yr oedd yr iaith mor annwyl yn ei olwg fel na allai oddef gweld ei llurgunio, a gresynaf wrth feddwl beth a ddywedai pe gwelai rai o'r llyfrau a ddaw o'r Wasg Gymraeg y dyddiau hyn.

168, Gaeaf 1976, 147

1052

Deallaf nad yw Cymdeithas yr Iaith yn fodlon ar yr hyn a addawyd [ynglŷn â rhaglenni Cymraeg ar y Bedwaredd Sianel]...Gwêl eraill fod yma gyfle o'r diwedd, gwell cyfle meddai un nag a gafwyd er pan gyfieithwyd y Beibl yn 1588, i roi bywyd newydd yn y Gymraeg.

Ni ellir anwybyddu'r perygl o wneud y Cymry yn *ghetto*, fel y rhybuddiodd y diweddar Jac L. Williams, ond os cydweithiwn â'n gilydd fel y dylem gallai'r drefn newydd hon agor byd newydd i'r Gymraeg yn y dyfodol.

170, Hydref 1978, 100

1053

Soniais am ddiwylliant a diwydiant: dyna'r union ddeuair a gynigiwyd gan Gymro rai blynyddoedd yn ôl i Gyngor Bwrdeisdref Wrecsam-Maelor pan geisiai'r corff hwnnw arwyddair newydd i'r dref, ond gwrthodwyd yr awgrym ar y tir na ddeallai mwyafrif y trigolion ystyr y geiriau, a phenderfynwyd derbyn arwyddair Lladin! Parodd hyn imi gofio cyfarfod o Gyngor yr Eisteddfod rai blynyddoedd ynghynt pan ddadleuai un yn erbyn canu rhyw ddarn clasurol yn Gymraeg am fod mwyafrif y côr heb ddeall Cymraeg. 'Wrth gwrs,' meddai'r diweddar Syr Thomas Parry-Williams yn syth, 'maen nhw i gyd yn deall Lladin.' Y mae digwyddiadau bach o'r math yma yn ein hatgoffa mor fregus yw einioes yr iaith Gymraeg yn ei gwlad ei hun lle mae pobl yn barod i'w hepgor a'i difrïo ar yr esgus lleiaf.

172, Gaeaf 1980, [154]-55

1054

Ni allaf lai na chydymdeimlo â delfryd mudiad Adfer o sefydlu bro Gymraeg lle gallai'r trigolion fyw eu holl fywyd trwy gyfrwng yr iaith, ond er mor ddymunol fyddai peth o'r fath i lawer ohonom, ni allaf gredu mai dyma'r ateb i'n problem. Daeth dwyieithrwydd yma i aros, ac er cymaint o berygl yw hynny i ddyfodol y Gymraeg, rhaid inni ymladd ei brwydr yn y sefyllfa sydd ohoni, a cheisio achub ar bob cyfle i gryfhau breichiau'r Gymraeg.

172, Gaeaf 1980, 155

1055

Cwestiwn...perthnasol a phwysig odiaeth ydyw: 'Pa fath o iaith fydd yn goroesi?' Y mae Syr Thomas Parry a Mrs Mary Wiliam ac eraill wedi'n rhybuddio'n ddiweddar mor llac a llwgr yw llawer o'r Gymraeg a glywir o'n cwmpas. Ni all unrhyw Gymro a glywodd lefaru'r iaith yn ei phurdeb lai na gresynu wrth y fratiaith ddiurddas a glyw. Ar wahân i rai eithriadau y mae Cymraeg y cyfryngau swyddogol yn ddigon gwantan, ond pan eir allan i'r stryd i ofyn barn y 'Cymro cyffredin' ar ryw bwnc, wel, y nef a'n gwaredo!, neu pan ofynnir barn rhyw 'arbenigwr' o fyd masnach neu ddiwydiant ar bwynt technegol, llenwir pob brawddeg â geiriau Saesneg er bod digonedd o eiriau Cymraeg digon syml i'w cael. Pe bai'n bosibl i'r diweddar Ddr Tecwyn Evans glywed rhai o'r erchyllterau hyn, byddai'n troi'n ei fedd. Ond hawdd yw beio eraill; nid drwg o adduned blwyddyn newydd i bawb ohonom fyddai penderfynu defnyddio'n hiaith ym mhob man posibl a'i llefaru mor gywir ac mor urddasol ag y gallwn.

172, Gaeaf 1980, 155

Tîm Ymryson Sir Aberteifi
1056

Nid y cledd ond y weddi—a'i harddwch
  A rydd urddas arni;
  Mae nodded tu mewn iddi
  I'r Gymraeg rhag ei marw hi. ['Gorsedd y Beirdd']
Awen Aberteifi (1961), 151

Times, The
1057

The Welsh language is the curse of Wales. Its prevalence and the ignorance of English have excluded, and even now exclude, the Welsh people from the civilization, the improvement, and the material prosperity of their English neighbours...Their antiquated and semibarbarous language, in short, shrouds them in darkness...If Wales and the Welsh are ever thoroughly to share in the material prosperity, and...the culture and the morality of England, they must forget their isolated language, and learn to speak English and nothing else...For all practical purposes Welsh is a dead language.

8 September 1866 (dyf. Hywel Teifi Edwards, *Gŵyl Gwalia*, 1980, 327-28)
Melltith ar Gymru yw'r iaith Gymraeg. Mae ei chyffredinolrwydd hi a'r anwybodaeth o'r Saesneg yn y gorffennol a hyd yn oed heddiw yn cau'r Cymry allan o wareiddiad, gwelliannau, a ffyniant materol eu cymdogion y Saeson...Mae eu hiaith hen ffasiwn a hanner-barbaraidd, mewn gair, yn eu hamdoi mewn tywyllwch...Os yw Cymru a'i phobl fyth i gyfrannu o ddifrif o ffyniant materol, a...diwylliant a moesoldeb Lloegr, rhaid iddynt anghofio eu hiaith ynysedig a dysgu siarad Saesneg a dim arall...I bob pwrpas ymarferol, iaith farw yw'r Gymraeg.

Traethodydd, Y
1058

Ymddengys wrth ysgrifeniadau mor hen â'r ddeuddegfed a'r drydedd ganrif ar ddeg, fod yr amrywiol briod-ddulliau perthynol i wahanol barthau Cymru yn hanfodi yn yr oesoedd hynny yr un modd ag y maent yn awr. Dichon i'r amrywiaethau hynny ar y cyntaf gyfodi, mewn rhan, oddi wrth fod y wlad wedi ei rhannu yn yr hen oesoedd yn llawer o fân dywysogaethau, a'r rhai hynny yn fynych yn elynol i'w gilydd, ac heb nemor ymgyfathrach rhyngddynt.. Dyfodiad dieithriaid i fysg y naill lwyth neu y llall a effeithiai mewn amser radd o wahaniaeth yn llafariad yr iaith. Dylid cofio fod y bobl gyffredin yn y cynoesoedd yn ymddibynnu bron yn hollol ar eu harglwyddi, ac...yr oedd yn naturiol i'r rhai hyn efelychu eu harglwyddi yn eu dull o siarad fel mewn pethau eraill.

Cyf. iii (1847), 4

1059

Er nad yw ddichonadwy cael un safon perffaith a digyfnewid...eto, mae cael un da yn fuddiol tuag at gadw purdeb iaith, ac i atal, rheoleiddio, a lleihau yr amrywiaethau o dafodiaith daleithiol a llygriadau lleol. Yn Lloegr, ymddengys mai y llys a'r senedd yn y brifddinas, yn bennaf, sydd yn rheoleiddio yr iaith; a thebygol yw y bydd i ymdaeniad addysg gyffredinol trwy y deyrnas yn raddol wisgo ymaith yr amrywiaethau taleithiol yn lled lwyr. Gyda ni, cyfieithiad awdurdodedig y Beibl yw safon purdeb y Gymraeg, neu o leiaf a gydnabyddir felly yn awr.

4

Twm o'r Nant, gw. **EDWARDS**, THOMAS (1738-1810)

VALENTINE, Y Parchedig LEWIS (1893-1986)

1060

O deued dydd pan fo awelon Duw
yn chwythu eto dros ein herwau gwyw,
a'r crindir cras dan ras cawodydd nef
yn erddi Crist, yn ffrwythlon iddo ef,
a'n heniaith fwyn â gorfoleddus hoen
yn seinio fry haeddiannau'r addfwyn Oen.

Caneuon Ffydd, Emyn 852

1061

Y mae'r Gymraeg yn marw! A wyt ti'n un o'r rhai sy'n ei gyrru i'w bedd?

Y Deyrnas (Misolyn Bedyddwyr Cymraeg Llandudno), Chwefror 1926

1062

Ai meddwl yr wyt ti y medri fod yn Sais da wrth golli dy Gymraeg? Medri, os ewyllysi, fod yn Gymro da a gwych, ond cred fi, Sais gwael fyddi di, a bydd Sais a Chymro gwir yn chwerthin am dy ben. Bydd yn Gymro da.

Mawrth 1926

1063

Cymraeg ar yr Aelwyd,
Cymraeg yn yr Ysgol,
Cymraeg yn yr Eglwys.
Diogeler hi yn y tri lle hyn, a bydd fyw byth.

Ebrill 1926

1064

Y mae'n bwysig i ti ddiogelu dy Gymeriad.
Y mae'n llawn mor bwysig i ti ddiogelu
    Iaith dy Famwlad.
A gollo ei gymeriad neu Iaith ei Famwlad
    a gyll Hunan-barch.
Mai 1926

1065

Y mae Cymry a gochant at eu clustiau os dywedwch wrthynt fod eu Saesneg yn glogyrnog. Ni chyffroant ddim os dywedwch wrthynt fod eu Cymraeg yn warthus. Haeddant y dirmyg a gaffont.

Awst 1926

VAUGHAN, HERBERT M. (1870-1948)

1066

In ceasing to speak their native language during the last century, the Welsh gentry were merely following in the wake of a unifying process that was at work throughout the whole kingdom...For Cornish, Scottish and Welsh squires equally, the dropping of their ancient tongue was but an inevitable step in the progress of social evolution.

The South Wales Squires (1926), 200

Wrth beidio â siarad eu mamiaith yn ystod y ganrif ddiwethaf, nid oedd yr uchelwyr Cymreig ond yn dilyn proses uno a oedd ar waith drwy'r deyrnas gyfan...I ysgweieriaid Cernyw, yr Alban, a Chymru fel ei gilydd, nid oedd rhoi'r gorau i'w hiaith hynafol ond cam anochel yng nghwrs datblygiad cymdeithasol.

VAUGHAN, ROWLAND (c. 1587-1667)

1067

Am yr iaith a arferais i i'w gyfieithu: yr ydwyf fi yn gweled cymaint o ragor rhyngddi ac iaith y Saeson ag sydd rhwng cochl newydd a chaberden glytiog...O Frutaniaid gwaedol, cymerwch chwithau beth poen a thraul i osod allan eich tafodiaith gyfoethog; oddieithr i chwi fod o'r un feddwl â'r Cymry Seisnigaidd, y rhai sydd yn tybied yn orau ddileu a

diffoddi ein hiaith ni; fel y byddai yr holl ynys hon yn llefaru yn iaith y Saeson.

Yr Ymarfer o Dduwioldeb (1630), [xxiv]

WATKINS, Y Parchedig R. H.

1068

Byddaf yn ymdrechu ysgrifennu yn weddol gywir, hyd y gallaf, ond nid wyf yn credu mewn aberthu popeth i gywirdeb iaith—y cywirdeb diddychymyg hwnnw a wna'r heniaith bêr yn anodd ei hysgrifennu, ac mewn rhai enghreifftiau yn amhosibl ei darllen. Fy amcan i...ydyw ysgrifennu Cymraeg ystwyth, seinber, darllenadwy; ac ni phetrusaf dorri ambell reol...pan fo ystwythder a cheinder ymadrodd yn galw am hynny. Gwir bod yn rhaid gofalu am gywirdeb mewn iaith, ond nac anghofier fod pethau eraill i ofalu amdanynt yn ogystal. Onid oes rhai a gyfrifir yn ieithyddwyr gwych yn ysgrifenwyr cwbl ddi-swyn, heb unrhyw syniad pa fodd i ffurfio brawddeg gain, brydferth, ddarllenadwy.

Cofiant Cyfoed (1931), Rhagair

WEBB, HARRI (1920-   )

1069

Colli iaith a cholli urddas
Colli awen, colli barddas
Colli coron aur cymdeithas
Ac yn eu lle cael bratiaith fas...

Cael yn ôl o borth marwolaeth
Cân a ffydd a bri yr heniaith
Cael yn ôl yr hen dreftadaeth
A Chymru'n dechrau ar ei hymdaith.

A Crown for Branwen (1974), 11

1070

[Thomas] Gray visited Wales and had ample opportunity to hear Welsh spoken...Described as 'the most learned man in Europe', there is no reason to question his sound knowledge of the language, one of the many he knew.

Poetry Wales (1976), 53

Ymwelodd Thomas Gray â Chymru a chafodd ddigon o gyfle i glywed Cymraeg llafar. Ac yntau wedi'i ddisgrifio fel 'y gŵr mwyaf dysgedig yn Ewrop', nid oes unrhyw reswm dros amau ei wybodaeth sicr o'r iaith, un o'r lliaws a fedrai.

1071

I find it in some way significant that Welsh made its most notable appeal to the marginals, the eccentrics and the loners among the English poets: Borrow, Barnes, Peacock and...Hopkins.

58

Teimlaf ei bod rywfodd yn arwyddocaol mai at wŷr yr ymylon, yr ecsentrigion a'r digwmni ymhlith y beirdd Seisnig: Borrow, Barnes, Peacock a...Hopkins, yr apeliodd y Gymraeg yn fwyaf arbennig.

WHEELER, Syr MORTIMER
1072

Latin was the only written language in Roman Britain. There is not a single inscription here, in any script, in a Celtic language dating from the Roman or pre-Roman age...But that is not to say that Celtic was not widely used in conversation. Indeed, if we make allowance for the greatly enhanced literacy of modern Wales, it is likely that the position was very much as it is today in those Welsh counties where Welsh remains the dominant spoken language.

Roman Archaeology in Wales (Darlith Flynyddol y BBC, 1957), 18-19

Lladin oedd yr unig iaith ysgrifenedig ym Mhrydain Rufeinig. Nid oes yma gymaint ag un arysgrif, mewn unrhyw sgript, mewn iaith Geltaidd sy'n dyddio o'r oes Rufeinig neu gyn-Rufeinig. Mewn geiriau eraill, yn yr iaith estron y trawsgrifid pob busnes swyddogol a masnachol. Ond nid yw dweud hynny'n golygu na wneid defnydd helaeth o'r Gelteg wrth ymddiddan. Yn wir, ac ystyried llythrennedd llawer rhagorach y Gymru fodern, mae'n debyg fod y sefyllfa i raddau helaeth yn gyffelyb i'r hyn ydyw heddiw yn y rhai hynny o siroedd Cymru lle mae'r Gymraeg yn parhau i fod yr iaith lafar bennaf.

1073

The average Roman Briton had to learn to speak and write his Latin at school; but the unwritten language that he talked to his pals on the way to or from school is nobody's business. I have no doubt that his natural colloquial language was Celtic; that is Welsh...In Roman Britain, generally speaking, it is fair to suppose that Latin was the school language and Celtic or Welsh was the home language, except in some of the higher official circles.

19-20

Rhaid oedd i'r Brython-Rufeiniwr cyffredin siarad ac ysgrifennu ei Ladin yn yr ysgol; ond am yr iaith anysgrifenedig a siaradai â'i ffrindiau ar y ffordd yn ôl a blaen i'r ysgol, nid yw honno o bwys i neb. Nid oes gennyf unrhyw amheuaeth mai Celteg, hynny yw, Cymraeg, oedd ei iaith lafar naturiol ef. Ym Mhrydain Rufeinig, a siarad yn gyffredinol, teg tybio mai Lladin oedd iaith yr ysgol a Chelteg neu Gymraeg oedd iaith y cartref, ac eithrio yn rhai o'r cylchoedd swyddogol uchaf.

1074

You may recall the barbarous old custom in nineteenth century Welsh schools of hanging a board known as the Welsh Not round the necks of pupils caught talking Welsh in school instead of English. I sometimes wonder whether schools of Roman Britain had already adopted a similar practice in their efforts to inculcate a respectable knowledge of Latin amongst their Celtic clientele.

20

Efallai eich bod yn cofio'r hen arferiad barbaraidd yn ysgolion Cymru yn y bedwaredd ganrif ar bymtheg o grogi darn o bren a adnabyddid fel y *Welsh Not* am yddfau disgyblion a ddelid yn siarad Cymraeg yn hytrach na Saesneg yn yr ysgol. Byddaf yn meddwl weithiau tybed a oedd ysgolion ym Mhrydain Rufeinig eisoes wedi mabwysiadu arfer tebyg wrth ymdrechu i wthio gwybodaeth weddol o Ladin i bennau eu disgyblion Celtaidd.

1075

As in more modern Welsh, so in the ancient language, the words for non-Welsh things, for things introduced by the Roman conqueror, were of necessity adopted from the intrusive language...With the sophisticated architecture of the Romans came the use of windows, fenestra in Latin and hence ffenestr in Welsh; of partitions, paries in Latin and pared in Welsh...And in household equipment...patella in Latin, padell in Welsh...What I have said is

enough to show that without disrupting or uprooting the native Celtic of the countryside, the Romans enriched the Welsh language...They no more imposed their language upon Wales than, at a later date, did the Normans impose their language upon England. But they left a permanent linguistic legacy behind them, whch has lasted to the present day.

20-21

Fel mewn Cymraeg mwy diweddar, felly yn yr hen iaith, am bethau anghymreig, pethau a ddygwyd i mewn gan y gorchfygwr Rhufeinig, mabwysiadwyd o raid eiriau o'r iaith ymwthiol...I ganlyn pensaernïaeth soffistigedig y Rhufeiniaid daeth y defnydd o ffenestri, *fenestra* yn Lladin ac felly *ffenestr* yn Gymraeg; o barwydydd, *paries* yn Lladin a *pared* yn Gymraeg...Ac yn offer tŷ...*patella* yn Lladin, *padell* yn Gymraeg...Digon yr hyn a ddywedais i ddangos bod y Rhufeiniaid, heb niweidio na diwreiddio Celteg frodorol cefn gwlad, wedi cyfoethogi'r iaith Gymraeg...Ni fu iddynt wthio eu hiaith ar Gymru fwy nag y gwnaeth y Normaniaid, mewn oes ddiweddarach, wthio eu hiaith hwythau ar Loegr. Ond gadawsant ar eu hôl etifeddiaeth ieithyddol arhosol sydd wedi parhau hyd y dydd heddiw.

1076

Gildas has often enough been discounted as a historical authority...He was in fact a vigorous, emotional Welsh preacher, whose Latinity is merely a thin veil over the Welsh in which, I strongly suspect, he did most of his thinking.

25

Diystyrwyd Gildas yn fynych ddigon fel

awdurdod ar hanes...Mewn gwirionedd, pregethwr grymus ac emosiynol o Gymro ydoedd, nad yw ei Ladiniaeth ond llen denau dros y Gymraeg, yr iaith, rwy'n amau'n gryf, yr oedd yn meddwl ynddi gan mwyaf.

WILIAM LLŶN (1534/5-80)
1077
Pe bai'r iarll pybyr ei win
Oll gerbron Lloegr a'i brenin,
Doedai ef, a didifar,
Gymraeg wrth Gymro a'i gâr, [I Wiliam Herbert, Iarll Penfro]
   Barddoniaeth Wiliam Llŷn (gol. J. C. Morrice, 1908), 73

WILIAM, URIEN (1929-2006)
1078
A bwrw fod tranc y Gymraeg yn agos—cyn diwedd y ganrif nesa, dyweder—a fyddai cenedl y Cymry'n dal i fod wedyn? Nid oes iaith genedlaethol yn yr Alban ac nid yw'n cyfrif rhyw lawer yn Iwerddon, eto i gyd, does neb a wadai fodolaeth y ddwy genedl honno. Mae'n bosibl y parhâi Cymru'n genedl hefyd—rhyw fath glastwraidd o genedl yn ymddiried mewn allanolion gweladwy i brofi'r honiad.
   Fy Nghymru I (gol. John Jenkins, 1978), 94

1079
A fyddai Cymru ddi-Gymraeg yn werth ymdrechu drosti?
   Ateb llawer ohonom fyddai—na—nid cenedl, cenedl heb iaith—dyna pam y mae rhieni di-Gymraeg yn anfon eu plant yn heidiau i'r ysgolion Cymraeg yn y De-ddwyrain; a dyna pam y mae dosbarthiadau Wlpanaidd ar gynnydd—

am fod bod yn Gymro'n golygu medru'r iaith i filoedd o Gymry di-Gymraeg.
   94

1080
Beth am y gweddill, y mwyafrif di-Gymraeg? Nid Saeson mohonyn nhw, hyd yn oed yn Neau Penfro...A ydym yn rhy barod i edliw iddyn nhw eu hanwybodaeth o'r iaith, gan awgrymu eu bod yn Gymry anghyflawn o'r herwydd? O ran hynny, pa hawl sydd gennym i ddisgwyl i'r di-Gymraeg ddysgu'r iaith? Teg a rhesymol yw disgwyl hynny yn y Fro Gymraeg lle mae goruchafiaeth y Saesneg yn ormes ac yn sarhad arnom, ond pa ddadl a all argyhoeddi trigolion Caerdydd a Chas-gwent, Y Fflint a'r Trallwng fod meistroli'r Gymraeg yn beth gwerthfawr ac angenrheidiol? Yr apêl at wladgarwch? Mantais economaidd? Dyletswydd genedlaethol a moesol? Y golled o fethu gwerthfawrogi cywydd ac englyn a cherdd dant a holl ogoniannau ein llenyddiaeth? Ond a ydy'n hiaith yn gyfoethocach na'r Saesneg a'n llenyddiaeth yn odidocach na llenyddiaeth Lloegr? Pwy ohonom a fentrai honni hynny o ddifri?
   94-95

1081
Efallai ei bod yn hen bryd inni gydnabod fod etifeddiaeth Gymreig gan y Cymry di-Gymraeg sydd mor ddilys ag etifeddiaeth y Cymry Cymraeg. Mae llu o enwau'n dod i'r meddwl mewn amrantiad—Jack Jones, Vernon Watkins, Dylan Thomas, Richard Llewellyn, Roland Mathias, Raymond Garlick, R. S. Thomas, Emyr Humphreys, Glyn

Jones...ac ati, yn ddiddiwedd...Gwŷr a ddewisodd sgrifennu yn iaith y mwyafrif, er bod amryw ohonyn nhw'n ddwyieithog, a'u bryd gan mwyaf, ar fwydo'r mwyafrif â diwylliant eu cymdeithas eu hunain a chryfhau eu teimlad o berthyn i'r genedl hon. Efallai'n wir fod llenydda yn Saesneg yn waith mor bwysig o safbwynt parhad y genedl, â sgrifennu yn Gymraeg erbyn hyn.

95

1082

Efallai ein bod ni'r Cymry Cymraeg yn rhy barod i gyfri'r rhai di-Gymraeg yn 'golledig'...mae'r cyffroadau mewn mannau fel Merthyr a Chaerffili'n awgrymu nad y Cymry Cymraeg yn unig piau gwladgarwch. Efallai, wedi'r cyfan, y parhâi Cymru'n genedl er iddi golli'i hiaith.

95

WILLIAMS, ELISEUS ('Eifion Wyn'; 1867-1926)

1083

Gwnawn, ni a'i cadwn. Os aed â'n gwlad,
Nid eir â'n heniaith oddi ar ein had;
A mefl ar dafod yr unben rhaith
A'i gwnelo'n gamwedd in garu ein hiaith...

Gwnawn lw i'w chadw o grud i grud,
Mewn llys ac Eisteddfod, am oes y byd;
A mefl ar dafod yr unben rhaith
Waharddo i Gymro fawrhau ei iaith.
  O fannau Epynt i fannau Llŷn,
  Mynnwn gael siarad ein hiaith ein hun.
Caniadau'r Allt (1927), 90

WILLIAMS, Syr GLANMOR (1920-2005)

1084

Ei Feibl ef [yr Esgob Morgan] oedd yr ateb cyflawn a diamheuol i'r cwestiwn a fuasai'n poeni llenorion ac ysgolheigion o Gymry ers hanner canrif: a allai'r iaith Gymraeg gwrdd â gofynion newydd chwyldroadol Oes y Dadeni ac Oes y Diwygiad? A allai fod yn gyfrwng dysg, yn deilwng i'w gosod ochr yn ochr â'r ieithoedd clasurol ac â'r ieithoedd mawr diweddar megis Ffrangeg, Eidaleg a Saesneg? Yr oedd yn amlwg bellach y gallai; a gosodwyd sail gadarn ar gyfer nid yn unig llenyddiaeth yr unfed ganrif ar bymtheg ond hefyd ar gyfer llenyddiaeth fodern Cymru. Gwnaed hynny ar yr union adeg pan oedd urdd y beirdd, a fuasai ers canrifoedd yn gweithredu fel ceidwaid a chynheiliaid yr iaith, yn dirywio'n arswydus.
Cof Cenedl (gol. Geraint H. Jenkins), I. 45

1085

Bu dylanwad y llenyddiaeth hon [llenyddiaeth oes y Diwygiad Protestannaidd] ar yr iaith Gymraeg hefyd yn allweddol. Yr hyn a arbedodd yr iaith rhag trengi, o bosibl, oedd sicrhau mai hi fyddai iaith addoliad cyhoeddus a darparu ar ei chyfer gyfieithiad o'r Beibl a'r Llyfr Gweddi a'r holl lenyddiaeth grefyddol gynorthwyol a oedd yn angenrheidiol...Yn y cyswllt hwn bu gwahaniaeth hanfodol rhwng y statws a roed i'r Gymraeg fel iaith crefydd o'i chymharu â'r ieithoedd Celtaidd eraill, megis Gwyddeleg, Gaeleg a Chernyweg. Ni chafodd yr un o'r ieithoedd hyn ei chydnabod fel iaith addoliad cyhoeddus. Dyna un o'r rhesymau pennaf

paham y llwyddodd y Gymraeg i ddal ei
thir yn well fel iaith ei phobl na'r un iaith
Geltaidd arall ym Mhrydain.

60-61

1086

*There was a large segment of the middle-
class Nonconformists that was ambivalent
in its attitude towards Welshness. David
Rees of Llanelli, for instance, probably the
foremost radical Nonconformist editor of a
Welsh language journal in early and mid-
Victorian Wales, thought the language was
doomed to fairly near extinction and that
the future lay with English. He believed
firmly that his fellow-Nonconformists, sad
though it might be for them to lose their
mother tongue, must accept its fate and be
prepared to cherish their politico-religious
principles through the medium of English.*

*Religion, Language, and Nationality in
Wales* (1979), 26

Yr oedd rhan helaeth o'r Anghydffurfwyr
dosbarth canol yn amwys eu hagwedd
tuag at Gymreictod. Er enghraifft, tybiai
David Rees, Llanelli, golygydd
Anghydffurfiol radical cylchgrawn
Cymraeg yng Nghymru ddechrau a
chanol Oes Fictoria—ond odid y
golygydd mwyaf blaenllaw--fod yr iaith
wedi'i thynghedu i'w dileu bron ac mai
Saesneg oedd piau'r dyfodol. Credai'n
gryf fod rhaid i'w gyd-Anghydffurfwyr, er
tristed fyddai iddynt golli eu mamiaith,
dderbyn ei thynged a bod yn barod i
goledd eu hegwyddorion politico-
grefyddol drwy gyfrwng y Saesneg.

1087

*On the one hand...economic change and
decline led to large-scale migration out of*
*rural and older industrial communities
alike...while into many previously strongly-
Welsh areas moved a sizeable influx of non-
Welsh people for employment, retirement,
second homes, study, or tourism. On the
other hand, the growth of modern means of
communication enabled the media of mass
entertainment and information, usually
employing the English language, to
penetrate to the remotest hamlets and
dwellings. Those trends have all contributed
to bringing about a sharp drop in the
numbers of those able to speak Welsh from
about 54 per cent in 1891 to 20.8 per cent in
the census of 1971. Along the route, adult
monoglot Welsh speakers have virtually
become an extinct race, though it is
necessary always to remember that there are
still a number of extensive, if thinly-
populated, areas in the north and west
where Welsh is still the normal medium of
day-to-day communication on the part of
the population.*

29-30

Ar y naill law...arweiniodd newid a
dirywiad economaidd i ymfudo ar raddfa
helaeth o gymunedau gwledig a'r
cymunedau diwydiannol hynaf fel ei
gilydd...tra daeth mewnlifiad sylweddol o
bobl ddi-Gymraeg i lawer rhanbarth a
oedd cyn hynny'n gadarn Gymraeg, er
mwyn gwaith, ymddeol, ail gartrefi,
astudio, neu dwristiaeth. Ar y llaw arall,
bu i dwf moddion modern o gyfathrebu
alluogi adloniant torfol a gwybodaeth, fel
rheol yn yr iaith Saesneg, i dreiddio i'r
pentrefi bychain a'r anheddau mwyaf
diarffordd. Mae'r holl dueddiadau hyn
wedi cyfrannu at ostyngiad sydyn yn nifer
y siaradwyr Cymraeg o ryw 54 y cant yn
1891 i 20.8 y cant yng Nghyfrifiad 1971.

Ar hyd y ffordd, mae oedolion Cymraeg uniaith wedi mynd i bob pwrpas yn hil ddiflanedig, er bod rhaid cofio'n wastad fod o hyd ardaloedd helaeth, os tenau eu poblogaeth, yn y gogledd a'r gorllewin lle mae'r Gymraeg yn dal i fod y cyfrwng cyffredin i'r boblogaeth gyfathrebu'n feunyddiol.

1088

Language could be nearly as divisive in the twentieth century as religion was in the sixteenth...

On the one side are those who conjure up a gigantic state conspiracy hell-bent on committing the murder of the language. Opposed to them are those who detect what they believe to be a clique of extremist fanatics determined to impose themselves and their language on an unwilling majority. Neither linguistic group has the moral right to coerce the other, nor should it claim such a prerogative. What is called for from the non-Welsh-speaking majority, especially, is a positive act of imaginative sympathy to try to understand the near-desperation of the minority at the dire prospects for the language and the culture based on it. The Welsh-speaking minority need to recognize more readily than some of them always do that there are a great many of their countrymen who find deeply hurtful the suggestion that those who do not speak the Welsh language are to be regarded as being either not Welsh at all or at best second-class Welsh people. Language is not the only component in nationality and until recent times it has not been regarded as the all-important one.

32-33

Gallai iaith fod bron mor rhwygol yn yr ugeinfed ganif ag ydoedd crefydd yn yr unfed ganrif ar bymtheg...

Ar y naill ochr y mae'r rheini sy'n consurio anferth o gynllwyn gwladol sy'n benderfynol o fwrdro'r iaith. Yn eu herbyn, y mae'r rhai sy'n canfod yr hyn y credant hwy mai clic o benboethiaid eithafol ydynt a'u holl fryd ar eu gwthio'u hunain a'u hiaith ar fwyafrif anfoddog. Nid oes gan yr un o'r ddau grŵp ieithyddol mo'r hawl foesol i orfodi'r llall, ac ni ddylai chwaith hawlio'r fath ragorfraint. Yr hyn sy'n ofynnol gan y mwyafrif di-Gymraeg, yn enwedig, yw act bendant o gydymdeimlad dychmygus i geisio deall anobaith agos y lleiafrif yn wyneb rhagolygon enbyd yr iaith a'r diwylliant sy'n seiliedig arni. Y mae gofyn i'r lleiafrif Cymraeg fod yn barotach nag ydyw rhai ohonynt bob amser i gydnabod bod lliaws mawr o'u cyd-wladwyr yn teimlo i'r byw os awgrymir mai fel rhai nad ydynt yn Gymry o gwbl, neu ar y gorau fel Cymry eilradd y mae'r rheini nad ydynt yn siarad yr iaith Gymraeg i'w hystyried. Nid iaith yw'r unig elfen mewn cenedligrwydd, ac nid cyn y blynyddoedd diweddar yr ystyrid hi fel yr un hollbwysig.

1089

The peril...was that the Welsh language would lose its place of honour in Wales; that English would become the language of learning and civility; spoken, read and revered by all the intelligentsia; Welsh would meanwhile degenerate into a mere peasant patois. The man who saw this first and most clearly was one of the greatest Renaissance scholars produced in Wales, William Salesbury...He was aware of the crisis as early as Henry VIII's reign. The prospect that appalled him was that the same fate might befall the British language as had overtaken it in Cornwall and Brittany...Not that he and men like him were anti-English. On the contrary Salesbury applauded Henry VIII's 'excellent wisdom' in ensuring that 'there shall hereafter be no difference in laws and language' between the Welsh and English...What Salesbury wanted to safeguard against was that the spread of English should not reduce Welsh to be the language only of the farmyard and the market-place. This was a degradation unthinkable for a literary language so ancient, so renowned, so uncorrupted, so capable of better things.

131-32

Y perygl...oedd y byddai'r iaith Gymraeg yn colli ei lle o anrhydedd yng Nghymru; mai Saesneg a fyddai'n dod yn iaith dysg a gwarineb, ac y byddai pawb o'r deallusion yn siarad, darllen a pharchu honno; yn y cyfamser y byddai'r Gymraeg yn dirywio'n ddim amgen na thafodiaith gwerinwyr. Y gŵr a welodd hyn gyntaf a chliriaf oedd un o'r ysgolheigion mwyaf a godwyd yng Nghymru yn oes y Dadeni, William Salesbury...Yr oedd ef yn ymwybodol o'r argyfwng mor gynnar â theyrnasiad Harri VIII. Y rhagolwg a'i brawychai ef oedd y gallai'r un dynged ddigwydd i'r Frutaniaith ag a ddigwyddodd iddi yng Nghernyw a Llydaw...Nid ei fod ef a'i debyg yn wrth-Seisnig. I'r gwrthwyneb, cymeradwyai Salesbury 'ddoethineb rhagorol' Harri VIII yn sicrhau 'na fydd o hyn ymlaen ddim gwahaniaeth mewn cyfreithiau ac iaith' rhwng y Cymry a'r

Saeson. Yr hyn y mynnai Salesbury warchod rhagddo oedd i ledaeniad y Saesneg ddarostwng y Gymraeg i fod yn ddim amgen nag iaith buarth ffarm a'r farchnadfa. Yr oedd hyn yn ddiraddiad annychmygol i iaith lenyddol mor hen, mor enwog, mor ddi-lwgr, mor atebol i amgenach pethau.

1090

Welsh humanists were profoundly convinced of the crucial importance of printing for the future of the Welsh language.

132

Yr oedd y dyneiddwyr Cymreig yn gwbl argyhoeddedig fod argraffu o'r pwys mwyaf i ddyfodol yr iaith Gymraeg.

1091

The Welsh in their search for industrial employment were not obliged to abandon their language along with their old rural homes. They could take Welsh with them to new industrial towns and villages—they even contrived to do so very successfully in London or Liverpool or Manchester or even the United States, as well as in Wales.

141

Wrth chwilio am waith diwydiannol nid oedd y Cymry dan orfod i adael eu hiaith ynghyd â'u hen gartrefi gwledig. Gallent gymryd eu Cymraeg gyda hwy i drefi a phentrefi diwydiannol newydd—bu iddynt ymdrechu i wneud hyn yn llwyddiannus iawn yn Llundain neu Lerpwl neu Fanceinion neu hyd yn oed yn yr Unol Daleithiau, yn ogystal ag yng Nghymru.

1092

It is not always realized how much the pattern of migration changed after c. 1860, with the creation of a railway network and the full opening-up of the coalfields. Into north-east and south-east Wales there poured a mass-migration of English speakers in numbers too large to be assimilated by Welsh-speaking communities. This is probably the most important single explanation for the decline in the number of those speaking the Welsh language, When enough English speakers came in not to have to learn Welsh to maintain normal social existence, a community became bilingual and from there it was but a short step to becoming predominantly English in speech.

145

Nid bob amser y sylweddolir gymaint fu'r newid ym mhatrwm ymfudo ar ôl tua 1860, gyda chreu rhwydwaith o reilffyrdd a llawn agor y meysydd glo. I ogledd-ddwyrain a de-ddwyrain Cymru daeth mewnlifiad torfol o Saeson rhy niferus i'w cymathu gan gymunedau o Gymry Cymraeg. Dyma, mae'n debyg, yr un esboniad pwysicaf ar y lleihad yn nifer siaradwyr yr iaith Gymraeg. Pan ddeuai digon o siaradwyr Saesneg i mewn fel na byddai *raid* iddynt ddysgu Cymraeg i gynnal bywyd cymdeithasol cyffredin, âi cymuned yn ddwyieithog, ac nid oedd ond cam bychan rhwng hynny a mynd yn Saeson, gan mwyaf, o ran iaith.

1093

There are two crucial points to keep in mind about the relationship between Welsh and English: (1) Welsh is not in competition with another small language like Irish or Gaelic but with a world language, and (2)

most people in Wales do not have to learn English the hard way but can pick it up very easily. The results of this in relation to the number speaking Welsh have been very serious. In the census of 1891 the percentage of Welsh speakers was 54.4; by 1921 it had fallen to 43.5; by 1931 it was 36.8; by 1961 it was down to 26; and by 1971 it had slumped to 20.8 per cent.

146

Y mae dau bwynt hanfodol i'w cadw mewn cof ynglŷn â pherthynas Cymraeg â Saesneg: (1) nid ag iaith fechan arall fel Gwyddeleg neu Aeleg y mae'r Gymraeg yn cystadlu, ond ag iaith fyd-eang; (2) nid oes raid i'r mwyafrif o bobl Cymru ddysgu Saesneg y ffordd anodd, ond hawsaf peth yw iddynt gael crap arni. Bu canlyniadau hyn mewn perthynas â nifer y siaradwyr Cymraeg yn ddifrifol iawn. Yng Nghyfrifiad 1891 canran siaradwyr Cymraeg oedd 54.4; erbyn 1921 yr oedd wedi gostwng i 43.5; erbyn 1931 36.8 ydoedd; erbyn 1961 yr oedd i lawr i 26; ac erbyn 1971 yr oedd wedi disgyn i 20.8 y cant.

1094

Even the most ardently patriotic authors of Welsh books, like William Salesbury or Bishop William Morgan, recognized the importance of English to their compatriots as an invaluable medium of instruction and entertainment, with a printing-press producing a torrent of printed English books in sad contrast to the meagre trickle of Welsh ones. The incentives encouraging the gentry to learn and use English were strong and numerous; those inducing them to maintain their Welshness were few and weak.

161

Yr oedd hyd yn oed y mwyaf brwd a gwladgarol o blith awduron llyfrau Cymraeg fel William Salesbury a'r Esgob William Morgan yn cydnabod pwysigrwydd y Saesneg i'w cyd-wladwyr fel cyfrwng amhrisiadwy o hyfforddiant ac adloniant, ynghyd â gwasg argraffu yn cynhyrchu llifeiriant o lyfrau printiedig Saesneg, yn ofidus o wrthgyferbyniol i'r ffrwd fain o rai Cymraeg. Yr oedd y cymhellion a anogai'r uchelwyr i ddysgu a defnyddio Saesneg yn gryfion a niferus; y rhai a'u denai i gadw eu Cymreictod yn brin a gweinion.

1095

That a sad decline in Welsh literature set in during the sixteenth century is undeniable; but to attribute it solely to the 'language clauses' of the Act of Union is an example of the fallacy of arguing post hoc ergo propter hoc. It takes too little account of some massive contemporary social and economic forces which are likely to have contributed much more to the nature of the changes than did Tudor legislation.

162

Ni ellir gwadu na ddechreuodd llenyddiaeth Gymraeg ddirywio'n ddybryd yn ystod yr unfed ganrif ar bymtheg; ond enghraifft o'r twyllresymu 'wedi hyn, felly oherwydd hyn' yw priodoli hynny i 'gymalau iaith' y Ddeddf Uno yn unig. Nid yw'n rhoi digon o ystyriaeth i rai grymoedd nerthol cyfoes, yn gymdeithasol ac economaidd, sy'n debygol o fod wedi cyfrannu llawer mwy i natur y newidiadau nag a wnaeth deddfwriaeth y Tuduriaid.

1096

It may be doubted whether the remote and tepid attitude of the gentry was ever as fundamentally damaging to the Welsh language as the narrowly utilitarian criteria of some of the most successful Welshmen engaged in trade and manufacture. The former saw it as a harmless, picturesque, even reassuring survival from the wholly deferential and moral society of the past, whereas to the latter it appeared as an outmoded obsolescence seriously retarding the wheels of progress in the brave new world of business and industry.

168

Y mae lle i amau a barodd agwedd ddiddiddordeb a llugoer yr uchelwyr erioed gymaint o niwed sylfaenol i'r iaith Gymraeg â llinyn mesur iwtilitaraidd gul rhai o'r Cymry mwyaf llwyddiannus ym myd masnach a diwydiant. Edrychai'r naill arni fel goroesiad diniwed, pictiwraidd, hyd yn oed cysurlon o gymdeithas hollol barchus a moesol y gorffennol, ond i'r lleill ymddangosai'n hen ffasiwn ac ar ddarfod amdani ac yn rhwystr difrifol i olwynion cynnydd ym myd newydd braf busnes a diwydiant.

1097

A very seasoned Elizabethan captain, widely employed by the government to help train troops in Wales, Richard Gwynne of Caernarvonshire, had no doubts that Welsh troops would fight more effectually when commanded by Welsh-speaking captains. Writing to Essex in 1598 he urged him to appoint 'none to lead the Welsh but such as hath the language'.

183

Nid oedd gan Richard Gwynne o sir Gaernarfon, capten tra phrofiadol yn oes Elisabeth ac a gyflogid yn helaeth gan y Llywodraeth i helpu hyfforddi milwyr yng Nghymru, ddim amheuaeth o gwbl na fyddai milwyr Cymreig yn ymladd yn fwy effeithiol pan fyddent dan gapteiniaid a allai siarad Cymraeg. Wrth ysgrifennu at Essex yn 1598, pwysai arno i beidio â phenodi 'neb i arwain y Cymry ond y cyfryw ag sy'n medru'r iaith'.

1098

Queen Elizabeth's gentlewoman, Blanche Parry...a Welsh-speaking woman from Herefordshire, she was reputed to have taught Elizabeth to speak Welsh, though there is no clear evidence that the Queen ever made use of any knowledge of the language she may have had.

196-97

Gwasanaethyddes y Frenhines Elisabeth, Blanche Parry...A hithau'n Gymraes o swydd Henffordd, dywedid iddi ddysgu i Elisabeth siarad Cymraeg, er nad oes dystiolaeth glir i'r Frenhines erioed ddefnyddio unrhyw wybodaeth o'r iaith a allai fod ganddi.

WILLIAMS, GRIFFITH JOHN (1892-1963)

1099

Y peth mawr a wnaeth Stephen Hughes a gwŷr eraill yn y cyfnod hwn ydoedd dechrau troi gwerin Cymru yn geidwaid yr iaith.

Y Cofiadur, rhifyn 4, t.5

1100

Y mae...agendor mawr rhwng yr iaith lafar, yr iaith fyw, a'r iaith lenyddol, iaith

gonfensiynol a chelfyddydol, i raddau helaeth.

Taliesin, 15, Rhagfyr 1967, [18]

1101

Yr oedd gwahaniaethau tafodieithol yn bod yng Nghymru yn yr Oesoedd Canol (a chyn hynny).

[18]

1102

Y mae iaith rhyddiaith yr Oesoedd Canol yn nes at yr iaith lafar mewn llawer cyfeiriad na'r iaith lenyddol fel y sefydlwyd hi yn y Beibl Cymraeg.

20

1103

Y mae dau ystyr iddo [cywirdeb]— cywirdeb yn ôl safonau cydnabyddedig yr hen iaith lenyddol, ac yn ail, yr hyn sy'n gywir i ymwybyddiaeth ieithyddol y dyn **uniaith**, neu'r un y mae'r Gymraeg yn iaith gyntaf iddo. *A hyn*, mewn gwirionedd, *yw'r unig beth sy'n gywir*. Y mae cywirdeb llenyddol yn aml iawn yn rhywbeth hollol gelfyddydol...A pheidier, er mwyn popeth, â galw ffurfiau tafodieithol yn llygriadau.

20-21

1104

Dylem gofio fod rhai tafodieithoedd yn graddol golli rhai o'r hynodion...e.e. caledu Morgannwg. Ac os bydd yr iaith fyw, y mae'n sicr y gwelir hyn yn digwydd yn raddol yn herwydd dylanwad yr ysgolion, y darlledu a theledu, a'r cymysgu sy'n rhan hanfodol o fywyd fel y mae yng Nghymru heddiw, gyda'r moduron a'r datblygiadau diwydiannol.

Gellir disgwyl iaith lafar weddol unffurf, gydag arlliw tafodieithol, ym mhob rhanbarth.
23

1105
Dyma sy'n gywir *sef yr hyn sy'n swnio'n gywir i'r sawl sydd wedi etifeddu ymwybod ieithyddol y bobl uniaith*...Safon cywirdeb yw ymateb y bobl uniaith, y bobl nad ydynt yn gorfod defnyddio'r Saesneg. Gyda dwyieithrwydd bydd pethau sy'n swnio'n hollol anghywir i ni heddiw, yn dod yn rhan o'r iaith fyw.
23-24

1106
A yw at *i hunan, am i hunan, o'i hunan* yn gywir? Maent yn anghywir yn yr iaith lafar, ac felly, yn yr iaith lenyddol. Ond fe'i defnyddir heddiw gan lu o bobl ifainc, a mynnant fod hyn yn swnio'n hollol gywir iddynt. Ond ni fydd yn gywir tra bo'r bobl ganol oed ar dir y byw.
28

1107
Mae'r cefndir cwbl uniaith wedi diflannu bron yn llwyr...Dyna'r trychineb mawr...Rhaid inni fynd ati i ddiogelu safonau pendant ynglŷn â'r iaith lafar cyn colli'r genhedlaeth sydd wedi etifeddu'r ymwybod ieithyddol a fu'n rhan o etifeddiaeth pob Cymro o'r cychwyn cyntaf hyd ein dyddiau ni. *Fe eill y Gymraeg fyw am gyfnod beth bynnag, mewn gwlad ddwyieithog, delfryd yr awdurdodau ym myd addysg, ond fe fydd y rhywbeth hwnnw a wnaeth y Gymraeg yn un o ieithoedd llenyddol mawr y byd, ar goll.*
28

1108
Mae geirfa gyfoethog yr hen bobl uniaith yn lleihau yn gyflym, gyflym...O dan yr amodau heddiw, llygriadau gwirioneddol a geir nid datblygiadau naturiol iaith fyw.
28-29

WILLIAMS, GRUFFYDD ALED
1109
Yr oedd dyneiddwyr Dyffryn Conwy--William Salesbury, Richard Davies, William Morgan, Edmwnd Prys a Thomas Wiliems o Drefriw—i gyd yn wŷr a gafodd addysg freiniol ym mhrifysgolion Lloegr, addysg a'u trwythodd yn y ddysg newydd a'i safonau...Eithr nid eu haddysg ffurfiol mewn ysgol a phrifysgol yn unig a wnaeth y gwŷr hyn yr hyn oeddent. Elfen yr un mor dyngedfennol o ran llunio eu meddylfryd oedd eu cefndir cadarn yn niwylliant eu gwlad eu hunain. Hyn a barodd iddynt gysegru eu dysg a'u doniau helaeth i wasanaethu Cymru a'r Gymraeg...yn hytrach na bodloni—fel y gallasent yn hawdd fod wedi gwneud—ar ennill clod a bri drwy gyfrannu'n uniongyrchol i fyd dysg ehangach ei orwelion.
Dyffryn Conwy a'r Dadeni (1989), 5

1110
Beth a wyddom ni am gefndir diwylliannol y gwŷr hyn [y dyneiddwyr], am ddiwylliant Dyffryn Conwy yn negawdau olaf y bymthegfed ganrif a dechrau'r unfed ganrif ar bymtheg? Un ffaith amlwg i'w nodi—gan mor hawdd ydyw ei hanghofio—ydyw mai diwylliant ydoedd a angorwyd yn gadarn mewn môr o Gymreictod agos uniaith. Mae

tystiolaeth William Salesbury yn ei gyfrol *The Descripcion of the Sphere or Frame of the Worlde* (1550) yn awgrymog: *'Englysshe to me of late years, was wholly to lerne'*...Y mae'n deg tybio mai'r cefndir hwn o unieithrwydd Cymraeg a oedd yn gyfrifol am lawer o rym a rhuddin rhyddiaith Salesbury a William Morgan a hefyd am gyhyrogrwydd cadarn barddoniaaeth Edmwnd Prys.

5

1111

Ei lyfr cyntaf [William Salesbury] oedd *A Dictionary in Englyshe and Welsh* a gyhoeddwyd ym 1547...Bwriad diamwys y llyfr oedd cynorthwyo Cymry i ddysgu Saesneg...ffaith a all achosi peth anghysur i ni sy'n edrych arno o berspectif oes wahanol. Ond dylid cofio ddarfod ei gyhoeddi mewn cyfnod pan oedd trwch y boblogaeth yn Gymry uniaith, pan na allesid bod wedi rhagweld y bygythiad i'r iaith o du'r Saesneg...Fel drws hwylus i fydoedd diwylliannol ac ysbrydol newydd yr oedd yn awyddus i'r Cymry ymgydnabod â hwy y gwelai Salesbury y Saesneg. Nid oedd ei dysgu mewn unrhyw ffordd yn gyfystyr â diarddel y Gymraeg.

7-8

1112

Ceir ganddo [William Salesbury] apêl rymus ar i'r Cymry feithrin y Gymraeg yn iaith dysg, fel y meithrinwyd ieithoedd brodorol eraill yng nghyfnod y Dadeni...Cyn y gallai'r Gymraeg ymddyrchafu'n iaith dysg fe wyddai Salesbury, fodd bynnag, fod anhawster i'w oresgyn. Nid oedd yr iaith oedd ohoni yn abl i wynebu her yr amserau; rhaid fyddai ymroi'n fwriadus i'w thrwsio a'i chyfoethogi...Yr oedd un wedd ar dlodi'r Gymraeg a oedd yn loes arbennig i Salesbury, sef ei hannigonolrwydd fel cyfrwng i draethu Gair Duw.

8

1113

Iddo ef [William Salesbury] yn bennaf y mae'r diolch ddarfod sefydlu traddodiad o argraffu llyfrau Cymraeg. Ef, yn anad neb, a fu'n gyfrifol am hyrwyddo'r Gymraeg fel iaith crefydd mewn cyfnod pan oedd perygl i'r Saesneg feddiannu'r maes. Yr oedd y pethau hyn i gyd yn dyngedfennol o safbwynt sicrhau dyfodol yr iaith a'i diwylliant...Nid y lleiaf o'i orchestion oedd ei waith yn helaethu adnoddau'r Gymraeg, yn troi'r 'briniaith' y soniodd amdani yn rhagymadrodd *Oll Synnwyr Pen* yn gyfrwng cyfoethog a oedd yn abl i draethu Gair Duw yn ei gyflawnder.

9-10

WILLIAMS, Y cyn-Archesgob GWILYM OWEN (1913-90)
1114

Rhaid gosod y Gymraeg ar yr un tir â'r Saesneg ym mywyd ein cymdeithas cyn y gellir disgwyl iddi ennill ei lle ym mywyd ein pobl yn gyffredinol. Dim ond trwy osod arni'r bri a'r urddas amlwg, gweledig a haedda y gellir perswadio'r miloedd na welant ar hyn o bryd unrhyw gysylltiad rhyngddi a'u bywyd beunyddiol hwy, i'w chymryd o ddifrif.

Y Faner, 18 Ebrill 1951

WILLIAMS, Y Parchedig HUW LLEWELYN (1904-79)

1115

Heddiw deddfir o blaid yr iaith; ond a fydd ein hiaith ar enau'r plant ymhen cenhedlaeth neu ddwy? A fydd hi'n ysgrifenedig yn eu calonnau ymhen canrif? Mynnodd Salesbury i'r Gymraeg gael byw trwy fynnu cael y Beibl yn Gymraeg pan oedd senedd gwlad wedi deddfu yn ei herbyn. Penderfyniad tebyg sy'n mynd i ddiogelu dyfodol yr iaith, a ni sydd i wneud y penderfyniad hwnnw. Mae'r deffro ymysg ieuenctid Cymru yn argoeli'n dda.

Meirion Llewelyn Williams, *Gwas yr Achos Mawr* (1991), 96

1116

Nid ydym yn fodlon ar safle ein hiaith. Nid oes iddi safle swyddogol yn ei gwlad ei hun. Gwyddom fod llai a llai yn ei siarad, a llawer hefyd yn ei siarad yn wael. Eto i gyd, diolch am y llecynnau golau; y gwaith a wneir gan Urdd Gobaith Cymru a'r Ysgolion Cymraeg.

96

1117

Trosedd yng Nghymru heddiw
Yw caru'n hiaith, nid gwaith gwiw.
Goreuon ein gwŷr ieuanc,
Aeth y rhain rhyngddi a'i thranc:
Filwyr ewn rhyfel yr iaith,
Eu nawdd i Gymru'n oddaith,
Onid gwael wrth y ford gynt
Oedd milwyr Arthur wrthynt?

Yr iaith sy'n haeddu'n mawrhad
A drysorir drwy'i siarad.

96-97

1118

Ni phrisir harddwch hon [Meirion] er
    aur ac arian.
Nid rhoddwr y miloedd a'i hetifedda hi
Ond y sawl a gâr ei morfa a'i marian,

A gâr ei gwerin gymdogol, ei dull a'i dawn,
A'r iaith sydd yno megis derwen lydan
Yn gysgod dros ei llên a'i bywyd llawn.
    Ychydig o Gerddi (1957), 32

WILLIAMS, Syr IFOR (1881-1965)

1119

Pe medrid profi mai dilys yw'r canu fel y ceir ef yn Llyfr Aneirin...i ni sy'n hoffi meddwl am ein hiaith fel yr *hen* iaith—ni fedr estron ddeall hyn—deuai rhyw falchder newydd ynddi wrth ystyried y pybyrwch a'i cadwodd yn fyw er pob gelyn trwy'r maith ganrifoedd.
    Canu Aneirin (1938), xi

1120

Siarad...am y math byw o Gymraeg. Awgryma hynny fod dau fath o Gymraeg; Cymraeg byw a Chymraeg marw, a blys sydd arnaf i chwanegu fod Cymraeg llyfr i raddau yn Gymraeg marw neu led-farw.
    Cymraeg Byw (1960), 5

1121

Trwy eu byddin, eu ffyrdd, eu masnachwyr, eu hysgolion, a'u llenyddiaeth, ac yn ddiweddarach trwy offeiriaid crefydd newydd, sef Cristnogaeth a'u haddoliad Lladin, trwy'r rhain oll yr oedd Rhufain yn prysur ddileu'r Frythoneg neu'r Gymraeg yn llwyr yn y parthau o'r wlad oedd yn ei gafael ac a breswylid ganddi.

6

1122

Er amled y caerau a'r ffyrdd [Rhufeinig] ar draws ac ar hyd yr ynys, yr oedd cymoedd Cymru a Chernyw a Chumberland yn aros yn ardaloedd anghysbell, gan gael llonydd go dda i gadw eu hen iaith. Eto nid arhosodd honno yn ei hunfan. Cawn fod rhai cannoedd o eiriau Lladin wedi ymwthio i'r Gymraeg yn y cyfnod hwn a'r cyfnod nesaf.

7

1123

Yr oedd yr ysgol hon [ysgol y Rhufeiniaid] yn angenrheidiol ar gyfer Eglwys Ladin...Ond *nid* oedd yn help i gadw'r Gymraeg yn fyw. Mae'r diolch am hynny, hyd y gwelaf i, beth bynnag, yn ddyledus i lysoedd y penaethiaid brodorol. Rhan o ddodrefn y cyfryw oedd bardd llys. Ei swydd ef oedd canu mawl i'r pendefig neu deyrn, a hynny yn Gymraeg yn null ac yng ngeiriau'r beirdd yn yr oes o'i flaen. Ceidwad oedd ar burdeb yr hengerdd.

7-8

1124

Gofynnai'r gyfundrefn i fardd ieuanc fod yn ddisgybl i hen fardd, a dysgu ei gelfyddyd a'i iaith gan hwnnw. Yn ei dro cyfrannai yntau ei gynysgaeth i'r sawl a'i dilynai, a hynny ar dafodleferydd, nid ar lyfr. Sicrhâi hynny fod yr iaith yn para yn rhyfedd o ddi-newid am ganrifoedd. Ond cofier bod hynny'n diogelu'n bennaf iaith barddoniaeth foliannus.

8

1125

Am iaith aelodau eraill y llys [ar wahân i'r bardd], megis yr ystorïwr, neu'r cyfarwydd, y chwedleuwr...yr oedd y rhain o raid ac o ddewis yn arfer Cymraeg symlach, iaith ystwyth fywiog naturiol, a ddeallid gan bawb, ac nid Cymraeg gorchestol y beirdd...Yr oedd yr iaith hon felly yn *fyw*, ac yn ateb i amgylchiadau'r oes. Y Cymraeg byw hwn a baratôdd fesul tipyn ryddiaith gampus y Mabinogion.

8

1126

Un arall o wŷr y llys yr ydym yn ei ddyled oedd yr ynad llys...disgwylid iddo roi dedfryd mewn Cymraeg dealladwy, Dysgodd ef a'i gymrodyr resymu a thrafod dyrysbynciau o bob math...a gwych oedd eu meistrolaeth ar y Gymraeg. Hwy a'r beirdd a roes rym a rhuddin yn ein hiaith yn y cyfnod bore, ac urddas hefyd.

9

1127

Yr iaith nesaf atom o lawer yw'r Saesneg, ac y mae hi yn enwog am ei benthyca hael o bob iaith dan y nef...Os byw yw'r Saesneg trwy fenthyca, y mae'r Gymraeg yn eithaf bywiog hefyd, ac os bydd hynny yn hwylus i ni, medrwn fenthyca llawer o'i benthyciadau hi. Fel y Seisnigodd hi eiriau estron i ateb ei phwrpas, medrwn ninnau Gymreigio faint a fynnom. A gallwn hefyd ddefnyddio hen eiriau Cymraeg a drysorwyd o'r cynfyd gan y beirdd, a'u bachu yn y tresi unwaith eto.

12

1128

Os bydd [mab] yn newid ei grefft, neu os symud y teulu i fyw yn y dref, bydd llawer iawn o'r geiriau gwledig yn colli, er bod y teulu yn dal i siarad Cymraeg. Ni fydd termau ag arogl y tir yn drwm arnynt yn debyg o fod yn gynefin ar yr aelwyd; ni bydd gofyn amdanynt yn y cylch newydd. Yn raddol ciliant i ddifancoll.

Os bydd hen grefft yn marw, yn darfod o'r tir, pa faint mwy fydd y golled yng ngeirfa'r ardal a'r fro? Collir ei geiriau yn gyfan gwbl, os na ddigwydd ambell un gael swydd newydd.

17

1129

Perygl iaith lenyddol Cymru yw bod yn gaeth i'r gorffennol, yn rhy gaeth. Iaith dda urddasol yw, serch hynny, ond ei bod yn tueddu braidd i fod yn anystwyth ei chymalau. Mae'r iaith lafar yn fyw iawn, hoyw, a gwreiddiol; etyb i ofynion yr oes hon yn gampus. Ond dibris yw o ffurf, ac aflêr ei diwyg.

Ein gwaith ni yw manteisio ar rinweddau'r ddwy, a gwneud ein gorau i'w cyfuno mewn un iaith *hen fyw*, gan gadw bywiogrwydd yr ifanc, ac urddas yr hen.

26

1130

Dengys Cymraeg y Geiriadur yn bur deg beth yw cyflwr yr iaith lenyddol ar hyn o bryd. Ar ôl amrywiaeth mympwyol hanner cyntaf y ganrif ddiwethaf, lluniwyd orgraff wyddonol a oedd yn gyson â thraddodiad gorau y cyfnodau cynharach, trwy lafur Syr John Morris-Jones, yn brif ac yn bennaf; ac yn ystod y

deng mlynedd ar hugain diwethaf y mae honno wedi ennill tir er pob gwrthwynebiad, ac yn araf deg yn dyfod ar arfer yn gyffredinol. Yn anffodus, wedi i ni gael to o ysgrifenwyr a fagwyd yn y dull hwn o lunio cystrawen, a sillafu geiriau, gwelir tuedd eto i gyfnewid manion, rhyw flys twtio tipyn yma ac acw ar yr orgraff newydd cyn i ni orffen yn iawn ymgynefino â hi. Ac i ffwrdd â ni unwaith eto, pawb yn ôl ei fympwy.

Geiriadur Beiblaidd (1926), xvi-xvii

1131

Rheol cywirdeb iaith yw arfer yr ysgrifenwyr gorau, wrth gwrs, a phan amrywiant hwy, yr ydym at ein dewis. Rhyw fath o gymrodedd rhwng y gramadegwr a'r llenor yw'r safon. Nid un ffurf sydd yn gywir, ond ceir amryw cyn gywired â'i gilydd. Y mae *oesau* cyn hyned a chyn gywired ag *oesoedd*: a cheir *hanu* yn y Canol Oesoedd yn ogystal â *hanfod*...Rhyfedd oedd yr ansicrwydd parthed cenedl ambell enw fel *ystyr*. Benywaidd oedd fel rheol gynt, ond i amryw o'r ysgrifenwyr gwrywaidd ydoedd bellach. Dilynais yr hen arfer gyda hwn, gan fod y mwyafrif yn ei drin fel gair benywaidd o hyd. Ni wiw apelio at hynafiaeth noeth mewn pwnc fel hyn, neu byddai raid i ni ddefnyddio *dinas* fel enw gwrywaidd, a *gwirionedd* fel enw benywaidd, megis yn y dyddiau gynt. A phan fo'r tafodieithoedd yn amrywio, anodd dyfarnu'n deg.

xx

1132

The poet...describes the cuckoo as...hiraethawc y llef, its cry, its call brings hiraeth *('longing' for those who are gone)...the cuckoo is always a killjoy...It is because the cuckoo sang in Old Welsh! In Old Welsh the interrogative of place, 'where?' was cw...Men everywhere hear the cuckoo's call as cw-cw, and so it was when the Leper of Aber Cuawg heard it, or the author of the Black Book poem. But these men gave it a meaning. The monotonous, persistent question cw-cw—'Where? where?' rang in their ears, and saddened their hearts, 'For,' as one of them said,' my kinsmen have passed away.' Where are they?*

Lectures on Early Welsh Poetry (1954), 13

Y mae'r bardd...yn disgrifio'r gwcw fel...*hiraethawc y llef*, mae ei chri, ei galwad yn codi hiraeth am y rhai sydd wedi'n gadael...Difetha'r hwyl a wna'r gwcw'n wastad...Am fod y gwcw'n canu yn Hen Gymraeg y mae hyn! Yn Hen Gymraeg y geiryn gofynnol 'b'le?' oedd *cw*...Mae dynion ym mhobman yn clywed cân y gwcw fel *cw-cw*, ac felly yr oedd pan glywai Claf Aber Cuawg hi, neu awdur y gerdd yn y Llyfr Du [33.5-10]. Ond rhoes y gŵyr hyn ystyr iddi. 'Roedd y cwestiwn undonog, di-baid *cw-cw* 'b'le? b'le?' yn canu yn eu clustiau, ac yn tristáu eu calonnau, 'Canys,' fel y dywedodd un ohonynt, 'mae fy ngheraint wedi mynd.' B'le maent?

1133

Pa hyfrydwch mwy sy'n ddichonadwy i glust Cymro na gwrando salm a phro-ffwydoliaeth yn rhyddiaith odidog yr Ysgrythur Lân?

Meddwn i (1946), 7

1134

Ar hyd y blynyddoedd, angerdd ein gwladgarwch yw cariad at ein hiaith; hi sydd mewn perygl, ac oherwydd hynny anwylwn hi fwyfwy.

13-14

1135

Nid wyf yn cofio i neb ein cosbi ni am siarad Cymraeg...ond Saesneg oedd iaith yr ysgol. Trwy Saesneg y dysgid popeth, ac ni ches awr o wers ar Gymraeg yno am chwe blynedd, nac yn Ysgol y Friars, Bangor, wedyn chwaith. Dim un gair o addysg yn fy iaith fy hun, dim ond Saesneg...Y lle y dysgais ddarllen Cymraeg oedd yn yr Ysgol Sul...Bellach y mae'r Gymraeg yn yr ysgolion, ac yng nghalon ac ar dafod ein hathrawon wrth y cannoedd ledled ein gwlad.

24-25

1136

Wrth ddarlithio ar Lafar Gwlad byddaf yn rhannu Cymraeg yn dri math, Cymraeg llyfr, Cymraeg Llafar a Chymraeg dydd Sul, rhywbeth rhwng y ddau gyntaf, ymdrech fwy neu lai llwyddiannus i siarad fel llyfr, gwrhydri'r Sêt Fawr a'r Pulpud, camp blaenor a phregethwr. Rhwng difri a chwarae y lluniais y dosbarthiad hwn, ond er hynny y mae peth gwir ynddo. Y *mae* gwahaniaeth rhwng Cymraeg pregethwr a Chymraeg y bobol.

52

1137

Pregethwyr Cymru yw'r unig ddosbarth ers cenedlaethau sydd wedi trafferthu i loywi eu Cymraeg siarad. Hwy yn unig—ag eithrio ambell fardd—sydd wedi

amcanu at urddas yn eu hiaith lafar. Ond ple cafwyd yr iaith safonol hon? Yn sicr, o'r Beibl...Nid Cymraeg heddiw moni, ond Cymraeg Dr William Morgan a'r Dr John Davies o Fallwyd, iaith pum can mlynedd yn ôl...Y mae'n urddasol, mewn rhan, am ei bod yn hen. Ac ar hon y seiliodd pregethwyr Cymru eu hiaith lafar.
52

1138
I hyn y mae'n dod: rhaid i ni bellach gytuno ar safonau iaith lafar a fydd yn deilwng o Gymro a fydd yn ei barchu ei hun, ac yn parchu ei Gymraeg, iaith y medr yr ysgolion elfennol a sirol ei chwalu drwy'r wlad o Gaergybi i Gaerdydd, o Rosllannerchrugog i Abergwaun a Thyddewi, iaith y gall Cymro o'r Gogledd ei harfer ar lwyfan ac ar aelwyd yn y De, a Chymro o'r De yn gyffelyb yn y Gogledd.
55

1139
Ein dyletswydd yw mynnu Cymraeg graenus at angen bywyd pob dydd, iaith y medrwn ei siarad heb gywilyddio ohoni mewn unrhyw gwmni, ac eto iaith na fydd rhithyn o rodres mursennaidd ynddi i dramgwyddo'r gwrandawr. Os medrwn greu hon, dyna iaith addas i lwyfan a drama...Mi greda' i ymhellach mai'r iaith hon yw'r iaith orau hefyd i'r pulpud naw gwaith o ddeg.
55

1140
Os medrwch siarad fel Dr John Williams, Brynsiencyn, popeth yn iawn. Glynwch wrth yr hen arfer, os yw'n gweddu i chi. Gwych yw clywed Cymraeg clasurol yn

llifeirio allan, heb arwydd ymdrech na thrafferth. Ond i'r mwyafrif, gwell o lawer yw amcanu at siarad iaith fyw a naturiol.
55

1141
Ni ddylai fod achos i neb sylwi ar Gymraeg siaradwr: dylai fod mor naturiol iddo na chlyw y gwrandawr ddim oll ond y genadwri.
55

1142
Collwyd ers canrifoedd *f* ar ddiwedd geiriau: ceir *arna i, mi gana i* yn lle *arnaf fi, mi ganaf fi*. Sylwch fel y mae Ellis Wynne yn rhoi'r ffurfiau llafar hyn yn ei ymddiddanion. Bardd ac Angel yn colli'r *f* fel y lleill ohonom! Siawns na ddylai siarad Cymraeg fel Angel fod o safon ddigon uchel.
56

1143
Dylid codi'r iaith lafar yn nes i iaith lyfr er mwyn cael iaith lafar addas i genedl ac nid i gwmwd neu blwy. Ac wedi i ni gael honno, dylem, mi greda i, daro ati i ystwytho a diweddaru ein Cymraeg llyfr, a'i ddwyn yntau yn nes i Gymraeg byw. Ar hyn o bryd y mae gormod o fwlch yn y canol, a rhaid ei gau *o'r ddwy ochr*.
56

WILLIAMS, JAC L. (1918-77)
1144
Yn fy oes i, gwelwyd dirywiad hyd at y pwynt tyngedfennol o hanner miliwn yn safle'r Gymraeg fel iaith gymunedol yng Nghymru. Aeth rhif ei siaradwyr yn is na'r cyfanrif a ystyrir yn bwynt argyfyngus yn

hanes tranc iaith leiafrifol lle bo'r dwyieithedd sy'n ei bygwth yn dreiddiol trwy'r wlad y siaredir hi ynddi. Fe ddylai'r Gymraeg farw, a marw'n gyflym, cyn pen llai na chanrif arall o gryn dipyn, yn ôl damcaniaethau ysgolheigion sydd yn astudio newidiadau ieithyddol ledled y byd.
Fy Nghymru I (gol. John Jenkins, 1978), 131

1145
Mae grym llywodraeth leol a chenedlaethol a'i rheolaeth ar gyfundrefn addysg ac ar y cyfryngau torfol yn ei gwneud yn bosibl i osod sylfeini i adfer iaith neu i'w lladd, o fewn un genhedlaeth. Arwyddocâd y gosodiad hwn i Gymru yw ei bod yn bosibl i'r Gymraeg ddiflannu fel iaith â defnydd cymunedol a swyddogol iddi cyn diwedd y ganrif hon. Mae hefyd yn ymarferol i gael miliwn o bobl yn ei deall unwaith eto cyn diwedd y ganrif hon, a dwy filiwn yn ei medru ac yn gwneud defnydd helaeth iawn ohoni erbyn canol y ganrif nesaf. Yr ysgol a'r set deledu yw'r ddau brif erfyn sydd wrth law er mwyn achub yr iaith.
131

1146
Mae'n rhaid i ni ddysgu gwyddona, gweinyddu, cadw cyfrifon, a chyfreithia trwy'r iaith Gymraeg, yn ogystal â gweddïo a chyfansoddi llenyddiaeth ynddi ac yn ychwanegol at ei dysgu fel pwnc mewn ysgolion. Rhaid i Gymraeg a bywyd bob dydd pobl Cymru asio'n naturiol ac yn gadarn wrth ei gilydd os yw'r Gymraeg i fyw.
Geiriadur Termau (1973), xiv

WILLIAMS, JOHN EDWARD
1147
Morwynig bendefigaidd oedd y fun,
syberwyd, dysg a gras ei harddwch prid;
ei theyrnas gynt o Daf i Benrhyn Llŷn
nes dyfod un tros oror yn llawn llid.
Methodd efô â'i difa ag un llam,
ond trwy'r cwislingiaid slei o'n dewis ni—
mewn llan, ar gyngor ac mewn senedd siam—
o frad i frad, gan bwyll, y ciliodd hi.
dyf. *Cadwn y Mur* (gol. Elwyn Edwards), 248

1148
Nid bregliach bröydd mo'i rhyfeddod hen,
Chwaethach siaradach sipsiwn i'w sarhau,
Ond balchder pendefigion, ymffrost rhên
Ac ynddi naw-byw-cath a fyn barhau.
['Yr Iaith']
dyf. *Cadwn y Mur* (gol. Elwyn Edwards), 273

1149
Ac am nad ydyw mwyach
ar dafod neb o'r plwy'
nid cyfrwng cyfathrebu
fu'u hunig golled hwy:
hunaniaeth a threftadaeth ddrud
a chof a gollwyd yr un pryd.
Cristion, Mai/Mehefin 1988, 21

WILLIAMS, J. E. CAERWYN (1912-99)
1150
Iaith Gelteg yw'r Gymraeg. Mae'r elfen Ladin ynddi'n gryf ac y mae wedi benthyca cryn dipyn oddi ar y Saesneg, ond nid yw wedi colli ei chymeriad Celteg o gwbl. Iaith Gelteg oedd hi a dyna yw hi.
Taliesin,19, Nadolig 1969, 64

1151

Fe all fy mod yn camgymryd, ond yn wir mi fyddaf yn meddwl weithiau fod y Cymro dwyieithog yn ymglywed â thras cymysg y Saesneg yn fwy nag y gwna'r Sais a'i fod o'r herwydd yn fwy ymwybodol o dras cymharol ddiledryw'r Gymraeg, ac mai hyn i raddau sydd y tu ôl i'w ymdeimlad o 'burdeb' y Gymraeg.

65

1152

Hyd at gyfnod y Tuduriaid ychydig os dim cwyno a glywir am gyflwr y Gymraeg, ond yn y cyfnod hwnnw dechreuir cwyno:

1. fod yr uchelwyr yn cefnu ar y Gymraeg ac yn mabwysiadu'r Saesneg yn ei lle.
2. nad oes llyfrau'n cael eu cyhoeddi yn y Gymraeg fel yn y Saesneg ac mewn ieithoedd eraill.
3. nad oes gan y Gymraeg y cyfoeth geiriau y mae dysg ac ysgolheictod yn ei hawlio.

66

1153

Yn y cyfnod diweddar y mae lle neu'n hytrach ddiffyg lle'r Gymraeg mewn addysg wedi bod yn dyngedfennol...Y mae'r canlyniadau gennym heddiw: ceir Cymry sydd wedi eu haddysgu i'r lefel uchaf yn eu proffesiwn ac ysydd, er hynny, yn anllythrennog yn eu hiaith gyntaf, iaith eu mamau,--yn anllythrennog yn yr ystyr nad ydynt nac yn darllen nac yn ysgrifennu gair o Gymraeg. Ac i'r Cymry hyn, wrth gwrs, nid yw'r Gymraeg yn bod fel iaith cyfathrebu ond ar lefel isel iawn.

66

1154

Yr acen Saesneg iawn yw acen Saesneg yr ysgolion bonedd ac Oxbridge... ac fe geir Cymry sy'n gymaint o Saeson fel y maent yn ffieiddio'r ffawd a'i gwnaeth yn anodd iddynt gael yr acen honno drwy wneud Cymraeg yn iaith gyntaf iddynt.

67

1155

Dyna i chwi'r Cymro sy'n teimlo fod iaith ei fam yn faich o gyfrifoldeb ac o ddyletswydd arno...

Tuedd y Cymro sydd dan sylw yw mynd i edrych ar iaith ei fam fel rhywbeth arbennig i'r aelwyd, neu arbennig i'r aelwyd a'r capel, a chan ei fod yn ansicr ohoni y tu allan i'r ddau gylch hyn, tuedda i ganolbwyntio ar ei chadw yn iaith y capel a'r aelwyd, a theimla ei fod yn cyflawni ei ddyletswydd, yn cyflawni ei gyfrifoldeb wrth ei chadw felly.

Amrywiad ar yr un agwedd yw agwedd y sawl sy'n edrych ar y Gymraeg fel iaith llenyddiaeth yn hytrach nag iaith gwyddoniaeth, fel iaith barddoniaeth yn hytrach nag iaith rhyddiaith, iaith y galon yn hytrach nag iaith busnes, iaith y nefoedd yn hytrach nag iaith y byd. Ond gyda phob dyledus barch mae dyddiau iaith y nefoedd wedi eu rhifo os na bydd yn iaith y byd hefyd.

67

1156

Y mae pob iaith yn system gyflawn yn yr ystyr ei bod yn galluogi y sawl sydd yn ei siarad i ymateb yn ieithyddol i bob profiad a ddaw i'w ran. Felly, y sialens i ni yw defnyddio'r Gymraeg hyd eithaf ein gallu ni a hyd eithaf ei gallu hi.

68

1157

Rhaid bod yn barod i weld bathiadau'n cael eu gwrthod. Un o'r cyfnodau mwyaf toreithiog o ran bathu geiriau Cymraeg oedd y ganrif ddiwethaf. Edrycher yng Ngeiriadur Saesneg-Cymraeg Silvan Evans ac fe welir ymdrech lew i gael gair Cymraeg am bob gair Saesneg. Mae llawer o gynigion Silvan Evans yn ymddangos yn rhyfedd, ond y maent felly am y rheswm syml na chawsant eu mabwysiadu. A'r gresyn ydyw nad ildio i gynigion gwell a wnaethant, mewn llawer achos, ond gadael i'r Cymro fodloni ar ddefnyddio geiriau Saesneg.

70

1158

Cofier fod i'r iaith Gymraeg fel i bob iaith arall ei hathrylith gynhenid ac y mae'n siŵr o wrthod llawer iawn o fathiadau, a chofier peth arall, mae i'r iaith ei gwydnwch arbennig ei hun. Os gall y Saesneg dderbyn *remacadamized* (*re* Llad.--- *mac* Celt.--- *adam* Hebraeg --- *ize* Ffrangeg –*d* Saesneg)...gall y Gymraeg dderbyn cryn dipyn mwy nag a wnaeth i'w chyfansoddiad a bod yn berffaith iach.

72

1159

Mae'n dipyn o wyrth fod y Gymraeg wedi goroesi dros gynifer o ganrifoedd a bod ei rhagolygon ar ddiwedd yr ugeinfed ganrif yn oleuach ar un olwg nag yr oeddynt ar ddechrau'r ganrif, yn enwedig gan ei bod wedi gorfod byw am y pared, megis, â'r Saesneg, un o brif ieithoedd y byd gydag argoelion y bydd cyn hir yn brif iaith iddo.

The Welsh Academy English-Welsh Dictionary (1995), vi

1160

Pan fo ieithoedd mawr fel Almaeneg a Ffrangeg yn benthyca geiriau o'r Saesneg, nid yw'n rhyfedd fod iaith fach fel y Gymraeg yn gwneud hynny, ac oni all y Gymraeg fod yn gyfrwng cyfathrebu llawn cystal â'r Saesneg ym mhob cylch o fywyd, y mae perygl iddi fynd yn fratiaith a rhoi esgus i'r rhai sy'n teimlo'n isradd wrth ei siarad ei gollwng dros gof. Yn yr amgylchiadau hyn rhaid i siaradwyr yr iaith yn ogystal â'i dysgwyr fod yn ymwybodol o'i holl gyfoeth anferth.

vi

1161

Hyd yn ddiweddar buwyd yn dadlau fod rhaid i ni wrth ymreolaeth i achub ein hiaith a'n diwylliant, ac mai ein hanfanteision gwleidyddol i raddau helaeth sy'n gyfrifol fod yr iaith yn edwino a'n diwylliant yn dadfeilio...Ond nid yw ymreolaeth yn siŵr o roi i'r Gymraeg ei phriod le yn ein hysgolion a'n colegau, ddim mwy nag y mae'n siŵr o roi iddi ei phriod le yn ein bywyd fel cenedl.

Ysgrifau Beirniadol (gol. J. E. Caerwyn Williams), II. 11

1162

Fe welir yn yr holl weithgarwch hwn [dysgu pynciau drwy gyfrwng y Gymraeg] ehangu sylweddol ar gylch defnyddio'r Gymraeg, ie, ac ar gylch ei defnyddioldeb, oblegid y mae'n dylanwadu'n uniongyrchol ar y Gymraeg fel iaith. Tyst o hyn yw cyhoeddi nifer o restrau termau technegol Cymraeg ar gyfer dysgu pynciau arbennig drwy gyfrwng yr iaith...

Ond wedi dweud hynyna, rhaid

cydnabod...mai canlyniad gofidus i'r esgeulustod y bu'r Gymraeg yn ei ddioddef fel iaith dan yr hatsys ydyw bod rhaid wrth bwyllgorau bathu geiriau. Petai hi wedi cael y lle y mae'n ei haeddu yn ein cymdeithas, ar yr aelwyd a'r stryd ac mewn ysgol a choleg, mi fyddai llawer o'r termau y mae galw amdanynt heddiw, eisoes ar gael ac wedi cael cylchrediad eang...Petai diddordeb cyffredinol yn y termau hyn ac yn yr angen a roes fod iddynt, mi fyddai'n bosibl, ond odid, ein hailgychwyn ar y ffordd i wneud y Gymraeg yn iaith atebol i'n holl ofynion...Yn sicr, ni ellir trosglwyddo'r gwaith o fathu geiriau Cymraeg i bwyllgorau am byth.

V. 8-9

1163

Fe ddywedir wrthym fod ffurf lenyddol y Gymraeg yn rhy annhebyg i'w ffurf lafar— yr oedd hyd yn oed Syr John Morris-Jones yn teimlo fod y ffurf lenyddol 'yn rhy gelfyddydol'—a defnyddiwyd hyn fel dadl dros newid y ffurf lenyddol a'i gwneud yn fwy tebyg i'r ffurf lafar. Yn wir, y duedd bellach yw dadlau y dylai'r ffurf lenyddol ildio lle bynnag y mae'n gwahaniaethu oddi wrth y ffurf lafar.

Ond ffwlbri yw hyn. Nid oes neb yn dadlau...y dylai Saesneg llenyddol ildio i Saesneg tafodieithol...

Nid dadlau yr wyf i dros gadw'r bwlch rhwng Cymraeg llafar a Chymraeg llenyddol gymaint ag y mae, ac nid dadlau chwaith na ddylid ceisio lleihau'r bwlch, ond dadlau na ddylid collfarnu Cymraeg llenyddol am yr unig reswm ei fod yn wahanol i Gymraeg llafar, a dadlau y dylid pwyllo cyn aberthu'r naill i'r llall, gan fod lle i gredu yn ein hargyfwng ieithyddol ar

hyn o bryd fod llawn cymaint, os nad mwy o angen dylanwad Cymraeg llenyddol ar Gymraeg llafar nag sydd o angen dylanwad Cymraeg llafar ar Gymraeg llenyddol.

12-13

1164

Gadewch i ni gofio nad unig 'elynion' yr iaith yw'r rheini sy'n mynnu defnyddio Saesneg lle gellir defnyddio'r Gymraeg: na, yr ydym bawb yn 'elynion' iddi i'r graddau yr ydym yn peidio â'i llawn ddefnyddio ac i'r graddau yr ydym yn ei chamddefnyddio naill ai'n llafar neu'n llenyddol.

14

1165

Y mae digon o garn i'r gosodiad fod y Gymraeg lawn cymaint o fynegiant i'r diwylliant a'r meddwl Ewropeaidd yn y Cyfnod Canol ag unrhyw un arall o brif ieithoedd y Cyfandir.

VIII. 8

1166

Mae dyled yr iaith a'i llenyddiaeth i gyfieithiadau yn y cyfnod modern yn fawr iawn, a chyfieithiadau o ryw fath yw rhai o'n pennaf glasuron. Dyna *Weledigaetheu y Bardd Cwsc*...ac fel yr Wyddfa fawr yn bwrw ei chysgod dros Eryri i gyd, y mae cyfieithiad y Beibl i'r Gymraeg yn bwrw'i gysgod dros y lleill.

8-9

WILLIAMS, J. G. (1915-)
1167

Yn Saesneg y bydd yr hen Sgŵl yn gofyn popeth i chi, ac eto mi fedr siarad Cymraeg cystal â neb hefyd. Yn Saesneg y bydd o'n siarad efo'r athrawon eraill ac efo pawb o'r bobl bwysig a fydd yn dŵad i'r ysgol. Canon Lewis ydi'r unig un na chymer o ddim sylw o'i hen lol o, a siarad Cymraeg yn hollol naturiol fel rhyw ddyn call arall y bydd o efo'r Canon.

Pigau'r Sêr (1976), 67

WILLIAMS, JOHN LLOYD (1854-1945)

1168

Yn y cyfnod hwnnw buasai canu Cymraeg mewn ysgol yng Nghymru yn drosedd yn erbyn diwylliant, a gwaeth na hynny, yn llesteirio llwyddiant bydol....

Yn ddiweddarach y deuthum i deimlo mor chwithig ydoedd gwaith côr o Gymry, mewn Coleg a adeiladwyd gan Gymry, yn mynd i gapel Cymraeg yn y wlad, lle nad oedd onid dyrnaid yn deall tipyn o Saesneg, a chanu pob gair iddynt mewn iaith estron.

Diolch calon i'r Ysgol Sul am ddysgu tipyn o ganu Cymraeg i blant Cymru.

Adgofion Tri Chwarter Canrif, iii. 29

1169

Cam neu gymwys, credaf fod y cyfnod hwnnw [tua 1873] yn fwy peryglus i fywyd a pharhad yr iaith Gymraeg na'r cyfnod presennol, er gwaethaf yr holl ddarogan a glywir heddiw am ei marw agos. Ym mhob ysgol ddydd trwy Gymru yr oedd pob athro am ei fywyd yn ceisio gwneud Saeson o'r plant; ac yr oedd siarad Cymraeg, hyd yn oed yn y cae chwarae, yn drosedd yn erbyn diwylliant. Oherwydd hynny cosbid y plant pan feiddient siarad iaith eu mamau. Canlyniad hyn oedd gorfodi pob llythyrau rhwng Cymry i anghofio'r Gymraeg.

118

1170

Yn y trefi, Saesneg a siaredid yn ddieithriad gan y plant a 'gafodd ysgol', ac ystyrid medru 'siarad Saesneg' yn ddangoseg anffaeledig o fonedd a diwylliant. Ac os digwyddai i Sais sylwi ar ias o acen Gymreig yn Saesneg mab neu ferch, a dweud, '*You are Welsh*', teimlai'r bachgen neu'r eneth gymaint o gywilydd â phes daliesid mewn trosedd anfaddeuol...(Cyfaddefaf gyda chywilydd i minnau fod o dan yr ofergoel hon er hoffed oeddwn o Gymru a'i thraddodiadau, nes fy myned i fyw i Lundain, ac yno dechrau sylweddoli gwerth a thlysni fy iaith fy hun.)

118-19

1171

Er bod y Gymraeg yn cael mwy o barch swyddogol heddiw [1944], mewn ysgol a choleg, nag a gaffai ddeng mlynedd a thrigain yn ôl...nid yw'r gwelliant ond bychan wrth yr hyn a ddylai fod. A pha beth yn amgen a ellir ei ddisgwyl tra bôm ni sy'n proffesu anwylo'r iaith yn ymddwyn tuag ati mor groes i'n proffes o barch iddi?

121

1172

Er pob gwelliant a gafwyd y mae arferion gwrth-Gymreig rhai o'n 'Harweinwyr' bondigrybwyll yn wrthun i'r eithaf. Pregetha y gwŷr hyn yn huawdl hawliau yr iaith—ar y llwyfan, ond megir eu plant yn Saeson. Wrth weld hyn diolchaf o waelod calon am Gymreigrwydd yr Ysgol Sul.

122

WILLIAMS, JOHN RICHARD ('J.R. Tryfanwy'; 1867-1924)
1173
Os llosgwyd y derw fu'n cau Drws y Coed,
Os oerion a mudion yw strydoedd Tre'r
Ceiri,
Mae heniaith ein tadau mor fyw ag
erioed---
Ni chloddir mo'i beddrod yn erwau Eryri.
Ar Fin y Traeth (1910), 76

WILLIAMS, JOHN ROBERTS (g. 1914)
1174
Trwy'r blynyddoedd roedd pob gair ym mhob rhaglen Gymraeg yn Gymraeg nid am fod yna reol ond am na freuddwydiai neb y dylasent fod yn amgenach. Dim mwy o ysfa rhoi Saesneg mewn rhaglen Gymraeg nag oedd yna, ac y sydd yna, o roi Cymraeg mewn rhaglen Saesneg, sy'n tanseilio'r chwedl ein bod ni'n genedl ddwyieithog am mai'r Cymry Cymraeg yn unig sy'n ddwyieithog. A phe digwyddid defnyddio'r ddadl fod y Cymry Cymraeg yn medru Saesneg gellid yn rhesymegol ei defnyddio i beidio cynhyrchu rhaglenni Cymraeg o gwbl. A dim ond wedi hir ymgyrchu y llwyddwyd i sicrhau'r rhaglenni yma, am fod eu hangen...Erbyn heddiw mae'r Cymry Cymraeg yn medru dibynnu'n gyfan gwbl, os mai dyna'r dewis, ar y newyddion am Gymru a'r byd yn yr hen iaith, ac nid yn unig y mae'r gwasanaeth yn un clodwiw ond mae wedi cynhyrchu gwasanaeth sy'n gwyrthiol ddarganfod Cymraeg ym mhellafoedd daear.
Chwarter Canrif fesul Pum Munud (2001), 82-83

1175
Mi gefais i ddogn helaeth o fy addysg wrth draed Syr Ifor Williams oedd â'i adnabyddiaeth o'r Gymraeg yn fwy trwyadl nag adnabyddiaeth holl aelodau'r Bwrdd Iaith presennol. Roedd yn ymwybodol bod y Gymraeg, fel pob iaith, yn newid gydag amser, ond yn newid yn llawer iawn arafach na'r rhan fwyaf o ieithoedd. Mae'r Gymraeg oedd mewn bod pan oedd y Saesneg yn iaith arall— Anglo-Saxon—yn dal yn rhesymol ddealladwy i Gymro diwylliedig heddiw.
95

1176
Os ydi'r Gymraeg bresennol i newid, tasg ydi hynny i'r rhai sy'n dal i'w defnyddio'n naturiol yn eu bywyd beunyddiol, ac wedi bod mor ffeind wrth ei geiriau, ac nid tasg pobl o'r tu allan sy'n meddwl eu bod yn gwybod y cyfan am ieithoedd eraill, nac, rhaid i mi ddweud, er hwylustod i ddysgwyr.
96

WILLIAMS, R. BRYN (1902-81)
1177
Daeth yr hen ysgerbwd llong yn hwylus eto. Tynnwyd y caban yn rhydd a'i gludo i'r pentref, a'i alw'n Ysgol Trerawson...Cymraeg yn unig a arferid yno, a hynny yn y cyfnod yr erlidid plant Cymru am siarad yr iaith...Profwyd yno nad adeiladau a chelfi gwych, ac nid athrawon graddedig sydd bwysicaf mewn ysgol, eithr gwŷr yn medru diwyllio'r plant trwy gyfrwng eu hiaith eu hunain.
Cymry Patagonia (1942, ail arg. 1944), 58-9

1178

Bûm mewn ysgol arall am dri mis... Cymraeg oedd yr iaith yno, a'r Sbaeneg yn ddim ond un o'i thestunau...Ac onid yr iaith Gymraeg a ddylai fod yn gyfrwng addysg yng Nghymru hefyd? Siom dirfawr i mi oedd dyfod i Gymru a gorfod dysgu Saesneg cyn medru derbyn addysg gan athrawon Cymraeg yn y Brifysgol a'r Colegau Diwinyddol.

122

1179

Un o'r bechgyn hynny [yn yr Ysgol Sul] oedd Gregorio, mab y Casique Nahuelquir, pennaeth un o lwythau'r Indiaid. Siaradai Gymraeg a deuai i'r capel yn selog...Cofiaf ei dad ac amryw o'r llwyth...yn troi i mewn i'r capel ar nos Sul... a rhoes y pennaeth araith i ni yn Gymraeg.

122

1180

Cyn belled yn ôl â'r flwyddyn 1880 daeth llythyr o'r Wladfa yn cynnwys y newydd i ddwy Gymraes...briodi Sbaeniaid. Ofnai ysgrifennydd y llythyr hwnnw na ellid cadw'r Wladfa'n Gymreig. Eithr y pryd hwnnw yr oedd y gymdeithas Gymraeg mor rymus nes gorfodi'r rhai a briodai Gymry i ddysgu'r iaith...Ond heddiw bydd aelwydydd a phlant y rhai a brioda Sbaeniaid yn rhai di-Gymraeg.

137-38

1181

O'r holl ymfudo a fu o Gymru...yr ymfudo i'r Wladfa oedd y cais dewraf a mwyaf llwyddiannus ohonynt i gyd...Siaredir Cymraeg croyw gan y drydedd a'r bedwaredd genhedlaeth o'r

hen arloeswyr; cenir ein hemynau a phregethir yr efengyl yn ein hiaith a megir beirdd a llenorion Cymreig yno o hyd.

141-42

1182

Cymhlethdod o dafodiaith pob sir yng Nghymru yw Cymraeg y Wladfa, a meddal seiniau'r Sbaeneg wedi ei llyfnhau ar enau'r trigolion.

142

1183

Mae dyfodol y Gymraeg yn y Wladfa yn dibynnu ar yr aelwydydd a'r capeli yno... Bydd y rheini [y bobl ifanc] yn Gymry tra byddont byw. Nid oes perygl i'r iaith Gymraeg farw yno yn ystod y genhedlaeth nesaf o leiaf...Nid yw mor hawdd colli iaith, wedi i'r iaith honno fyned yn rhan o'ch personoliaeth. Mae gan y Wladfa ei phersonoliaeth ei hun, ac mae'r iaith Gymraeg yn rhan ohoni. Os cyll y Wladfa ei hiaith, nid y Wladfa a fydd hi mwy.

144-45

WILLIAMS, ROBERT ('Trebor Mai'; 1830-77)

1184

Bendith ar iaith fy mabandod,--iaith fwyn,
   Iaith fy holl gydnabod;
   Mae'n iaith dda, mae'n iaith i ddod
I'r nefoedd ar 'y nhafod.

Gwaith Barddonol...(1883), 333

WILLIAMS, Y Parchedig R. DEWI (1874-1958)

1185

Yn ben-golchydd yn y to cyntaf yr oedd Syr John Morris-Jones. Iddo ef y disgynnodd y gwaith o ddechrau o ddifrif olchi dillad di-raen llên Cymru; a gwelir arwyddion o'i rymuster ef ar bob llyfr Cymraeg a ddaw allan o'r wasg...Gwnaeth John Morris-Jones waith mawr, a bu hi'n ddydd Llun ac yn ddiwrnod golchi arno bob dydd am dros ddeugain mlynedd. Nid aeth erioed, neu o leiaf er dyddiau'r dilyw, y fath olchiad trwy ddwylo neb yng Nghymru, ar cyn lleied o sebon. Yn rhyfedd iawn ni ddysgodd ef erioed roi ei hyder ar sebon...Ond er na roes ei gred mewn sebon, yr oedd ganddo ddigon o ffydd mewn dŵr berwedig a soda— *caustic soda*, ambell dro—nid i symud mynyddoedd, ond i symud cén deucan mlynedd oddi ar y Gymraeg.

Bu llwyddiant ar ei ymdrechion, ac erys ei enw fel un o gymwynaswyr pennaf ei wlad yn y genhadaeth arbennig hon.

Y Traethodydd, Hydref 1935, 203

1186

Er gweled digon o arwyddion wrth ddarllen papurau a chyfnodolion bod yr ysgrifenwyr wedi dysgu golchi'r Gymraeg yn ofalus, byddaf yn cael lle i gasglu, wrth ddarllen aml ysgrif, bod y sawl a'i hysgrifennodd, rywsut, yn ei fawr sêl wrth olchi, wedi gadael i'r blwch *starch* syrthio i'r dŵr. Yr arwydd cyffredin o hynny yw colli ystwythder a naturioldeb o'r iaith, a hynny'n bennaf oherwydd cilio yn rhy bell oddi wrth iaith lafar...Er cymaint camp sydd ar Gymraeg T. Gwynn Jones, ei duedd yw troi ei wegil yn ormodol ar yr iaith a leferir gan Gymry ei oes.

204

1187

Gall barddoniaeth, pan fynno, anwybyddu iaith lafar...Mae hi'n rhydd i

arfer iaith na chlywir byth mohoni yng nghyfathrach cyffredin dynion â'i gilydd. Ond ffordd dyrpeg yw rhyddiaith, a phawb yn meddu'r un hawl iddi...ac nid da yw crwydro ymhell oddi wrth iaith gyffredin y bobl wrth ei hysgrifennu. Wedi'r cwbl, ar y briffordd hon, iaith lafar yw'r ferlen orau at wasanaeth pawb: ynddi hi y mae mwyaf o fywyd, hi yw'r siwraf ei throed a'r ddifyrraf ei charlam— hynny yw, pan fo llenor wedi llwyddo i'w dal a rhoi ffrwyn yn ei phen, cyfrwy ar ei chefn...Mae tith hon pan fo ar ei gorau yn un o'r pethau hyfrytaf dan haul.

204-05

1188

Y cyhuddiad a ddygid gan ei wrthwynebwyr yn erbyn O. M. Edwards yn ei flynyddoedd cynnar oedd ei fod yn ceisio gwthio Cymraeg Llanuwchllyn ar Gymru gyfan. Caniataer bod peth gwir yn hynny: yr ateb a'r amddiffyniad yw bod llenor yn groywach ei leferydd ac yn felysach ei ddawn wrth ffurfio'i arddull ar ffrâm Cymraeg byw unrhyw blwy yng Nghymru, nag wrth ei gwau yn rhy dynn ar batrymau hen y gorffennol.. Ar y pen yna 'roedd greddf O. M. Edwards yn nes i'w lle na'i orgraff a'i ramadeg, ac yr oedd hynny, y pryd hwnnw, yn llawer pwysicach i Gymru nag orgraff a gramadeg gyda'i gilydd.

205

1189

Beth yw'r rheswm bod mymryn o ias dibristod yn gwisgo dros bawb ohonom pan gydiom mewn cyfrol a deall mai cyfieithiad ydyw? Meddwl y byddwn, y mae'n debyg, fod yn amhosibl i gynnwys cyfrol dan amodau felly fod yn ddim gwell nag ail orau. Y mae peth gwir yn hynny, bid siŵr; ond nid yw o lawer yr holl wir. Y ffaith yw, yr ydym fel cenedl yn rhy ddwfn yn nyled cyfieithwyr i fedru fforddio troi gwegil ar gyfrol am ei bod yn gyfieithiad. Mae galw i gof gylch fy narllen i ym more foes yn cynhesu fy nghalon at gyfieithwyr. Bu adeg pan oedd ffrwd y cyfieithiadau yn rhedeg yn llond ei gwely i mewn i lenyddiaeth Cymru...Erbyn hyn ychydig o ryddiaith Saesneg a droir i'r Gymraeg. Ar gyfer llwyfan y ddrama yn bennaf y cyfieithir heddiw.

Hydref 1936, 251

1190

Mewn amser a fu, pregethau, cofiannau, esboniadau a barddoniaeth oedd toreth y llyfrau a gyhoeddid; ac ysgrifennid y rheini bron yn gyfan gwbl mewn Cymraeg oedd yn gyffredin i Dde a Gogledd—y briffordd honno y bu llenyddiaeth Cymru am gyfnod go faith yn cerdded ar hyd-ddi. Y pryd hwnnw ni theimlid nemor wahaniaeth rhwng llyfr wedi ei ysgrifennu gan Ddeheuwr a llyfr wedi ei ysgrifennu gan Ogleddwr. Erbyn hyn mae ysgrifenwyr yn nau ben y dalaith yn sylweddoli bod yna gyfoeth mawr o eiriau ac ymadroddion heb erioed gael cyfle teg i brofi eu hawl i le arhosol ac anrhydeddus yn yr iaith a argreffir: llawer gair gwych fel ebol gwyllt heb erioed ei ddal, ac heb i neb anturio rhoi tresi llên ar ei gefn. Ond mae llyfrau o fath *Dal Llygoden* yn gyfle campus—a defnyddio iaith ffair—i drotian geiriau llafar, lleol, yng ngŵydd yr holl wlad, a chyfle hefyd i Gymru gyfan graffu ar eu graen ac i

wrando ar sŵn eu pedolau, a phob yn dipyn i ddethol ohonynt at wasanaeth cenedlaethol, yn lle eu bod yn glöedig yn stablau tafodiaith bro.

Ebrill 1938, 115

1191

Nid wyf yn cofio imi weld yr un llyfr Cymraeg y tu mewn i'r ysgol [ysgol Pandytudur] erioed. Saesneg oedd pob llyfr, ac nid oedd caniatâd i siarad Cymraeg, a phan ddelid ni yn dweud gair Cymraeg 'roedd rhyw gosb yn dilyn. Yr adeg yr oeddwn i yn yr ysgol y ffordd oedd rhoi bag bychan, a nifer go dda o docynnau ynddo i ofal un plentyn mewn dosbarth. A phan ddywedai rhywun air Cymraeg byddai un o'r tocynnau yn cael ei roi iddo, ac ar derfyn dydd byddai'r plant â thocynnau ganddynt yn cael eu cadw ar ôl—pum munud am bob tocyn a fyddai gan blentyn. Felly golygai deuddeg o docynnau y cedwid plentyn am awr ar ôl i'r plant wasgaru.

dyf. W. J. Edwards, *Cerdded y 'Clawdd Terfyn'* (1992), 23-24

WILLIAMS, ROBIN (1923-2003)

1192

At y dyhead sydd ar ddiwedd eithaf yr Anthem yr wy'n anelu, 'O! bydded i'r hen iaith barhau'. Yn awr, os yw iaith am barhau—unrhyw iaith—yna rhaid dysgu ei phethau hi; rhaid blasu rhin gair a brawddeg a mydr ardalwyr, nes meddwi'n ddiedifar. Dylid dal gair, ymrafael ag o, taer geisio'i ddeall, os yn bosibl hyd eithaf ymdrech ac ysgolheictod bath Syr Ifor Williams.

Blynyddoedd Gleision (1973), 59

1193

Ni allaf amgen na...dweud os yw iaith am barhau, fod yn rhaid ymddigrifo ynddi hi. Gwyrth ryfeddol yw iaith. Ond mwy gwyrth a mwy rhyfeddod ydyw tafodiaith. Yn ddi-os, yn ei thafodiaith y mae drutaf trysor cenedl. Nid crair oer i'w osod mewn amgueddfa ydyw, ond bywyd cynnes o feddwl ac o fynegiant, sy'n dod allan o bobl mewn llais a goslef. Byw ac angerddol ydyw tafodiaith...O adael gair yn llên llonydd, odid yn y man na threnga'n gelain. Nid mewn llyfr ond mewn llafar y cedwir egni iaith, a thyna pam fod tafodiaith yn gyffro cynnes ac yn olud pur.

60-61

1194

Y mae gennym ni draddodiad llenyddol yng Nghymru sy'n hen iawn. Yn waredigol hen, gobeithio. Ond eto, mae'n rhaid, rhaid siarad y Gymraeg (yn ogystal â'i sgrifennu) a dalied pob ardal at olud ei thafodiaith.

61

1195

Braf yw cael dweud fod gennyf nifer dda o gyfeillion Seisnig sydd wedi dysgu Cymraeg yn odidog o rugl—a'm barn at hynny yw fod iaith y Cymry'n un wirioneddol anodd ei meistroli.

Llongau'r Nos (1983), 29

1196

Y dirgelwch yw hwn: nad yw'n cymdogion dros Glawdd Offa wedi deall yn glir hyd heddiw fod gan y Cymry iaith arall. I lawer o'r Saeson, yr iaith Gymraeg yw Saesneg gydag acen y De arni a'r 'look you' honedig hwnnw, na chlywais erioed

yr un Cymro yn ei arfer o Gaergybi i Gaerdydd.

30

1197

O ble daeth ieithoedd daear? A pham y gwahaniaeth rhyngddyn nhw?...Tra gyrr y Gymraeg yn ffonetig a chyhyrog heb ofni'r un sillaf, mae'r iaith Saesneg yn llawer mwy swil ac yn dueddol i doddi ar ddim. Diddorol at hynny yw sylwi, tra sieryd y Cymro'n weddol dawel, bod y Sais i'w glywed dros bob man. Ond gwahaniaeth bryd yn fwy nag iaith sy'n peri peth felly, reit siŵr.

Wrthi (1971), 122-2

1198

Fel Cymro, fe ddylwn i fod yn medru siarad a sgrifennu Cymraeg yn rhwydd, ond mi garwn yn wir fod yn rhugl mewn Saesneg yn ogystal; mi garwn siarad a sgrifennu Saesneg yn raenus, gan fod y sawl sydd a chanddo ddwy iaith yn gyfoethocach na'r dyn uniaith, neu fe ddylai fod. Gwell fyth fyddai medru tair, pedair a phum iaith. Yr anhawster i ni, wrth siarad Saesneg, yw trosi'n meddwl Cymraeg ar un fflach.

123

1199

'Good morning, Ellis Thomas', meddai Mrs Lewis, 'and how is Maggie this morning? Is she pretty well?'

'No, ma'am', atebodd Ellis, 'Maggie isn't very pretty to-day'.

Mae'r pethau hyn yn ddifyr, ac y mae deall arnyn nhw. Cymry, wrth siarad ail iaith, yn llithro'n garbwl naturiol i rigol eu Cymreigrwydd. Y peth sy'n anodd ei ddeall yw rhai yn colbio arni yn Saesneg, a'r Gymraeg yn iaith gyntaf iddyn nhw...

Ar adegau felly mae'n rhaid bod y Saeson yn ein gweld ni'n bobl od—heb Saesneg gwerth sôn amdano. Na Chymraeg chwaith.

125-26

1200

Gofynnodd [Llwyd o'r Bryn] mewn sobrwydd dwys un tro: 'Fydd yr iaith Gymraeg yn fyw i'r hen blant, dwêd?...Mi fydd raid i'r hen iaith ystwytho, ne mi fydd-hi wedi gorffen arni hi,' Gwir a ddywedodd. Os yw iaith, unrhyw iaith, am fyw, yna rhaid iddi ystwytho, ac ymateb i alwad ei chyfnod.

Y Tri Bob (1970), 84-85

1201

Nid tafodiaith sydd yng Nghymru, ond tafodieithoedd, a'r rheini'n amrywio'n hyfryd o ardal i ardal. Wrth oedi yn y De, deuem ar draws ambell gyfarchiad ac ymadrodd a'n daliai ar ungoes. Ac yn yr union fan honno y mae perygl dau Gymro o ddwy dafodiaith wahanol. Sef llwfwrhau, a throi i siarad Saesneg, ac ni ddylai Gogledd a De wneud hyn, am fod cyfoeth o eiriau ac ymadroddion gan y naill, fel y llall, y gallant eu rhannu rhyngddynt. Mater o ymbwyllo munud ydyw, a sylwi fel y llifa geiriau i'w gilydd wrth lefaru.

111

WILLIAMS, STEPHEN J. (1896-1992)
1202

Yng nghefndir yr addoliad, pan fo'r Golau Nefol yn tywynnu'n ddi-rwystr, fe ddaw'r Weddi Fawr yn ôl i addoliad Eglwys Crist. I ni y Weddi Gymraeg fydd hi—yn yr iaith a fu ar wefusau ac yng nghalonnau cenedlaethau o addolwyr y Tad, yr iaith a gysegrwyd gan ganrifoedd o bregethu'r Gair, yr iaith sy'n dwyn i ni atseiniau gweddïau'r saint, yr iaith y bu Duw drwyddi'n llefaru wrth ein cenedl ni ar hyd yr oesoedd a'r iaith sydd hyd y dydd hwn i ni yn Foddion Gras. [Anerchiad o Gadair Undeb yr Annibynwyr, Llanelli, 1969]

Yr Eurgrawn, cyf. 165, Hydref 1969, 100

1203

Nid oes berygl gorbwyso dyled rhyddiaith Gymraeg i gyfieithu.

Y Llenor, 8 (1929), 226

1204

Y mae cyfieithu i ryddiaith Gymraeg gain yn wir gamp gan mor briod yw ei chystrawennau ac mor goeth yw ei phriod-ddulliau, rhagor rhai o ieithoedd Ewrop, a'r Saesneg yn eu mysg.

226

1205

Bu'r Gymraeg rywdro'n offeryn cymwys yn llaw pobl ddiwylliedig. Os gwir nad yw felly'n awr, nid yn ein hiaith y mae'r diffyg ond yn ein diwylliant.

231

1206

Yr oedd y Gymraeg yn iaith fyw o hyd [1775-1825] yn y rhan fwyaf o'r sir [Brycheiniog], ac fe'i siaredid hefyd yng ngorllewin Sir Faesyfed yn niwedd y ddeunawfed [ganrif], er ei bod erbyn hynny'n cyflym edwino yn y sir honno.

Trafodion Anrhydeddus Gymdeithas y Cymmrodorion (1954), 18

WILLIAMS, WALDO (1904-71)

1207

Ni sylwem arni. Hi oedd y goleuni, heb liw,
Ni sylwem arni, yr awyr a ddaliai'r arogl
I'n ffroenau. Dwfr ein genau, goleuni blas,
Ni chlywem ei breichiau am ei bro ddi-
    berygl.
Ond mae tir ni ddring ehedydd yn ôl i'w
    nen,
Rhyw ddoe dihiraeth a'n gwahanodd.
Hyn yw gaeaf cenedl, y galon oer
Heb wybod colli ei phum llawenydd. ['Yr
Heniaith']
    Dail Pren (1956), 95

1208

Pan gafodd D. J. ei anrhydeddu gan y
Brifysgol yn 1957 â'r radd D. Litt....yr oedd
y gydnabyddiaeth hon yn hyfryd ac yn
addas, pe na bai ond y rhan fawr a gymerth
yn y gwaith o ddwyn tafodiaith yn ôl i'w
lle ym mynegiant llenyddol ein eenedl.
    D. J. Williams Abergwaun (gol. J. Gwyn
Griffiths), 25

WILLIAMS, WILLIAM ('Caledfryn';
1801-69)

1209

Mawryga gwir Gymreigydd—iaith ei fam,
    Mae wrth ei fodd beunydd;
    Pa wlad wedi'r siarad sydd
    Mor lân â Chymru lonydd?
    Caniadau (1856), 175

1210

Carwr, mawrygwr yr iaith,
Diwael awdwr dilediaith;
Treiddiwr i'r iaith, harddiaith hon,
A noddwr Awenyddion;
Drwy ei thaith y famiaith fêl
A fuasai'n fwy isel,

(Prin cawsai iesin oesi
Na byw chwaith) oni bai chwi;
Buoch, bron trwy eich bywyd,
Yn llon bleidio hon o hyd. [I'r Parchedig
John Jenkins (Ifor Ceri)]
    Grawn Awen (1826), 91

1211

Un o'r ffyrdd mwyaf effeithiol i'w difodi
[yr iaith] fyddai rhoddi terfyn ar ryddid y
Wasg Gymreig, terfyn ar yr ysgolion
Cymreig, terfyn ar bregethu yr Efengyl
yng Nghymru, a therfyn ar gymdeithasau
Cymreigyddol: eithr tra fo carreg ar
garreg o'r colofnau cedyrn hyn, gall yr
hwn a chwenychai gael yr hyfrydwch o
neidio ar ei bedd mewn llawenydd am ei
thranc, ac o ganu ei marwnad ddisgwyl
hyd nes y gwelo y Wyddfa wen yn llamu
o'i safle ac yn ymdreiglo i Fôr y Werydd!
    Y Geninen Eisteddfodol (1891), 2

WILLIAMS, W. CRWYS (1875-1968)

1212

Llys a chastell nid oes iddi,
    Plas na maenor chwaith yn awr,
Ond mae'r heniaith yn ymloywi
    Ar wefusau'r werin fawr.

Fore Clamai, tyr'd i'r dreflan,
    Hi fydd yno ar ben ffair;
Rhwng pob gwas a morwyn ddiddan
    Yn Gymraeg y bydd pob gair.

Tyred hyd ym mhorfa'r defaid,
    A thi glywi'i pheraidd sŵn,
Dyma'r iaith a gâr bugeiliaid,
    Dyma'r iaith ddealla'r cŵn.
    Cerddi Crwys (1920), 17

1213

'Rwy'n caru, 'rwy'n siarad iaith beraidd fy
  ngwlad,
Iaith fwynaf yr hen Ynys hon,
Iaith aelwyd a themel, iaith 'mam a fy nhad,
Iaith calon, boed leddf neu boed lon;
  Mae'r emyn a'r alaw,
  A'r weddi fach ddistaw,
Yn dweud mai'r Gymraeg yw iaith galar a
  gwledd,
Iaith carreg fy aelwyd, iaith carreg fy medd.
107

1214

Ni roes i'w fwthyn enw
  Cymraeg, ffasiynol, tlws,
Mae'r iaith ar garreg aelwyd Jos,
  Ac nid uwchben y drws.

Nid enwau'r hen frenhinoedd
  Sydd ar ei blant ychwaith,
Ond iaith t'wysogion Cymru gynt,
  Er hynny, yw eu hiaith.

Ac er na welwyd Josi
  Pwy nos yn gwledda'n drwm,
'Rwy'n mentro dweud bod Dewi Sant
  Yn hoff o Josi'r Cwm.
Cerddi Newydd Crwys (ail arg.), 54

WILLIAMS, W. MOSES
1215

His [Griffith Jones'] *purpose was not in the*
least to teach or preserve any language but
to use the mother tongue, whatever it might
be, to teach the truths of religion and the
Christian ethic. Lewis Morris and he
regarded the Welsh language in quite
different ways, and there are in our own day
the same almost irreconcileable opinions.
For Lewis Morris the Welsh language was
an end in itself; it must be preserved because
of its intrinsic beauty and antiquity. For
Griffith Jones it was a means of
communication, and it must be preserved
because of the important ends and purposes
that could only be achieved through it.
The Friends of Griffith Jones (1939), 58

Nid dysgu na chadw unrhyw iaith oedd ei
bwrpas [Griffith Jones] o gwbl, ond
defnyddio'r famiaith, pa un bynnag
fyddo, i ddysgu gwirioneddau crefydd a'r
etheg Gristnogol. Roedd Lewis Morris ac
yntau'n edrych ar yr iaith Gymraeg mewn
ffyrdd hollol wahanol, ac y mae yn ein
dyddiau ni yr un barnau anghymodlon. I
Lewis Morris roedd yr iaith Gymraeg yn
ddiben ynddi'i hun; rhaid ei chadw
oherwydd ei thlysni cynhenid a'i
hynafiaeth. I Griffith Jones, cyfrwng
cyfathrebu ydoedd, a rhaid ei chadw
oherwydd y dibenion a'r amcanion
pwysig na ellid eu sylweddoli ond
drwyddi hi.

WILLIAMS, W. OGWEN (1924-69)
1216

Sixteenth-century Protestantism came
almost dramatically to the support, if not
the rescue, of the Welsh language. It
provided the chief, indeed almost the only
compulsive motive for the fashioning of
Welsh into a modern, literary language; and
it ensured that Welsh should become the
language of religion for the majority of the
Welsh people, one of the principal
determining factors in the later history of the
language, particularly in the nineteenth
century when Nonconformity came to take
so strong a hold upon Wales. The
preservation of the Welsh language,
ironically enough, had very little to do with

the purpose of the small group of Welsh Protestant reformers by whose determined work and effort this remarkable transformation in the fortunes of the Welsh language was brought about.

The Welsh History Review, 2 (1964), 75

Daeth Protestaniaeth yr unfed ganrif ar bymtheg yn ddramatig bron i hybu, onid i achub, yr iaith Gymraeg. Hi oedd y prif gymhelliad gorfodus, yn wir agos yr unig un, i lunio'r Gymraeg yn iaith lenyddol, fodern; a sicrhaodd fod y Gymraeg yn dod yn iaith crefydd i'r mwyafrif o'r Cymry, un o'r ffactorau penderfyniadol pennaf yn hanes yr iaith yn ddiweddarach, yn enwedig yn y bedwaredd ganrif ar bymtheg, pan gafodd Anghydffurfiaeth afael mor gadarn ar Gymru. Nid oedd i gadwedigaeth yr iaith Gymraeg, yn eironig ddigon, fawr ddim a wnelai â phwrpas y grŵp bychan o ddiwygwyr Protestannaidd Cymreig y parodd eu llafur a'u hymdrech benderfynol y trawsffurfio hynod hwn yn nhynged yr iaith.

WYNNE, Y Parchedig ERNEST
1217

Gynt bu Crefydd a'r Gymraeg yn ddylanwad dyrchafol ar ei gilydd yng Nghymru.

Beth ynte am heddiw? Ofer ar hyn o bryd ydyw disgwyl brwdfrydedd o blaid yr Iaith o gyfeiriad crefydd gyfundrefnol. Llyfr caëedig ydyw'r Beibl bellach i laweroedd o'n pobl—boed y Gair yn yr hen orgaff neu'r newydd.

Yr Eurgrawn, 163, Haf 1971, 57

1218

Gwn fod y Gymraeg heddiw yn llawer mwy parchus yng ngolwg y werin nag ydoedd hanner can mlynedd yn ôl. Dylai'n diolch fod yn fawr i'r gwahanol fudiadau, megis Mudiad yr Ysgolion Cymraeg, Pwyllgor Cyd-enwadol yr Iaith Gymraeg a Chymdeithas yr Iaith Gymraeg heb anghofio safiad dewr yr Eisteddfod Genedlaethol, am a wnânt dros yr iaith. Mae'r Gymraeg yng Nghymru heddiw yn llai o broblem nag a fu. Gwawried y dydd pan na fo sôn am *broblem* yr iaith.

O raid daeth ffyniant y Gymraeg yn y Gymru gyfoes yn fwy o fater gwleidyddol nag erioed yn ei hanes, a da hyn.

59

1219

Credaf mai galwad foesol yw'r alwad i bob Cymro a Chymraes siarad Cymraeg, ei chefnogi trwy brynu o leiaf un newyddiadur wythnosol Cymraeg, cefnogi'r fasnach lyfrau Cymraeg, hybu ffyniant ein cylchgronau Cymraeg a gweithredu'r hawl gyfreithiol i ddefnyddio'r iaith ar bob achlysur posibl. Mae'r angen am deyrngarwch ymarferol fel hyn i'r Gymraeg yn fawr.

59

1220

Fy mhrofiad i yw nad y Saeson uniaith yn ein plith yw gelynion y Gymraeg yn gymaint â'r Dic Siôn Dafyddion bondigrybwyll—y Cymry mewn enw—na fynnant arddel yr iaith hyd yn oed gyda'u cyd-Gymry.

59

'Y Gymraeg mewn Addysg a Bywyd'
(1927)

1221

Lladin ydoedd yr iaith gyffredin yn yr ysgolion a'r colegau. Odid na bydd yn hyfrydwch i'r Cymry sydd o hyd yn teimlo'r loes wrth gofio am y 'Welsh Note' [sic] glywed am beth tebyg yn ysgolion Lloegr yn yr unfed ganrif ar bymtheg. 'Y mae'n arfer gyffredin yn yr ysgolion,' meddai Brinsley, 'i benodi Custodes neu Asini ym mhob dosbarth i wylio'r sawl a fo'n siarad Saesneg...Yn Ysgol Eton y custos ydoedd penbwl y dosbarth, ac un ffordd i ennill yr enw dirmygedig hwnnw ydoedd siarad Saesneg.'

2

1222

Yn y cyfnod pan edrychid ar y Saesneg bron fel tafodiaith caethion, yr oedd y Gymraeg yn iaith y bendefigaeth, a chadwodd ei safle a'i hurddas nes ennill o'r Tuduriaid orsedd Lloegr. Yn nes ymlaen, pan ddaeth yr adwaith yng Nghymru, megis yn Lloegr, yn erbyn Lladin yr Ysgolion Gramadeg, ni allodd y Gymraeg adennill ei lle ym myd addysg, fel yr enillodd y Saesneg ei lle yn Lloegr. Yng Nghymru cymerth y Saesneg le'r Lladin; a phan gosbid y plant am siarad Cymraeg yn yr ysgolion, ni wneid hynny oherwydd na siaradent Ladin, megis yn Lloegr, ond, yn hytrach, oherwydd na siaradent Saesneg.

2-3

1223

Nid oes fodd inni gymryd golwg eang a chywir ar hanes yr iaith Gymraeg a'i llenyddiaeth oni sylweddolwn fod y Gymraeg, er y dechrau, yn un o brif ieithoedd llenyddol y byd; ac nad iawn inni fesur ei phwysiced fel cyfrwng diwylliant wrth y ffaith mai gwlad ddarostyngedig a dibwys mewn ystyr wleidyddol ydyw'r wlad lle y defnyddid hi a lle y parheir i'w defnyddio. Ni ellir byth obeithio dysgu nac amgyffred hanes cymdeithasol Cymru, oni ddeellir yn glir mai hanes yr iaith Gymraeg ydyw hanes Cymru. Y mae wedi parhau'n fyw fel iaith rhan helaeth o'r bobl a fu'n ei siarad er cyn cof...Nid rhyw hap a damwain ffortunus a'i cadwodd yn fyw pan oedd mewn cyfyngder..ond yn hytrach yr egni cysefin a oedd ynddi hi ei hun... a'r cwbl a wnaeth y damweiniau 'ffortunus' y cyfeiriwyd atynt oedd rhoddi mwy o gyfle i'r bywyd hwnnw ddatblygu a thyfu.

4-5

1224

Gellir dywedud am y Gymraeg...nid yn unig mai hyhi ydyw prif iaith y gangen y perthyn iddi, eithr mai hi *yn unig* a gadwodd hen draddodiadau'r iaith Frythoneg; yn wir, mai'r iaith honno wedi datblygu a'i llyfnhau a'i chymhwyso ar wefusau cenedlaethau afrifed ydyw'r Gymraeg.

8

1225

[Y] Tuduriaid, a dybiai eu bod yn gwasanaethu Cymru wrth ladd yr iaith ac wrth roddi pob cefnogaeth i'r Cymry ddatblygu'n genedl o gynffonwyr llys, awyddus am swyddi breision. Pa beth bynnag ydoedd eu hamcan, methodd ganddynt wneuthur y Cymry'n rhan o genedl fawr y Saeson.

19

1226

Rhaid i'r iaith adennill yn ei chartref yr
urddas hwnnw a ddarlunir yng ngwaith
Hywel ab Owain, Tywysog Gwynedd,
pan ganai glodydd ei riain:

Dewis yw gennyf, hartliw gwanec,
Y doeth yth gyuoeth, dy goeth gymräec.
178

MYNEGAI

I
Cyffredinol

II
Personau y cyfeirir atynt yn y Dyfyniadau